직지가 프랑스로 가게 된 비밀을 추적하다

잃어버린 직지를 찾아서

즐거운지식 2

직지가 프랑스로 가게 된 비밀을 추적하다

잃어버린 직지를 찾아서

이세열 지음

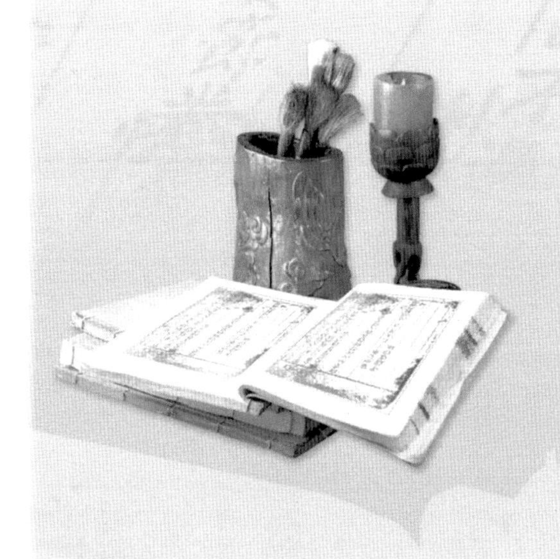

이담 Books

이 책을 펴내며

필자가 현존 세계 최고의 금속활자본 『直指』와 인연(因緣)을 맺은 지 10여 년이 지났다. 처음에는 학문적인 지식이 천박(淺薄)함에도 객기를 부려 직지인심(直指人心)의 경지를 터득하지 못한 지성(知性)이 졸문(拙文)된 『직지』를 번역 출판하기도 했다. 이후 청주시민회에서 주도한 '직지찾기운동'에 참여하면서 고서의 감정과 『직지』와 관련된 유적지를 발굴하는 등 나름대로 활발한 활동을 했다. 또한 이러한 활동이 『직지』가 세계기록유산에 등재되는 데 일조했으리라 자부한다. 그간 연구활동으로는 직지문화특구 제안, 직지문화 상품개발, 흥덕사 복원 등과 관련된 직지문화산업 인프라 구축을 위한 기본적인 연구, 번역서 『직지』와 길라잡이 『직지 디제라티』, 그리고 자료집으로 『직지 600년 비밀의 문을 열다』 등의 저서를 쓰기도 했다. 또한 『직지』를 소재로 한 애니메이션, 영화, 드라마, 다큐멘터리, 오페라, 의상제작, 작시작곡 등 영상물과 예술 분야에까지 미쳤다.

그러나 한편으로는 재외학자에 대한 가시덤불과 같은 정치력의 부재와 필자를 둘러싼 제반 환경의 변화에도 선(禪: 행복)을 닦는 마음으로 정안(正眼)이 열려야 하지만 좌력(座力: 空의 도리를 깨닫는 데서 오는 힘)이 절실히 부족함을 느낀다. 그렇지만 이번 책을 발간으로 벤처브랜드 직지 사상에 입각한 하이터치 문명의 새로운 패러다임으로 선회하여 글로벌 시장과 다양한 미개척 분야의 선지식(善知識)을 찾고자 한다.

필자가 이 책을 쓰게 된 것은 2005년 서원대학교 평생교육원에서 실시한 직지해설사 양성과정에서 강의했던 자료를 이후 3년 동안 보충하여 한 권의 책으로 엮게 된 것이다. 『직지』가 프랑스로 간 경위에 대해서는 자세하게 다룬 저작이 극소수일 뿐 아니라 잘못 알려진 부분도 상당수 있었다. 또한 언어 장벽으로 프랑스 문헌에 대한 접근의 난관으로 일부 프랑스 원문은 필자가 직접 사전을 찾으면서 번역하여 많은 오역이 있을 것이라 여겨진다. 그러나 한편으로는 내가 남에게 의존하지 않고 직접 내 손으로 이러한 일을 성취했을 때 그 기쁨이 얼마나 소중한지를 일깨워 주는 계기가 되기도 했다.

이 글을 쓰는 동안 국내 스타급 소설가들이 『직지』가 프랑스로 유출된 것과 관련이 깊은 구한말 콜랭 드 플랑시 공사와 궁중 무희와의 로맨스적인 이야기를 주제로 소설이 나오기도 했으며 최근에는 『직지』를 어린이 수준에 맞춘 동화가 출간되기도 했다. 욕심 같아서는 필자도 소설이나 드라마, 동화를 쓰고 싶지만 그러한 역량에 미치지 못해 1차적 콘텐츠만을 발굴하고 더 좋은 드라마틱한 작품들로 내면적 풍경을 오롯이 되살리는 직지 신드롬의 법고창신(法古創新)은 전문작가들의 몫으로 남겨 두고자 한다.

『직지』는 활자, 인쇄, 불교, 문화유산이라는 한정된 용어에서 벗어나 대장간, 주물소, 책방 뿐만 아니라 로맨스나 휴머니즘적인 감동을 주는 우리 실정에 맞는 문화 코드로 잘 가공하여 가장 아름다운 작품으로 다시 꽃피워야 할 것이다. 이 책은 19세기 말 우리나라를 둘러싼 일본과 중국, 러시아를 비롯하여 구미 열강국 간의 오만한 권력 쟁탈과 시대적 상황은 물론 주한 프랑스 외교관으로 주재하면서 『한국서지』의 편찬과 『직지』를 수집해 간 인물들의 학풍을 입체적으로 조명한 것으로 향후 『직지』와 같은 문화유산이 또다시 해외로 유출되는 비극이 없었으면 하는 바람이다. 그리고 이 책의 잘못된 부분에 대해서는 전적으로 필자의 책임이며 향후 수정 보완해 나갈 것이다.

끝으로 이 책을 쓰는 데 물심양면으로 관심을 보여준 주성대학 박재국 이사장님과 정상길 총장님, 그리고 이 책 발간에 동기가 된 서원대학교 평생교육원과, 직지문화연구소 정덕형 소장님께 감사드린다. 또한 프랑스어 원문에 대한 교정과 자문을 주신 경남대학교 공배완 교수님, 『직지』 연구에 격려와 도움을 준 청주고인쇄박물관 황정하 학예연구실장님과 라경준 학예사님, MBC 청주문화방송 남윤성 PD님, 특히 틈틈이 시간을 내어 세심히 교정을 봐 주신 주성대학 사회복지과 이상억 님께 깊은 감사를 드린다. 또한 어려운 재정 형편임에도 선뜻 교열과 편집을 맡은 한국학술정보(주) 채종준 대표님께 고마움을 표한다.

2009년 4월 어느 날

덕암골에서 이세열

목차

처음 들어가며 _11

I 프랑스 제국주의와 문호개방_15

1. 개화기 열강의 제국주의와 문호개방 17
2. 천주교 박해와 병인양요(丙寅洋擾) 21
3. 한불수호통상조약 32

II 개화기 프랑스 외교관과 한국학 연구_41

1. 콜랭 드 플랑시(Victor Collin de Plancy) 43
2. 모리스 쿠랑(Maurice Courant) 119
3. 프랑스의 한국학 연구 148

III 『직지』의 경제적 가치_175

1. 『직지』의 경매 177
2. 『직지』의 경제적 가치 184
3. 개화기 우리나라의 경제 190

IV 해외에서의 『직지』 홍보_201

1. 파리만국박람회(萬國博覽會) 203
2. 세계 책의 해(L'Année Intrenationale du Livre) 222
3. 홍종우(洪鍾宇)와 기메박물관(Musée Guimet) 250
4. 『직지』의 해외 유출 경위 263

V 『직지』의 재발견 및 연구_267

1. 박병선(朴炳善)과 『직지』 269
2. 『직지』의 금속활자 고증 경위 273
3. 일본학자의 한국서지 연구 275
4. 북한의 『직지』 연구 280
5. 『직지』 반환 대안 283
6. 『직지』와 고속전철사업 295

VI 『직지』의 형태적 편성체제_299

1. 『직지』의 다른 판본들 301
2. 『직지』의 외형적 체제(프랑스국립도서관 소장본) 316

마지막 나오며_333
도움을 준 자료_339

처음 들어가며

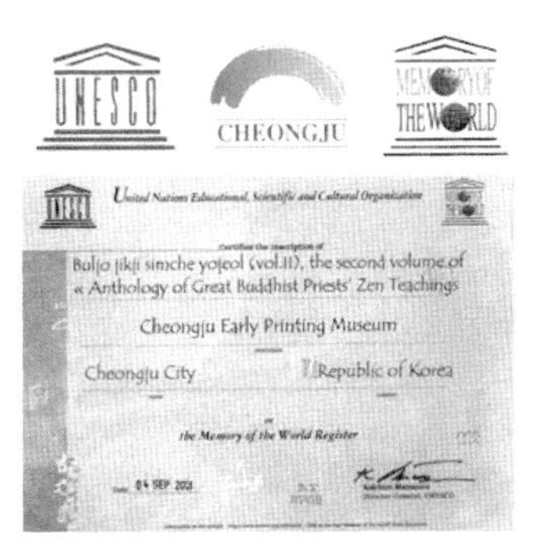
UNESCO
CHEONGJU
MEMORY OF THE WORLD

United Nations Educational, Scientific and Cultural Organization

Bul|jo jikji simche yojeol (vol.II), the second volume of
« Anthology of Great Buddhist Priests' Zen Teachings

Cheongju Early Printing Museum

Cheongju City   Republic of Korea

the Memory of the World Register

Date 04 SEP 2001

(사진 1) 유네스코의
직지세계기록유산 등재문서

인류문명은 문자가 탄생시켰다. 현존 세계 최고의 금속활자본 『직지』는 2001년 세계기록유산(Memory of the World, 약칭 MOW)에 등재된 우리 민족의 얼과 혼이 어려 있는 세계적인 문화유산이다. 그런데 어찌된 영문인지 정작 금속활자를 창안한 우리나라에는 없고 이역(異域) 멀리 타국에 부모 잃은 고아처럼 외롭게 있는지 의문이 나지 않을 수 없다. 그리하여 이 연구에서는 『직지』가 현재 프랑스국립도서관(La Bibliothéque Nationale de France)에 보관하게 된 과정부터 언제 누구에 의해 유출되었으며, 『직지』 반환 협상과 관련해 우리나라와 프랑스 간의 외교에 어떠한 영향을 미쳐 왔는지 살펴본다. 『직지』가 프랑스에 건너갔을 시점인 개화기 때의 서구문화 유입은 4－5세기 불교의 도래보다도 더 큰 변화여서 한국사를 근본부터 뒤흔든 역사상의 일대 사건이었다. 개항 이후 우리 민족은 봉건제를 타파하고 당시의 가장 큰 화두였던 근대화라는 역사적 패러다임(Paradigm)의 과제를 풀어야 할 문명사적 전환기에서 막강한 물리력을 앞세운 서구 열강들의 새로운 문명의 근대 국제체제를 본격적으로 확산하려는 이들 나라와의 관계는 매우 중요한 위치를 차지하게 된다. 그리하여 이 책에서는 이러한 시기를 맞은 우리나라와 프랑스와의 문호개방과 외교상황을 역사적 관점에서 살펴보지 않을 수 없다. 그리고 당시 외교관으로 와서 『직지』를 수집해 간 콜랭 드 플랑시와 한국의 옛 책을 수집하여 체계적으로 정리한 『한국서지(Bibliographie coréenne)』[1]의 저자 모리스 쿠랑의 생애와 학문이 후세에 미친 영향과, 외교업무와 『직지』와는 어떤 불가분의 관계였는지를 밝힌다.

또한 프랑스 외교관들에 의해 수집된 『직지』가 프랑스국립도서관에 소장되기 전 경매에 붙여진 경위와, 그 당시 경매가격과 지금의 『직지』의 경제적 가치를 규명하여 문화재로서의 위상을 제고했다. 그리하여 『직지』의 경제적 가치를 산출함에 있어 구한말 당시 화폐를 비롯한 곡물·도서가격 등 경제상황을 파악함으로써 그 신뢰도와 타당성을 높였다. 우리나라 문화는 한불수교 이후 1900년 프랑스에서 열린 파리만국박람회를 통해 전 세계에 알려졌다. 이때 처음으로 전시회에 『직지』가 전시되었다고 하는데 실제 전시목록의 사실 확인과 파리만국박람회가 갖는 의미와 『직지』의 유출 경위를 파악하여 문화재의 중요성을 상기시켰다.

『직지』가 세상에 처음 알려진 것은 동양 언어학자 모리스 쿠랑이 『한국서지』 3책을 편찬하여 간행하고, 뒤이어 그 내용을 증보하여 1901년 『한국서지』의 부록을 출판한 보유판에 수록됨으로써 알려지게 되었으나 그 실물과 내용을 확인하지 못하고 있었다. 그러던 중 1972년도에 '세계 책의 해(L'Année Intrenationale du Livre)'를 기념하기 위하여 국제전시회에 출품됨으로써 알려지게 되었다. 이후 『직지』는 『한국서지』 외에 외국의 간행물에 수록이 되었는데 프랑스어로 되어 있어 이를 우리말로 풀어 그 내용을 소개했다. 「직지」가 '세계 책의 해'에 전시가 되기까지 이를 찾아내고 국내에

1) Maurice Courant이 1900년대를 전후하여 펴낸 『Bibliographie coréenne』는 당시 나라 이름[國號]에 따라 『조선서지(朝鮮書誌)』로 사용한 경우도 간혹 있지만 현재 일반적으로 『한국서지(韓國書誌)』로 쓰고 있는 추세이다. 그리하여 실제로 서명을 어느 것으로 통일하여야 하는 것이 맞는 것인지 다소 애매한 점이 있다. 이에 대해 필자는 『Bibliographie coréenne』의 내용이 조선시대에만 국한되지 않고 삼국시대와 고려, 대한제국까지 우리나라의 전 왕조를 대상으로 한 서지이므로 『한국서지』로 사용함을 원칙으로 정했다.

(사진 2) 프랑스국립도서관(신관)

프랑스국립도서관(구관)

가지고 들어와 국내 학자들의 고증을 거쳐 금속활자임을 입증하는 데 기여가 큰 당시 프랑스국립도서관 사서였던 박병선 박사의 업적을 밝혀 후세들에게 귀감을 보이게 한다. 또한 『직지』에 대한 북한과 외국인의 연구 성과를 짚어 보고 향후 전략적 대안을 모색한다.

현재 프랑스국립도서관에[2] 소장되어 있는 『직지』는 표지가 고려시대 것

2) 프랑스국립도서관(BNF)은 1994년에 프랑스도서관(BF)과 파리국립도서관(BN)이 합병된 것이다. 오늘날 프랑스국립도서관(BNF)에는 지역적으로 이미 분리된 프랑수아미테랑도서관(Le site Francois-Mitterrand)과 리슐리외도서관(Renovation du site Richelieu), 그리고 아스날도서관(L'Arsenal)의 3개 도서관이 있는데 기존 시스템은 그대로 살리되, 도서관마다 장서를 형태별로 주제화하여 각각 관리하고 있다. 프랑스국립도서관은 3개의 도서관 외에 파리의 오페라 도서관-박물관(Bibliothèque-Musée de l'Opéra), 아비뇽의 장 빌라르의 집(Maison Jean Vilar), 뷔씨 쌩 조르쥬의 테크닉 센터(Le centre technique de Bussy Saint-Georges), 사블레의 조엘 르 뜰르 센터(Le centre Joel-Le-Theule a Sable) 등 모두 7개의 도서관이 합쳐져 있다.
리슐리외도서관은 필사본, 목판본, 사진자료, 지도, 골동품, 음악자료 등을 소장한 한 도서관으로 『직지』 외에도 우리나라의 국보급 문화재인 외규장각 도서와 신라의 고승 혜초의 『왕오천축국전』이 보관되어 있는 곳이다.
La Bibliothèque nationale de France se déploie sur 7 sites géographiques distincts ayant chacun leurs spécificités, leurs collections, leurs missions.
Cinq de ces sites accueillent le public. Les deux autres sont consacrés à la conservation des collections.
Site François-Mitterrand (Paris)
Site Richelieu (Paris)
Bibliothèque de l'Arsenal (Paris)
Bibliothèque-Musée de l'Opéra (Paris)
Maison Jean Vilar (Avignon)
Sites de conservation
La rénovation du quadrilatère Richelieu;
La réhabilitation du quadrilatère Richelieu, qui abrite la majeure partie des collections spécialisées (Arts du spectacle, Cartes et plans, Estampes et photographie, Manuscrits, Monnaies, médailles et antiques, la Musique étant dans un bâtiment voisin), est une des priorités des projets immobiliers du ministère de la Culture et de la Communication.

이 아닌 조선 후기의 것으로 추정된다. 그리하여 형태서지학적인 면을 분석하여 『직지』의 유출경로 및 또 다른 『직지』의 발견 가능성에 대비하고자 한다. 최근 『직지』를 소재로 한 공예품은 물론 문학작품과 예술공연 등이 활발하게 펼쳐서 그 인식과 가치가 점차 높아지고 있다. 또한 『직지』가 프랑스에 소장된 영향으로 국제화의 움직임이 일고 있어 상당히 고무적인 일로 평가되고 있다. 『직지』가 프랑스에서 영원히 반환되지 못한다면 국내에서 『직지』 뿐만 아니라 모든 고인쇄 관련 문화재를 찾는 데 전 세계인이 나서야 할 것이다.

---

* http://www.bnf.fr/pages/zNavigat/frame/connaitr.htm

I 프랑스 제국주의와 문호개방

1. 개화기 열강의 제국주의와 문호개방

(사진 3) 병인양요 민족기록화

우리나라는 지정학[3]적으로 아시아 대륙과 연접(連接)되어 남북으로 뻗어 있는 반도국가이기 때문에 역사가 시작된 이래 주변 강대국으로부터 무려 976회의 외침을 당하는[4] 항전(抗戰)의 역사를 되풀이해 왔다. 19세기 전반까지 대륙방면으로는 중국의 한족(漢族)과 북방민족, 해양방면으로는 일본의 침구(侵寇: 침입하여 노략질함)와 같이 한반도를 둘러싼 주변 3국이 각축전(角逐戰)에서 누가 패권(霸權)을 잡느냐 하는 시공간적 통로였다. 그러나 19세기 말 개화기에 들어서는 이들 3국의 간섭과 견제를

3) 지정학(地政學 · Geopolitics)은 19~20세기까지만 해도 국력을 극대화하고 최적의 조건 속에서 대외적 팽창을 위해 영토를 넓히고 관리하는 '국가주의' 학문이었다. 즉 제국주의가 전쟁계획과 밀접히 연계하여 영토의 보존 확장 전략을 통한 식민지 경영을 위한 제국주의의 첨병(尖兵: 선봉장) 역할을 수행했다. 그리하여 지정학은 좀더 '발달하고', '문화화한' 국가나 민족이 그보다 못한 국가나 민족을 지배하는, 철저히 열강 위주의 학문이었다. 지정학은 국경 · 자원 · 이주민 · 군사 기지 등을 둘러싼 국가 사이의 갈등이나 역학관계가 주요 연구 대상이다. *콜린 플린트 지음, 한국지정학연구회 옮김, 『지정학이란 무엇인가』. 서울: 도서출판 길, 2007.

4) 金源模, 『開化期 韓美 交涉關係史』. 서울: 단국대학교출판부, 2003. p.19 주1)에서 재인용함.

받는 것은 물론 구미 열강 제국주의의 침략을 받게 되는 새로운 지배 이데올로기(Ideologie)인 오리엔탈리즘(Orientalism)의 물결이 일고 있었다. 개화기 당시 우리나라는 중국과 일본과 같은 인접국을 비롯하여 구미 제국주의 열강 상호간의 패권경쟁과 대립이 벌어지는 국제적 역학 환경에서 외교적 대응으로서 문호를 개방하지 않을 수 없는 복잡 미묘한 시대적 정황을 맞고 있었다. 당시 유럽의 해양 강대국들은 16세기 초부터 해양무역로를 따라 동남아시아의 주요 지역에서 식민제국의 건설 발판을 마련하기 시작했으며 19세기에 와서는 더욱 경쟁이 가열되었다. 20세기 초에는 프랑스·영국·네덜란드·미국은 동남아의 대륙부와 해양부를 상당히 지배하게 되었는바 이는 선교나, 시장개척과 투자기회, 과잉인구 해소와 같은 종교적·상업적 목적보다는 국가의 권위와 위신(威信)을 드높이고 국가의 이익을 보호한다는 당시의 국가관이 식민지 경쟁을 일으키게 했다. 또한 이들 강대국들이 대륙부 아시아 지역을 경쟁적으로 차지하려 한 것은 중국과 같은 거대한 내륙에 접근하는 경제성과 군사적인 전략기지로 요새화하려는 야심에 한반도가 특히 이들의 목표가 되지 않을 수 없었다.

20세기 초 이들 열강들은 강력한 해군력을 배경으로 영토확장이라는 정치적 정략(政略) 목적과 이권획득으로 시장개척이라는 경제적 욕구를 충족시키기 위해 비문명화된 극동아시아로의 대륙적 진출이라는 노골적인 침략을 도모하는 야심을 갖고 있었다. 그런데 중국을 확보하려는 서구 열강과 일본, 반대로 일본과 서양을 점령하려는 중국과 러시아의 관점에서 볼 때 한반도는 그 중간 거점이 되므로 이들 국가 간의 각축지역이 되지 않을 수 없는 지정학적 특성을 지니고 있어 혼란이 지속되었다. 개화기 당시의 갑오경장(甲午更張)과 을미사변(乙未事變)과 같은 공간이 제1차 개방의 국면(局面)이라면 오늘날은 세계화와 무역교류란 미명하에 강대국들에 의한 제2차 개방의 시기라 할 수 있다. 개화기 당시 우리나라에 개방을 요구한 강대국들은 대륙과 해양을 중심으로 진출하려는 나라들과 서로 견제하면서 때로는 전략적 협력 관계를 강화하는 등 시장개척을 목적으로 자국의 이권만 노릴 뿐 외교정치가 정립되지 못한 혼란한 국제시대였다. 국제적 관점에서

이 시기의 우리나라는 한반도를 둘러싼 중국·일본·러시아는 물론 서양 제국주의의 진출과 이에 대한 구한말 우리 정부의 대응은 전근대 동아시아 제국과의 관계에서 현재의 국제화 내지는 세계화에 이르는 관계가 상황만 달랐지 문화적 영향의 중요성은 크게 달라지지 않고 있었다.

19세기 말 20세기 초 식민강대국들은 제국을 소유하는 데 경제적이고 군사 전략적인 기술만으로 식민화하려 하지 않고, 서구의 이념과 교육 등 토착사회의 복지와 발전을 위한 제도적 장치를 마련하는 등 윤리적이고 도덕적인 문화정책을 동시에 수행했다. 그리하여 병원과 학교를 설립하여 토착 엘리트(Elite)를 양성하여 이들로 하여금 새로운 세계관과 식민전략이 가져다준 기회를 잘 활용하여 자신들의 식민 프로젝트(Project)를 진작시키는 데 협력하도록 의도적으로 대응했다. 그러나 미개화국일지라도 기존 문명이 탄탄하고 위기상황이 아닌 나라에서는 종교의 전도와 식민전략이 지배층의 정치적 동기가 크게 작용하지 않는 한 큰 결실을 보지 못했다. 이러한 개화기의 국제적 환경에서 프랑스는 서유럽 국가 중 가톨릭(Catholic)이라는 종교적 관계로 인하여 19세기 초엽부터 한국과 가장 먼저 외교관계를 수립한 나라였으나, 조선의 가톨릭 탄압정책과 같은 종교상의 문제로 다른 열강에 비해 비교적 늦게 정식국교를 맺었음에도 적극적인 외교를 전개하여 괄목할 만한 성과를 거둔다. 이는 당시 대한제국을 둘러싼 러시아와 일본의 각축 속에서 미국과 영국이 한국 내정에 관여를 꺼리는 국제관계와, 조선 왕조의 전통적인 차원에서 극히 한정적이긴 했으나 주권 독립국가라는 외형적 성격을 파악한 프랑스 외교의 기민성(機敏性) 때문이기도 했다. 개화기 서구 열강들은 문호개방과 아울러 서양의학과 교육을 비롯하여 선교활동을 통해 조선 정부의 의도에 맞추어 도움을 주고 일정한 영향력을 확보하려 했다.

조선 근대화에 개방적인 사고를 지녔던 고종은 외세를 배척한 대원군과는 달리 서구 열강의 원정과 같은 위험한 현실 상황을 직시하여 외국의 여러 나라들과 평화와 우애, 무역과 같은 조건으로 많은 조약을 체결하여 문호를 개방하는 등 외교정책에 전면적인 변화를 시도했다. 그러나 당시 조선의 지배층들은 근대화를 원했지만 유럽의 팽창주의에 적절히 대응할 준비가 되어 있지 못한 것은 물론 워낙 이 부분에 대해서는 문외한(門外漢: 전문 지식이 없음)이어서 국가의 전반체제에 커다란 변화가 없었고 열강국들의 식민통치 정당화를 위한 불순한 동기가 있음도 알아차리지 못했다. 또한 조선의 지도층은 문호를 개방하지 않으면 안 될 입장에 처해 있으면서도 어떤 정책을 위해야 할 것인가에 대한 정책노선에서 분열된 양상을 보이기도 했으며, 사회적 내부 혼란까지 겹쳐 나라를 통제할 기득권 계층을 사분오열로 갈라놓기도 했다. 이러한 상황에서 특히 선교활동은 제국주의적 지배를 원활하게 해 주는 효과적인 권력 수단으로 이용했는데 프랑스는 파리외방전교회가 주축이 된 복음화 사업으로 선교사들의 체류를 허용하는 좀 더 사상적인 조건을 요구했다.

프랑스는 외세에 의해 개방된 특정 항구 내에서 뿐만 아니라 한국[5] 내의 어느 곳에서나 선교사들이 자유로이 통행을 하도록 하는 내용을 조약에 포함시키려고 전 텐진(天津)주재 미국 영사이자 한국 왕실의 고문인 오웬 니커스 데니(Owen Nickerson Denny, 德尼, 1838 – 1900)의 도움을 받아 성공적으로 조약을 맺게 된다. 사실 한국 측에서는 기독교인들에 대한 적대감과 프랑스인들만을 특별히 대우하는 것을 원하지 않았다. 프랑스인들의 한국에

---

5) 조선이란 국가명은 한반도 전체를 가리키는 경우와 조선 왕조(1392 – 1910) 시기, 한국이란 국가명은 대한제국(1897 – 1910)과 1910년 이후를 포함하여 1948년 8월 15일 이후 대한민국까지 통용되고 있으나, 개화기 시대의 국가명은 역사적으로 엄밀히 말해 1897년 10월 12일 대한제국 선포 이전까지는 조선이라 함이 맞을 것이다. 개화기 시대 프랑스어 표기로는 고려에서 유래한 코레(Corée)를 사용하고 있다. 조선이란 나라 이름은 단군조선부터 사용해 왔으나, 이성계가 새로운 왕조를 세우고 나라 이름을 정할 때 중국에서는 "동방 종족의 나라 이름으로서는 좋을 뿐만 아니라 유래가 오래다."라고 하여 인정했다. 본고에서는 시대에 맞게 나라 이름을 사용하지 않고 상황에 따라 조선과 대한제국을 지칭하는 것으로 한국 또는 우리나라로 혼용했다. 『朝鮮王朝實錄』太祖實錄 卷三 太祖二年 二月 庚寅條. 奏聞使韓尙質來傳禮部咨, 上向帝闕, 行謝恩禮. 其咨曰: 本部右侍郎張智等, 於洪武二十五年閏十二月初九日, 欽奉聖旨: "東夷之號, 惟朝鮮之稱美, 且其來遠, 可以本其名而祖之. 體天牧民, 永昌後嗣." 欽此, 本部今將聖旨事意, 備云前去. 上感悅, 賜韓尙質田五十結, 下敎境內: 王若曰, 予以涼德, 荷天休命, 肇有邦國. 向遣中樞院使趙琳, 奏聞于帝, 報曰: "國更何號, 星馳來報." 卽令僉書中樞院事韓尙質請更國號, 洪武二十六年二月十五日, 韓尙質齎禮部咨文以來. 本部右侍郎張智等於洪武二十五年閏十二月初九日, 欽奉聖旨: "東夷之號, 惟朝鮮之稱美, 且其來遠, 可以本其名而祖之. 體天牧民, 永昌後嗣." 玆予不穀, 豈敢自慶! 實是宗社生靈無疆之福也. 誠宜播告中外, 與之更始. 可自今除高麗國名, 遵用朝鮮之號. 屬玆初服, 宜示寬恩, 其在洪武二十六年二月十五日昧爽以前, 二罪以下, 已發覺未發覺、已結正未結正, 咸宥除之, 敢以宥旨前事相告言者, 以其罪罪之. 於戲! 創業垂統, 旣得更國之稱; 發政施仁, 當布勤民之治.

대한 연구는 이미 18세기 초부터 시작되어 선교사들에 의해 한국에 관한 기념비적인 연구업적과 저서들이 나왔고, 19세기 중엽 이후에는 양적 · 질적으로 귀중한 한국의 고서를 비롯하여 민예품 등의 유물이 플랑시와 같은 외교관에 의해서도 수집되었다.

2. 천주교 박해와 병인양요(丙寅洋擾)

1) 프랑스 선교사의 포교와 기해박해(己亥迫害)

우리나라에서 천주교 포교가 실제로 시작된 것은 정조 8년(1784)에 이승훈(李承薰)이 중국 베이징의 북당(北堂)에서 세례를 받고 정식 신자가 되어 귀국하여 조선교회가 창설되면서부터이다. 구한말 프랑스 제국은 비문명세계에 대한 로마(Roma) 가톨릭계의 전도와 선교사 보호를 대외정책상 기본원리로 삼으면서 문호개방을 요구했으나 조선에서는 이들의 선교를 달갑지 않게 여겼다. 그리하여 당시의 프랑스 선교사들은 서양인임을 들키지 않고 서울[6]로 오기 위해 상복(喪服)에 삿갓으로 위장하고 험준한 산속에 은신해 가며[7] 고깃배(漁船)를 타고 몰래 들어왔다. 그러나 상복이 외국인의 외형 중 특히 큰 코를 가리는 데 더할 나위 없는 위장이었지만 조선 사람들보다 체격이 큰 그들은 서양인임을 쉽게 알아차릴 수 있었다.

프랑스 파리외방전교회(外邦傳敎會: Société des Missions Etrangéres de Paris)[8] 소속 신부인 모방(Pierre－Philibert Maubant, 1803－1839)의 잠입과

6) 당시 조선의 수도를 지칭하는 이름은 역사적으로 '한양'이라 해야 함이 맞다. 서울이란 이름은 1945년 이후부터 사용되었다.

7) 페롱(Féron) 신부는 조선으로 잠입할 적에 지친 몸을 쉬고자 대낮에 잘 은폐된 장소를 찾았는데, 이곳은 바로 호랑이 굴이었다고 한다. 마침 먹이를 찾으러 나갔는지 어미 호랑이는 없고 새끼 호랑이들만 굴속에 남아 있었다고 했다.

8) 우리나라에 복음의 씨앗을 전한 많은 순교자들을 배출했고, 한불수교에도 큰 영향을 미친 프랑스 선교사들의 모태인 선교회 본부이며, 1831년 조선 내의 교구를 설정했다. 1883년 프랑스 신부에

정을 보면[9] 다음과 같다.

그는 1831년 파리외방전교회 신학교에 입학했으며, 1832년에 중국 쓰촨성(四川省)에 갈 목적으로 출발했다가 조선교구 교황대리 초대 감독에 임명된 브뤼기에르(B. Bruguiere, 蘇, 1792－1835)[10] 주교와 함께 한국에 오기 위해 압록강까지 왔었으나 국경의 감시가 삼엄하여 입국을 포기했다. 이후 잠시 만주 마가자(馬架子)에 머물다가 브뤼기에르 주교가 헌종 1년(1835) 8월에 병으로 죽자 이해 겨울에 삿갓에 상복차림으로 얼음 위를 건너서 홀로 입국했다. 이듬해 정약용(丁若鏞)의 조카 정하상(丁夏祥, 1759－1839)[11]의 안내로 서울에 들어와 전교에 힘썼다. 2006년 2월에는 브뤼기에르 주교 묘비가 중국 내몽골에서 발견되기도[12] 했는데 이는 1835년에 브뤼기에르가 초대 조선교구장(首鐸)으로 부임하던 중 선종(善終)하자 모방 신부가 세운 것이다.

이처럼 프랑스 선교사들의 잠입과 그들의 추천으로 1836년 김대건(金大建)・최양업(崔良業)・최방제(崔方濟) 등을 마카오(Macao, 澳門)의 오문신학교(澳門神學校)에 유학시키는 등 조선에서 천주교의 교세가 확장되자 헌종 1년(1835)부터 본격적인 박해에 나서기 시작했다. 그리하여 헌종 5년(1839)에는 천주교 신부로 선교차 한국에 잠입했던 프랑스 선교사 롤랑 엥베르(Laurent－Marius－Joseph, Imbert, 范世亨, 1797－1839)[13] 주교, 자크

의해 서울 명동(明洞)에 최초로 고아원을 설립한 것을 시작으로 1895년까지 서울에 모두 262명의 어린이를 수용하는 초등학교와 고아원을 세웠다. 그리하여 이곳에서 훌륭한 고아들을 가톨릭 신자로 훈련시켰다. *I. B. 비숍 지음, 신복룡 역주,『조선과 그 이웃나라들』. 서울: 집문당, 2006. p.372.

9) 끌라르 보티에・이포리트 프랑뎅 원저, 김상희・김상언 옮김,『프랑스 외교관이 본 개화기 조선』. 서울: 태학사, 2002. pp.146－147 주4)에서 재인용함.

10) 브뤼기에르(Barthelemy. Bruguiere, 1792－1835): 파리외방전교회 소속 신부. 태국 방콕에서 신부로 있다가 캅세(Capse)의 주교로 승진했으며, 조선에 교구가 설립되자 초대 조선 교구장이 되었다. 그러나 만주까지 왔다가 팔렬구(叭咧溝)에서 갑자기 병으로 사망했다.

11) 정하상(丁夏祥, 1759－1839): 교명은 바오르. 정약종(丁若鍾)의 아들. 프랑스 신부 모방을 맞아 교세 확장에 크게 공헌했으나 기해사옥(已亥邪獄)으로 서소문에서 순교했다. 그가 쓴 상재상서(上宰上書)는 호교론(護敎論)으로 유명하다.

12)『조선일보』 2006년 2월 1일 A8면. "조선 교구장 브뤼기에르 주교 묘비 찾았다"

13) 롤랑 엥베르(Laurent－Marius－Joseph, Imbert, 1797－1839): 파리외방전교회 소속의 신부로 한국 이름은 망세형(范世亨)이다. 마카오, 월남 등지에서 포교하다가 제2대 조선교구장으로 임명되어 1837년 육로로 비밀리에 한반도에 입국했다. 정하상의 집에 숨어서 포교하다가 수원(水原)에서

샤스탕(Jacques H. Chastan, 鄭牙各伯, 1803 – 1839)[14] 신부, 피에르 모방(Pierre – Philibert Maubant, 1803 – 1839)[15]과 김대건의 부친 제준(濟俊)도 사학(邪學)을 퍼뜨린다는 이유로 9월 21일 한강가의 새남터[16]에서 참수한 사건이 바로 기해박해(己亥迫害)이다. 1866년 한불관계가 정상화되지 않았을 시기에 모방(Mauban) 등 초기 프랑스 선교사들이 중국을 거쳐 목숨을 걸고 한국에 선교를 목적으로 발을 들여놓았지만 이들은 결국 고문당하거나 처형당하는 운명을 당하게 된다.

2) 대원군의 척화정책(斥和政策)과 병인양요(丙寅洋擾)

기해박해로 프랑스 신부들이 처형되는 사건이 발생하자 프랑스는 이에 대한 응징으로 1847년에는 세실(Cecille) 제독이, 1848년에는 라삐에르(Lapierre)가 두 차례나 원정을 한 계기로 조선을 식민지화하려 했다. 그리고 병인양요에 앞서 1855년 프랑스 해군부 및 식민성 장관은 게랭(De Guerin) 제독에게 그해 7월 16일에서 9월 30일까지 약 2개월간에 걸쳐 한반도 해역을 집중탐사하도록 했다. 이에 게랭은 보병 6천 명, 기마병 3백 명, 경포병 1개 중대를 동원하여 함경남도 영흥만(永興灣)으로 상륙작전을 하면 한반도를 무난히 정복할 수 있다고 판단하여 프랑스가 러시아의 남하보다 먼저 조선을 선제 정복할 것(征韓論)을 건의하여[17] 이후 조선원정을 단행하는 데 명분

체포되어 기해사옥(己亥邪獄) 때 한강변에서 순교했다.

14) 자크 샤스탕(Jacques H. Chastan, 1803 – 1839): 프랑스의 신부로 한국 이름은 정아각백(鄭牙各伯)이다. 1837년 엥베르를 따라 조선에 입국하여 포교에 힘쓰다가 기해사옥(己亥邪獄) 때 순교했다.

15) 피에르 모방(Pierre – Philibert Maubant: 1803 – 1839): 파리외방전교회 소속 신부로 한국 이름은 나백다록(羅伯多祿)이다. 1836년 겨울 압록강을 넘어 입국하여 교세 확장에 힘쓰는 한편 김대건 · 최양업 · 최방제 등을 마카오 신학교로 유학시켰다. 1839년 충청도 홍주에서 체포되어 한강에서 처형되었다.

16) 병인박해 때 천주고 신자가 가장 많이 처형을 당한 곳은 양현성당(藥峴聖堂: 현 중림동 성당)에서 내려다보이는 지금의 서소문 공원 부근이다. 새남터에서는 국사범과 지도자급 인물들을 형집행했고, 서소문 밖 네거리에서는 주로 일반 평신도들을 처형했다. 포졸들은 처형할 신자들을 태운 우차(牛車)를 울퉁불퉁한 서소문 언덕길을 내리달려 신자들을 피투성이로 만든 뒤 처형했다.

17) 『韓佛關係資料(1846 – 1856)』. pp.189 – 196, 247 – 257. '2e partie. Etat social du pays. relations.' "Tout etablissement doit etre une occupation militaire du pays"

이 되었다. 이는 프랑스가 선교사 박해에 대한 응징 보복을 핑계로 당시 유럽 제국주의 열강들이 침략전쟁과 식민지 지배라는 영토확장 정책과 통상교역 시장을 확대하려는 기본정책과 다르지 않았음을 보여 주는 것이라 하겠다.

한국 천주교는 대원군 집정하인 병인박해 때 가장 큰 수난을 겪기도 했으나 대원군은 본래 천주교에 대해서 특별한 반감이나 원한은 없었다. 고종의 유모 박 씨(세례명: 마르타, Martha)와 그녀의 딸(세례명: 元 수산나 Susanna)이 천주교 신자였고, 특히 무엇보다도 대원군의 부인, 즉 고종의 어머니인 여흥부대부인(驪興府大夫人, 1818. 3. 8 – 1898. 1. 9. 세례명 민 마리아) 민(閔) 씨 또한 1863년 둘째 아들 고종(命福)이 왕위에 오르자 베르뇌(Simeon Francois Berneux, 張敬一, 1814 – 1866)[18] 주교에 감사를 청하는 등 관심을 갖고 있다가 1896년에 10월 11일 뮈텔(Mutel) 주교로부터 79세 때 세례와 견진(堅振)을 받기도[19] 한 가족의 분위기가 이를 말해 준다.

18) 베르뇌(Simeon Francois Berneux, 1814 – 1866): 파리외방전교회 소속의 선교사로 프랑스 르망 교구의 샤토 뒤 루아에서 출생. 한국 이름은 장경일(張敬一)이다. 1837년 사제(司祭)가 되고, 1840년 포교지인 통킹(옛 프랑스령 인도차이나)으로 떠났는데, 중도에 마카오에 들렀다가 최양업(崔良業)과 김대건(金大建)을 만난 것이 한국 입국의 계기가 되었다. 1854년 만주에서 주교에 서품되고, 1855년 페레올 주교의 후임으로 조선에 밀입국하여, 1856년(철종 7)에 제4대 교구장이 되었다. 1857년 다블뤼 신부에게 신자들의 증언을 참고하여 한국 선교사(宣教史)에 대한 자료를 수집・번역하도록 위촉했다. 충북 제천시 배론(舟論)에 한국 최초의 신학교를 설립했다. 1866년 병인박해(丙寅迫害) 때 서울에서 체포되어 그해 3월 8일 다른 프랑스인 신부와 함께 새남터에서 순교했다. 1968년 교황 바오로 6세에 의해 시복(諡福)되고, 1984년 한국에 온 교황 바오로 2세에 의하여 성인의 반열(班列)에 올랐다.

19) 『뮈텔주교 일기』 1896년 10월 11일. 왕의 어머니(부대부인 민 씨)가 영세를 간청해 왔다. 그녀는 지난 봄부터(5월 21일) 집안 살림을 며느리에게 넘겼고, 그래서 미신 행위를 피할 수 있었다. 합의한 대로 나는 저녁 7시에 조회장과 함께 출발, 대원군의 궁궐(雲峴宮)의 하녀인 이 마리아의 집으로 갔다. 그 집은 바로 궁궐 근처에 있었다. 15분이 지나자 부대부인이 가마를 타고 비밀리에 거기에 당도했다. 가마꾼들은 그것이 한 궁녀에 관한 일이라고만 생각했을 뿐이다. 내가 전부터 아는 최 씨라는 궁녀만이 부대부인을 수행했다. 그녀는 아주 검소한 차림으로 내가 있는 방으로 들어와, 내게 아주 간략한 인사를 했다. 시력은 약하나 청각은 몹시 예민하고, 또 79세의 고령에도 불구하고 부인은 모든 신체 기능이 자유롭다. 부인은 나에게 밖에 희망을 둘 곳이 없다고 하며, 그의 가정과 모든 일가를 부탁했다. 나는 그녀에게 우리의 첫째요 유일한 의지처는 오직 천주님이라고 말했다. 그녀는 이러한 충고를 잘 이해하고, 내게 영세를 청했다. 고령이고 성신의 도움도 특별히 필요하고 또 궁궐에서 나오기가 어려운 사정 등을 고려해서 나는 그녀에게 견진성사(堅振聖事: 성세 성사를 받은 신자에게 성령과 그 선물을 주어 신앙을 성숙하게 하는 성사)까지 받도록 권했다. 그녀는 이 권고를 고맙게 받아들였다. 나는 아주 조그마한 방에서 가능한 장엄하게 완전한 성인 영세 예절로 그녀에게 영세를 주었다. 고종을 키운 유모(원문에는 부대부인의 유모로 잘못되어 있음) 박 마르타의 딸 元 수산나가 그녀의 영세 대모가 되었고, 2명의 마리아 중 연장자가 그녀의 견진 대모가 되었다. 예식이 끝나자마자 그녀는 자리를 떴고, 이어 나

대원군은 집정 초기 뮈텔 주교의 중재로 프랑스가 강한 군사력을 이용하여 러시아 세력의 남침을 견제하면 종교의 자유를 보장하고 자본진출에 적극 호응해 주겠다는 관용적 이이제이책(以夷制夷策)[20]을 제시하여 프랑스도 호혜적인 조치로[21] 받아들이려 했다. 그러나 조선의 남종삼(南鍾三, 1817－1866, 세례명 요한)과 같은 천주교 지도자들의 한·영·불 3국 동맹과 같은 외세 개입기도와 프랑스 선교사들이 정치에 소극적이면서도 대원군의 쇄국양이 정책에 정면 도전하는 조선개항 등 정치적 개입과, 개종자들의 조상숭배에 대한 참가 거부와 같은 관습파괴가 병인사옥을 발생시키는

도 집으로 돌아왔다. 집에 돌아오니 9시였다.

20) 청·일·러 삼국간섭의 한 당사자였던 프랑스는 러시아에 가려 실제만큼 주목받지 못했으나, 대한제국 정부가 러·일의 각축 속에서 중재 역할을 할 수 있는 식산흥업을 지원해 줄 나라로 프랑스와 접촉했고, 프랑스 정부 역시 천주교 전교와 프랑스계 자본진출을 위해 이에 적극 호응했다. *김태웅, "한국 근대개혁기 정부의 프랑스 정책과 천주교－왕실과 뮈텔의 관계를 중심으로－", 『역사연구』 11, 2002 참조.

21) ① 1886년 한불수호통상조약 이후 플랑시 주한 프랑스 공사는 고종에게 프랑스만이 중립적인 견지에서 한국을 보호해 줄 수 있다는 생각을 갖게 했고, 1898년 러시아 세력이 한반도에서 공식적으로 퇴각한 뒤에는 법률고문을 비롯해 군사교관, 다수의 기술 고문관들을 파견했다. 그러나 프랑스는 1891년 이래 러시아와 군사동맹 관계로서, 미국과 독일이 영일동맹을 환영한 대해 1902년 3월 16일 러불선언으로 맞설 정도로 극동정책에 있어서는 친러적이었다. 또한 러일전쟁은 반대하는 입장이었는데 이는 러시아가 패전하면 유럽에서 독일과의 대전에서 프랑스가 불리하게 작용하게 되고 한반도에서 일본의 위협이 커질 것을 우려해서였다. *서영희, 『대한제국 정치사연구』. 서울: 서울대학교출판부, 2005. pp.138－139. ② 『뮈텔주교 일기』 1895년 11월 10일. …… 조선 정부는 현 상황의 심각성을 알아차리고, 조선이 중립국으로 선언되기를 바라는 것 같다. 그것이 독립국으로 일컬어지기로 합의되는 것보다 더욱 안전할 것 같기 때문이다. 조선에 이해관계를 가지고 있는 열강들 사이에 합의가 이루어져야 중립국으로 선포될 수 있으며, 그것은 전쟁을 한 번 치룬 후 극동의 각 나라들의 상황을 조정하는 협약에 의해서만이 이루어질 수 있는 일이라고 대답해 준다. 러시아 쪽에서의 위험도 느껴지고 일본에게도 빠져나오고 싶은데, 그러려면 어떻게 해야 할지 궁리 중이다. ……프랑스에 대해서는 여기에 잘 알려져 있고, 또 높은 평판을 받고 있는 콜랭 드 플랑시 씨에게 많은 기대가 모아지고 있다고 한다. 하지만 프랑스가 그를 보내려 할까? 내 의견으로는 썩 잘된 선택인 것 같기는 하나, 드 플랑시 씨는 매우 전도유망한 사람이므로 자신을 희생시키는 일에 동의하지 않을 것이며, 그를 조선에 붙잡아 두자면 엄청난 보상을 해 주어야 하는데 그러려면 눈에 띄게 우월한 금전적인 면에서의 보장뿐만 아니라, 이제까지 조선이 경험한 식객 고문관들의 불안정한 지위와는 전혀 다른 지위를 보장해 주어야 할 것이라고 대답한다. ……. ③ 그러나 프랑스의 대한(對韓) 정책은 1902년 5월 러시아를 방문한 에밀루베(Emile Loubert) 프랑스 대통령이 러시아 황제에게 한국을 중립화하든가 혹은 러시아가 항구 하나를 점령하는 조건으로 한국을 일본에 넘겨주는 방안을 제시한 것처럼 자신들의 정치적 야욕을 보이기도 했다. *김영식, "대한제국의 對佛 외교관계", 『韓佛外交史』. 서울: 평민사, 1987. p.78. ④ 또한 프랑스는 그 후 청일전쟁 과정에서 중립을 표방했고, 청나라가 물러가고 러시아와 일본이 세력을 다투는 사이 역시 중립을 내세우면서 그 배후에서 한반도에서의 이권을 얻어 내는 데 열을 올렸다. 특히 당시 플랑시 공사는 철도부설권, 광산채굴권 등 이권을 획득하는 데 골몰했다. *崔奭祐, "韓佛條約체결과 그 후의 양국관계", 『韓佛修交 100년사』. 한국사연구협의회, 1986. p.86.

원인 및 동기가[22] 되었다. 이러한 국제정치 문제가 대원군(大院君)으로 하여금 천주교도 학살과 탄압사건에 이어 쇄국정책으로 외교를 단절하여 국교를 맺지 않은 나라 사람들의 입국제재는 물론 천주교를 유교적 전통질서에 반항하는 사교(邪敎)[23]라 하여 고종 3년(1866년)에 천주교 금압령(禁壓令)을 내리고 프랑스 신부와 조선인 천주교 신자 수천 명을 처참하게 학살하는 대박해 정책으로 급선회하게 한 것이다. 이와 같이 대원군이 단호하게 천주교를 박해한 것은 외세의 개입으로 왕조가 멸망하는 안보위기감이 더욱 커졌기 때문이기도 했다. 그러나 프랑스는 이에 대한 보복으로 고종 3년(1866)에 귀스타브 로즈(Pirre Gustave Roze, 魯勢) 제독이 이끄는 3차 원정함대가 한강 하구까지 침입하여 병인양요(丙寅洋擾)를 일으키는데 이를 병인박해(丙寅迫害) 또는 병인사옥(丙寅邪獄)이라 한다.

기해박해 이후 천주교는 거의 발본색원되는 듯했으나 1845년 다블뤼(Daveluy) 주교가 김대건의 안내로 바닷길을 통해 밀입국한 것을 시작으로 병인박해가 시작되기 직전까지 프랑스 예수회 소속 선교사는 주교 2명, 신부 10명 등 12명이 포교활동을 벌여 신자 수가 무려 2만 3천 명에 이르렀다. 더구나 왕실에까지 전도되어 대원군의 부인(부대부인 민 씨)을 비롯하여 국왕의 유모 박씨까지 독실한 신자가 되는 등 급속도록 확산되자 대원군은 다시 억압정책을 시행한다. 이 박해 때 프랑스 선교사 12명 중 베르뇌(Berneux, 張敬一) 주교를 포함하여 9명이 처형되었으며, 리델(Ridel)・페롱(Féron)・깔래(Calais) 3명의 신부는 화를 면했는데 그중 리델(Félix－Clair Ridel, 李福明, 1830－1884)[24]은 1866년 6월 29일 한국을 떠나 청나라 텐진(天津)으로 가서 데베리아(D'evéria) 부영사와 프랑스 동양함대 사령관 로

22) 金源模, 『開化期 韓美 交涉關係史』. 서울: 단국대학교출판부, 2003. pp.26－27.

23) 사교(邪敎): 그릇된 교리(敎理)로 사회에 해를 끼치는 종교로 사종(邪宗)이라고도 한다.

24) 리델(Félix－Clair Ridel, 1830－1884): 파리외방전교회 소속 신부로서 한국 이름은 이복명(李福明)이다. 1861년 한국에 들어와 베르뇌 주교 이하 11명의 프랑스 신부와 함께 전교에 힘썼다. 병인사옥 때 텐진(天津)으로 도피하여 사태를 보고함으로써 병인양요를 일으켰으며 1870년 조선 3대 교구장으로 임명되었다. 1877년 입국했다가 체포, 일본으로 추방되어 조선어를 연구했다. 1882년 11월에 프랑스로 귀국했으며 2년 후인 1884년에 세상을 떠났다. 저서로는 1879년에 자신의 서울 옥중 생활을 기록한 『나의 서울 옥중기(Ma captivite dans les prisons de Seoul)』와 1880년에는 『韓佛字典(Dictionnaire Coreen－Francais)』을, 1881년에는 『韓語文典(Grammaire Coreenne)』을 펴냈다.

즈(Pierre Gustave Roze) 제독에게 박해소식을 전하면서 보복원정을 촉구했다. 이에 로즈가 함대를 이끌고 내침하여 조선·프랑스 간의 군사적 충돌을 야기했다.

로즈의 제1차 원정은 강화해협을 중심으로 한 수도 서울까지의 수로를 탐사하기 위한 예비탐사로, 9월 18일부터 10월 1일까지 지세정찰과 수로탐사를 한 뒤 지도 3장을 만들어 돌아갔다. 이어 10월 5일 한강봉쇄를 선언, 10월 11일 제2차 원정에 올라 병력 1,000명·군함 7척·대포 10문과 리델(Ridel) 신부를 대동하고 강화도로 내침했다. 10월 16일에 강화부를 점령, "우리는 자비로운 황제의 명령을 받들고, 우리 동포형제를 학살한 자를 처벌하러 조선에 왔다."라는 포고문을 발표했다. 또한 "조선이 선교사 9명을 학살했으니, 조선인 9천 명을 죽이겠다."는 강경한 응징보복의 자세를 밝혔다. 강화도가 실수(失守: 지키지 못하고 빼앗김)되어 위급하게 되자, 정부는 순무영(巡撫營)을 설치했다. 대장에 이경하(李景夏), 중군에 이용희(李容熙), 천총(千總)에 양헌수(梁憲洙)를 임명하여 출정하게 했다. 강화도를 점령한 프랑스군은 10월 26일 문수산성(文殊山城) 전투에서 조선군을 제압했다. 이때 양헌수는 어융방략(禦戎方略: 騎兵作戰)으로 강화도를 수복할 작전계획을 세웠다. 그는 대군을 이끌고 덕포에서 비밀리에 심야 잠도작전(潛渡作戰)을 전개하여 강화해협을 건너서 정족산성(鼎足山城)을 점거했다.

조선군이 강화해협을 건너가 정족산성에 농성하고 있다는 보고를 받은 로즈는 올리비에 대령에게 정족산성 공격을 명했다. 11월 9일 일대 격전이 벌어졌으나, 접전의 결과 프랑스군은 전사자 6명을 포함하여 60－70명의 사상자를 냈으며, 조선군은 전사자 1명, 부상자 4명이었다. 정족산성승첩(鼎足山城勝捷)은 화력 면에서 열세인 조선군이 근대식 병기로 장비한 프랑스군을 격퇴했다는 것과 이 싸움의 실패로 로즈함대는 원정을 포기하고 강화도에서 철수하게 되었다는 데 의미가 있다. 프랑스군은 10월 14일 상륙 이래 거의 한 달 동안 강화도를 점거했으나, 정신적·육체적으로 피로하여 야포를 동원하여 정족산성을 재공략할 수 있었음에도 불구하고, 이를 포기하고 11월 10일 함대를 철수했다.

3) 병인양요의 실패와 문화재 약탈

병인양요는 한국 역사상 최초로 서구 제국주의 침략세력을 격퇴했다는 점에서 역사적 의의가 크다. 또한 병인양요 직후 면제배갑(綿製背甲)[25]이라는 전근대식 방탄복을 개발하여 신미양요(辛未洋擾) 때 사용하기도 했다. 프랑스군은 강화도에서 철수할 때 고도서 345권과 은괴 19상자 등 문화재를 약탈해 갔다. 로즈의 원정은 제2차 원정이 끝날 때까지 무려 두 달에 걸친 장기원정이었다. 원정을 끝내고 청나라로 돌아간 로즈는 선교사 학살에 대한 응징적 보복은 성공적으로 수행되었다고 주장했다. 개화기 무렵 유럽의 선교사들은 이질적인 문화권 속에 들어가 종교를 전파하는 것이 결코 쉬운 일이 아님을 다른 동남아 국가들의 전도에서 경험했다. 그리하여 그들은 국가의 힘을 빌려 강제력에 의존해서 전도를 하려 했고 이 과정에서 온갖 모순에 찬 일들과 외세 침탈의 전위 세력이라고 파악한 국가에서는 가혹한 탄압이 이루어졌다.

베이징(北京)주재 대리공사[26] 벨로네(Claude M. H. de Bellonet, 伯洛內. ? – 1881)[27]를 비롯한 베이징(北京)의 모든 외교관들은 프랑스의 식민지와 통상 대상국을 넓혀 제국의 권리를 확대하려 했다. 그리하여 선교사들을 보호한다는 명목하에 어떤 사건이나 계기가 되면 군사적 힘을 동원했다. 그런데 로즈 제독의 병인양요에 대해서는 실패로 간주했다. 첫째, 외교적 입장에서 보면, 수교관계가 없는 조선으로 가서 조선개항을 위해 입약협상(立約協商)조차 벌이지 못한 채 돌아왔다는 것이다. 둘째, 군사적 입장에서 보면, 정족산성에서의 패전 직후 곧 함대를 철수했다는 것이다. 셋째, 종교적 입장에서 보면, 조선원정의 목표가 선교사 학살에 대한 응징보복인데 보복은커녕

---

25) 1866년 병인양요 직후 만들어진 가벼운 방탄조끼인 면제배갑(綿製背甲)은 면(綿) 헝겊 13겹을 겹쳐 단단히 꿰매 총탄의 운동 에너지를 차례차례 흡수하도록 설계되어 신미양요 때는 톡톡히 성능을 발휘했다. 그러나 입고 있으면 너무 더운데다 불에 취약하며 물에 젖으면 무거워 움직이기 힘든 단점이 있었다.

26) 외국에 파견된 대사의 임무를 수행하는 외교 책임자.

27) 벨로네(Claude M. H. de Bellonet, ? – 1881): 1865년에서 1866년 사이에 중국 베이징주재 프랑스 공사를 역임했음.

오히려 흥선대원군의 천주교 박해와 쇄국정책을 강화시키는 결과를 초래했다는 것이다.

그럼에도 프랑스 정부는 공식적으로 이 원정을 성공이라고 간주했다. 예를 들어 1867년 3월 미국 정부가, 미국은 제너럴셔먼호 사건으로, 프랑스는 병인사옥으로 인하여 피해를 보았으니 대(對)조선 미국·프랑스 공동원정을 제의했을 때, 프랑스 정부는 이미 조선원정을 통해 응징보복을 했기 때문에 공동원정은 할 필요가 없다고 거절했다. 천주교 박해에 따른 보복으로 한국에 군사작전을 펴려는 병인양요에 대해 프랑스 정부의 공식 입장과 극동에 주둔한 외교관, 표교를 위해 입국해 있던 선교사, 함대 사령관 로즈 간에는 한국원정에 대한 공식적인 입장이 아래와 같이[28] 서로 달랐다. 프랑스 원정 시 로즈 제독은 해군의 주요 역할이 프랑스 국기를 수호하고 해외의 자국민을 보호하는 것이기에 때문에 무력을 행사하여야 한다고 했다. 그러나 프랑스 정부는 한 국가 내에서의 군사작전은 실패할 경우 보복은 할 수밖에 없다는 사실을 강조하면서 단순한 감정에 따른 행동을 조심하고 원정대를 파견할 만한 명분의 충분성이 부족하다면 정부가 개입되는 것을 자재할 것을 요청했다. 한편 선교단들은 국가에 따라서 자국의 식민정책에 협조하는 것을 전제조건으로 입국하는 경우가 있어 윤리적 갈등에 시달렸다.

병인양요는 외국인들의 강제에 의한 문호개방이 된 중요한 역사적 사건으로 프랑스 군대의 공격적이고 제국주의적인 성격, 그리고 프랑스군의 패배가 선교사들에게는 실망을 주기도 했다. 로즈 제독과 극동주재 외교관들은 한국은 독립국가이며 중국과 어떤 주종관계가 아니라는 것을 중국이 인정하므로 그리하여 해외 대표를 두지 않은 나라 일에 외교관인 대리공사가 개입하는 것은 권한에서 벗어나는 일이라 하여 갈등을 빚고 있다. 이들은 처음에는 한국이 중국의 조공국(朝貢國)이었기에[29] 중국 당국의 허락을 받

28) 프레데릭 불레스텍스 지음, 이향, 김정연 공역, 『착한 미개인 동양의 현자』. 서울: 청년사, 2001. pp.89－106.

29) 개화기 무렵 중국과 주변국가 간의 조공관계는 중국 황제가 주변 나라의 지배자를 책봉하고 하사품을 내리는 동아시아의 국제질서였다. 당시 중국 황제의 지배권은 전통적인 정치·문화·경제의 신하관계와 같은 조공질서가 아닌 거의 상징적이었다. 조선은 조공국으로서 친중국적 성향이 전제되지 않는 한 청은 내정 간섭을 하지 않아 독립을 지켰다. 그러나 이러한 조공질서도 19

아 군사적 행동을 개시하려 했으나 중국이 한국의 자주국임을 인정해 주었다. 사실 그 이전만 해도 조선은 외국과 관계를 맺을 때 중국의 비호를 받았지만 프랑스와 조선의 무역통상 체결에 대해서는 전혀 반대하지 않는다고 즉각 해명을 했다. 그러나 중국의 음모는, 1876년 조선에서 강화도조약 체결 이후 조선에서 위기감을 느낀 청은 일본의 독점적 행사력을 견제하기 위해 1880년대 이르러 임오군란을 계기로 적극적인 개입 정책을 추진한다. 그리하여 미국·영국·독일 등 서양 열강들과 새로운 협정을 체결하도록 조선을 설득하여[30] 기득권을 유지하는 동시 뒤에서는 모두에 대항하는 또 다른 차원의 이이제이(以夷制夷) 정책 음모를 꾸몄다. 이러한 시대적 상황에서 1886년 맺은 조불조약 또한 같은 차원이라 할 수 있으며, 중국이 조선과 구미 열강과 조약을 체결하도록 한 목적은 조선에 평화를 정착시켜 조선과 청나라 사이의 동쪽 국경을 보호하기 위한 단계였다고[31] 말할 수 있다.

병인양요에서 프랑스군을 물리친 대원군은 더욱 쇄국정책을 강화하는 한편 천주교 금압령(禁壓令)을 내리고 프랑스 신부와 조선인 천주교신자 수천 명을 학살했으며 이로 인해 프랑스와는 이후 20여 년이나 정상적인 수교를 이루지 못하는 결과를 가져왔다. 그러나 병인양요는 프랑스가 우리나라와 직접적이고 파격적인 접촉을 이룬 계기가 되었다. 또한 병인양요에서 프랑스군의 패전은 한국을 처음으로 중국에서 독립된 주체로 받아들여 우리나라에 문호개방을 희망하는 계기가 되었다. 당시 많은 열강국들이 우리나라가 중국의 조공국이라 여겼던 중국의 의견을 무시하고 외교를 펼칠 수 있

세기 서양의 침입과 함께 소멸되어 새로운 세계질서가 형성되었다. 조공은 비록 불평등한 관계였지만 중국 주변의 모든 나라들은 세계질서를 위해 이에 따랐으며 국제적 위상을 인정받고 중국의 선진문화를 수용할 수 있었다. 우리나라는 1897년 대한제국을 선포하여 중국에 조공을 바치던 종속국이 아닌 자주국임을 만천하에 천명했다.

30) 1880년대 초까지 조선외교는 중국의 조선정책과 긴밀한 관계에 있었고 구미 열강국과의 외교 조약은 이홍장이 주축이 되어 서울에 파견된 마건충에 의해 진행되었다. 이홍장은 일본을 견제하기 위한 중국 측 실리외교 정책을 숨기고, 조선이 외세의 침입을 받지 않으려면 구미 열강국과 조약을 체결하는 것이 방책이라고 조선 정부를 설득했다. 그러나 실제 지리적 상황으로 볼 때 중국은 일본과 러시아를 견제하려는 목적이며 정치적인 목적보다 교역에 더 큰 비중을 가지고 있던 구미 열강은 조선에 그다지 위협적이지는 않았다.

31) 마르크 오랑주, “콜랭 드 플랑시와 프랑스 자문관들”, 프랑스 국립극동연구원, 『서울의 추억 – 한/불 1886 – 1905 –』, 한불수교 120주년 기념전시 심포지엄 논문집, 2006. p.93 주9)에서 재인용함.

었다. 병인양요를 성공적으로 이끈 우리나라의 인물 중에는 3·1운동 때 33인의 한 사람인 오세창(吳世昌)의 아버지인 역관 오경석(吳慶錫, 1831－1879)이 자신이 평소 알고 지내는 청의 예부상서 만청려(萬靑藜)로부터 얻은 정보를 빼내는 첩보활동으로 프랑스의 막강한 함대를 물리치게 하는 데 기여했다. 개화기 역관들은 르네상스맨(Renaissance man)이자 실무외교관으로 또는 국제무역상과 같은 당시 유일한 세계화된 개화사상과 서양 문물을 들여오는 큰 역할을 한 주역들이라 할 수 있다. 그들은 또한 변화하는 국제정세에 대한 깊은 이해와 앞선 시대감각으로 조선사회의 변혁을 촉진한 선각자였다. 병인양요 당시 조선에서는 정규군 뿐만 아니라 호랑이 사냥꾼조합 소속의 엽사들이 지원했으며 이들은 1871년 미국의 원정에도 출전하여 외세 침입자들을 물리쳤다. 한편 로즈 해군소장이 이끄는 강화도 원정 함대에는 병사들 외에도 문학이나 그림에 뛰어난 재능 있는 이들이 함께 와 병인양요가 종전되자 귀국하여 프랑스의 여러 잡지에 한국 관련 기사를 기고하여 한국을 더 알기는 계기가 되기도 했다. 이 중에서 해군 소위 후보생이었던 앙리 주베르(Henri Zuber)는 서울에 직접 오지 않고서도 리델(Ridel) 신부를 통하여 정확한 묘사를 요청하여 강화도 풍경을 기록하는 한편 '책의 나라' 조선에 대해 프랑스인들의 자존심이 무너질 정도로 커다란 충격을 받았다고 했다. 주베르는 "이곳 조선에서 감탄하면서 볼 수밖에 없고 자존심이 상하는 한 가지는 아무리 가난한 집에도 책이 있다는 사실이다."[32] 라고 하여 가난한 동양의 문명국에게 열등감마저 느꼈다고 기록했을 정도로 우리의 교육문화를 부러워했다. 또한 그는 정복자 프랑스가 거둔 쾌거를 강조하기보다는 한국이 개방되면 무역차원을 넘어 프랑스가 많은 것을 얻을 수 있다고 우리의 문화를 하나의 완전한 문화를 가진 문명국가로 인식했다.

구한말기인 1866년 발생한 병인양요는 프랑스 제국이 나폴레옹 3세(Louis Napoléon)의 식민지 정책과 대아시아 로마 가톨릭교 포교정책과 맞물려 발

32) 프레데릭 불레스텍스 지음, 이향, 김정연 공역, 『착한 미개인 동양의 현자』. 서울: 청년사, 2001. pp.114－116.

생한 제국주의적 침략전쟁이었으며, 이로 인하여 우리의 고귀한 문화재가 수탈당한 반달리즘(Vandalism)이었다. 또한 외세에 대한 배외감정(Anti-foreign feeling)만을 고조시켰으며, 대원군으로 하여금 쇄국양이(鎖國洋夷) 정책을 강화하는 결과를 초래하여 결국 프랑스와의 문호개방은 자연 늦어질 수밖에 없었다.

3. 한불수호통상조약

우리나라는 1876년 2월 2일 일본과의 강화도조약을 시작으로, 미국이 1882년 4월 6일, 중국이 1882년 8월 23일, 영국과 독일이 1883년 10월 27일, 이탈리아가 1884년 윤 5월 4일, 러시아가 1884년 윤 5월 15일, 오스트리아와 헝가리가 1892년 5월 29일에 각각 우호통상조약을 맺어[33] 개화 문명을 받아들였다. 프랑스와는 첫 국교는 고종 19년(1882) 임오군란(壬午軍亂)[34] 뒤 고종과 개화파의 주장에 따라 고종 23년(1886) 5월 전권대사 한성판윤(漢城判尹) 김만식(金晩植)[35]과 전권특사 조르주 코고르당(Francois George Cogirden)이 회동,[36] 조선-프랑스수호통상조규에 조인하기에[37] 이르렀다.

---

33) 주한 외교관의 파견은 각 나라에 따라 그 직급이 달랐다. 영국은 총영사를, 일본・러시아・미국은 공사를, 프랑스는 대리공사를, 독일은 영사를 파견했다가 후에 조선과의 외교 상황에 따라 직급이 상향 조정되기도 했다.

34) 구한말 고종 19년(1882) 6월 9일 구식군대의 봉기로 일어난 병란. 고종을 비롯한 민씨 척족이 개화정책을 추진하여 일본・유럽・미국 등과 교섭통상관계가 이루어짐에 따라 개화파와 수구파 사이에 제도개혁에 따른 의견대립이 심화되었다

35) 김만식(金晩植: 1834-1900): 조선 말기 문신. 자는 대경(大卿), 호는 취당(翠堂). 본관은 청풍(淸風). 고종 6년(1869)에 문과에 급제, 동부승지(同副承旨)・공조참의(工曹參議)에 올랐다. 1880년과 1882년에는 일본에 파견된 수신사 김홍집(金弘集)・박영효(朴泳孝)의 부사(副使)로서 수행했다. 1883년 신문발간의 책임을 맡아 8월에 박문국(博文局)을 신설하고, 10월에 『한성순보(漢城旬報)』창간호를 발행했다. 그 뒤 예조판서・평안도관찰사를 지냈으나, 청일전쟁 와중에 병부(兵符)를 잃어 원주에 정배되었다.

36) 코고르당은 1886년 5월 1일 계랭 서기관을 대동하고 제물포에 도착했다. 이어 조선의 전권대신 김만식이 외교적인 사무경험이 전혀 없자 상하이에 있던 데니(Owen Nickerson Denny, 德尼)를 소환하여 보좌하게 했다.

37) ① 『高宗實錄』 23卷. 高宗 23年 5月 初3日條. ……大朝鮮國 大君主特簡 全權大臣正二品資

이어 같은 해 6월 4일에 '한불수호통상조약(韓佛修好通商條約/Le traité d'amité de Commerce et de navigation, entre la France et la Corée)'을 조인하면서 다른 열강국보다는 다소 늦었으나 정식으로 교류가 시작되었다. 한국과 프랑스 사이의 외교관계 수립을 위한 협상은 1882년 6월에 텐진(天津)주재 영사관 총영사인 샤를 디용(Charles Dillon) 사절단에서부터 시작되어 조약 내용안에 선교활동의 자유를 허용하는 문장을 삽입하고자 했다. 그러나 1882년 초 프랑스는 인도차이나(Indochina) 함대 사령관 리비에르(Riviére)가 하노이(Hanoi)를 점령하여 중국을 압박하였다. 이에 중국이 베트남을 문제 삼아 중불전쟁(中佛戰爭)을 일으키는 등 양국간에 극도의 대치 양상을 띠다가 1884년 6월 베트남의 식민지화가 일단락되고 1885년 텐진조약으로 중불문제가 끝나자 프랑스 정부는 다시 조선과의 조약체결을 시도했다.

그렇지만 우리나라와 프랑스와는 종교문제에 대한 협상이 진척이 없어 1886년 6월 4일(음력 5월 3일) 체결이 조인하기까지 무려 6차례나 회동을 한다. 그리하여 다른 서방국과는 달리 선교활동의 자유에 중점을 둔 프랑스 측과 한국은 서로 의도하는 바는 달랐지만 조약이 이루어짐으로써 한불관계 발전의 출발점이 되었다. 한불수호통상조약 비준(批准: 협정서) 교환은 조인 1년 후인 1887년 5월 31일(음력 윤 4월 9일)에 교환할 때 프랑스 전권위원(全權委員) 콜랭 드 플랑시가 재경불국외교사무관(在京佛國外交事務官) 자격으로 파견되었으며 37세의 홍종우가 외교사무 비서 자격으로 참여하기도[38] 했다. 이 조약의 내용은 선교사들의 보호나 프랑스의 외교적 지원 차원에만 머무는 것이 아닌 그들만의 다른 속셈이 분명히 있었을 것으로 보인다.

憲大夫漢城府判尹金晩植, 嘉善大夫協辦內務府事兼外衙門掌交堂上德尼. 大法國民國 大伯理壐天德特簡 欽差出使朝鮮全權大臣 御賜佩帶榮光四等寶星竝 義國冠冕二等大星 外務部交涉科侍郎戈可當 均作爲便宜行事 全權大臣……. ②『大韓季年史』卷1. 高宗 23年 5月條: 初三日 全權大臣金允植與法國全權大臣戈可當 議証約條.

38) 조재곤 지음,『그래서 나는 김옥균을 쏘았다』. 서울: 푸른역사, 2005. pp.62－64. 홍종우는 당시 관직이 없었기 때문에 지극히 개인적이고 사소한 일에 지나지 않는 외교 업무를 보았을 것으로 추정되며, 이와 같은 사실은 홍종우와 가장 친했던 프랑스 화가인 펠릭스 레가미(Félix Régamey)의 증언에 따른 것이다.

그 내용의 대략은 다음과 같다. 1조 1항: 프랑스 공화국의 대통령과 한국왕 사이에는, 특히 양국 주민들 사이에는 지속적인 평화와 우호관계가 지속될 것이며 이는 어떤 사람이나 장소에도 예외가 없을 것이다. 프랑스인과 한국인은 계약 당국의 영토 내에서 양국의 국민과 재산에 대한 완전하고도 전적인 보호를 받는다. 2항: 만일 체결국의 일방과 제3국 간의 분쟁이 일어나면 타방은 원만한 타협을 초래하도록 조정에 진력한다. 2조: 파견된 영사를 비롯한 관리의 자격과 권리에 대한 조항, 3조: 치외법권 또는 영사재판권의 조항, 4조: 외교관과 영사관 및 그들의 직무상의 수행원들은 그들의 주재 영토 내에서 자유로 여행할 수 있는 규정, 5조: 수출입협정세율에 관한 규정, 6조: 밀수입시 처벌과 대책의 조항, 7조: 난파 프랑스 함선에 대하여 조선 정부는 가능한 구호와 협조의 책임에 관한 규정, 8조: 조선 정부는 조선영해를 측량하는 프랑스 함대에 적극 협력하는 규정, 9조 1항: 조선에서 거주하는 프랑스 당국자들과 프랑스인들은 조선 정부의 반대를 받지 않은 채, 학자나 통역관 · 하인 또는 기타 합법적인 방법으로 조선인들을 고용할 수 있다. 역으로 프랑스인은 조선 정부와 조선 국민들을 위해서 동일한 조건으로 고용할 수 있다. 2항: 문자나 회화 혹은 학문이나 법, 예술 등을 연구하거나 가르치기 위해 조선에 간 프랑스인들은, 한불수호조약 체결 당사자 간의 우호관계에 대한 증명으로 항상 지원과 원조를 받아야 한다. 프랑스에 오는 한국인도 같은 혜택을 누리게 된다.(Les Francais qui se redraient coréenne pour y étudier ou y professer la langue écrite ou parlée, les sciences, les lois et les arts, devront, en temoignage des sentiments de bonne amitié dont sont animées les hautes parties contractantes, recevoir toujours aide et assistance. Les Coréens qui se rendront en France y jouriront des mêmes avantages) 10조: 외교권에 관한 규정, 11조: 조약개정에 관한 규정, 12조: 조약의 언어표기 조항, 13조: 조약의 효력발생에 관한 규정.

이 조약은 다른 여러 나라들의 잇따른 조선과의 수호조약체결에 영향을 받은 프랑스가 수호통상 체결의 임무를 부여하여 전권위원으로 프랑스 외무성 관리 코고르당(Francois George Cogirden: 戈可當)을 서울에 파견했으며,[39] 이전에 미리 청(淸)나라의 위안스카이(袁世凱)[40]를 통하여 가톨릭 전교의 허락 및 교도들의 신변보호를 요청하기도 했다. 그러나 처음에는 위안스카이의 지나친 내정간섭을 혐오하던 독판교섭통상사무(督辦交涉通商事務:

39) ① 국사편찬위원회 편, 『프랑스 외무부 문서 1(1854－1889)』. 서울: 국사편찬위원회, 2002. pp.69－80. ② 코고르당(Francois George Cogirden의 한문 이름은 과가당(戈可當)이다.

40) 위안스카이(袁世凱, 1859－1916): 중국의 군사지도자이며 청 말(淸末)의 개혁파 각료. 자는 웨이팅(慰亭), 호는 룽안(容庵). 1912－16년 중화민국 초대 대총통을 지냈다. 위안스카이는 중국 허난성(河南省) 샹청(項城) 지방의 군인 지주가문에서 태어났다. 탁월한 재능을 지니기는 했으나 젊었을 때는 학문보다 운동에 더 뛰어난 재주를 보였고 쾌락을 탐닉했다. 과거시험의 제일 낮은 단계인 향시(鄕試)에도 합격하지 못했지만, 한족 출신으로는 처음으로 총독이 되었다. 아무런 학문적 배경도 없이 내각 총리대신이 되었으며, 청 말에는 후작으로까지 봉해졌다. 그는 이홍장(李鴻章)이 지휘하던 안후이군(安徽軍)에 들어가면서 경력을 쌓기 시작했는데, 이 군대는 1882년 일본의 조선 침략을 막기 위해 조선에 파견되었다. 23세의 젊은 나이에 조선에 온 위안스카이는 임오군란을 진압하고 본국으로부터 멀리 떨어진 조선에서 벌어지는 일련의 정치적 위기상황들을 헤쳐나가면서 정확한 형세판단과 과감한 결단력과 특히 군사・경제에 있어서의 뛰어난 수완을 발휘해 본국의 상급자들에게 능력을 인정받았다. 그리하여 1885년 조선주재 총리교섭통상사의(總理交涉通商事宜) 전권대표로서 1894년 청일전쟁 직전까지 9년 동안 조선의 최고 권력가로 군림했으나 결과적으로 청일전쟁(1894－1895)이 일어나는 것을 막지는 못했다. 중국의 육군・해군이 일본군에게 패배하자 청나라 조정은 내외 적들의 공격에 무방비 상태로 노출되고 말았다. 그 결과 새로운 군대의 육성이 시급한 문제가 되었고 위안스카이에게 이 일이 맡겨졌다. 그의 휘하에 있던 북양군(北洋軍)은 1900년의 의화단(義和團) 사건을 이겨내고 살아남은 유일한 관군이 되었는데, 이에 따라 그의 정치적 위치도 다른 사람들보다 크게 높아졌다. 1901년 직례성(直隸省) 총독에 임명되었으며 이 직위에 있으면서, 그리고 후에 내각 총리대신으로서 중국 근대화와 국방계획에 결정적인 역할을 했다. 이러한 직위를 거치는 동안 계속 서태후(西太后)의 신임과 변함없는 지원을 받았으나, 1908년 서태후가 사망하자 그의 반대자들 특히 어린 황제의 아버지인 순친왕(醇親王) 재풍(載)에 의해 모든 관직을 박탈당하고 은퇴해야만 했다. 그러나 신해혁명의 물결이 만주족을 위협하자 청조는 그를 소환하여 도움을 청할 수밖에 없었다. 이같이 긴박하게 진행되는 상황에서 위안스카이는 보수세력이나 혁명세력 모두에게 나라의 분열을 막고 평화롭게 사태를 해결할 수 있는 유일한 인물로 간주되었다. 그 결과 베이징의 청 황실과 난징(南京)의 중화민국 정부 양자가 모두 위안스카이가 중화민국의 초대 대총통으로 취임하는 것에 동의했다. 당시 국고는 텅 비어 있었고, 각 성은 지방군벌이 장악하고 있었으며 헌법은 제정 중이었다. 그는 새로 구성된 의회가 국익에 전혀 도움이 되지 않는다고 생각했다. 자신의 대규모 해외차관 도입계획이 의회의 반대에 직면하자, 그는 국민당의 당수 대행인 쑹자오런(宋敎仁)을 무자비하게 암살하고 의회의 분열을 책동했다. 그 결과 1913년 반(反)위안스카이 폭동이 일어났으나, 서구 열강의 지원을 받고 있던 그는 폭동을 쉽게 진압했다. 그 결과 중국에서 의회민주주의를 실현시키려던 희망은 물거품이 되고 말았다. 그 뒤 위안스카이는 종신 대총통이 되고자 음모를 꾸몄으며 1915－1916년에는 제제(帝制)를 부활시켜 황제가 되려고 했다. 표면상 그의 목표는 중국 내의 모든 세력을 단결시키고 중앙정부의 지도력을 강화하는 것이었지만, 제제(帝制)를 부활하려는 시도는 그의 반대파는 물론이고 지지세력인 보수파 관료와 군부 내에서까지도 불만을 불러일으키는 결과를 낳았다. 그를 반대하는 세력은 광범위하게 확산되어 그의 권위에 도전했으며, 원래 그를 지원하고 있던 서구 열강들은 제1차세계대전에 휘말려 그를 지원해 줄 여력이 없었다. 사태를 파악한 그는 곧 제제를 철회했으나 반대파는 그에게 총통직에서도 물러나라고 계속 압력을 가했다. 1916년 궁지에 몰려 있던 그는 만성 피로와 요독증(尿毒症)으로 사망했다. 조선에 파견된 위안스카이는 3명의 조선 여인을 첩으로 두기도 했다. 그가 중국으로 귀국하기 전 당시 세도가였던 안동 김씨 처녀를 첩으로 맞아들여 1890년 둘째 아들을 낳고, 1894년 귀국하자 김 씨가 결혼할 당시 수행한 몸종으로 있던 이 씨와 오 씨를 각각 첩으로 삼아 이들에게서 모두 7남 8녀의 자식을 얻기도 했다.(파스칼 대백과사전 참조)

(사진 4) 위안스카이

교섭통상사무 장관) 김윤식(金允植)이 이를 거절했으나, 통상이라는 물질적 욕구보다는 신앙을 통한 정신적 결합을 내세운 프랑스의 요구에 따라 교섭이 가능해졌다. 1886년 6월 4일(음력 5월 3일)에 체결된 한불수호통상조약은 1년 후 1887년 2월 15일에 프랑스는 하원에, 4월 4일에는 상원에 의결을 붙여 4월 8일에 공표되고, 5월 31일(음력 4월 9일)에 김윤식(金允植)[41]과 프랑스에서 전권공사로 콜랭 드 플랑시(Victor Collin de Plancy: 1853－1922)를 전권특사(le plénipotentiaire, 4월 6일자 임명)로[42] 임명하여 양국 사이에 조약의 비준서를 교환함으로써[43] 정식 국교가 맺어지게 되었다.

한불수호통상조약은 프랑스인의 조선어 학습이나 교화를 위한 신변보호, 전교를 목적으로 하는 학교 설치, 프랑스에 가 있는 조선인에 대한 우대 등 미국・영국・독일 등 상업적 목적만을 담고 있는 다른 서방국가들의 조약과는 다른 것이었다. 이후 양국관계가 진전, 고종 25년(1888) 6월 28일에는

---

41) 김윤식(金允植: 1835－1922): 조선 말기 관료・문장가. 호는 운양(雲養). 서울 출생. 고종 11년(1874)에 문과에 급제하고 고종 17년(1880) 순천부사에 임명되었다. 정부의 개항정책에 따라 영선사(領選使)로 학도와 공장(工匠) 38명을 인솔하고 중국으로 가서 그들을 기기국(機器局)에 배속시키는 한편, 연미사를 위하여 이홍장(李鴻章)과 7차에 걸친 회담을 하고, 그 결과 조미수호통상조약(朝美修好通商條約)이 체결되었다. 청나라 체류 중에 임오군란이 일어나자 청나라에 파병을 요청하는 동시에 흥선대원군 제거방략을 제의하여 청나라 개입을 주도했다. 통리내무아문(統理內務衙門)의 설치에 따라 협판통리내무아문사무(協辦統理內務衙門事務)로 임명되었다. 1884년 갑신정변이 일어났을 때 김홍집(金弘集)과 함께 위안스카이(袁世凱)에게 청나라 군대를 요청하여 정변을 종식시켰다. 정변 이후 독판교섭통상사무(督辦交涉通商事務)가 되어 대외관계를 담당했다. 김홍집 내각에 등용되어 군국기무처 회의원으로 갑오경장에 관여했고 외무아문대신(外務衙門大臣)에 임명되었다. 1896년 2월 아관파천사건이 일어나자 외무대신직에서 면직(免職)되었고 을미사변(명성황후 시해 사건)과 관련되어 탄핵되었다. 한말에 애국계몽운동이 활발해지자 기호학회 회장, 흥사단장 등으로 활약했고, 1910년 8월 순종에게 합방의 옳지 않음을 적극 주장했다. 3・1운동이 일어나자 『대일본장서(對日本長書)』를 제출하여 저항했다. 저서로는 『임갑령고(壬甲零稿)』 등이 있다.

42) 콜랭 드 플랑시(Victor Collin de Plancy의 한자 이름은 갈림덕(葛林德)이다. 개항 이후 외국인의 이름은 의사전달을 명확히 하기 위해 국문으로 가차(假借)를 할 필요성이 대두되었다. 그리하여 1894년 11월 21일 “법률, 칙령은 모두 국문으로 써 근본을 삼고 한문을 부역(附譯)하거나 혹은 국한문을 혼용할 수 있다.”는 근대적 공문서 조항이 만들어졌다. 그러나 1899년 한 문서에는 여전히 ‘葛林德’이라 한문으로 적는 등 문자 사용의 혼란이 계속됐다.

43) 『大韓季年史』 卷1. 高宗 24年 5月條: 明年閏四月初八日 外務督辦金允植與法國公使葛林德互換.

플랑시가 신임장 제출과 함께 프랑스 공화국 대통령 카르노(Carnot)가 고종에게 선물로 증정하는 3개의 세브르 도자기(Sèvres porcelain)를 증정했고,[44] 계속해서 프랑스 파리외방전교회(外邦傳教會) 신부들이 선교활동을 전국적으로 펴면서 학교・의원・교회・대성당[45] 등의 기관이 생겼다. 특히 이 조약의 제9조[46]에 있는 교회(教誨: y étudier y ou profeser: 그곳에서 학습하

---

44) 국사편찬위원회 편, 『프랑스 외무부 문서 2(조선 I 1888)』. 서울: 국사편찬위원회, 2003. pp.27－33. 1888년 6월 21일 프랑스 정부에서 고종에게 선물로 줄 세브르 도자기 3개가 도착하여, 플랑시가 6월 26일에 고종을 알현하고 전달하려 했으나 조선의 과거시험으로 일정이 다소 연기되어 28일에야 전달된다. 선물 포장은 도자기마다 붉은 비단 천으로 싸서 가마에 실어 국왕만이 출입할 수 있는 정전의 중문으로 옮겼다.

45) ① 명동성당(明洞聖堂)은 프랑스인 고스트(Coste, E, 高宜善) 신부가 설계하여 1895년에 완성되었다. 처음에는 서울 목멱자락인 종현(鐘峴)에 세워졌다 하여 종현성당이라 했으나 1945년 해방 이후부터 지금의 명동성당으로 불리게 되었다. 명동성당이 종현에 세워지게 된 것은 한국 천주교가 원년으로 삼는 한국 최초의 영세자인 이승훈(李承薰, 1756－1801)이 청나라에서 영세를 받고 귀국한 1784년 이후 명동 부근인 수표교 근방 이벽(李檗, 1754－1786)의 집에서 세례를 베풀고 신앙 공동체를 탄생시킨 한국 최초 교회의 발상지이기 때문이다. 또한 1786년 최초의 순교자였던 역관 김범우(金範禹, 1751－1786)의 집이 있던 명례방(明禮坊) 옆 언덕으로 한국 최초로 순교자를 낸 천주교회의 태동지임을 의식해서였다. 이승훈은 다산 정약용의 자형이며, 이벽과는 손위 동서지간이다. 이 성당은 라틴 십자가(十字形) 삼랑식(三廊式)의 전형적인 장중한 고딕(Gothic)양식으로 되었고, 내부에 있는 복자제대(福者祭臺)와 복자상본(福者像本)은 1952년 79위(位)의 복자시복식(福者諡福式) 때 설치되었으며, 강대(講臺)는 프와넬(Uictor Loyis Poisnel, 朴道行) 신부의 고향에 있는 성당의 강대를 모방한 것이라고 한다. 처음 이 성당 터는 대형주택을 그대로 이용하다가 1883년 제7대 조선교구장 블랑(Blanc.M.J.G) 주교가 성당부지 매입에 나서 1887년 한불수호통상조약이 비준된 뒤 언덕을 깎아 내는 정지작업이 시작되었다. 그러나 당시 조정에서는 성당터가 조선왕궁을 내려다보고 있고 특히 조선조 임금들의 어진(御眞)을 모신 영희전(永禧殿)의 주산맥을 이루고 있어 건축이 불가하다는 풍수적인 이유로 정지작업 중지와 토지권의 포기를 강요하는 부지 소유권 분쟁으로 고종 29년(1892) 5월 8일에 와서야 기공식을 가졌다. 이후 청일전쟁과 성당 설계자인 코스트(Eugene－Jean Georges Coste, 高宜善, 1842－1896) 신부의 사망으로 공사가 중단되었다가, 프와넬 신부에 의해 내부공사가 속행되어 6년 만인 1898년 5월 29일 주한외교사절과 조선 정부의 고위관료, 재한 프랑스 선교사, 한국 신부들과 신자 등 3,000여 명이 참석한 가운데 장엄한 축성식(祝聖式)이 거행 완공되었다. 현재 서울특별시 중구 명동 2가 1에 '언덕 위의 뾰쪽집'으로 통하는 명동성당은 서울 대교구(大教區) 주교좌(主教座) 성당이며, 한국 최초의 본당(本堂)으로 사적 제258호로 지정되어 있다. ②『梅泉野錄』卷之三(光武 三年 己亥), 鍾峴學堂. 남부의 종현은 명동과 저동 사이에 있는데 지대가 높고 조망이 좋은 곳이다. 윤정현의 집이 그 마루턱에 있었는데 10여 년 전 서양인이 이를 구입하여 철거하고자 평지를 만들어 교회당을 세워 6년 만에 공사를 마쳤다.<南部鍾峴在明洞・苧洞之間 地爽塏便眺望 尹定鉉舊第 據基顚 十年前洋人買而毀之 作平地 築教堂 六年乃畢 穹然類斷山 可容數萬人 世所謂鍾峴學堂者也 男女領洗者 晝夜匝沓 如歸市> 국사편찬위원회 편, 1955년. p.235.

46) 大朝鮮國 法國條約. 第九款 一. 法國官民人等在朝鮮者 均可約雇朝鮮民人 作爲募友通事及服役人等 勷執分內一切事業工作之端 朝鮮官民人等 亦可分別約請 雇用法國民人 幇同辨理 一切未干例禁之事 朝鮮官員 概應聽準. <조선에 있는 프랑스의 관리와 백성들은 누구나 조선 사람들을 고용하여 서기, 통역 및 인부 등으로 삼아서 자기 직분상의 모든 사업과 작업들을 돕게 할 수 있고 조선의 관리와 백성들도 역시 필요에 의하여 프랑스 사람들을 고용하여 법에 어긋나지 않는 모든 일들을 처리하는 것을 돕게 할 수 있으며 조선 관리는 이것을 승인해 주어야 한다.>. 二. 凡有法國民人 前往朝鮮國 學習或教誨語言文字格致律例技藝者 均得保護相助 以照

거나 가르치다)[47]의 자유는 조약 체결 후 프랑스가 포교의 자유와 조선인을 가르칠 수 있다는 것으로 해석했다. 그리하여 가장 혜택을 받는 조관(條款: 벌여 놓은 조항)에 의하여 구미 각국이 모두 선교사업을 위한 교육기관을 운영할 수 있는[48] 길을 열어 주었다. 따라서 그 후에 체결된 한일(韓日) 및 한정(韓丁: 한국과 덴마크) 등 다른 수호통상조약에도 이 교회(教誨) 조항이 들어가게 되어 한불수호통상조약으로 인한 한국의 선교사업을 합리화하고 정당화시켜 교육문화의 신국면을 타개하는 데 크게 기여했다. 그리고 한불수호통상조약 이후이어서 통상장정(通商章程: Réglement concernant le Commerce Francais en Corée), 세칙(稅則: Trrifs), 세칙장정(稅則章程: Réglement), 선후속약(善後續約: Déclaration) 등을 체결하여[49] 우리나라와 프랑스의 만남에는 정치외교적 차원의 교류보다 가톨릭을 기반으로 한 문화적 교류[50])가 더

兩國敦篤友誼 至朝鮮國人 前往法國 亦照此一律優待. <프랑스 사람으로서 조선에 와서 말과 글을 배우거나 가르쳐 주며 법률과 기술을 연구하는 사람이 있을 때에는 모두 보호하고 도와줌으로써 두 나라 사이의 우의를 두텁게 하며 조선사람이 프랑스에 갔을 때에도 이 규례대로 똑같이 우대한다.>

47) 교회(教誨)는 한국인과 프랑스인이 서로 다른 나라에 가서 그 나라 사람들을 가르친다는 문구이다. 여기에는 종교나, 천주교, 크리스트교 같은 용어는 없으나 "pour professer les science(학문을 가르치기 위해)" 중 'science'를 학문, 과학, 교리까지 폭넓게 해석하여 포함시켰다. 그리하여 조선의 천주교 신자들에게는 신앙의 자유를, 파리외방전교회 신부들은 합법적으로 전교의 자유를 얻는 기회가 되었다.

48) ① 프랑스 또한 다른 열강국처럼 강하지는 않았지만 조선을 식민지화하려는 야심으로 교육·철도·탄광·우편제도를 통해 영향력을 행사했다. 프랑스는 1886년에는 조선인을 대상으로 가르치는 프랑스 학교를 설립하여 조선의 행정을 지휘받도록 했으며 에밀 마르텔(Emile Maetel, 馬太乙, 1874–1949)이 첫 교사였다. 그는 처음에는 광산기사였으나 1895년 10월 5일 조선 정부의 외국어학교 관제 공포(5월 13일 시행)에 따라 설립된 법불어학교(法佛語學校) 교장 겸 교사가 되었다가 1901년에는 교장이 되어 1910년까지 교직에 있었으며 이능화가 그의 제자이다. 한일합방 후 귀국하여 1차대전에 참전했으며 1920년 당시 조선으로 와서 경성제국대학 예과와 동성상업학교에서 프랑스어 강사로 있었다. 1943년 일제에 의해 강제 추방되었다가 1947년 다시 내한하여 지내던 중 1949년 9월 19일 자유당시절 이기붕 씨가 살기 전 집에서 사망했다. *홍순호, "Emile Maetel의 생애와 활동", 『교회와 역사』93. 서울: 한국교회사연구소, 1983. p.4 참조. ②프랑스는 1893년 인천시 중구 답동 답동성당(1889년 설립)의 수녀원이 완공되자 샤르트르 성바오로 수녀회에서 2명의 수녀를 파견하여 보육사업과 무료 진료사업을 실시했다. 그리하여 1894년 가을에 4살과 12살 된 여자 아이를, 이듬해 4월 2살 된 남자 아이를 입교시켜 답동성당 내에 혜성보육원을 설립하는데 이곳이 우리나라 최초의 보육원이다. 이 후 보육원생이 늘어나자 1896년에는 120평 규모로 건물을 다시 지었다.

49) 이러한 조약은 프랑스 전권위원 코고르당과 조선 정부 전권대신 김만식, 전 텐진(天津)주재 미국 영사이며 한국왕실 고문인 외무아문장교당상 데니(Owen Nickerson Denny, 한문 이름 德尼)와의 사이에 체결되었다.

50) 당시에 서울 도성(都城) 안에서의 포교 및 예배 행위는 금지하고 있었으나, 명동성당을 건립할

긴밀하게 이루어졌다. 부속통상장정에는 선박의 출입, 선하(船荷: 뱃짐)의 양육(揚陸: 육지로 들어 옮김)과 적재, 세금의 납부, 세관 출입 보호에 관한 제 규정이 있다. 세칙과 세칙장정에는 출입화물의 종류와 출세규정이 있다. 출세액은 관세표에 의거하여 전하여져 있으며 세금은 멕시코화 또는 일본은원(日本銀圓)으로 납부하게 되어 있다.

선후조약의 내용은 다음과 같다.

○체약국 중 일국이 조약 제2조에 의하여 영사의 기능을 제3국의 관원에게 의뢰할 수 있다.
○프랑스 정부의 견해로 프랑스인이 조선재판소에서 받아도 좋다고 생각할 때는 프랑스 정부는 그 재판권을 포기한다.
○조선과 이미 조약을 체결한 국가들이 서울시에 영업소를 두는 것을 포기할 경우에는 프랑스도 이 권리를 요구하지 않는다.
○본 조약의 모든 조항은 프랑스의 이 권력하와 보호하에 있는 모든 국가들에게 적용된다는 것 등이다.

위와 같은 조약은 프랑스에게 유리한 조건으로 자국이 주장하는 종교적 교리와 문학·과학 및 예술을 한국에 전파할 목적으로 우리나라에 자국의 전문가를 파견할 권리를 갖게[51] 되었다. 그리하여 서지학에 조예가 깊은 플랑시와 쿠랑(Maurice Courant)도 그들 중 한 사람으로 문호개방에 따른 우리나라에서 얻게 되는 모든 우선적 권리로 인해 고서의 수집과 반출이 쉬웠던 것으로 보인다. 이후 우리나라는 문화의 차원에서만큼은 프랑스를 가장 특별한 자리에 두게 되었다. 그러나 한일병합조약으로 외교권이 박탈되어 공식관계는 끊어진 채 한국의 독립을 호소하는 외교채널(Foreign channel)로 이용하는 데 그쳤다.

우리나라가 프랑스와 국교를 맺으면서 프랑스에서 외교관을 파견한 것처럼 우리나라에서도 프랑스 외교업무를 담당하는 관원과 외교관을 파견했다.

적에 프랑스 공사가 개입되어 자신이 참여하는 종교예식은 반드시 도성 안에서 이루어져야 한다고 선언했다. 프랑스 공사는 자신의 종교적 의무의 수행을 주장하면서 아울러 그 의무의 수행이 자신의 절대적 권리라고 선언했다. 그리하여 종루(鐘樓)나 망루(望樓)가 성당 건물 위로 솟아오르지 않을 것을 조건으로 대성당은 도성 안에 건립이 되었다.

51) 한불수호통상조약(1886년 6월 4일, 음력 5월 3일) 제9조 1, 2항 참조.

프랑스와 우리나라 간의 국교가 처음 맺어졌을 때는 유럽을 포함한 특명전권공사(特命全權公使)로 임명했다. 프랑스와의 국교는 1888년 8월 18일에 내무협판(內務協辦: 내무부 차관) 심상학(沈相學)이 영국·독일·프랑스·러시아·벨기에 등 5개국 전권대사로 처음 임명되었으나 병을 이유로 사퇴하여 프랑스를 포함하여 각국에 통고되기 전 9월 19일에 조신희(趙臣熙)가 대신 임명되었으나 그도 유럽으로 가지 못하고 홍콩에 3년 동안 눌러앉아 있다가[52] 1890년 본국으로 송환되어 유배를 당했다. 그리고 이어 1890년 2월 1일에 박제순(朴齊純)을, 1897년 1월 11에 민영환(閔泳煥)을, 8월 31일에 민영익(閔泳翊: 민영찬이 종형)을, 1898년 5월 24일에 윤용식(尹容植)을, 10월 9일에는 민영돈(閔泳敦) 등으로 자주 교체를 했다. 그러나 이들이 프랑스에 실제로 부임한 것은 1900년 5월에 파리에 도착한 이범진(李範晉: 1852-1910)이 처음이었다. 그 후 1905년 12월 을사보호조약이 경운궁(慶運宮: 현재의 덕수궁) 중명전(重明殿)[53]에서 체결되어 공사관이 폐쇄될 때까지 김만수(金萬秀), 민영찬(閔泳瓚) 등이 공사로 파견되었다.

---

52) 당시 외교관으로 파견된 조선 관리들은 조선을 신하의 나라처럼 생각하는 중국의 천자의 나라에 누를 끼쳤다는 끈질긴 방해공작으로 중국이 아닌 다른 열강과 대등한 외교관계를 맺는 데 고충이 많았을 뿐 아니라 외교관으로서의 문화적 차이를 극복하지 못해 소임을 다 할 수 없는 경우도 있었다. 초대 워싱턴 주미전권공사였던 박정양은 제물포에 도착해 일본 요코하마로 자신을 실어 갈 미국의 증기선을 보고 겁이나 도망을 쳤다가 강제로 승선을 당하기도 했다. 조신희 또한 홍콩의 '선원의 쉼터'라는 허름한 호텔에 머물며 숙박료를 계산하지 못해 몇 년 동안 발목이 붙잡히기도 했다. 한편 조선의 관습상 부인이 집을 떠나는 것을 허용할 수 없었던 제도로 무희(기생)들을 여러 명 데리고 간 외교관들은 미국 상류사회에 기생들을 자신의 합법적인 배우자인 양 소개하고 다니기도 했다. *샤이에 롱 지음, 성귀수 옮김, 『코리아 혹은 조선』. 서울: 눈빛, 2006. pp.246-247, 324 주31) 참조.

53) 서울시 유형문화재 제53호. 대지 2,399㎡(727평), 건축면적 877.8㎡(236평)의 양식(洋式) 2층 벽돌집이다. 1900년 1월 경운궁(덕수궁) 별채인 황실도서관으로 건립(建立)되었으나, 실제로는 고종의 외교사절단 접견장 겸 연회장으로 쓰였다. 1904년 덕수궁이 불타자 고종은 이곳으로 옮겨와 1907년 순종(純宗)에게 왕위를 물려줄 때까지 3년간 기거했다. 중명전의 처음 이름은 수옥헌(漱玉軒)이며, 후에 을사조약(乙巳條約)이 체결되었던 비운(悲運)의 장소다. 이 중명전은 2007년 덕수궁에 포함되어 사적으로 추가 지정된 건물로 우리나라 서울 지역의 초창기 근대건축의 풍모를 간직하고 있으며 궁궐 안에 남아 있는 근대 건축물 중 가장 오래되었다.

개화기 프랑스 외교관과 한국학 연구

1. 콜랭 드 플랑시(Victor Collin de Plancy)

1) 콜랭 드 플랑시(Victor Collin de Plancy)의 생애와 한국학 연구

(1) 콜랭 드 플랑시(Victor Collin de Plancy)의 집안 배경

빅토르 에밀 마리－조제프 콜랭 드 플랑시(Victor Émile Marie－Joseph Collin de Plancy: 1853－1922)는 프랑스 파리 남동쪽 트루아(Troyes)[54] 지방의 플

54) ① 플랑시의 출생신고서에는 프랑스 북동부의 오브 도(Departement de l'Aube)의 매리－쉬르－샌느 면(canton de Mery－sur－Seine) 소재 플랑시－라베이 마을로 기재되어 있다. *http://www.euro－coree.net: 이진명 교수, "외교관 콜랭 드 플랑시(Collin de Plancy)의 한국고서 수집"에서 재인용함. ② 프랑스 중북부 상파뉴아르덴주(Champagne－Ardenne州) 오브현(Aube縣)의 현도(縣都). 파리분지 남동쪽 150㎞ 지점에 있으며 센강 중류 연변에 위치한다. 인구 7만 2천. 율리우스 카이사르가 정복하기 전에 이미 갈라이아인의 도시였으며, 5세기 무렵 아틸라가 침공해 왔을 때 주교성(聖)루가 이를 저지시킨 데서 그리스도교의 중심지가 되었다. 중세에는 상파뉴 백작령의 주읍이었으며, 6월 10일 정기시(定期市)가 열렸다. 백년전쟁 중인 1420년 이곳에서 트루아 조약의 체결되었으며 1429년 잔 다르크가 영국군을 축출한 곳이다. 산업은 타이어 제조업・메리야스 제조・섬유기계・자동차 부품・바늘・오토바이・식품가공업・제분업이 발달되었다. 고딕양식의 생피에르에 생플 대성당(Cathéaral St－Pierre et St.－Paul, 13－17세기)이 있으며 생레미 대성당(St. Rmi, 14－16세기)은 60m의 첨탑으로 유명하다. ③ 『중앙일보』 2006년 5월 18일 21면에서는 플랑시의 고향이 트와이(Troy)이며 이곳에 플랑시박물관이 있을 정도로 그가 알려진 인물이라고 되어 있는데, 트루아(Troyes)를 트와이(Troy)로 잘못 기재한 듯하다. ④ 플랑시는 1906년 1월 22일 우리나라에서 외교관직을 떠난 이후에는 프랑스 파리 빌랭가 15가(街)에 거주한 것으로 추정된다. *『뮈텔주교 일기』 1908년 4월 2일자 참조.

랑시－라베이(commune de Plancy－l'Abbaye)[55] 마을에서 작가 겸 기자였던 60세의 아버지 자크 알뱅시몽 콜랭 드 플랑시(Jacques－Albin－Simon Collin de Plancy)와 27세의 어머니 오귀스타 클라리스 브라디에(Augusta－Clarisse Bradier)[56] 사이에서 1853년 11월 22일에 출생했다. 아버지보다 33살이나 어린 빅토르 콜랭의 어머니 브라디에는 아버지의 두 번째 부인이었으며, 첫 번째 부인은 1815년 클로틸드마리 파방(Clotilde－Marie Paban)으로[57] 사촌간에 결혼을 했다. 빅토르란 이름은 자크가 3세기에 순교한 생 빅토르(St. Victor)의 이름을 따서 1846년 고향 마을에 종교서적 전문 출판사를 설립하여 운영한 이름과 같이 지은 것이다. 플랑시의 아버지 자크는 1794년 1월 30일 오브(Aube)의 플랑시 마을에서 태어났으며, 빅토르 콜랭의 조부, 즉 자크의 아버지는 아일랜드(Ireland) 출신으로 양말 공장을 경영한 에듬 오뱅 콜랭(Edme－Aubin Collin)으로 자크가 태어나던 당시는 플랑시 마을의 면장(시장)을 하고 있었다. 자크의 어머니는 프랑스혁명 때의 과격파 지도자 당통(Danton)의 누이였다.

플랑시의 집안은 처음에는 반가톨릭 교도로 이름이 높았으나, 고향 마을 귀족들과의 마찰과 사업 실패로 벨기에(Belgium)를 거쳐 네덜란드(Netherlands)에서 은총을 받고 귀향한 후 가톨릭에 심취했으며 당시 지식산업인 인쇄출판업을 했다. 자크는 초기에는 외가의 콜랭－당통이란 이름을 사용했으나, 당통이란 이름은 일반 프랑스인들의 혐오의 대상이었으므로 당통은 떼어 버렸다. 그런데 자크부터 콜랭이란 이름 뒤에 귀족신분인 드 플랑시 'de Plancy'를 붙여 사용하면서 화근이 되었다. 그래서 콜랭 가문은 고향을 등지고 다른 나라를 배회하게 되며 자크가 '콜랭'이라는 성 뒤에 귀족신분을 붙인 것으로 인해 플랑시까지 소송에 휘말리게 된다. 우리나라에서 조선 후

55) 현재 플랑시의 생가는 다른 사람의 별장으로 쓰이고 있다. 플랑시 마을은 파리에서 150㎞ 거리로 서울에서 청주까지의 거리이다. *MBC 청주문화방송 창사 36주년 다큐멘터리 2006년 7월 31일. "직지의 최초 발견자 콜랭 드 플랑시" 참조

56) ① 플랑시의 어머니는 1908년까지 생존한 것으로 보인다. ②『뮈텔주교 일기』 1908년 10월 16일. ……저녁에 플랑시 씨를 방문했다. 병석의 그의 어머니가 나에게 강복을 청했다.

57) 김탁환,『(파리의 조선궁녀) 리심』. 상. 서울: 민음사, 2006. pp.198－199.

기에 양반이 급격하게 증가한 것처럼 1789년 프랑스혁명 이후 많은 부르주아지(Bourgeoisie)가 이런 식으로 귀족 행세를 하는 등 19세기 프랑스인도 귀족이 되려는 노력을 아끼지 않았다. 플랑시의 아버지 자크는 이러한 사회 추세를 따라 귀족 행세를 했음에도 63년 동안은 아무런 문제가 발생하지 않았다. 그런데 1880년부터 플랑시 마을의 진정한 귀족이며 외교관 조르주 드 플랑시(Georges de Plancy) 백작이 플랑시가 '드 플랑시'라고 성을 사용하는[58] 것에 여러 차례 항의하여 승소했음에도 불구하고 자크와 아들 플랑시는 'de Plancy'를 고집했다. 이 분쟁은 훗날 외무부에서도 플랑시의 성을 표기하면서 혼동이 왔는지 관보에 '드 플랑시'라 수록하는가[59] 하면, 플랑시 본인 자신도 모든 외교문서에는 '드 플랑시'로 서명하기도 하고, 1906년 방콕(Bangkok)에서 사용한 명함에는 '드 플랑시'가 귀족이 아니라는 괄호로 묶여 있는 것을 사용하기도[60] 했다. 그러다가 1906년 6월 13일 법무부 장관에게 보내는 서신에서는 '드 플랑시'란 성을 계속 사용했다. 이와 같이 성을 사용하는 분쟁은 참사원이 1908년 5월 14일 회기에서 '드 플랑시' 성을 붙이는 것에 정당성이 결여되었다고 판단하여 플랑시는 재판에서 결국 지고 말았다.

플랑시의 아버지 자크는 1813년에서 1814년 사이에 파리에서 유학을 하면서 악마나 괴물에 관심을 가지기 시작하여 1818년에는 프랑스 『산해경』에 비견되는 『악마사전(Le Dictionnaire infernal)』[61]이라는 반가톨릭적인 책을 저술했는데, 1831년 발표된 빅토르 위고(Victor－Marie Hugo)가 『파리의 노트르담(Notre－Dame de Paris)』[62]을 쓰면서 영감을 얻었던 책으로 지금도 많이 읽

58) 1880년 12월 6일자 "나의 사랑하는 블랑샤르"에게 보내는 서신.

59) 조르주 드 플랑시는 콜랭이 외무부에서 사용되는 여러 문서에 괄호를 사용하든 안 하든 '드 플랑시'라는 이름을 덧붙이지 못하게 요청했지만 관보에는 '드 플랑시'로 승진 임명된 것에 대해 강력 항의했다.

60) 김탁환, 『(파리의 조선궁녀) 리심』. 하. 서울: 민음사, 2006. 부록 p.336.

61) 중국의 상상동물과 환상적인 풍광을 묘사한 『산해경』에 비견되는 책으로 빅토르 위고(Victor Marie Hugo)도 이 책을 많이 참고했다.

62) ① 빅토르 위고 지음, 김영한 옮김, 『노틀담의 꼽추』. 서울: 청목, 2001. ② 빅토르 위고 지음, 전혜경 옮김, 『노트르담의 꼽추』. 서울: 혜원출판사, 2002. (혜원월드베스트 39) ③ 빅토르 위고 지음, 김원기 옮김, 『노트르담의 꼽추』 서울: 홍신문화사, 2004. (베이직북스 29) ④ 빅토르 위고

히고 있다. 그다음에는 『유령과 악마의 이야기』 등 많은 책을 저술했는데, 이로 인하여 지탄을 받게 된다. 또한 자크는 단편소설 『오귀스트 드 발모르(Auguste de Valmor)』란 작품으로 소설가로 등단하여 작품마다 반종교, 반사회제, 반수도회 반중세를 주장하다가 1821년 재판정에 서기도 했다. 자크는 사업가로서 1824년부터 1830년 사이에는 파리 인근 지역에 광대한 땅을 사들이는 등 부동산 투기를 했으나, 1830년 7월 혁명 때 파산을 하여 가산을 탕진하고 반가톨릭적인 저술로 인해 지탄을 받자 벨기에(Belgium)로 떠나 브뤼셀 (Brussels)에서도 잡지를 발간하는 등 출판업을 계속한다. 자크는 처음 반가톨릭에서, 네덜란드에서 신성한 체험을 하고 다시 독실한 가톨릭 신자가 된다. 성령 강림의 은사를 받은 자크는 1833년 이후 반가톨릭 서적은 쓰지 않고 1837년 고향인 플랑시 마을로 돌아와 성경연구와 묵상으로 대부분의 기산을 보낸다. 7월 혁명 이후 가톨릭 자유주의자들은 도덕적이고 종교적인 서책들을 출판 보급하고자 노력했다. 이러한 시대적 흐름에 찬동한 자크는 종교서적만을 전문적으로 출판하기 위해 1846년 고향 작은 마을에서 종교서적 전문 출판사 '생 빅토르'를 설립하여 운영하면서 복음을 널리 전하기도[63] 했다. 자크는 1858년 출판사가 파산할 때까지 각종 책을 무려 150만 권이나 찍었다고 하며, 파리로 이사하여 플롱(Plon) 출판사 사장으로 출판을 계속하가다 1881년 파리에서 사망했다.

플랑시의 형제로는 위로 마리라는 누이가 있었으나 겨우 33개월을 살다가 플랑시가 태어나기 1년 전인 1852년에 사망했다. 그런데 마을 가운데 있는 생 줄리앵 교회의 석판에 아직도 마리의 짧은 인생이 기록되어 있음은 물론, 트루아시립도서관(Bibliothéque Municipale de Troyes)[64] 자료에는 짙은 속눈썹과 고운 뺨, 넓은 이마와 도톰한 입술의 아름다운 아기 마리의 초상

지음, 조홍식 옮김, 『노트르담의 꼽추』 서울: 신원문화사, 2004. (밀레니엄북스 32) ⑤ 빅토르 위고 지음, 정기수 옮김, 『파리의 노트르담 1. 2』서울: 민음사, 2005. (세계문학전집 113, 114) ⑥ 빅토르 위고 지음, 박아르마 옮김, 『노트르담 드 파리』. 서울: 다빈치기프트, 2005. ⑦ 빅토르 위고 지음, 신정아 옮김, 성혜영 그림, 『파리의 노트르담』서울: 책만드는집, 2007.

63) 김탁환, 『(파리의 조선궁녀) 리심』. 상. 서울: 민음사, 2006. pp.198 – 199.

64) 이 도서관에는 콜랭 가문의 서책과 자료를 상당히 많이 소장하고 있는데 특히 빅토르 콜랭의 자필 이력서에서부터 음식재료 영수증 등 그와 관련된 신문 기사들도 보관되어 있다.

화가[65] 남아 있다. 다른 형제가 없었던 플랑시는 어려서 죽은 바로 손위 누이의 초상화를 평생 동안 지니고 다녔을 것으로 보이나, 그의 아내이기도 했던 조선 궁중 무희 이진의 기록이나 사진이 없는 것은 이진이 자살을 했기 때문에 비극적인 사랑을 혼자서 간직하고자 없애 버렸을 가능성이 높다.

플랑시는 복잡한 집안 배경에서도 엄숙한 가톨릭 교육을 받고 자라 종교에 헌신하기를 바라는 어른들과는 달리 새로운 학문과 세계를 알고 싶어 그가 택한 것이 동양에 대한 관심이었다. 그리하여 후에 외무성의 외교관이나 통역관을 배출하는 현재는 파리3대학에 소속된 동양어학교(L'École des Lanques Orientales Vivantes)[66]에 입학을 하여 외교관으로서 거의 동양에서 생활을 보내게 된다. 플랑시는 아버지가 저술하거나 출판한 책을 평생 가지고 있다가 말년에 옛 생루 대수도원에 있는 1651년에 설립되어 희귀한 고서와 필사본을 많이 소장한 트루와시립도서관에 기증하기도 했다. 또한 도서관에는 플랑시의 수집벽을 알 수 있듯이 자필이력서, 학위증과 논문, 한자어와 프랑스가 혼용된 도자기 용어집은 물론 쇼콜라 케이크(Chocolor Cake: 초콜릿으로 만든 케이크)를 만들기 위해 주문한 음식재료 영수증, 자신의 기사를 모은 신문기사와 인명사전을 스크랩(Scrap)한 자료, 사진집 등이 모두 보관되어 있어[67] 그의 연구에 중요한 자료가 되고 있다. 플랑시는 아버지로부터 물려받은 미미한 물질적 유산보다도 신비주의에 대한 관심이나 천주교도로서의 경건한 삶, 꼼꼼한 자료 분석을 통한 논문 저술 등은 아버지를 닮았다. 계몽과 신비를 대비시키지도 않았고 골방에 틀어박혀 글을 쓰는 일과 미지의 세계를 떠도는 삶을 애써 구분하지도 않은[68] 플랑시의

65) 김탁환, 『(파리의 조선궁녀) 리심』. 하. 서울: 민음사, 2006. 부록 p.337.

66) ① 동양어학교((L'École des Lanques Orientales Vivantes)는 Lanques O로 불리며 LOV로 약칭되고 있다. 이 동양어대학은 1669년에 설립되어 1795년에 정식대학으로 승격되었다. 19세기 말에는 주로 동양에 파견되는 통역관들을 양성하는 역할을 담당했다. ② 현재의 명칭은 國立東洋言語와 文化學院(Institut Nationale des Langues et Civilizations Orintales)으로 파리3대학 소속임. *李姬載, 「프랑스 빠리 東洋語學校 圖書館 所藏本의 主題別 特性과 意義」, 『書誌學研究』第10輯, 書誌學會. 1994. p.238 참조. ③ 1968년 대학개혁의 일환으로 파리3대학 부설의 국립 동양언어문명학원이 되었으며, 파리시(市) 제7구에 있다.

67) 김탁환, 『(파리의 조선궁녀) 리심』. 하. 서울: 민음사, 2006. 부록 pp.337 – 338.

68) 김탁환, 『(파리의 조선궁녀) 리심』. 하. 서울: 민음사, 2006. 부록 p.336.

이러한 가정배경은 훗날 우리나라에 오래 머물며 한국학 연구에 정진하는 밑거름이 되었다고 볼 수 있다.

(2) 콜랭 드 플랑시(Victor Collin de Plancy)의 외교관 생활

플랑시는 결혼을 하지 않고 독신으로 살았고 한때 조선의 궁중 무희 이진과 살았다고 하나[69] 본인의 유아기·청소년기에 대한 자세한 기록은 거의 없으며 대학 학위과정과 외교관 생활에 대한 기록만 남아 있다. 플랑시는 프랑스 파리대학에서 법학학사를 받고, 1876년 동양어학교에서 중국어과를 졸업하여 중국어 고등교육학위[70]를 취득한 후 1877년 베이징주재 프랑스공사관 통역 견습생에 임명되었으며, 1883년부터 상하이주재 영사로 있다가 1887년 11월에 초대 주한 프랑스 대리공사에 임명될 때까지 6년 동안 중국에서 근무를 했다. 플랑시의 첫 외교관 직무는 중국에서 시작되었다. 그는 프랑스 외무부의 장학금으로 동양어학교를 다녔기 때문에 의무적으로 베이징에서 준통역관으로 일할 것을 제안받았으나 본인은 상하이(上海) 영사관 준영사를 원했으며 외무부에서 행정적 이유로 반대했다. 이후 그가 프랑스에서 휴가를 보내는 동안 프랑스 외무부는 예외로 플랑시를 서울의 영사 겸 칙사로 임명함으로써 그의 외교관 길이 열리며 일반 외교관들이 한 나라에서 3-4년간 직책을 수행하는 데 비해 플랑시는 여러 차례 한국과 인연을 맺는다.

플랑시는 서지학적 지식 뿐만 아니라 중국어문학에서부터 조선도자기, 법학과 생물학, 그리고 천문학에 이르기까지 문학·역사·철학·자연과학 등 관심사가 다양했다. 그리하여 중국에서 근무하던 1877년에는 "프랑스 도마뱀의 교미와 산란", "양서류에 기생하는 곤충에 대한 기록"과 같은 생물학 관련 논문을 동물학회지에 발표했다. 뿐만 아니라 최초로 프랑스에 청나라

---

69) 끌라르 보티에·이포리트 프랑뎅 지음, 김상희·김성언 옮김, 『En Corée(프랑스 외교관이 본 개화기 조선)』. 서울: 태학사. 2002. pp.108-111.

70) 프랑스의 학위제도에는 학사, 석사, 박사 이외에 학술계의 인정을 받는 고등학위로 디플롬(Diplôme)이 해당과정의 졸업과 동시에 수여되고 있다.

(사진 5) 콜랭 드 플랑시

에 서식하는 금개구리를 자신의 이름을 따서 공식학명 '라나 플란시(Rana Plancyi)'로 소개하기도[71] 했다. 플랑시는 1886년에 조선과 프랑스 사이에 체결된 통상우호조약(通商友好條約) 비준문서(批准文書)[72]를 교환할 전권특사의 임무를 가지고[73] 1887년 5월 31일(음력 윤 4월 9일)[74]에 파견된 외교관으로 일주일 동안 서울에 머물며 고종을 알현하고 곧바로 떠났다. 플랑시는 주조선 프랑스 정부위원이라는 직함을 갖는 영사(공사대리 겸임)로 임명되었으나 즉시 공관을 개설하지 않고 러시아공사관에 거처를 두면서 한국에서의 프랑스 권익의 대변자로서 러시아 공사 웨베르(Karl Waeber)에게 영사사무를(1887년 6월-1888년 6월 초까지) 위임하고[75] 그는 본국으로 귀국했다. 이후 한국 측의 프랑스 공사 주재 요청에 따라 프랑스 정부는 1887년 11월에 플랑시를 서울주재 초대 프랑스 대리공사로 임명했으며, 그는 1888년 6월에 제물포에 도착, 6월 7일에 고종에게 신임장을 제출하고 부임하여 1891년 6월까지 서울에 주재했다. 플랑시는 쿠랑과 같이 한국의 고서에 해박한 서지학자이면

71) 김탁환, 『(파리의 조선궁녀) 리심』. 하. 서울: 민음사, 2006. 부록 p.340.

72) 조약의 체결에 대하여 국가가 최종적으로 확인하고 동의하는 절차를 밟는 절차.

73) 국사편찬위원회 편, 『프랑스 외무부 문서 1(1854-1889)』. 서울: 국사편찬위원회, 2002. 99, 101에 의하면 당시 조불조약 비준시기인 1886년 6월부터 조선에서 프랑스 외교관 역할을 한 조선주재 러시아 대리공사 겸 총영사인 웨베르(Karl Waeber) 씨에게 프랑스 정부에서 명예훈장을 수여하는 제안이다. 이 문서에서는 프랑스 정부가 4월 6일자로 플랑시를 공사로 임명하여 서울에 도착하는 대로 러시아 대사는 그 임무를 종료하고 플랑시가 그 업무를 맡는다는 내용이다.

74) ① 『高宗實錄』 24卷. 高宗 24年 閏4月 9日 丙申條. 교섭통상사무아문에서 보고하기를 "오늘 미시(未時: 오후 1시-3시)에 신 등이 대프랑스 사신 갈림덕(콜랭드 플랑시)과 지난해 토의한 조약을 상호 교환했습니다."라고 했다. <交涉通商事務衙門 以今日未時 臣等與大法國使臣葛林德將上年所議條約互換啓.> ② 일부 자료에는 1887년 윤 4월 8일(양력 5월 30일)로 날짜가 잘못되어 있다.

75) 주조선 러시아 공사 웨베르(Karl Waeber)는 프랑스 영사사무를 위임받아 파리의 외무부장관에게 보내는 공문에서 자신의 직함을 '한국에서 프랑스 이권 보호자(Chargé de la protection des intérêts Francais en Corée)'라 표기했다. 국사편찬위원회 한불관계자료 p.68.

서 문화적 소양과 학식이 매우 높은 존경을 받는 외교관이었다. 플랑시가 1888년 한국에서 첫 외교관 직무를 시작하기 전 프랑스 정부는 특별한 정치적인 이해관계가 없다는 지침을 주어 고종과의 호의적인 관계를 만드는 길을 터 주었다. 이는 당시 프랑스와 중국과의 미묘한 국제상황을 고려하여 중국대표와도 신중한 관계를 유지해야하는 외교적 수완이 필요했다. 특히 고종은 베이징 영사관에 소속된 영국 영사와 달리 프랑스에서 외무부 직속 파견 외교관을 조선에 파견한 것에 대단히 만족했다. 플랑시는 1890년 7월 12일 베이징으로 발령이 났으나 실행되지 않았고, 곧이어 8월 16일 일본 도쿄로 전속발령을 받으나 이 또한 인사발령에 착오가 생겨 실제로는 전속되지 않았다. 그리하여 1890년 5월 23일에 한국에 부임한 쿠랑과는 서울에서 함께 일한 시간은 13개월이나 되는 셈으로 이때 두 사람이 『한국서지』를 작성한 시기가 된다고 하겠다.

플랑시는 1891년까지 1차 근무를 마치고 일본과 북아프리카(North Africa) 모로코(Morocco) 등지에서 5년간 근무한 후, 1896년 4월 총영사 겸 주재공사 자격으로 서울에 다시 돌아와[76] 근무하던 중 1905년 을사조약 체결로 한국의 외교권이 일본으로 넘어가자 1906년 1월 귀국하기까지 붕괴해 가는 조선 왕실이 경청하는 충고자 역할을 하는 등 10여 년간 한국에 체류했다. 그는 우리나라와 프랑스가 국교를 맺은 후 2차례에 걸쳐 서울에서 13여 년을 외교관으로 머물면서 확고한 감식력과 폭넓은 교양으로 한국의 도자기와 고서를 수집하기[77] 시작했다. 플랑시의 이러한 전공과 유학과정 외교관 생활은 자신과 함께 조선의 서지를 연구할 12년 연하인 쿠랑과 거의 같았다. 구한말 미국 외교관이자

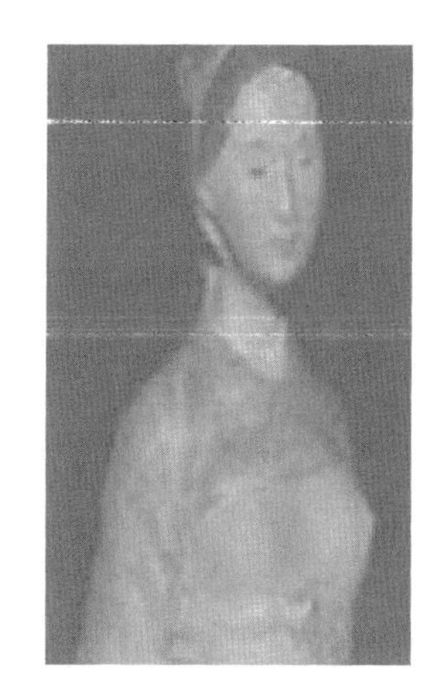

(사진 6) 플랑시가 수집한 조선 여인도자기 像

76) 『大韓季年史』 卷2. 丙申 建陽元年 4月 24日條: 同日法國判事大臣兼總領事葛林德 入京城.

77) 19세기 말 우리나라에는 민예품을 비롯한 고서는 물론 막사발 등 수천 년 내려온 한국인들의 꾸밈없는 정서와 미감(美感)이 담긴 아무도 거들떠보지 않는 값싼 물건들이 넘쳐나 이 분야에 관심이 많던 외교관들이 대량으로 수집해 자기 나라도 가져갔다.

고종황제의 고문이었던 샌즈(William Franklin Sands)는 플랑시에 관하여 "진지하고 예의바르며 사려 깊은 인물로 친노파(親露派)이면서도 음모에는 전혀 가담하지 않은 사람"이라고[78] 쓰고 있다. 그리하여 플랑시는 오늘날 학자들에게 그의 외교 활동인 정치적 문제나 치부의 목적이 아닌 문화애호가로서 그가 극동체류 중 수집한 예술품과 고서적에 관한 연구에 더 관심을 가진다. 플랑시의 책에 대한 애착은 인쇄출판업을 했던 아버지의 영향으로 어려서부터 늘 책을 가까이하며 성장하여 후에 그가 수집했던 자료들을 동양어학교와 기메박물관 뿐만 아니라 자신의 고향 트루아시립도서관(Bibliothéque Municipale de Troyes)[79]과 플랑시박물관 등에 기증을 하여 오늘날까지도 한국을 알리는 외교관이자 문화 지식인의 역할을 수행했다. 샤를 바라(Charles Louis Varat)도 플랑시에 관하여 "그 심성이 무척 자상하고 정신도 고상해서, 내가 아는 친구들 중 가장 사려 깊고 성실한 인물임에 틀림없다. 물론 내가 아는 수많은 외교관 중에서도 단연 으뜸 요원이라 감히 말할 수 있다. 내가 조선에 왔을 때 그의 관저에 머무는 동안, 문호가 개방

---

77) ① William F. Sands, 『Undiplomatic memories(조선비망록)』. New York. 1930. Repr., Royal Asiatic Society reprint series, Seoul. 1975. p.238, 51. ② W. F. 샌즈 지음, 신복룡 역주, 『조선비망록』. 서울: 집문당, 1999. pp.61, 131.

79) ① 이 도서관에는 플랑시의 가족으로부터 1923년 4월 28일 기증받은 한국·중국·일본과 같은 극동국가들에 관한 170권 정도의 동양 서적과, 프랑스 서적, 그리고 유럽이나 미국에서 출판된 책들이 소장되어 있다. 극동국가에 서적들도 30여 권 정도 있는데 그중 일부는 한국에서 인쇄된 것들이다. *KBS1 한국방송공사 2007년 6월 23일 오후 8시 10분-9시. 한국사傳 제2회. "조선의 무희, 파리의 연인이 되다-리진-" 프랑수아 베르케 트루아시립도서관장 인터뷰 참조. ② 1922년 세상을 떠난 플랑시의 유언에 따라 상속인들이 1923년 4월 28일에 기증한 것은 아버지 자크와 플랑시가 소장했던 책 956권, 사진, 문서, 한국과 중국의 도자기 여러 점을 기증했다. 이 중 플랑시가 소장했던 것으로 보이는 동양관계 책이 130여 종이고, 그중 한국 관계가 38종인데, 이 책들은 모두 서구 언어로 쓰인 책들이다. 샤를 달레의 『한국천주교회사』·쿠랑의 『한국서지』·크레마지의 『대한형전』 등이고 한국본, 중국본 등의 동양 책은 한 권도 없다. 이 기증품 중에는 플랑시의 학교 졸업장, 중국과 한국 비자, 훈장증, 훈장메달, 그리고 프랑스가 채굴허가를 받았던 장성탄광에 관한 사진 수십 점, 플랑시 소장의 구한말 한국 풍경을 보여 주는 우편엽서 250여 장이 들어 있다. 이들 우편엽서와 사진 자료들은 2002년 미디어테크로 거듭난 트루아시립미디어테크(Médiathèque de l'Agglomération Troyenne) 인터넷에서 디지털 영상자료로 볼 수 있고, 현지에서 열람이 가능하다. *http://www.euro-coree.net: 이진명 교수, "외교관 콜랭 드 플랑시(Collin de Plancy)의 한국고서 수집"에서 재인용함. ③ http://www.mediatheque-agglo-troyes.fr/bmtroyes/(트루아시립미디어테크) 이 사이트에서는 일반적인 도서 및 멀티미디어 자료 열람 외에 공간을 자유롭게 활용하여 전시회, 콘서트, 애니메이션 제작 등 다채로운 멀티미디어 아틀리에를 운영하고 있다. 이 사이트는 각각의 아틀리에 프로젝트의 과정과 결과물은 신속하게 업로드하여 공유하고, 무엇보다 유서 깊은 트루와 지역 중세도서관의 자료들을 디지털화하여 교육자료로 서비스하고 있다.

이 된 지 얼마 안 된 나라에서 빈번히 일어나는 정치적 사건들을 목격할 수 있었고, 나는 그때마다 우리의 외교관들이 정확한 시각에 입각하여 늘 신속하게 대처하는 것을 지켜보았다. 또한 필요할 경우 상대방을 그만큼 유연하고도 단호하게 제어하는 관리를 본 적이 없었으며, 덧붙이건대 그를 보좌하는 게랭 서기관의 능력도 보통이 아니었다."[80]라고 플랑시의 성품을 극찬했으며, 영사관 직원들의 탁월한 능력 덕분으로 자신도 한양 체류가 쾌적하고 유효했으며 조선 종단 여행에도 도움을 주었다고 기술하고 있다.

플랑시의 성격은 그가 조선에 재임했던 기간 동안 고딕양식의 프랑스공사관 건물이 지어지고 또한 일본과 유럽의 우아한 양식을 혼합한 정원을 가꾸어 이곳에서 초대한 손님들과 산책을 하며 대인관계를 맺기도 하는 등 그는 턱수염을 길러 매우 엄숙하고 무뚝뚝한 인상과는 달리 세련된 미적 감각을 지닌[81] 외교관이었다. 그러나 공적인 임무 수행에 있어서는 공평엄정함과 강한 책임감, 그리고 외교적 통찰력이 뛰어난 자질을 가져 다른 외교관들로부터 부러움을 받았다고 한다. 프랑스공사관의 외교관은 두 사람으로 구성되어 있었다. 1890년 5월 23일 서울의 프랑스공사관 프랑스와 게랭(Francois Guérin, 業國麟)[82] 후임으로 베이징(北京)에서 동양언어학자 모리스 쿠랑(Maurice Courant)이 통역 서기관(書記官, Chanceilier)으로 전속된다. 쿠랑은 상관인 플랑시의 권유로 조선의 책의 목록을 작성하여 1891년에 『한국서지(Bibliographie coréenne: tableau litteraire de la Corée)』가 만들어진다.

(3) 콜랭 드 플랑시(Victor Collin de Plancy)의 한국학 연구

플랑시는 동양의 문화, 예술에 상당한 관심을 가져 이 분야에 전문적인

80) 샤를 바라 지음, 성귀수 옮김, 『조선 종단기』. 서울: 눈빛, 2001. p.80.

81) Daniel Kane, "Display at Empire's End: Korea's Participation in the 1900 Paris Universal Exposition", 『Sungkyun Journal of East Asian Studies』. Vol.4 No.2. 2004. p.48.

82) ① 게랭의 출국과 쿠랑의 발령에 대해서는 『舊韓國外交文書』, 서울, 1965-1973, 22卷 중 卷19, 265, 266, 270번에 나와 있다. ② 원래 통역 학생이었던 게랭은 1888년 1월 프랑스공사관 서기관으로 부임하여 1890년 5월까지 통역관까지 겸직했다. 그 후 조선을 떠났다가 다시 1892년 2월 7일 서기관으로 부임하여 대리공사 겸 총영사로 있다가 이해 5월 다시 한국을 떠났으나, 1910년 일본이 조선을 합병한 이후 서울 영사관으로 정식 부임한다.

지식과 교양 등 조예가 깊었으며 활발한 외교 활동은 물론 극동체류 중 특히 예술품과 고서적 수집에 심혈을 기울인다. 그리하여 한국에 머물렀던 1887-1891년, 1895-1899년 동안 돈을 주고 사거나 일부는 수집한 한국 서적과 골동품·그림·도자기·우주천문학 자료 등을 경매 이전 이미 두 차례에 걸쳐 거의 모두 모교인 동양어학교도서관에 우리나라 고서 1,500권을 기증하여 오늘날까지도 유럽에서 가장 풍부한 한국고전 장서를 이루고 있으나 귀중도나 질적인 면에서는 프랑스국립도서관 소장본에 미치지 못한다. 그 외의 수집품들을 다른 도서관과 박물관 등에 기증을 했다. 그 당시 각국에 파견된 프랑스 외교관들은 자신이 주재한 나라에서 책을 구입 또는 수집해 동양어학교에 보내도록 명령을 한 것으로 보이는데[83] 이것이 전통 관습화되었으며, 특히 아시아 3국인 중국(1842년), 일본(1859년), 조선(1876년)이 개항한 지가 얼마 안 되어 이들 나라에 대한 자료가 별로 없었기 때문에 취해진 조처였다. 이러한 사실은 현재 동양어학교도서관에 소장된 도서 중 플랑시가 근무할 당시의 각국 외교관으로부터 정기적으로 기증한 도서가 상당이 많은 것이 이를 입증한다 하겠다.

프랑스의 학자들은 플랑시 서적 수집에 대해 외교관으로서의 공적인 업무가 아니라 아시아 문화에 식견이 밝았던 그의 지식과 취미였다고 말하기도[84] 한다. 플랑시는 한국에서 고서를 수집하여 세 번(1889년, 1890년, 1891년)에 걸쳐 보낸 책이 동양어학교 최초의 한국장서였다. 한국 서적은 주로 역사·지리·교육 분야는 물론 한글로 된 민간 소설인 『홍길동전』·『흥부전』을 비롯하여 고종 임금으로부터 선물로 내사(內賜: 하사)받은 『동국통감(東國通鑑)』과, 거문고의 악보를 정리한 현재 프랑스에서 보물로 지

83) 동양어대학도서관(Bibliothéque interuniversitaire des langues orientales, 4, rue de Lille, 75007 Paris) 넬리 궐롬 관장은 "플랑시가 정기적으로 많은 서적을 우리 도서관에 기증함으로써 이 임무를 완벽하게 수행했다." * "MBC 청주문화방송 창사 36주년 다큐멘터리 2006년 7월 31일. "직지의 최초 발견자 콜랭 드 플랑시" 참조.

84) "그런 책들을 수집하는 것은 전혀 공적인 업무가 아니었습니다. 외교관 업무 중에 그런 업무는 없었습니다. 플랑시는 중국에 거주한 경험이 있기 때문에 아시아 문화에 대해서 잘 알고 있었습니다. 그리고 한국인들이 만들어 낸 것에 많은 경탄을 했습니다. 그래서 수집한 것이죠." *KBS1 한국방송공사 2007년 6월 23일 오후 8시 10분-9시. 한국사傳 제2회. "조선의 무희, 파리의 연인이 되다-리진-" 마크 오랑주 교수 인터뷰 참조.

정된 『금보(琴譜)』 등이다. 그중에서 가장 뛰어난 수집품은 플랑시가 한국에서의 근무를 마치고 귀국할 때(1887－1891년, 1895－1899년) 가져간 것으로 추정되는 고려 우왕 3년(1377)에 금속활자로 인쇄한 『백운화상초록불조직지심체요절(白雲和尙抄錄佛祖直指心體要節)』 하권이다. 그런데 당시에도 『직지』가 상・하 2권 완질이 없고 하권만 있었는지, 또한 어떻게 구입이나 얻었는지에 대한 수집방법과 수집시기 등에 대해서 아직까지 정확하게 밝혀진 것이 없다. 『직지』는 플랑시가 초대공사로 재직할 때인 1890년에서 1899년에 간행된 전 3권에 달하는 『한국서지』에는 고서 2,661권이 수록되어 있으나 여기에 빠져 있다. 이 책의 ⅓가량을 플랑시가 저술한 것으로 보아 당시 소장하고 있었다면 당연히 소개가 되었을 것이나, 이후 580종을 더 추가한 1901년 『한국서지』의 부록(122쪽)을 출판한 보유판에 수록됨으로써 알려져 그가 2차로 서울에 공사로 근무하면서 수집한 것으로 보인다.

그러나 처음 간행된 『한국서지』 3권을 출판하는 과정을 볼 때 쿠랑은 플랑시와는 겨우 13개월 정도 같이 있었던 것으로 단언하기는 어렵다. 『한국서지』 3권은 한국・중국・일본・프랑스 등 여러 곳을 거치는 기간 동안 출판이 이루어져 쿠랑과 플랑시가 함께 연구할 기회가 적어 반드시 이 무렵에 수집했다고 볼 수도 없다. 플랑시는 외교관 생활을 하면서 부임지인 중국・한국・일본・방콕에서 골동과 서화 수집을 계속하여 소장하고 있다가, 1911년 3월 27일에서 30일까지 4일 동안 파리의 드루오 경매장(Hôtel Drouot)에서 실시된 경매 후 수집품과 장서의 대부분은 뿔뿔이 흩어졌다. 이 경매품 중에는 1550년－1600년 사이에 제작한 것으로 추정되는 제목이 없는 『조선전도(Carte de la Coree)』를 프랑스국립도서관이 구입하여 현재 동양필사본부(Départment des Manuscrits Orientaux)에 소장되어 있는데, 이 고지도에는 독도가 울릉도의 서쪽에 있고 두 섬이 인접해 나타나 있는 것이 표기되어 독도가 한국의 영토임을 밝혀 주는[85] 중요한 사료이다. 또한

85) ① 이진명, 『독도지리상의 재발견』. 서울: 삼인, 2005년. 175쪽, 241쪽 도판 참조. 29×43㎝, BNF, DMsOr, Coréen 91, Bte2 C2187. ② 1866년 병인양요 때 프랑스 해군이 외규장각에서 약

(사진 7) 플랑시가 고종황제로부터 하사받은 1등훈장

플랑시의 요청으로 국내의 동일본 지도와 달리 색깔을 넣어 좋은 종이에 특별히 제작했을 것으로 추정되는 채색 담채 지도책(BNF, DMsOr, Coréen 75)[86]이 프랑스국립도서관에 소장되어 있다. 이 채색 지도책 가운데 있는 『大朝鮮國全圖』 및 『江原道圖』에 울릉도와 중봉, 그 동쪽(오른쪽)에 우산(于山: 독도)이 선명히 나타나 있다. 플랑시는 1905년 11월 17일 체결된 을사조약으로 프랑스공사관이 철수함에 이르러 1906년 1월 6일 베르토(Berteaux)[87] 부영사(副領事)에게 업무를 인계하고 1월 21일 우리나라를 떠나 일본 고베(神戶)에서 프랑스 우편선을 타고 귀국했다.[88] 이후 플랑시는 이란(Iran)의 테헤란(Teheran)이나 도쿄주재 대사관에 근무하기를[89] 희망했다. 플랑시는 1902년 2월 21일 태극장(太極章)[90] 2등[91]을 받고, 이해

탈해 현재 프랑스국립도서관(당시 황립도서관)에 소장되어 있는 고지도 중 17세기 초에 제작된 『조선본 동아시아 전도』에도 독도가 표기되어 있다. 이 지도는 독도가 나타난 가장 오래된 지도로 당시까지 우리나라에서 제작된 지도 중 가장 정밀한 지도이다. (이진명 교수)

86) 이진명, 『독도지리상의 재발견』. 서울: 삼인, 2005년. 208쪽, 294-295쪽 도판 참조. 이 지도책은 1890년대에 제작된 것으로 프랑스국립도서관에 2부가 소장되어 있다. 1부는 채색 담채 지도책이고. 다른 1부(BNF, DMsOr, Coréen 77, 78)는 글씨와 선만 흑백으로 나타낸 것으로 2권으로 되어 있다. 특히 채색 지도책은 이진명 교수에 의하면 플랑시가 서울에 있을 당시 동판(銅版)이 아직도 남아 있으며, 국립중앙도서관과 영남대학교박물관 소장품은 채색이 되지 않은 동일판이어서 채색 지도책은 플랑시의 요청으로 그가 조선에 재직할 때에 특별히 제작되었을 가능성이 있는 것으로 보인다고 했다. *BNF, DMsOr, Coréen: 프랑스국립도서관 동양필사본부의 도서분류번호.

87) 베르토 씨는 주한 프랑스 서기관 부영사로 1902년 6월 4일 부인을 동반하고 우리나라에 왔다. 1906년 1월 6일부터 프랑스공사관 총영사가 되어 1906년 10월 초까지 근무를 했다.

88) 다른 자료에는 플랑시가 1906년 1월 2일 서울을 떠나 방콕으로 옮겼지만, 방콕에서 병들고 몸이 약해져 그 이듬해인 1907년에 퇴직을 요청한 바 있다고 되어 있다. *마르크 오랑주, "콜랭 드 플랑시와 프랑스 자문관들" 프랑스 국립극동연구원, 『서울의 추억-한/불 1886-1905-』 한불수교 120주년 기념전시 심포지엄 논문집, 2006. p.92쪽 주1) 참조.

89) 『뮈텔주교 일기』 1906년 7월 8일, 8월 26일 참조.

90) 1900년(광무 4) 4월 19일 칙령(勅令) 제13호로 공포 실시한 것으로, 훈위(勳位)와 훈등(勳等)을 정하여 훈등은 대훈위(大勳位)·훈(勳)·공(功)의 3종류로, 훈과 공은 1~8등으로 나누어 그 등급에 따라 훈장을 수여하도록 규정했다. 훈장은 금척(金尺)·서성(瑞星)·이화(李花)의 3대 훈장(大勳章)과 태극장(太極章)·팔괘장(八卦章)·자응장(紫鷹章)·서봉장(瑞鳳章)의 7순위로 되어 있어 3대 훈장은 등별이 없고, 태극장과 팔괘장은 1등에서 8등까지, 자응장은 1~6등까지 있는데, 모두 국가에 특별한 공이 있을 때 황제의 특지(特旨)로 수여했다. 또한, 서봉장은 1~6등까지 있어 내명부와 외명부(內·外命婦) 가운데 숙덕(淑德)과 훈이 있는 여자에게 황후의 어지(御旨)로 수여했다. 훈장은 표훈원(表勳院)에서 관장하여 연금과 일시금이 따랐고, 1월과 7월에 수여하

10월 20일에는 파리만국박람회와 베트남 하노이(Hanoi)박람회(1901－1902)를 위한 봉사로 태극장(太極章) 1등 훈장으로 승급된[92] 바 있으며, 1918년에는 우리나라에서 오랫동안 성실한 봉사에 대한 감사의 표시로 고종이 프뤼니에(Prunier: 李花大勳章)훈장[93]을 수여했다. 이후 플랑시는 1922년 10월 25일 69세로 나이로 파리 스꽈르 뒤 쿠루아지(Paris, 10, square du croisic) 10번지 그의 자택에서 사망하여 10월 28일 토요일 9시에 프랑스 센강(Seine R.) 남쪽 파리 7구에 속하는 세브르 바빌론(Svres－Babylone) 거리에 있는 성 프랑수아－크자비에(St. Francois－Xavier) 성당에서 장례식이 엄수되었다.[94] 외교관으로서의 플랑시는 우리나라를 식민국가로 보려는 당시

도록 되어 있었으며, 자격은 본인에 한하며 자손에게는 계승되지 않았다.

91) 黃玹, 『梅泉野錄』卷3. 光武 4年 3月條에 의하면, <……勳章者 刱自西洋 或君主相贈遺 臣下有特勳則賜之 雖外臣以勤勞聞則送之 授者有名 受者有榮 上浮慕外國 亦設表勳院 定章格 世所稱賣國者獲賜 朞年之後 卒伍厮役 無人不佩 佩者相視而笑 或送外國而有見却者 倭人得之佩數日 卽鎔之取直 其取悔於人如此 而猶不悟 自後賜勳並不錄> "훈장이란 것은 서양에서부터 창출한 것으로 군주끼리 서로 주고받으며 신하도 특별한 공훈이 있으면 주었다. 비록 외신(外臣)이라 해도 수고한다는 소문이 들리면 보내 주는데 주는 자는 명성이 있게 되고 받는 사람은 영예를 얻게 된다. 고종은 외국을 사모하는 데 들떠서 또한 표훈원(表勳院)을 설치하고 훈장을 수여하는 격식과 절차문제를 정한 규칙[章格]을 정했다. 세상 사람들이 매국자라고 칭하는 자들이 모두 훈장을 받아서 1년이 지난 뒤에는 졸병이나 머슴꾼들도 훈장을 차지 않은 사람이 없어서 차고 다니는 사람들은 서로 보고 웃었다. 혹은 외국에 보내면 받기를 사양하는 사람도 있으며 일본인들은 그것을 받으면 수일간 차고 다니다가 바로 녹여서 값을 취하니, 다른 사람들에게 업신여김을 받는 것이 이와 같아도 아직까지 깨닫지 못했다. 뒤부터는 훈장을 주는 것도 아울러 기록하지 않겠다."라고 하여 훈장 남발 수여의 문제점을 말하고 있다.

92) 『官報』 光武 6年 10月 22日 水曜. 詔曰 法國 公使葛林德 曾以換約全權公使 已敍勳二等 而亦有博覽會 襄助效 特等陞敍勳一等 賜太極章. 光武六年十月二十日 議政府贊政 權在衡

93) ① 이화대훈장(李花大勳章)은 대한제국 광무 4년(1900년) 4월 17일 칙령(勅令) 13호로 공포된 훈장조령(勳章條令)에 따라 제정된 7훈장 중 세 번째 훈장으로, 네 번째 훈장인 태극 1등장(太極一等章)을 받은 문무관(文武官) 중 특별한 공을 세웠을 때 특지(特旨)로 수여되었는데 등별은 없었다. ② 『뮈텔주교 일기』 1918년 2월 22일. 이인영(李寅榮)이가 찾아왔다. 그는 자신에 대한 블랭씨의 잔인함과 노여움을 다시 상세하게 이야기했다. 그 이유는 이러했을 것이라고 했다. 콜랭 드 플랑시 씨가 조선에서 매우 높은 프뤼니에(Prunier: 李花大勳章)를 받게 되었다. 실제로 이 훈장은 주어지기는 했으나 그 증서는 발급된 적이 없다. 어찌 되었든 블랭 씨는 황제에게 자신에게도 줄 것을 청했다. 황제는 그것이 매우 고급 훈장이고 또 그 플랑시 씨의 오랫동안의 성실한 봉사에 대한 감사의 표로 수여되었는데, 블랑 씨에 대해서는 그렇게 할 수 없다고 말하며 거절했다. 블랭 씨는 그 실패에 대한 책임을 이인영에게 돌리며 화풀이를 했다. …….

94) 퉁보 부고란에 실린 앙리 코르디에(Henri Cordier)의 플랑시에 대한 추도문 참조. *T'oung Pao,* XXI, 1922. p.445.

"전권공사를 역임했고, 프랑스 최고의 훈장인 레지옹 도뇌르 훈장의 수여자였던 빅토르 콜랭 드 플랑시는 그의 자택, 파리 스꽈르 뒤 쿠루아지(Paris, 10, square du croisic), 10번지에서 생을 마감했다. 1922년 10월 28일 토요일 9시 성 프랑스와－자비에(St. François－Xavier) 성당에서 그의 장례식이 거행된다. 출판인으로 잘 알려진 자끄 콜랭 드 플랑시의(Jacques collin de Plancy) 아들이었

다른 나라 외교관과는 달리 그는 조선을 가난하고 더럽고 미개한 나라로 보지 않고 높은 정신세계를 지닌 나라로 이해하면서 개화로 발전가능성이 있다고 긍정적으로 보았으나 결국은 한일합방으로 그 또한 이 나라를 떠나야 했다.

플랑시에 관한 연구는 그동안 논문이나 기획물이 거의 없었지만[95] MBC 청주문화방송에서 2006년 7월 31일에 방영된 "직지의 최초 발견자 콜랭 드 플랑시" 다큐멘터리가 그에 관한 최초의 작품이라 할 수 있다. 이 다큐멘터리는 그동안 직지 다큐멘터리로 명성이 높은 남윤성 부장의 야심작이기도 하다. 남 부장은 한불수교 120주년이 되는 2006년을 맞아 1년 6개월간의 기간을 걸쳐 플랑시의 행적을 추적하기 위해 프랑스 현지 취재는 물론 철저한 자료조사와 고증 자문은 물론, 지금까지 알려지지 않았던 해외사료 등을 공개하여 직지에 대한 연구에 밑거름이 되고 있다. 남 부장은 다큐제작 과정에서 "플랑시가 왜 한국의 책에 관심을 가지고 수집하게 되었는가",

---

던 빅토르 에밀 마리 - 조세프(Victor - Emile - Marie - Joseph)는 1853년 11월 23일에 태어났다. 동양어학교의 중국어 교수 끌렉쵸우스키(Kleczkowski) 공작의 학생으로 학교를 마치고, 1877년 11월 23일 베이징에서 통역관을 시작으로 그의 모든 외교관 생활을 극동지역에서 보내게 된다. 그는 1887년 5월 31일(음력 윤 4월 9일))에 한국과 프랑스 사이에 이루어진 우호조약 비준서를 교환하는 임무를 맡고 한국에 파견되고, 그해 11월 9일 서울의 영사로 임명된다. 1888년 12월 22일 일등 영사로 진급한다. 그는 1890년 7월 12일 베이징의 일등 서기관이 되고(비취임), 1890년 8월 26일 도쿄로 옮긴다. 방콕에 특파되어 전권공사로 지낸 이후, 프랑스의 최고 훈장인 레지옹 도뇌르를 수여받았으며, 시암(태국)에서 마지막 외교관 생활을 한다. 빅토르는 1879년 동양어학교를 위해 브레트슈나이더 박사(Dr. E. Bretschneider)의 저서 "베이징과 그 주변의 고고역사학적 연구"를 번역하고, 그의 소장품들을 트로까데로 박물관(Musée Trocadéro), 세브르 박물관(Musée Sèvre), 국립도서관(Bibliothèque Nationale) 등 여러 곳에 기증했다. 그에겐 친구들만 필요할 뿐이다."
꼬르디에(H. Cordier)

95) 플랑시에 관한 논문은 다음의 연구자들에 의해 모리스 쿠랑의 행적과 함께 일부분이 소개되어 있다. ① 金基泰, "高麗 直指心經의 存續經緯", 『국회도서관보』第15卷 第8號(1973). pp.38 - 43. "韓國書誌(Bibliographie)와 모리스 쿠랑(Maurice Courant)에 對한 硏究", 『도서관』第34卷 第4號(1979). pp.49 - 54. "直指心經의 保存經緯에 대한 考察", 『奎章閣』第6輯(1982). pp.63 - 89. "在佛韓國典籍의 保存經緯 - 특히 直指心經을 中心으로", 『국회도서관보』第22卷 第3號(1984). pp.40 - 53. ② Daniel Bouchz, "韓國學의 先驅者 모리스 쿠랑(上, 下)", 『東方學志』 第51輯(1986). pp.153 - 194./第52輯(1986). pp.83 - 121. ③ 이세열, "直指가 프랑스로 간 經緯에 對한 硏究" 서원대학교 평생교육원 『직지와 지역경제』 2006년. 10월 25일. pp.1 - 61. ④ 李姬載, "모리스 쿠랑과 韓國書誌에 관한 考察", 『淑明女大論文集』第28輯. pp.325 - 364. ⑤ 趙胤修, 『모리스 쿠랑의 한국서지에 대한 서지학적 고찰』. 석사학위논문. 이화여자대학교대학원, 1989. ⑥ 황정하 "옛 인쇄문화와 청주의 세계화", 『21세기 충북 청주의 지역문화와 민족문화』. 충북민예총, 1996년 10월 25일. pp.76 - 82. "고려시대 금속활자본 『直指』의 傳存 經緯 - 프랑스 국립도서관(BNF) 所藏을 중심으로 - ", 『고인쇄문화』제13집, 2006. pp.231 - 273.

"직지를 어디서, 어떻게 만나게 되었는가"를 집요하게 추적했지만 결정적 단서를 찾지 못한 점이 아쉽지만 플랑시와 관련된 수많은 자료를 확보한 것만으로도 훌륭한 성과라고 여겨진다.

지금까지 밝혀진 플랑시의 생애와 저술을 연도별로 요약하면 아래와 같다.

1853년 11월 22일 트루아 인근 플랑시에서 출생
? 천주교 신학교 수학. 법학사
1873년 동양어학교 입학. 기숙사에서 생활함. 클렉스코프스키(Kleczkowski) 백작에게 중국어 강의 수강
1876년 동양어학교 중국어 학위취득(1877년 3월 4일 퇴교)
1877년 11월 23일 베이징(北京)주재 프랑스공사관 통역 견습생(연수생) 임명
동양어대학 총서용으로 브레츠슈나이더(E. Bretschneider) 박사의 "베이징에 대한 고고사적 연구(Recherches archéologiques et historiques sur Pékin)" 번역
1883년 상하이주재 2등 영사 임명
1877년 "프랑스 도마뱀의 교미와 산란", "양서류에 기생하는 곤충에 대한 기록" 논문 동물학회지에 발표
1887년 5월 31일(음력 윤 4월 9일) 한불수호통상조약 비준서 교환 임무차 방문(1주일간)
1887년 11월 9일 서울주재 프랑스공화국 영사 겸 공관장 임명
1888년 6월 6일 제물포 도착
1888년 6월 12일 초대 주한 프랑스 대리공사 임명
1888년 6월 28일 경복궁 흥복전[96]에서 고종 알현, 신임장 제출, 프랑스 대통령 선물 도자기 증정
1888년 12월 22일 1등 영사 임명
1890년 7월 12일 베이징 발령(실행되지 않음)
1890년 8월 16일 주 일본 1등 서기관 임명(1891년 6월 15일 에밀 로셰 부임 후 발효)
1891년 6월 15일 한국에서 1차 근무 마침
1891년 6월 19일 도쿄 전속 전 고종 알현
1893년 - 1894년 프랑스 외무성 정치국 편집인
1893년 3월 - ? 모로코 탕헤르 단기근무
1893년 5월 4일 프랑스 도착
1895년 11월 30일 서울주재 총영사 임명
1896년 4월 27일 - 1906년 1월 서울주재 전권대리공사
1898년 1900년 파리만국박람회 한국지부 파리위원회 위원 위촉
1899년 11월 30일부터 1901년 3월 12일 휴가를 얻어 프랑스로 귀국

96) 고종이 각국 공사를 친견한 곳은 흥복전의 부속 전각인 집경당(緝敬堂)이었다. 이곳은 2121질 2만 5203본에 이르는 서책과 서화를 소장한 종합 궁중도서관으로 해외의 새로운 사조를 수용하고자 당시대의 서양 서적을 많이 수집했다.

1900년 말 전권공사 겸 대리공사
1901년 상주공사임무 수행 전권공사(1899년 말에 1년간)
1901년 6월 22일 프랑스 해군 중장 포티에(Pottier) 제독, 피에르 로티와 고종 알현
1902년 2월 21일 태극장 2등 훈장 받음
1902년 10월 20일 태극장 1등 훈장 받음
1903년 10월 27일 휴가
1906년 1월 6일 베르토 부영사에게 업무인계
1906년 1월 21일 한국 떠남
1906년－1907년 주 태국 특명전권공사로 퇴임
1907년 3월 23일 방콕에서 프랑스와 시암(캄보디아) 간 조약 체결
1918년 고종이 이화대훈장 수여
1922년 10월 파리 쿠루아지 10번지 자택에서 사망
1922년 10월 28일 성 프랑수아－크자비에 성당에서 장례식
1923년 4월 28일 유족에 의해 트루아시립도서관에 유물 기증(도서 956권, 기타 유물)

2) 콜랭 드 플랑시(Victor Collin de Plancy)의 고서수집

플랑시가 한국의 고서들을 어떠한 방법으로 수집했는지에 대해서는 자세하게 밝혀진 자료가 없다. 그리하여 플랑시가 1888년과 1889년, 1891년에 기증하게 될 서적들을 구입한 시기인 1888년 조선민속 연구의 업무로 우리나라에 파견된 프랑스 지리학자 샤를 바라(Charles Louis Varat, 1842－1893)[97]와 관립 법어학교 교사였던 에밀 마르텔(Emile Marte)의 아래와 같은 기록처럼 한국 지식인들이나 통역사들의 도움을 받거나 일부는 본의 아니게 장물 또는 도굴품도 수집을 한 것으로 추정된다.

샤를 바라는 "한양 체류기간 동안 나의 매일매일 일과는 다음과 같은 식

97) ① 루이 샤를 바라(Louis Charles Varat, 1842－1893)는 프랑스의 지리학자이자 민속학자이며 골동품 수집가였다. 그는 한국의 민예품을 수집하고 자신의 작품의 소재를 찾기 위해 1888년 10월 10일 서울에 도착해 15일을 머문 후 16일간 서울에서 부산까지 여행을 했다. 그리고 한국에 관한 서적을 집필하기 위해 방대한 양의 자료를 가지고 귀국했다. 1892년에 98컷의 삽화와 함께 주간화보 『Le Tour du Monde(세계일주)』에 『Voyage en Coréenne(한국여행)』를 78쪽에 걸쳐 실었다. 우리나라에서는 2001년 성귀수가 『조선 종단기』란 제목으로 번역했다. 샤를이 한국에서 수집해 간 민속품은 1892년 트로카데로(Trocadéro) 인류박물관에서 전시가 되어 한국전시회로서는 프랑스에서는 처음인 셈이다. 1년 후 1893년 기메박물관에 전시되기도 했으나 그가 사망한 후에는 분실되거나 보르노대학교 의과대학 및 인류박물관 등 여러 기관에 분산 보관되어 있다. ② Charles Varat, "Voyage en Coréenne", 『Le Tour du Monde』. 1982. pp.289－368.

으로 짜였다. 즉 콜랭 드 플랑시가 소문을 퍼뜨리기를, 조선 토산품의 모든 견본을 구하려는 어떤 프랑스 여행가가 현재 공사관에 머물며 매일 아침 상인들을 맞이한다는 것이었다. 이내 수많은 조선 상인들이 물건들을 잔뜩 가지고서 이른 아침부터 공사관 정문에 줄을 이었고, 나는 그중 외국에서 들여온 것부터 가차 없이 내치면서 민속학적 기준에 맞는 조선 고유의 물건들만 엄격하게 가려내는 작업에 착수했다. 친절하게도 콜랭 드 플랑시 씨는 비서이자 자신이 매일 손수 프랑스어를 가르치고 있는 현지의 몇몇 지식인들을 내 곁에 붙여 주었고, 그들은 내가 전혀 사용법을 모르는 많은 물건들에 대해 충분히 설명을 해 주었다. 뿐만 아니라 그들은 상인들의 허무맹랑한 물건 값을 적당히 조절해 주기까지 했다. 덕분에 나는 상인들과 타협을 보건 못 보건, 협상에 쓸데없는 시간을 낭비하지도 않고 경제적 손해도 감수하지 않으면서 소신껏 업무를 진행시킬 수 있었고, 그러다 보니 한 번 거절했던 상인이 다음 날이면 다시 찾아와 합의를 보는 경우도[98] 허다했다. ……오후에는 친절한 공사관 친구들, 현지 비서들과 함께 한양 거리로 나가 상점들을 둘러보며 민속학적 관점에서 흥미로운 물건들을 이것저것 구입하느라 시간을 보냈다."[99]라고 하여 그가 조선의 민속품을 수집할 때 플랑시 공사의 도움이 컸음을 말해주고 있다. 또한 에밀 마르텔은 자신이 서울에서 골동품을 수집하기 시작했던 때와 골동가격에 대한 일화에서, "나는 어려서부터 골동 수집을 몹시 좋아하여 지금도 계속하고 있다. 지금으로부터 40여 년 전(1894년)의 이야기지만 내가 처음으로 조선에 왔을 때에는 이렇다 할 재미있는 골동품을 찾아볼 수 없었으나 프랑스 공사 플랑시 씨의 집이라든가 미국 공사 알렌(Horace N. Allen, 安連) 씨 집에서 처음으로 고려자기를 관상(觀賞: 취미에 맞는 동식물 따위를 보면서 즐김)하게 되면서 나는 그것을 사랑하기 시작했다. 당시만 해도 그러한 고려자기의 꽃병이나 항아리・접시・사발 같은 것은 서울 거리를 아무리 걸어도 어느

98) 외국인과의 거래가 이처럼 잘된 것은 한국의 물건들을 중개하는 조선인들이 거래가 성사될 때마다 10%의 중개비가 있었기 때문에 더 적극적이었다. *바츨라프 세로셰프스키 지음, 김진영 외 옮김, 『코레아 1903년 가을』. 서울: 개마고원, 2006. p.388.

99) 샤를 바라 지음, 성귀수 옮김, 『조선 종단기』. 서울: 눈빛, 2001. pp.64－65.

골동품상에서도 볼 수 없었을 뿐 아니라 구하려 해도 좀처럼 손에 들어오지 않았다. 그런데 몇 해 후가 되니까 스스로 구하려고 하지 않는데도 조선인이 자꾸 팔러 오는 바람에 차차 수집을 하게 되었다. 당시 조선인들이 골동품을 팔러 오는 광경은 매우 재미있었다. 그들은 골동품을 보자기에 싸가지고 아주 소중하게 들고 오지만 그 태도가 도무지 심상치 않고 시종 주위를 살피는데 어딘가 불안에 쫓기는 듯했다. 지금 와서 생각해 보건데, 거기엔 두 가지 이유가 있었던 것 같다. 즉 양반의 소장품을 몰래 부탁받고 팔러 오는 경우와 고분의 도굴품을 밀매하러 오는 경우였다. 당시 가끔 그런 말을 들은 적이 있었고, 팔러 오던 측이 골동에 대해 아무런 지식도 갖고 있지 못했던 사실을 나는 기억하고 있다. ……나는 그들이 갖고 온 물건들 속에서 눈부신 것 서너 개를 집어 들고 하나씩 가격을 묻는다. 그러면 그들은 4개를 모두 사준다면 10원만 받겠다고 말한다. 나는 그건 좀 비싸니까 8원으로 하자고 교섭하나 그들은 좀처럼 응하지 않는다. 나는 할 수 없다는 듯이 '내일이면 8원으로도 살 사람이 없을 거다. 7원밖에 못 받을 거다. 내 말이 믿어지지 않으면 내일 가서 보라.'고 해서 돌려보낸다. 그러면 그들은 잠시 떠났다가 곧장 되돌아와서 '그러면 8원으로 하자.'고 한다. 결국 그런 식으로 물건을 팔고 갔다. 나는 당시 값이 너무나 싸기도 했으므로 그렇게 상당수를 수집했고, 나 외에도 그런 방법으로 산 사람이 상당수 있었던 걸로 안다."[100]와 같이 말하고 있다.

샤를 바라(Charles Louis Varat)는 1888년 플랑시가 한국으로 오기 전날 프랑스에서 한 번 만난 것을 인연으로 그가 서울에 도착한 날인 10월 10일 서기관 게랭과 함께 프랑스 영사관에서 옛 친구처럼 반갑게 맞이하여 15일간 서울에 머물며 플랑시의 고서 수집에 적극적으로 협조한다. 플랑시는 바라가 프랑스 문교-공보부에서 한국 탐험 지원을 했음에도 그가 한양에서 부산까지 종단여행을 함에 있어 떠나기 전 환대와 여행정보는 물론 그 경비와 숙소제공을 조선의 국고에서 지원받도록[101] 프랑스공사관 차원에서

100) 이구열 지음, 『한국문화재 수난사』. 서울: 돌베개, 2006. pp.205-206. "마르텔의 회고담".

101) 플랑시 씨는 샤를 바라가 한양에서 부산까지 여행을 하는데 불편함이 없도록 조선의 외무부 대

조선 정부에 요청한다. 또한 프랑스어를 할 줄 아는 이씨 성(이인영?)을 가진 공사관 소속 통역관을 재정담담관까지 겸직 수행하도록 조처하는 등 여행 전반의 지원으로[102] 그가 한양과 16일간에 걸친 전국기행에서 민속학적 수집품을 수집하여 제물포를 통해 프랑스로[103] 보내진다. 그 후에 그의 수집품들은 프랑스 국가에 정식으로 2천 점 가량을 기증하여 트로카데로(Trocadéro)박물관과 기메박물관에 전시되었었으나 1893년 4월 22일 51세의 나이로 수집품 전체에 대한 목록을 만들지 못하고 사망하자 그 외의 수집품들은 다른 여러 박물관으로 흩어져[104] 그가 조선에서 수집한 물품에 대해 1910년 당시 기메박물관에 소장된 350여 점 이외에는 잘 알 수 없다.

플랑시는 샤를 바라의 연구를 위해 그가 여행 전후에 걸쳐 많은 문헌들을 구입하여 바라 또한 상당한 조선의 책을 수집하게 되는데[105] 그 내용은 잘 알 수 없지만 주로 민속학 분야일 것으로 추정된다. 그리고 샤를 바라는 블랑(Blanc, 白圭三, 1844-1890) 주교와 으젠 장 조르주 코스트(Eugene-Jean George Coste, 高宜善, 1842-1896) 신부, 그리고 인천 보육원의 샤르

신의 이름으로 전국 각지의 지방관리에게 협조공문을 발송한다. 그 내용은 아래와 같다.
각 지방 관리에게 보내는 외무부 대신의 지시사항
우리의 우방인 프랑스 정부 관료 콜랭 드 플랑시 씨로부터, 바라 씨라고 하는 그의 동포 한 사람이 프랑스 국왕의 명을 받들어* 우리의 풍습과 문화를 연구하고, 자비로 우리의 온갖 예술품과 농산품·공산품을 구입해 본국으로 보낼 목적에서 이곳에 왔다는 편지를 받았다. 그 동포라는 사람은 대구를 경유해 부산까지 조선을 종단할 계획이다. 따라서 이 편지를 받는 관리들은 그가 오면 좋은 숙소(?)를 제공할 뿐만 아니라, 그 밖에 필요한 모든 물품과 국고지원은 아끼지 말 것을 명한다. 그곳에서 그가 요구하는 금액을 먼저 지급해 주고 영수증을 받으면, 그 금액은 이곳에서 곧장 상환받게 될 것이다. 이 모든 지시가 차질 없이 수행되도록 정진하라.
외무부 대신.
*샤를 바라가 프랑스 국왕의 명을 받았다는 것은 그가 『조선 종단기』 내용에서 "문교부로부터 민속학 연구 임무를 띠고 파견된 탐험가"로 스스로 소개하여서 그렇지 실제로는 반은 지리학자이며 민속학자이자 전문여행가에게 프랑스 문교부에서 단순히 이동 시 필요한 공공서류를 제공한 것밖에 여행 중 별다른 개입을 하지 않은 것으로 보여 플랑시가 자국인에게 특혜를 베풀기 위한 것인 것 같다. *샤를 바라 지음, 성귀수 옮김, 『조선 종단기』. 서울: 눈빛, 2001. p.10 참조.

102) 플랑시는 샤를 바라가 여행을 하는 데 있어 프랑스 관료인 자신의 위신을 생각하여 공사관 경비를 담당하는 조선 병사 2명의 호위병과, 프랑스 요리법에 정통한 중국인 요리사, 조선의 도로 사정상 수레나 자동차 여행이 불편함으로 여덟 마리의 조랑말과 마부까지 지원을 아끼지 않았다. *샤를 바라 지음, 성귀수 옮김, 『조선 종단기』. 서울: 눈빛, 2001. pp.101, 149.

103) 샤를 바라 지음, 성귀수 옮김, 『조선 종단기』. 서울: 눈빛, 2001. pp.99-101.

104) 샤를 바라 지음, 성귀수 옮김, 『조선 종단기』. 서울: 눈빛, 2001. pp.11, 227 주)131 참조.

105) 샤를 바라 지음, 성귀수 옮김, 『조선 종단기』. 서울: 눈빛, 2001. p.103.

트르 성 바오르회(St. Paul of Chartres) 수녀들도 만났으며 플랑시의 도움으로 창덕궁을 블랑 주교와 다른 신부, 게랭 씨와 돌아볼 기회도[106] 갖는다. 당시 플랑시는 서울뿐만 아니라[107] 외국인 거주지역,[108] 그리고 전국의 수많은 상점들과 서점[109]들을 쿠랑과 함께 그의 『한국서지』의 자료를 찾아 다녔을 것이고 그때마다 한국인들의 도움을 받았을 것이다. 이와 같은 사정은 쿠랑이 플랑시에게 보낸 외무성 문서보관소에 소장되어 있는 플랑시의 개인 문서 중 편지에 잘 나타나 있다. 쿠랑은 당시 서울의 고서점 풍경을 "서점은 모두 도심지에 집중되어 있어 종각에서부터 남대문에 이르기까지 곡선을 긋고 나아간 큰길가에 자리 잡고 있다."고[110] 말했다. 플랑시와 쿠랑이 부임했을 당시 조선에는 신식출판은 거의 없었고 신간서점이라기보다는 한문책·경서·각종 인본·사본의 책을 취급하는 고서점 거리 정도였다. 한편 쿠랑은 1896년 11월 군부대신 민영환이 프랑스·영국·독일·이탈리아·러시아·오스트리아·헝가리주재 특사 겸 전권공사로 발령받음에 낯선 외국 여행에 불편함이 없도록 특히 프랑스에 머물 때에는 당시 휴가 중이었던 쿠랑이 플랑시의 요청으로 민영환을 안내하기도[111] 했다.

---

106) 샤를 바라 지음, 성귀수 옮김, 『조선 종단기』. 서울: 눈빛, 2001. pp.65, 74.

107) 개화기 당시 서울에는 중국이나 일본에서처럼 서점이 많지 않았다. *바츨라프 세로셰프스키 지음, 김진영 외 옮김, 『코레아 1903년 가을』. 서울: 개마고원, 2006. p.387.

108) 개화기 당시 서울 진고개에 있던 일본인 거주지역에는 가게와 상점들이 가득하고 통행인도 많았다. 이 지역에는 일본인 외에도 유럽인을 비롯하여 한국인 상인들도 많았는데 항상 질 좋은 필수품과 생활용품 외에 취미로 수집하는 한국의 고서와 지도·그림 등 모든 것을 갖춘 시장이 형성되었다 *바츨라프 세로셰프스키 지음, 김진영 외 옮김, 『코레아 1903년 가을』. 서울: 개마고원, 2006. p.387.

109) 서점 또는 서적상은 글을 아는 양반층에서 주로 체면을 잃지 않고 가질 수 있는 유일한 직업이었지만 이것으로 큰 부자는 될 수 없었다. *조르주 뒤크르 지음, 최미경 옮김, 『가련하고 정다운 나라 조선』. 서울 눈빛. 2006. p.119.

110) ① 모리스 쿠랑 저, 박상규 역, 『한국의 서지와 문화』. 서울: 신구문화사, 1974. p.16. ② 쿠랑이 말한 1890년대 종각에서 남대문에 이르는 큰길가에 있던 고서점은 구체적으로 잘 알 수는 없지만 1000권 정도의 책을 취급하는 규모가 그리 크지 않은 초가집이었을 것으로 추정된다. 이 서점에서는 당시 유행하던 신간서적을 비롯하여 헌책도 같이 판매했으며, 언문과 국한문으로 된 소설, 한문소설, 경서 등 비교적 다양했다. 쿠랑이 보았던 남대문 거리의 고서점은 1905년을 전후하여 도로정비로 거리가 변화되어 전통 한옥과 다른 형태의 집들이 들어서면서 몰락한 것으로 보인다. *이중연, 『고서점의 문화사』. 서울: 혜안, 2007. pp.104－108.

111) 국사편찬위원회 편, 『韓佛關係資料－駐佛公使·파리博覽會·洪鐘宇－』. 서울: 국사편찬위원회, 2001. pp.16－17. "……그가 이 마지막 도시에서 체류하는 동안, 전 서울주재 통역 서기관이었으며 현재 휴가 중인 쿠랑 씨가 한국의 사절에게 커다란 봉사를 할 수 있어야 할 것입니다.

우리는 한국의 전통문화뿐만 아니라 고서에 열정을 갖게 된 프랑스인 서지학자 플랑시에 대해 『직지』를 비롯하여 수천 점의 우리 문화재를 가져간 장본인이지만, 그를 고의적인 수집 목적의식보다 어지러웠던 시대를 살면서 고서문화를 사랑하고 수집 기록을 자연스럽게 즐겨했던 생활이자 삶의 태도 또는 문화재 발굴자로 보아야 한다. 그가 수집한 책 중에는 금속활자본인 『직지』를 비롯하여 불교서적인 『육조대사법보단경』, 법률서적 『경국대전』, 시조집 『가곡원류』, 고전소설 등 귀중한 책이 많다. 또한 골동서화에서부터 현재 파리 천문대에 소장되어 있는 나침판, 세브르도자기박물관에 소장된 토기와 도자기 등 다양하게 수집했다. 그는 이렇게 수집한 책과 골동품을 프랑스의 도서관이나 박물관에 기증했고, 개인 소장 도서들은 1911년에 경매되었지만, 오늘날 그가 수집한 책은 거의 대다수 프랑스국립도서관과 동양어대학도서관(Bibliothéque Interuniversitaire des Langues Orientales, 4, rue de Lille, 75007 Paris)에 소장되어 있다.

동양어대학도서관의 한국고서들은 1960－1970년대에 파악 정리하면서 도서대장과 목록을 보충했다. 이 대학 고서들은 오랫동안 수장고 마분지 통에 담겨 보관되어 오다가, 최근에 와서야 완전히 마이크로필름(Microfilm)화하여 열람자들에게 제공하고 있다. 특히 이 대학 도서관에는 플랑시가 외교관으로 재직하면서 수집한 조약문과 천주교 선교사들의 활동한 성서(聖書)나 교리(敎理)에 관한 책들이 주종을 이루고 있다. 또한 당시 조선의 서점가에서 유통되었던 한글본 고전소설[112] 등도 포함되어 있다.

플랑시의 고서 수집품들에는 새 책과 같이 신선한 책들이 많은데, 이는 그가 고서를 수집하면서 가능하면 깨끗한 책을 골라 수집하고, 그 당시 동

……."

112) 한글본 고전소설은 서점에서보다는 잡화점이나 노점에서 주로 많이 판매되었던 것으로 보인다. 플랑시와 거의 같은 연도에 조선을 방문했던 문학과 언어학자로 대중문학에 관심이 많았던 Aston은 서점이 서울에 두 곳만 있고 한문 서적만을 취급한다고 했다(W. G. Aston, “Corean Popular Literature”, Transaction of the Asiatic Society of Japan 18, 1890. p.104). 그리하여 그는 한글소설을 찾아 서점을 찾아다녔지만 별로 없자 노점에서 주로 수집했던 것으로 보이며 서울에 서점이 두 곳밖에 없다는 것은 실제보다 축소되었을 가능성이 높다. *이중연, 『고서점의 문화사』. 서울: 혜안, 2007. p.104. 주53)에서 재인용 했음.

판(銅版)이나 목판(木板)이 남아 있는 경우 자신이 좋은 종이를 사서 제공하는 등 특별히 인쇄를 요청하기도 한 그의 수집관이기도 했다. 우리는 최근 병인양요 때 반출 또는 약탈된 문화재가 아닌 『직지』를 반달리즘(Vandalism)[113]화 하려는 경향이 있는데 이는 감성과 논리에서 벗어난다고 볼 수 있다. 구한말 당시 수많은 나라의 외교관이 왔었어도 조선에서조차 관심 밖이었던 우리의 문화에 관심을 갖고 플랑시처럼 서양인으로 체계적으로 수집한 이는 드물었다. 또한 그로 인하여 자칫 묻힐 뻔했던 『직지』가 1세기도 못 미쳐 세계기록유산에 등재되어[114] 알려지게 된 것이다. 앞으로 『직지』 문제는 국제간의 상호문화적 이해와 정치적 과정에서 해결하여야 할 과제인 것이다.

3) 콜랭 드 플랑시(Victor Collin de Plancy)의 한국인 통역관

프랑스인 외교관 플랑시는 한국에 있는 동안 그의 비서였거나 관련업무로 연결된 이들로부터 한국의 고서에 대한 정보를 입수하였을 가능성이 매우 크다. 외교관들은 우리나라 정부관리들과의 대화나 문서를 통역은 물론 군주접견[115]과 외국 대표 사이의 중개역할을 해야 하므로 비교적 높은 직위의 우리나라 통역관을 선택했다. 당시 외교관들은 우리나라에서 수여한

113) 반달리즘(vandalism): 일반적으로 예술 문화에 대한 파괴 경향 또는 그 행위. 5세기 초 반달족이 로마를 점령하여 행한 광포한 약탈, 파괴 행위에서 유래된 말이다.

114) 『직지』는 2001년에 유네스코 세계기록유산에 등재되었지만, 1972년 프랑스 파리에서 이 책이 공개된 후 당시 세계기록유산이란 공인제도가 없었음에도 불구하고 『직지심경』이란 책이름으로 대다수의 국민들은 유네스코가 세계 최고의 금속활자본으로 인정한 것으로 알려져 심지어 교과서는 물론 서지학계에서도 잘못 인식하고 있었다. *이세열 역주, 『직지』. 서울 보경문화사, 1997. pp.16 – 17.

115) ① 『高宗實錄』 25卷. 高宗 25年 5月 3日 甲寅條. 初三日 御興福殿 接見法國公使葛林德. ② 『高宗實錄』 25卷. 高宗 25年 5月 19日 庚午條. 御興福殿 接見法國公使葛林德. ③ 『高宗實錄』 26卷. 高宗 26年 9月 6日 己酉條. 初六日 御興福殿 接見法國公使葛林德. ④ 『高宗實錄』 26卷. 高宗 26年 11月 3日 乙巳條. 初三日. 御興福殿. 接見法國公使葛林德. ⑤ 『高宗實錄』 28卷. 高宗 28年 5月 12日 乙亥條. 十二日 御寶賢堂 接見法國公使葛林德. ⑥ 『高宗實錄』32卷. 高宗 31年 10月 10日 癸丑條. 初十日 御咸和堂 接見法國公使. ⑦ 『高宗實錄』34卷. 高宗 33年 陽曆 4月 28日條. 二十八日 接見英國水師提督法國公使葛林德.

정부위원이라는 직함을 받았으며 플랑시도 이러한 직함으로 조선 국왕이 초청하는 각종 행사에 미국·러시아·일본 대리공사와 함께 첫 번째 줄에서는 서열에 있는[116] 외교관이었다. 플랑시가 한국에 처음 온 후 그의 언어, 즉 통역담당은 김창여(金昌汝)로 그는 플랑시의 한국인 하인들 중의 우두머리였다. 그런데 그는 두 번씩이나 사고를 쳐서 플랑시를 곤란에 처하게 했다.

첫 번째 사건은 1888년 10월 13일 저녁 귀갓길에 친구 1명과 수명의 일본인들이 싸우는 곳을 지나가다 그들이 먼저 시비를 걸어 프랑스 주재관의 관원에게 도움을 청했다. 이때 플랑시는 김창여와 그의 친구를 공관으로 데려오고 피해자들을 보호하기 위해 몇 명의 군인들을 보내어 가해자인 일본인들을 체포하는 과정에서 김창여 친구의 말을 듣고 서울 주민들이 합세하여 2명의 일본인 가해자들을 폭행하자 이 사건은 더 커졌다. 몽둥이로 무장한 20여 명의 일본 군인들은 플랑시의 공관까지 침입하여 죄수들을 데려가

---

116) ①『高宗實錄』26卷. 高宗 26年 2月 8日 甲申條. 일본 공사(日本公使) 근등진서(近藤眞鋤, 곤도 모토스케), 러시아 공사 위패(韋貝, 웨벨, 프랑스 공사 갈림덕, 영국영사(英國領事) 복격림(福格林) 총세무사(總稅務司) 묵현리(墨賢理, 메릴 헨리)를 접견했다. <接見日本公使近藤眞鋤, 俄國公使韋貝, 法國公使葛林德, 英國領事福格林及總稅務司墨賢理.> ②『高宗實錄』36卷. 高宗 34年 陽曆 10月 13日條. 각 나라의 공사(公使)와 영사(領事) 이하의 관리들을 불러서 만나보았다. 축하하기 위해 임금을 만나 뵈러 왔기 때문이다.【일본 판리 공사(辦理公使) 가등증웅(加藤增雄, 가토 마스오), 서기관(書記官) 일치익(日置益, 히오키 마스), 1등 영사(一等領事) 추월좌도부(秋月左都夫, 아키스키 사토오), 2등 통역관(二等通譯官) 국분상태랑(國分象太郎, 고쿠분 쇼타로), 육군(陸軍) 보병 소좌(步兵少佐) 상파전경요(桑波田景堯, 구와하다 가케다카), 대위(大尉) 야진진무(野津鎭武, 노즈 쓰네다케), 미국 판리 공사 안련(安連, 알렌), 위관(尉官) 킴슨하워드 쌔튼, 기관(旗官) 제임스, 군의(軍醫) 폴너클리, 고문관(顧問官) 인시덕(仁時德), 러시아 공사(公使) 사패야(士貝耶, 스파야), 참찬관(參贊官) 극배(克培), 영사(領事) 얼로스포프, 탁지 관원(度支官員) 알렉세프갈필드, 참령(參領) 뜨르멜비츠가, 해군 사관(海軍士官) 호멜로푸, 교사(敎師) 네르코프, 군의(軍醫) 체리벤끼, 특군 사관(特軍士官) 아파나스크시민, 구루진기멱쓰나달윽, 프랑스 판사 대신(辦事大臣) 갈림덕(葛林德, 콜랭 드 플랑시), 부영사(副領事) 로비부(盧飛鳧, 뇌패불), 영국 총영사(總領事) 주이전(朱邇典, 조르단), 서기관(書記官) 오례사(吳禮司), 함장(艦長) 아달우(阿達友), 고문관(顧問官) 백탁안(柏卓安, 브라운), 설필림(薛弼林), 독일 영사(領事) 구린(口麟, 크린)】<召見各國公領事以下. 祝賀陛見也【日本辦理公使加藤增雄, 書記官日置益, 一等領事秋月左都夫, 二等通譯官國分泉太郎, 陸軍步兵少佐桑波田景堯, 大尉野津鎭武, 美國辦理公使安連, 尉官업손하와드벳톤, 旗官쎄입스, 軍醫불낙클리, 顧問官仁時德, 俄國公使士具耶, 參贊官克培, 領事얼로쓰샢샢, 度支官員알럭세푸갈필쏘, 參領뜰엘비츠가, 海軍士官흐멜로푸, 敎師엘우쏘푸, 軍醫체리밴찌, 陸軍士官아파낫쓰구시민구루진기멱쓰나달윽, 法國辦事大臣葛林德, 副領事盧飛鳧, 英國總領事朱邇典, 書記官吳禮司, 艦長阿達友, 顧問官柏卓安, 薛弼林, 德國領事口麟】> ② 국사편찬위원회 편,『프랑스 외무부 문서 2(조선Ⅰ 1888)』. 서울: 국사편찬위원회, 2003. pp.66－67.

고 이 과정에서 플랑시의 조선인 하인들 중 한 명이 여러 명의 일본인들에게 공격을 당해 플랑시가 서기관 게랭과 함께 개입하였고 경찰까지 출동되었다. 그런데 흥분한 천 여 명의 조선인들이 플랑시의 공관 주위에서 무장한 일본인과 대치하였고 이 과정에서 프랑스 군인들 편인 조선인들과 평소 미움을 샀던 일본인들과의 난투가 벌어져 일본공사관 대리공사 콘도(近藤眞鋤) 씨에게 플랑시 공관 불법침입에 대해 강력히 항의하였으며 일본 측으로부터 공식적인 사과를 받아내는[117] 국제적 사건이었다. 이 일로 프랑스는 착검용 장총 21자루와 혁대 20개, 그리고 4,536개의 탄약을 소유하여 소요에 대비하고자 12명의 공관 호위병과 외교관, 서기관 그리고 다른 필요한 사람들에게 지급하였으며,[118] 이 중 장총 1자루와 536개의 탄약통은 조선 정부에 무상으로 양도했다.

두 번째 사건은 1889년 6월 6일에 실수로 당시 양반인 서병서 씨 집 담 너머 규방(閨房) 별당을 엿보다 하녀가 꾸짖으며 잘못을 가리려다[119] 주인 서 씨와 언쟁으로 번져 이에 이웃주민들이 합세하여 김 씨를 폭행하여 다치는 사건이 발생했다. 그리하여 김창여가 투옥되려 하자 플랑시가 나서서 각계에 호소하여 프랑스공사관으로 범죄인을 인도하여 국제법으로 처벌할 것을 협상했다. 당시 이 사건은 외교관에 속한 불가침권인 치외법권의 면책특권(免責特權)을 부당하게 차지한다 하여 1889년 8월 31일자 프랑스『르 땅지(Le Temps)』와, 일본과 청국, 영국 등 외국의 언론에 플랑시가 각 기관에 무죄 석방을 요구한 사실을 프랑스인의 멸시와 양국 간의 분쟁이 있는 것으로 왜곡 보도되기도 했다. 그러나 플랑시와 프랑스 정부위원의 번역가 게랭(Guérin)의 노력으로 포박을 하지 않은 채 법정에 섰으며 태형을 면죄받고 서 씨에게 화해하는 것으로[120] 종결했다. 당시의 프랑스어 통역관은

117) 국사편찬위원회 편,『프랑스 외무부 문서 2(조선Ⅰ 1888)』. 서울: 국사편찬위원회, 2003. pp.78－87.

118) 국사편찬위원회 편,『韓佛關係資料－駐佛公使・파리博覽會・洪鐘宇－』. 서울: 국사편찬위원회, 2001. pp.6－7.

119) 당시 조선은, 각 집집마다 이웃을 넘겨보는 행위는 법으로 엄중하게 규제하여 지붕을 수리하는 경우에도 반드시 이웃집에 미리 양해를 구하지 않으면 안 되었다.

120) 국사편찬위원회 편,『프랑스 외무부 문서 3(조선Ⅱ 1889)』. 서울: 국사편찬위원회, 2004. pp.112－129, 134－147, 164－177, 239－242.

1886년 프랑스 측 전권특사 코고르당(F. G. Cogordan)이 왔을 때만 하여도 프랑스어를 아는 조선인이 거의 없었으나, 플랑시가 1887년에 비준서를 교환하기 위해 왔을 때는 상당히 호전되었으며, 1888년에 플랑시가 되돌아왔을 때는 블랑(Blanc. M. J. G, 白圭三, 1844-1890)[121] 주교가 조선인을 상대로 프랑스어 학교를 세워 거기에서 배출된 이들을 통역관으로 임명했다.

플랑시는 이때 잠시 이름이 밝혀지지 않은 청국 주재관 위안(袁世凱: 위안스카이) 도태(都台)의 하인으로 두 곳의 미국인 학교에서 수업을 받는 대부분의 학생들이 말하는 영어보다 더 정확하게 프랑스어를 하는[122] 통리아문의 주사인 조선인 통역관을 데리고 있었다. 그런데 그는 대주교 블랑 씨가 아이들을 죽여 피를 마시기 위해 어린이들을 수용했다고 허위 주장을 하는가[123] 하면, 플랑시가 이를 문제 삼아 체포하여 조선당국에 넘기려 하자 참수형이 두려워 도망가고 말았다. 당시에 이러한 유언비어는 아무런 근거가 없는 조선인과 외국인 간의 사회적 갈등을 야기하고자 열강국 간의 지나친 정치적 경쟁으로 나타난 청나라 주차관(駐箚官)의 음모였음이 밝혀졌다. 당시 이 유괴사건은 유괴범을 체포한 자와 혼란을 일으킨 자를 체포한 사람에게 상금 500냥을 걸었으며 두 번을 체포한 자는 한 사람당 500냥을 더 주기로 포상금이 걸리기도 하였으나 유언비어를 퍼트린 범인이 시외의 한 사찰에서 발견되어 도모지형(塗貌紙刑)에[124] 처하여 질식사함으로

---

121) 블랑(Blanc. M. J. G, 白圭三, 1844-1890): 제7대 조선 대목구장. 파리외방전교회 회원. 1876년 5월 한국에 들어와서 이듬해 초 전라도 고산지방으로 파견되었다. 그 뒤 1882년 계승권을 가진 보좌주교로 임명되었고, 1884년 6월에 조선 대목구장이 되어 조선 교회의 재건을 위해 노력했다.

122) 국사편찬위원회 편, 『프랑스 외무부 문서 3(조선Ⅱ 1889)』. 서울: 국사편찬위원회, 2004. p.260.

123) ① 국사편찬위원회 편, 『프랑스 외무부 문서 2(조선Ⅰ 1888)』. 서울: 국사편찬위원회, 2003. pp.11-26. ② 선교사들에 대한 이와 같은 좋지 않은 소문은 대원군의 참모들이 처음 보는 사진기의 원리를 이해하지 못하고 음해하려는 수단으로 조작했다. 사진기에 찍힌 아이들의 눈알이 뽑혀져서 판지 위에 생생한 영상을 재현하는 도구로 사용된다는 것을 조선인으로서는 당시 상상할 수 없는 사진 몇 장이 그 모든 사실의 명백한 증거가 된 어처구니없는 사건이었다. 더구나 1888년 6월 17일 사람들이 던진 돌에 맞아 죽음을 당한 7-8구의 시체가 땅에 널려 있는 사건이 발생하자 몇 명 아이들을 고의적으로 동원하여 이러한 죽음에서 구조되었다고 사건을 완벽하게 짜 맞추기도 했다. 그리하여 이 사건은 더욱 커져 범인 색출을 위한 조선 정부의 담화문까지 공포하게 하는 당시 조선인의 문화적 척도를 알 수 있게 한 외국 문화를 이해하지 못한 무지와 외세에 대항한 시대적 상황에서 발생한 공작정치의 한 부분이었다. *샤이에 롱 지음, 성귀수 옮김, 『코리아 혹은 조선』. 서울: 눈빛, 2006. pp.266-267 참조.

124) 이 형벌은 조선 후기 철종 11년(1860)에 시작된 것으로서 죄인을 묶어서 땅 위에 눕힌 다음 머

써[125] 종결되었다. 그러나 당시 조병식 외무부 대신으로 담화문까지 공포된 이 사건은 서울에 주재하는 외국 대표단들의 눈에 순전히 선동 목적의 격문으로 받아들여졌으며, 프랑스와 러시아, 미국 대표단 모두의 공동 결의하에 제물포에 정박 중인 자국의 함대에 즉각 해군 병력을 파견해 줄 것을 요청하지 않을 수 없게[126] 만들었다. 이 사건은 고종과 대립하던 대원군이 외국 해군의 진입으로 아동식인이라는 터무니없는 죄목을 덮어씌워 서울에 있는 100여 명의 유럽인들을 말살하고 자신의 정치적 야심을 펼치고자 했으나 오히려 한낱 물거품이 되는 결과를 가져왔다.

34세의 독신인 플랑시는 1888년 6월 6일 서울에 도착하면서[127] 프랑스어 통역관을 구하지 못해 교섭통상사무아문(交涉通商事務衙門)[128]의 주사 중 영어를 할 줄 아는 김창현(金彰鉉)을 러시아 대리공사의 추천으로 고용하여 1888년 6월 14일에 교섭통상사무아문 서리독판 조병직(趙秉稷)[129]에게 공식적으로 임명해 달라고 하였으나[130] 군주로부터 정식으로 임명을 받지 못하고 임시통역관 역할을 담당했다. 그런데 김창현은 영어 실력이 저조하면서 사기와 같은 비행을 일삼아 품행이 좋지 않을 뿐만 아니라 플랑시의 말을 한마디도 통역하지 않고 다른 말을 지어서 군주에게 말하는 등[131] 통역

리를 질긴 한지로 둘러싸고 그 위에 물을 뿌려 얼굴 주위에 달라붙어 마치 코와 입을 막은 가면 형태로 되면 그것이 마르면서 숨을 쉬지 못하게 하여 질식사하는 형벌을 말한다.

125) 국사편찬위원회 편, 『프랑스 외무부 문서 2(조선Ⅰ 1888)』. 서울: 국사편찬위원회, 2003. pp.11-26.

126) 샤이에 롱 지음, 성귀수 옮김, 『코리아 혹은 조선』. 서울: 눈빛, 2006. p.268.

127) 국사편찬위원회 편, 『프랑스 외무부 문서 2(조선Ⅰ 1888)』. 서울: 국사편찬위원회, 2003. p.7.

128) 조선 말기 고종 19년(1882) 11월 17일에 청나라의 제도를 모방하여 설치한 통리아문(統理衙門)을 확충·개편하여 그해 12월 4일 통리교섭통상사무아문(統理交涉通商事務衙門)으로 개칭하고 외교통상사무를 관장했던 현재의 외교통상부와 같은 정부기관이다. 1885년 4월 25일에 그 기능이 의정부로 이관되었다. 책임자로는 정·종 1품의 독판(督辦)과 정·종 2품의 협판(協辦)을 두었다. 오늘날 외교통상부에도 외국과의 협정체결을 전담하는 기능을 가진 통상교섭본부가 있다.

129) 조병직(趙秉稷, 1833-1901): 조선 말기 문신. 자는 치문(稚文). 시호는 충간(忠簡). 1863년 문과에 급제. 1888년 10월 17일-1899년 7월 3일까지는 서리독판(署理督辦)을 지냈고, 다시 1892년 11월 13일-1893년 5월 13일까지 독판(督辦)을 역임했다. 그 뒤 1894년에도 두 차례에 걸쳐 잠깐 동안 독판을 지낸 바 있다. 사대당(事大黨)의 중진으로 활약하였고, 1896년 아관파천 이후에는 법부대신 등을 역임 친로파의 거두로 등장했다.

130) 국사편찬위원회 편, 『프랑스 외무부 문서 3(조선Ⅱ 1889)』. 서울: 국사편찬위원회, 2004. pp.268-269. "서울주재 프랑스 공화국 정부위원이 교섭통상사무아문 서리독판 조병직 각하에게. 서울, 1889년 4월 6일"

131) 개화기 당시는 통역관이 극히 드물어 직업상 국왕을 자주 면대하고 때에 따라서는 사신으로 가

관으로서의 자질이 부족했다. 이에 1889년 3월 플랑시가 다른 통역관으로 교체를 요청하였는데 그는 내무부에 프랑스 건축가인 오귀스트 조세프 살라벨(Auguste Joseph Salabelle) 씨의 통역관으로 왕궁의 건축을 감시하는 임무를 맡아[132] 오히려 더 진급을 했다.

1889년 4월 6일 플랑시는 김창현을 대신할 통역관으로 궁내부 직원으로 프랑스어를 할 줄 아는 이인영(李寅榮)[133] 씨를 간청하여 1889년 11월 11일 교섭통상사무아문의 주사로 임명하였으나 그는 처음에는 보수나 직위가 없는 명예직이었다. 당시 주사의 직위는 다른 직위들처럼 급료가 일정하게 정해져 있고, 임명은 직책에 따라 납부금을 지불한 이후에 얻을 수 있었는데 플랑시는 이때 이인영 씨를 임명하고자 2,000냥(130원=520프랑)을 준비했다가 1,000냥(65원=260프랑)을 비밀봉투에 넣어 교섭통상사무아문 독판인 민종묵에게 주었다. 그런데 프랑스 외무부 장관에게 이 돈에 대해 한국인 통역관을 임여해 준 선물이라며 업무경비로 올리고 문서고에 증거서류를 남기지 말 것과 민종묵에게 회신을 제출하지 말라는 것을 보면[134] 일종의 사례금 명목이었던 것 같다. 플랑시는 이인영 씨와 이러한 관계로 처음 만나게 되면서 한국고서에 눈을 뜨게 된 것이 아닌가 한다. 이인영 씨는 1895년 5월 8일(음력)에는 3품 벼슬인 내부(內部) 참서관(參書官)[135]이 되었고, 주한 프랑스공사관 통역원으로 1897년 3월에는 프랑스 대통령으로부터 'Palm d'Argent de l'Officer d'Académie'이라는 훈장을 받기도 했다. 이

는 왕족이나 고위관료들을 수행하는 등 정경유착의 소지가 많을 뿐만 아니라 그 권위를 남용하는 등 폐해가 많았다.

132) ① 국사편찬위원회 편, 『프랑스 외무부 문서 2(조선Ⅰ 1888)』. 서울: 국사편찬위원회, 2003. p.31. ② 국사편찬위원회 편, 『프랑스 외무부 문서 3(조선Ⅱ 1889)』. 서울: 국사편찬위원회, 2004. pp.262-269, 272.

133) ① 淸州古印刷博物館 편, 『直指와 金屬活字의 발자취』. 청주: 淸州古印刷博物館, 2002. p.22. ② 李姬載, "모리스 쿠랑과 韓國書誌에 관한 考察", 『淑明女大論文集』第28輯. p.327과 Daniel Bouchz, "韓國學의 先驅者 모리스 쿠랑(上)", 『東方學志』 第51輯(1986). p.158. 위의 책과 논문에 의하면 이인영(李寅榮)을 『청분실서목(淸芬室書目)』의 저자 학산(鶴山) 이인영(李仁榮)으로 잘못 보았는데 학산은 이때 출생하지도 않았다.

134) 국사편찬위원회 편, 『프랑스 외무부 문서 3(조선Ⅱ 1889)』. 서울: 국사편찬위원회, 2004. pp.262-269.

135) 『官報』 開國 504年[1895] 5月 11日. '敍任及辭令' 任內部參書官敍奏任官六登 三品李寅榮 以上 五月八日.

후 플랑시와 함께 일하면서 1898년에는 1900년 파리만국박람회 전시회 출품 준비 특별사무소의 서울주재 프랑스공사관 1등 통역관으로 민병석 대신을 보좌하면서, 정3품 군부 외국과장의 직위로 1900년 박람회 한국지부 서울위원회 위원이[136] 된다. 또한 『직지』를 소개한 모리스 쿠랑은 이인영 씨와 함께 1900년 박람회 한국지부 파리위원회 위원이 되는데,[137] 이때 쿠랑의 신분은 전직 텐진주재 프랑스영사관 번역관을 지낸 현직 외무부 임시직원으로 그는 만국박람회 출품 목록 중 고서분야를 자신의 상관이었던 플랑시와 함께[138] 작성했다. 이인영은 1900년 4월 15일에서 11월 15일까지 프랑스 파리에서 개최되는 만국박람회 기간인 9월 17일에 프랑스로 귀화하였는데[139] 이후 쿠랑이 한국학 연구를 함에 있어서 이인영에게 도움을 많이 받았을 것으로 추정된다. 또한 이인영은 귀화 후에는 프랑스공사관 특파 대사 서리[140]와 평리원(平理院)[141] 판사(判事)로[142] 서울 서대문(敦義門: 새문) 근처에 양옥(洋屋)을 지어[143] 머물면서 뮈텔 주교와는 오랫동안 교류를 했다. 이인영은 천주교 신자로 베드로라는 세례를, 공주감사를 지낸 형 이건영(李健榮)은 요셉이라는 세례를 받았다.

---

136) 국사편찬위원회 편, 『韓佛關係資料－駐佛公使 · 파리博覽會 · 洪鐘宇－』. 서울: 국사편찬위원회, 2001. pp.186, 190, 195, 203, 212

137) 국사편찬위원회 편, 『韓佛關係資料－駐佛公使 · 파리博覽會 · 洪鐘宇－』. 서울: 국사편찬위원회, 2001. pp.190, 196, 204, 212.

138) 국사편찬위원회 편, 『韓佛關係資料－駐佛公使 · 파리博覽會 · 洪鐘宇－』. 서울: 국사편찬위원회, 2001. pp.221－223. 1900년 파리만국박람회 출품목록에서 플랑시가 담당하였던 분야는 [책과 그림책] · [옛날 화폐와 메달], [사냥 생산품] · [한국산 표범가죽], [화문석], [도자기] · [자기] · [옛날 도기] · [토기], [레이스] · [자수와 장식 끈], [명주조각: 명주와 모직물 위에 자수 장식 · 명주에 자수를 놓은 병풍 · 부채와 차양막], [보석 세공과 보석상] · [여성용 보석], [벽장형 가구] · [손궤] · [상자] · [보석상자] · [나전칠 식탁] · [청동과 철로 된 물품], [검] · [화살통] 분야였으며, [책과 그림책]은 기술자 그리유(A. Fives Grille)와 함께 일했다. 한편 파리위원회 위원인 쿠랑은 출품작 전시물 수집에 직접 참가를 하지 않았으나 [다양한 인쇄물] · [설비와 생산품] 등 인쇄와 관련 있는 분야에 관여하였을 것으로 추정된다.

139) 이인영은 1900년 프랑스로 귀화 후 국내에 들어와 활동하였으나 1896년 6월 20일에 태어난 아들이 1916년 2월 프랑스군에 징집되는 국적문제로 곤혹스러워한다. *『뮈텔주교 일기』 1914년 12월 19일, 12월 26일, 1918년 2월 1일, 2월 2일 참조.

140) 『뮈텔주교 일기』 1903년 8월 5일 참조.

141) 구한말 1899년 5월부터 1907년 12월까지 존속되었던 최고법원.

142) 『뮈텔주교 일기』 1907년 6월 19일.

143) 『뮈텔주교 일기』 1909년 5월 21일.

개화기 뿐만 아니라 그 이전 통역관들은 직업상 희소성으로 국왕을 자주 면대할 수 있었고 사신으로 가는 왕족이나 고위 관료들을 수행하다 보니 정경유착의 소지가 다분하고 다소 거만하기까지 했는데 개화기 당시에도 이러한 일은 자주 있었다. 부셰(Daniel Bouchez) 교수는 한국인 통역관은 아니었으나 왕실 가문의 한 사람이며 통리아문협판을 지낸 이인응(李寅應)과 변원규(卞元圭)도 플랑시의 한국도서 수집에 도움을 많이 받았을 것이라고[144] 했다. 그러나 이인응은 당시 플랑시의 통역 담당이었던 김창여 사건을 해결하기 위하여 조선 정부의 대표로서 사건이 원만하게 이루어지기를 회담하였고 이러한 연유로 플랑시와 게랭 서기관과는 자주 만나는 기회가 많았고, 특히 플랑시와는 오랫동안 매우 좋은 관계를 가졌다고는 하나 그가 도서수집에 어떤 영향을 미쳤는지는[145] 잘 알 수 없다.

4) 콜랭 드 플랑시(Victor Collin de Plancy)와 국학자 이능화(李能和)

플랑시의 한국고서 수집에는 한말 일제하의 역사학자 및 민속학자이며 프랑스어에 능통했던 이능화(李能和, 1868～1945)도 플랑시와 뮈텔과의 인연으로 도움을 주었을 것으로 추측된다. 어려서부터 향리에서 한학을 배웠으며, 이러한 한문책을 외우던 서당교육 영향으로 1887년 이후 서울의 여러 학교에서 영어·중국어·프랑스어·일본어를 익혀 4개 국어를 능통하게 구사한 그는 프랑스어도 단 1년 만에 끝냈을 정도로 외국어의 천부적인 소질을 보인 수재였다.

이능화는 1895년 잠시 1년간 농상공부의 주사로 관직에 있다가 그만두고 격동하는 당시의 내외정세를 알고 국제문물에 접하기 위해 외국어 수학(受

144) Daniel Bouchz, "韓國學의 先驅者 모리스 쿠랑(上)", 『東方學志』 第51輯(1986). p.158, 주12).

145) 국사편찬위원회 편, 『프랑스 외무부 문서 3(조선Ⅱ 1889)』. 서울: 국사편찬위원회, 2004. pp.118, 165, 166, 172, 173, 176, 177.

學)과 교수로 일관(一貫)했다. 그리하여 1895년 관립 외국어학교인 법어학교에 입학하여 상하이세관에서 근무하던 마르텔(Emile Martel, 馬太乙)이 이 학교 교사로 부임하자 그에게 프랑스어를 배워 1897년 졸업 전에 우리나라 사람으로는 처음으로 프랑스어를 가르칠 정도로 뛰어난 외국어 실력을 과시했다. 이능화는 1906년 10월에는 관립한성법어학교(官立漢城法語學校) 교장으로 임명되었는데, 이때 재학생은 44명으로 대부분 역관 출신이었는데 차츰 양반 자제들도 입학하기 시작했다. 이어서 1909년 법어학교·영어학교·일어학교 등이 통합 단일화된 관립한성외국어학교 학감으로 취임하여 1911년 조선총독부에 의해 폐교될 때까지 프랑스어 교육을 통하여 인재양성에 주력했다.

이능화가 법어학교에 들어가게 된 것은 아버지 이원긍(李源兢)의 영향이 컸다. 이능화의 부친은 양반 출신에 문과에 급제하여 승지 벼슬까지 했으며 후에는 독립협회 회원으로 인권옹호(人權擁護)를 강력히 주장하기도 했다. 특히 그는 수감 생활 중 미국인 선교사 방커(Bunker, 房巨)의 교화로 기독교 신자가 되었으나 아들 능화는 불교도였다. 이원긍이 외국어 학교에 관심을 가진 것은 주로 역관들의 시(詩) 모임인 육교시사(六橋詩社)에 자주 드나들면서 그들과 가깝게 지내면서 외국어 교육의 필요성을 절감하고 아들인 이능화에게 다국어를 배우게 하여 후일 국학자로 성장하게 했다.

이능화는 1903년에는 관립 법어학교 교사인 마르텔(Emile Martel, 馬太乙) 씨의 조교로 근무하기도 했는데,[146] 이때 당시 1월에 발생한 해주감사와 빌렘(Wilhelm, 洪錫九) 신부와의 고소사건 문제를 해결하기 위해 외부(현 외교통상부)에서 파견된 조선 측 특사로 파견되기도 한다. 그리하여 플랑시 공사의 지시를 받은 주한 프랑스 영사관원인 술랑즈 테시에(Soulange Teissier, 秀乙郎) 씨와 함께 조사관으로 화해조정 업무를[147] 맡기도 했다.

146) 최초의 한국인 서양화가인 고희동(高羲東, 1886－1965)은 1903년 한성법어(法語)학교를 졸업한 학생으로 1904년 궁내부주사로 들어가 예식관(禮式官)으로 있으면서 이해 프랑스공사관전람회에 서양화를 출품하기도 했다. 그는 1908년에 일본으로 건너가 서양화를 배운 한국 최초의 미술유학생이자 서양화가가 되었다.

147) 『뮈텔주교 일기』 1903년 2월 26일. 1시경 술랑즈 테시에 씨가 드 플랑시 씨의 명령으로 다음 배편으로 해주로 떠나는 것을 알리러 왔다. 그는 자신의 숙소가 마련되도록, 두세 신부에게 전

이때는 이미 『한국서지』가 완성 된 시기로 프랑스어와 한문에 능통했던 이능화가 1897년에 이미 프랑스어를 가르칠 정도의 실력이었다면 그가 한국서지를 연구하는 플랑시와 쿠랑에게 어느 정도 자문을 하여 『한국서지』의 간행에 영향을 주었다고 추정된다. 그런데 1918년에 그의 학문적 업적 가운데에서 개척적인 방대한 양의 명저 『조선불교통사』를 자비로 출판할 정도의 실력임에도 『직지』의 존재가 이미 『한국서지』 부록을 통하여 1901년에 알려졌음에도 불구하고 그 후에 간행된 그의 저서에서는 전혀 언급이 없는 것은[148] 당시 금속활자의 중요성에 대해 이능화 자신도 인식을 하지 못했기 때문이 아닌가 한다.

HISTOIRE
DE
L'ÉGLISE DE CORÉE
PRÉCÉDÉE D'UNE
INTRODUCTION
Sur l'histoire, les institutions, la langue, les mœurs et coutumes coréennes
AVEC CARTE ET PLANCHES
PAR CH. DALLET
Missionnaire apostolique
DE LA SOCIÉTÉ DES MISSIONS-ÉTRANGÈRES
TOME PREMIER
PARIS
LIBRAIRIE VICTOR PALMÉ, ÉDITEUR
1874

(사진 8) Histoire de L'Eglise de Corée

이능화에 대해 또 하나 의문시되는 것은 서울에서 50년간 살았던 마르텔(Emile Martel) 씨는 플랑시에게서 골동품 수집법을 배워 그에게 일부 주기도 했던 수집품이 플랑시에 의해 기메박물관에 다시 기증되기도 했던 만큼[149] 이능화는 마르텔의 제자로서 그가 조선의 골동품을 수집할 때 직·간접적으로 도와주었을 가능성은 매우 크다고 하겠다. 이능화는 그의 생애 중 전기가 외국어 연구의 시기였다면 후기는 국학 연구의 시기였다고 말할 수 있다. 그는 1922년부터 15년 동안 조선사편찬에 종사하면서 저작들을 많이 저술했는데 그 대표적인 것이 『조선불교통사』·『조선해어화사』·『조선여속고』·『조선도교사』·『조선무속고』·『조선기독교급외교사』·『조선제

보를 쳐 달라고 부탁했다. 그는 법어학교(法語學校) 마르텔 씨의 조교로 외부에서 파견하는 젊은 이능화(李能和: 당시 35세)를 대동하게 된다. 테시에 씨는 나와 이야기하는 가운데 빌렘 신부로 하여금 사핵사(查覈使: 실제 사정을 조사하여 밝히도록 파견된 관리) 이응익(李應翼)의 정당한 요구에 좀더 응하도록 최선을 다하겠고, 또한 필요하다면 황해도 신천군(信川郡) 두라면(斗羅面) 청계리(淸溪里)까지 신부를 만나러 가겠다고 말했다. 나는 두세 신부에게 편지를 썼는데, 테시에 씨에게 그것을 전한 사람이 배가 28일 토요일 새벽 4시에야 떠날 것이라는 전갈을 가지고 왔다.

148) 李能和, 『朝鮮佛敎通史(上·中·下)』. 서울: 보연각, 1968.

149) 이구열 지음, 『한국문화재 수난사』. 서울: 돌베개, 2006. pp.204-205. "마르텔 회고담".

례고』 등 사학가로서 일반사보다는 사상사와 민속사 그 밖의 특수사 분야를 크게 개척했다. 이 중 『朝鮮基督教及外交史』는 이능화가 샤를 달레(Charles Dallet)가 저술한 『한국천주교회사(Histoire de L'Eglise de Corée)』를 이해한 뒤 조선의 문적(文籍)을 주로 더듬어 기독교사의 체계를 이룩하여 놓은 것으로 이 분야 연구의 개척적인 저작이라 할 수 있다.

5) 콜랭 드 플랑시(Victor Collin de Plancy)와 궁중 무희 이진(Li Tsin)

(1) 궁중 무희 이진(Li Tsin)

(사진 9) 『En Corée』

궁중 무희(舞姬) 이진은 실재한 동일 인물이지만 기록이 불충분하여 이름이 '리진'·'이진', '리심'·'이심'으로 달리 나타난다. 이처럼 이진의 이름이 다른 것은 이포리트(Hippolyte Frandin, 法蘭亭, 1852－1924)[150]의 『En Corée(한국에서)』 원문에는 저자가 '리심'을 중국식으로 읽어 프랑스어로 'Li－Tsin'이라고 이름을 밝혀 두었으나 동아대학교 김성언 교수가 우리말로 옮기면서 한자로 어떻게 적는지는 확인할 수 없어 '이진'이라고[151] 했다. 그리하

150) 이포리트 프랑뎅(Hippolyte Frandin, 法蘭亭): 1852년 1월 3일 이태리에서 출생. 제정 러시아 황제의 참사관을 지낸 부친을 따라 러시아에서 청소년 시절을 보냈고, 러시아·영어·이탈리아어에 능통하며 파리 동양어학교에서 중국어를 전공했다. 1875년 파리주재 중국대사관 명예대사관 1등 서기관으로 외교관을 시작하여, 1880년 중국 텐진(天津)주재 프랑스영사관 통역관 겸직 총영사, 1889년 중국과 베트남 국경확장위원회 위원장, 1892년 서울주재 2대 프랑스 공사 겸 총영사를 지냈다. 그는 조선에 있는 동안 조선의 문물을 기록하고 사진기에 담아 컬렉션을 열기도 했으며 1905년에는 조선에서의 기록과 관찰을 토대로 끌라르 보티에(Madme Claire Vautier)와 공동으로 수필 형식으로 된 『En Corée), 188쪽』을 저술하여 출판사 파리의 델그라이브(Paris Librairie C. H. Delagrave) 총서 20번째 시리즈로 나왔으며, 1915년까지 4판이 나왔다. 1895년 12월 12일에 러시아의 상트 페테스부르그(St. Petersbourg 구레닌그라드)를 떠났다. 그는 1924년에 부인과 같이 사망했다. 프랑뎅이 남긴 2권의 사진첩에는 총 150여 점의 다양한 사진이 수록되어 있다. 대다수의 사진은 젤라틴실버프린트(Gelatinprint)로 인화되어 있으며 간혹 시아노타입 프린트(Cyanotype print)도 있다.

여 번역자나 작자들 간에 이진의 이름과 한자 표기가 각각 다르게 된 것이다. 소설가 신경숙 씨는 태학사 번역본과 마찬가지로 '리진(李眞. Lee Jin)'이라 하고, 소설가 김탁환[152] 씨는 프랑스 리용3대학의 이진명 교수가 프랑뎅이 'Li-Tsin'의 뜻을 '영혼의 꽃(Fleur d'ame)'으로 해석했다는 점에 착안하여 '배꽃의 마음(Coeur de poirie)'인 '이심(李心)' 또는 '리심(李心 · 梨心)', 이화심(李花心)이라는[153] 풀이에 따랐다. 그러나 이미 방영된 MBC 드라마에서는 '이심(梨心)'[154]으로 각각 표기했다. 이와 같이 동일인에 대해 이름 표기가 각각 다른 것은 우리말이나 한문으로 표기되지 않고 프랑스어로 되어 있어 각자 읽는 방식의 차이와 특히 이를 이진이 실존 인물이기는 하나 이를 증명할 자료가 없어 필자는 'Li-Tsin'을 한국어로 처음 표기된 '이진'으로 표기했다. 이진에 관한 고향이나 부모는 물론 출생이나 궁중생활에 관한 자세한 기록은 거의 찾을 수 없다. 여러 정황으로 보아 1860년대 후반에 태어나 1890년 중반까지 살았던 것으로 추정될 뿐이다.

이진의 성격은 플랑시(Collin de Plancy)가 프랑뎅에게 이진과 결혼할 의사를 밝히면서 그녀에 대해 "이진의 마음씨가 얼마나 아름다운지 당신은 상상도 못 할 겁니다. 이 이단(異端)의 나라에서 그녀는 한 여신(女神)으로 인정받을 수 있습니다. 우리나라에서도 그녀는 천사(天使)로서 대우받을 권리를 가질 것입니다."라고[155] 하여 이진의 개성을 말해 주고 있다. 또한 이진이 말을 하면 "열정적이고 정선(精選: 선택)된 말로서, 놀라운 색채를 지닌 이미지(Image)들을 펼쳐 놓은 것과 같았다."는[156] 기록으로 대략 알 수

---

151) 끌라르 보티에 · 이포리트 프랑뎅 지음, 김상희 · 김성언 옮김, 『En Corée(프랑스 외교관이 본 개화기 조선)』. 서울: 태학사. 2002. p.109 주1).

152) 김탁환: 1968년 경남 진해 출생. 1994년 ≪상상≫ 여름호에 『동아시아 소설의 힘』을 발표하면서 문단에 데뷔했다. 주요 작품으로는 『진해 벚꽃』 · 『열녀문의 비밀』 · 『불멸의 이순신』 · 『방각본 살인 사건』 · 『허균, 최후의 19일』 · 『나, 황진이』 · 『서러워라, 잊혀진다는 것은』 등이 있다. 현재 한국과학기술원(KAIST)에서 교수로서 디지털 스토리텔링을 가르치고 있다.

153) http://www.euro-coree.net: 이진명 교수, "프랑스 안의 한국문화(10)-프랑스 외교관과 한국 무희의 사랑"

154) MBC 창사20주년 기념 특집극 3부작으로 1981년 12월 3일(목요일) 오후 8시 30분-11시 30분에 방영된 이심(梨心)의 비련기(悲戀記)에서는 이심(梨心)으로 사용했다.

155) 끌라르 보티에 · 이포리트 프랑뎅 지음, 김상희 · 김성언 옮김, 『En Corée(프랑스 외교관이 본 개화기 조선)』. 서울: 태학사. 2002. p.109.

있을 뿐이다.

이진이 플랑시를 처음 만난 것은 프랑뎅의 글 "어떤 젊은 유럽인 공사는 한 기생의 우아한 태도에 완전히 마음을 빼겼다. 그는 고종(高宗)에게 그녀를 자기에게 양도해 달라고 요청했으며, 고종은 쾌히 양도할 것을 허락했다."에서 나오지만 구체적으로 언제 만났는지에 대해서는 전혀 언급이 없다. 플랑시가 조선에 처음 온 것은 고종 23년(1886) 6월 4일에 "한불수호통상조약(韓佛修好通商條約/Traité D'Amité de Commerce et de Navigation, et la France et la Corée)"을 조인하고, 1년 후인 1887년 5월에 한불수호통상조약 협정서 교환을 위해 파견되었을 때[157]이다. 그리고 플랑시가 고종을 처음 알현한 것은 고종 25년(1888) 6월 12일 프랑스공사관 대사로 임명되었을 때 홍복전(興福殿)에서[158]이다. 이후 그가 1차 근무를 마치고 1891년 6월 19일 도쿄로 전속되기 직전에 여러 차례 고종을 알현하였으나[159] 이진

---

156) 끌라르 보티에 · 이포리트 프랑뎅 지음, 김상희 · 김성언 옮김, 『En Corée(프랑스 외교관이 본 개화기 조선)』. 서울: 태학사. 2002. p.110.

157) 『高宗實錄』 24卷. 高宗 24年 4月 9日 丙申條. 교섭통상사무아문(交涉通商事務衙門)에서 보고하기를, "오늘 미시(未時)에 신 등이 대프랑스(大法國) 사신 갈림덕과 지난해 토의한 조약을 상호 교환했습니다."라고 했다. <交涉通商事務衙門 以今日未時 臣等與大法國使臣葛林德【쏠랭듸쁠랑시】 將上年所議條約互換啓>.

158) ① 『高宗實錄』 25卷 高宗 25年 5月 3日(양력 6월 12일) 甲寅條. 홍복전(興福殿)에서 프랑스 공사 갈림덕을 접견했다. <初三日 御興福殿 接見法國公使葛林德>. ② 『高宗實錄』 25卷. 高宗 25年 5月 19日(양력 6월 28일) 庚午條. 홍복전(興福殿)에서 프랑스 공사 갈림덕을 접견했다. <御興福殿 接見法國公使葛林德>.

159) ① 『高宗實錄』 24卷. 高宗 24年 4月 9日 丙申條. 교섭통상사무아문(交涉通商事務衙門)에서 보고하기를, "오늘 미시(未時)에 신 등이 대프랑스(大法國) 사신 갈림덕과 지난해 토의한 조약을 상호 교환했습니다."라고 했다. <交涉通商事務衙門 以今日未時 臣等與大法國使臣葛林德【쏠랭듸쁠랑시】 將上年所議條約互換啓>. ② 『高宗實錄』 25卷. 高宗 25年 5月 3日 甲寅條. 홍복전(興福殿)에서 프랑스 공사 갈림덕을 접견했다. <初三日 御興福殿 接見法國公使葛林德>. ③ 『高宗實錄』 25卷. 高宗 25年 5月 19日 庚午條. 홍복전(興福殿)에서 프랑스 공사 갈림덕을 접견했다. <御興福殿 接見法國公使葛林德>. ④ 高宗實錄』 26卷. 高宗 26年 2月 8日 甲申條. 일본 공사(日本公使) 근등진서(近藤眞鋤, 곤도 모토스케), 러시아 공사 위패(韋貝, 웨벨), 프랑스 공사 갈림덕, 영국영사(英國領事) 복격림(福格林) 총세무사(總稅務司) 묵현리(墨賢理, 메릴 헨리)를 접견했다. <接見日本公使近藤眞鋤 俄國公使韋貝 法國公使葛林德 英國領事福格林及總稅務司墨賢理>. ⑤ 『高宗實錄』 26卷. 高宗 26年 9月 6日 己酉條. 임금이 홍복전(興福殿)에서 프랑스 공사 갈림덕을 접견했다. <初六日 御興福殿 接見法國公使葛林德>. ⑥ 『高宗實錄』 26卷. 高宗 26年 11月 3日 乙巳條 임금이 홍복전(興福殿)에서 프랑스 공사 갈림덕을 접견했다. <初三日 御興福殿 接見法國公使葛林德>. ⑦ 『高宗實錄』 28卷. 高宗 28年 5月 12日 乙亥條. 보현당(寶賢堂)에서 프랑스 공사 갈림덕을 접견했다. <十二日 御寶賢堂 接見法國公使葛林德>.

을 언제 처음 만났는지에 대해서는 자세한 기록이 없다.

플랑시가 이진을 만난 장소는 고종을 처음 알현한 자리는 아닐 것이고 국빈자격으로 주한 외교관들을 궁중연회에 참석하였을 때 미모의 무희로 구성된 족두리에 원삼으로 치장하고 우아한 자태로 무용을 하던 이진에게 마음을 빼앗겼을 가능성이 높다. 프랑뎅은 1892년 4월 10일(4월 8일 서울 도착)부터 1894년 2월 27일까지 약 2년간 재직하면서 조선에서 이진의 이야기를 들은 것을[160] 본국으로 귀국하여 여성 저널리스트(Journalist)이자 소설가인 끌라르 보티에(Madame Claire Vautier)와 함께 1905년에 『En Corée: 한국에서』를 집필하면서 A4용지 한 장 반(4쪽) 정도에 불과한 이진에 관한 우리의 역사가 기록하지 않는 한 조선 여인의 삶과 사랑, 기구한 운명의 이야기를 수록한다. 플랑시가 40세 이전까지 결혼을 하지 않은 채[161] 20세 전후의 이진은 만난 것은 1차 부임 때인 1888년 6월 6일에서 1891년 6월 15일 간에 만나 1891년 6월 19일 일본공사관 1등 서기관으로 이진과 함께 일본으로 갔다가, 1893년 3월에 탕헤르로 발령을 받자 곧 일본을 떠나 1893년 5월 4일 프랑스 마르세유(Marseille)에서 기차로 파리에 함께 도착하여[162] 파리외방전교회에서 가까운 세브르(Sévres) 바빌론 거리 58번지와 빌라르 대로 15번지 두 곳에서 살았을 것으로[163] 추정된다. 프랑스는 오늘날

---

160) 고(古)건축과 도시계획 건축가인 클로드 칼메트(Claude Calmettes) 씨는 집에 소장하고 있는 대고모부 프랑뎅이 쓴 『En Corée』를 소개하면서. 리진은 전설이나 가상이 아닌 실존인물로 자신이 직접 본 것을 기록했다고 밝히고 있다. 그는 1947년 우연히 대고모집을 방문했다가 그의 대고모부가 남긴 사진첩 '프랑뎅 컬렉션'을 발견하고 이를 물려받아 세상에 알리기도 했다. 이 작품들은 2002년 12월 24일부터 2003년 3월 2일까지 경기도 용인시에 있는 경기도박물관에서 '먼 나라 꼬레-이포리트 프랑뎅의 기억속으로' 특별전을 통해 전시된 바 있다. 칼메트 씨는 그는 현재 프랑스의 소도시인 빌프랑슈-드-루에르그에서 중세 이후 생겨난 유럽 도시들을 연구하고 있다. *KBS1 한국방송공사 2007년 6월 23일 오후 8시 10분-9시. 한국사傳 제2회. "조선의 무희, 파리의 연인이 되다-리진-" 클로드 칼메트 인터뷰 참조.

161) 당시 외국에서 파견된 대사관 직원들은 가족을 동반한 경우는 드물었지만 부인과 함께 온 외국인들은 상당히 많았다. 모리스 쿠랑도 부인과 함께 우리나라에 왔지만 10여 년 이상을 조선에 머물렀던 플랑시는 부인을 대동했다는 기록이 없어 40이 다 되어 가는 나이에도 결혼을 하지 않았던 것으로 추정된다.

162) 플랑시의 자필 이력서에 의하면, 1893년 3월 28일에 일본 고베(神戶)에서 떠난 지 37일 만인 5월 4일에 프랑스 마르세유(Marseille)에서 이진은 난생 처음 기차를 타고 파리로 돌아왔다고 기재되어 있다. *김탁환, 『(파리의 조선궁녀) 리심』. 하. 서울: 민음사, 2006. 부록 pp.322, 331.

163) 19세기 불문학을 전공한 파리3대학의 정지용 박사가 찾아낸 1892년과 1894년 사이에 플랑시가 사인한 영수증에 의하면 바빌론 거리 58번지로 되어 있어, 플랑시가 파리에 도착하여 워싱턴으

에도 비행기로 족히 10시간 가량 걸리는 먼 나라이지만 지금으로부터 115여 년 전에는 상상도 못 할 만큼 힘들고 일본을 거쳐 배로 여행을 하는 고행이었다고 할 수 있다.

그러나 이진이 처음 밟은 파리는 당시 문화와 예술이 화려했고 경제적으로 풍요롭고 사치스러운 예술의 도시로, 프랑스 전체에 걸쳐 철도가 개설되어 있고, 여성 패션과 잡화를 주도한 봉 마르세(Le Bon Marche) · 쌩 마르탱(Saint Martin) · 프랭탕(Primptemp) 등 대형 백화점과 같은 자본주의의 황금시대를 맞아 이진으로서는 꿈과 열망을 펼칠 수 있는 신세계로 여겼을 것이다. 파리 생활을 시작한 이진은 플랑시가 가정교사를 들이자 불어를 배워 지식의 통로를 열기 시작하면서 자연스럽게 자신의 집 근처에 있는 파리외방전교회를 통하여 기독교를 접하며 한국의 전통적 유교관과 비교하여 자유와 평등이라는 정치형태와 사상적으로 크게 감명을 받는 반면 문화적 충격으로 인한 갈등도 있었을 것으로 보인다.

이진의 작품이 완성된 해는 플랑시가 4차로 조선에서 근무하던 1904년 7월에서 1906년 1월까지 사이인 1905년에 출판된 것으로 보아 프랑뎅은 귀국 후에도 지속적으로 플랑시와 이진과의 관계를 살피거나, 간접적 자료나 증언 등 비객관적인 사실만으로 기록했을[164] 가능성이 높다. 프랑뎅은 "그가 본국으로 출발하기 전, 나는 그 외교관의 자택에서 한때 궁중 무희(舞姬, danseuse)였던 그 여인을 만날 기회를 가졌는데, 이번에는 내가 한복을 차려

로 가기 직전인 1892년과 1894년 10월 아프리카 모로코로 가지 직전 고향에 왔을 때는 이 6층 건물에 살았던 것이 아닌가 한다. *김탁환, 『(파리의 조선궁녀) 리심』. 하. 서울: 민음사, 2006. 부록 pp.323 – 325.

164) ① 프랑뎅이 쓴 『En Corée』에서 조선을 바라보는 시각은 사회에 대한 종합적이고 세밀한 관찰이라기보다는 외교관의 의무적 기록과 같은 인상을 강하게 풍긴다. 또한 조선 사람들에 대한 풍속과 예술 등에 대해서는 세밀하고 직접적인 관찰에 의한 기록이 아니라 1회성의 감성과 간접적인 자료에 근거하여 서술했다. 이는 19세기 서양 외교관들이 불충분하고 비객관적인 정보원을 가지고 문명성과 분별력을 앞세워 조선 사회를 바라본 폐습과 제도 · 무지 · 무기력 상태에 머물러 있는 이해할 수 없는 존재로 전환한 맥락이라 하겠다. *김준권, "이포리트 프랑뎅의 조선행력". 경기도박물관, 『먼 나라 꼬레(Corée) – 이포리트 프랑뎅의 기억속으로』. 서울: 景仁文化社, 2003. pp.34 – 35. ② 프랑뎅이 남긴 사진첩에는 '왕의 무희'로 표현되고 구체적인 사실이나 익명으로 6명의 잔치에서 춤을 추는 무희들의 사진이 실렸는데 클로드 칼메트 씨가 리진이 있을 가능성도 있다고 한 것처럼 필자도 추측했으나 리진으로 추정될 만한 단서는 보이지 않았다. *KBS1 한국방송공사 2007년 6월 23일 오후 8시 10분 – 9시. 한국사傳 제2회. "조선의 무희, 파리의 연인이 되다 – 리진 – "

입은 그 여인을 넋이 빠진 채 바라보게 되었다. 그러나 막상 두 사람이 유럽으로 떠날 때, 그 한국 여인이 이번에는 우아한 파리쟌느(파리에 사는 여성)의 복장을 하고 있는 것[165]을 보고 나는 놀라고 비통한 마음을 느끼지 않을 수 없었다."고[166] 하여 플랑시가 출발하기 전 자택에서 이진을 만날 기회를 가졌다고 하면서 프랑뎅 자신이 한복을 차려입은 이진에게 넋이 빠졌으며(영혼의 꽃), 플랑시가 프랑뎅에게 이진과 결혼할 것이라고 했는데 프랑뎅은 플랑시와는 국내에서 만날 기회가 없었고 프랑스에서 만난 것으로 추정되어 프랑뎅이 잘못 기록한 것[167]이 아닌가 한다.

그것은 플랑시가 조선에서 1891년 6월 15일까지 1차 근무를 마치고 1891년 6월 19일에 도쿄로 떠났고,[168] 프랑뎅은 1892년 4월 8일에 도착하였으며,[169] 플랑시가 1896년 4월 27일부터 2차 근무를 시작하였는데 프랑뎅은 1894년 2월 27일까지 공식적인 근무를 하고 1894년 3월 2일[170] 조선을 떠나 1895년 10월[171]까지 프랑스에서 머물러 이들이 서로 만날 수 있었던 시점은 플랑시가 1893년 5월 4일 프랑스 마르세유에 도착하여 1894년

165) 1920년대 무렵 우리나라에서도 신식교육을 받고 서양식 옷차림을 하며, 근대적 가치를 추구하던 개화기의 신여성(新女性)들은 쪽머리를 과감하게 벗어던지고 서양식 헤어스타일과 한복 대신 파격적인 의상에 숄(shawl)과, 양산을 애용하는 근대 서구문물에 대한 열망과 적극적인 수용 의지를 보였다.

166) 끌라르 보티에 · 이포리트 프랑뎅 지음, 김상희 · 김성언 옮김, 『En Corée(프랑스 외교관이 본 개화기 조선)』. 서울: 태학사. 2002. pp.108 – 109.

167) ① "우리가 가지고 있는 플랑시의 개인 서류 기록에서는 한국 여성과 결혼했다는 어떠한 공식적인 흔적도 찾을 수 없습니다. 그러니까 그 여성과 결혼했는지 확인할 수 없는 것이죠. 어쩌면 프랑뎅이 잘못 알았을 수도 있죠." *KBS1 한국방송공사 2007년 6월 23일 오후 8시 10분 – 9시. 한국사傳 제2회. "조선의 무희, 파리의 연인이 되다 – 리진 – " 도미니크 방두루스 레이스네(프랑스 외무부 고문서 담당) 인터뷰 참조. ② 당시의 유럽인들은 여행기를 비롯하여 실제 그가 보고 겪은 내용만이 아니라 소문, 더 나아가서 그가 염원하는 것, 상상하는 것까지 뒤섞여 있어 진위가 불분명한 자료들이 상당수 있다. 또한 실제 사실과 다른 전설과 혼재되어 있거나 기존의 여러 문헌을 짜깁기한 것들이 많지만 우리나라에 관한 자료들이 워낙 희소하다 보니 외국인들은 이러한 자료를 그대로 받아들이거나 참고로 할 수밖에 다른 방법이 없었다. 이러한 과정에서 외국인들이 쓴 문헌은 현실에 맞지 않거나 상상적인 것들이 있어 반드시 원자료나 다른 자료와 대비하여야 한다.

168) 『뮈텔주교 일기』 1891년 6월 19일. 콜랭 드 플랑시 씨가 떠나다.

169) 『뮈텔주교 일기』 1892년 4월 8일. ……프랑스 공사 프랑뎅 씨 오늘 저녁 서울에 도착하다.

170) 『뮈텔주교 일기』 1894년 3월 2일. 프랑뎅 씨 출발. …….

171) 프랑뎅 씨는 1895년 1월, 9월, 10월에 각각 한 차례씩 다시 조선에 오겠다고 프랑스에서 연락은 해 왔으나 다시 조선에 오지 못하고 그해 콜럼비아 보고타(Bogotá)주재 공사로 발령이 난다.

10월 아프리카 탕헤르로 떠나기 직전이 아니었나[172] 생각된다. 또한 플랑시의 후임으로 온 프랑뎅은 플랑시와 동료이자 친구라서 자신의 결혼문제까지 말했다고 하나, 이는 글을 쓴 보티에의 표현일 것이고 실제로 이들의 관계는 그다지 좋은 사이는[173] 아니었다. 프랑뎅은 플랑시와 이진에게 질투를 느꼈는지 아니면 짝사랑을 했는지 알 수 없지만 이진의 이야기에서 호의적이지는 않다. 프랑뎅의 성격은 자국의 외교관이나 선교사들에게도 거만하며 폭언과 폭력적이고 직원 관리 능력이 부족했던 것[174]으로 기록에 남아 있다. 또한 뮈텔 주교를 포함한 선교사들이 그가 얼마나 싫었으면 그가 다시 조선근무를 위해 돌아올 예정이라는 소식과 플랑시의 프랑스공사관 2차 근무 발령이 나자 프랑뎅을 소설이나 쓰는 자유인이 되었다고[175] 비꼬기도 했다.

플랑시를 따라 프랑스에 간 이진은 어디에서 활동했는지에 대해서는 구체적인 흔적이 남아 있지 않아 잘 알 수 없고 다만 플랑시의 고향인 북동부 지역이나 파리에서 거주했을 가능성이 높다고 하겠다. 또한 플랑시가 한국을 떠난 1891년 6월부터 1896년 4월 27일 2차로 우리나라로 다시 오기

---

172) "머지않아 그 대리공사는 발령을 받아 다시 유럽으로 돌아가게 되었다. 그 젊은 한국 여인의 지적인 품성에 나날이 반해 가던 대리공사는 차마 그녀와 헤어지지 못하고 결국 그녀를 데리고 가게 된다." *끌라르 보티에 · 이포리트 프랑뎅 지음, 김상희 · 김성언 옮김, 『En Corée(프랑스 외교관이 본 개화기 조선)』. 서울: 태학사. 2002. p.108.

173) 프랑뎅은 조선주재 제2대 프랑스 영사 및 전권공사 근무 중 1984년 2월 11일에 모친 사망 소식을 듣고 3개월간(3월 1일부터) 휴가를 얻어 3월 2일에 조선을 떠나 프랑스로 갔다. 그러나 해를 넘겨 1895년 1월 13일 케르베르그 씨에게 보낸 편지 내용과, 9월 1일 마르세이유 승선예정 통보, 10월 10일 귀임 몇 주일을 더 연장한다는 편지 등 조선에 오려고 했으나 어떤 이유에서인지 오지 못하고 그 대신 1896년 4월 27일에 플랑시가 2차로 오게 됨에 따라 조선에 올 기회를 놓친 그에게는 어찌되었든 간 플랑시와는 사이가 좋을 수 없었다. 또한 조선에서도 외교 수완이 떨어지는 프랑뎅보다 플랑시가 오기를 더 기대하기도 한 상황이 둘 사이의 관계를 껄끄럽게 했을 것이다. 또한 그 당시 고종은 주조선 프랑스공관장의 빈번한 교체에 불만이 많았다고 한다.

174) 『뮈텔주교 일기』 1892년 11월 1일, 1893년 2월 8일, 3월 2일, 3월 18일, 7월 30일 참조.

175) ① 『뮈텔주교 일기』 1895년 1월 13일. ……프랑뎅 씨는 케르베르그 씨에게 간단한 편지로 2월 중에 돌아오겠다고 알려 왔다. 우리는 이 달갑지 못한 소식을 빌렘 신부의 편지로 이미 알고 있었다. 빌렘 신부는 그 자신 탕헤르(북아프리카의 모로코) 공사관의 1등 서기관으로 임명된 콜랭 드 플랑시 씨로부터 이 정보를 얻었다고 했다. ② 『뮈텔주교 일기』 1896년 2월 4일. -6℃. 계속 좋은 날씨이다. 제물포로 쿠랑 씨 앞으로 [미판독]을 것을 보냈다. 르페브르 씨의 편지는 그가 포르페호의 들로루(Delort) 함장으로부터 받은 "플랑시 서울 총영사로 임명됨. 주교관에게 알려주기 바람."이라는 전보 내용을 알려주었다. 드디어 가엾은 프랑뎅 씨는 자유의 몸이 되어 이젠 소설도 쓸 수 있겠지! …….

직전 일본 도쿄[176]와, 북아프리카 마락가(모로코, 摩洛哥) 공사관의 1등 서기관으로 근무할 때도[177] 같이 동행했다면 홍종우에 이어 프랑스에 두 번째로 온 한국인이며 최초로 미국과 프랑스와 아프리카에 발을 디딘 여자가 아니었던가 한다.

또한 플랑시가 1899년 11월 30일부터 1901년 3월 12일까지 휴가를 얻어 프랑스에 있었을 때도 동행하였을 가능성이 높다. 이진은 프랑스 생활에 적응을 못 해 병을 얻게 되는데 우리나라와 다른 기후 영향도 있지만 무엇보다도 봉건체제에서 나고 성장한 한 여인이 근대화와 맞닥뜨렸을 때의 문화적 충돌이 더욱 그녀를 아프게 했을지도 모른다. 당시 조선인들에게 서양은 상상조차 되지 않은 낯선 세계였고 서양인을 처음 본 충격은 황색인종으로서는 두려움의 자체일 수도 있었다. 이진은 남편을 따라 프랑스와 모로코(Morocco)에서 거주하다 플랑시가 1896년 4월 27일부터 1989년 11월 30일까지 2차로 프랑스 공사로 근무하기 위해 조선에 왔을 때 한 인간으로 예술가로 다시 태어나 남편을 따라 같이 귀국한다.

그러나 서울에는 이진에게 평소 앙심을 품고 있었던 고관(高官)이 한 명 있어 그녀가 서울로 돌아온 후 전혀 사람 앞에 모습을 나타내지 않았는데도 불구하고 이진의 귀국한 사실을 알아내어 조선 관습에 따라 본래의 여기(女妓) 신분인 노비로 전환하여 장악원(掌樂院)[178] 왕립무희단(College)의

---

176) 플랑시는 1891년 6월 중순부터 1893년 3월 27일까지 일본공사관 1등 서기관으로 근무했다.

177) ① 플랑시의 자필 이력서에 의하면 1894년 10월 아프리카 대륙 서북쪽 끝에 자리 잡은 아프리카와 유럽의 관문을 잇는 모로코의 탕헤르로 건너갔다고 기재되어 있다. *김탁환, 『(파리의 조선궁녀) 리심』. 하. 서울: 민음사, 2006. 부록 p.322. ② 김탁환이 모로코 현지를 답사한 결과 1894년 이진이 플랑시와 함께 갔던 모로코의 프랑스공사관은 프티 소코에 있었다가 1907년도 탕헤르 지도에서 보면 다른 곳으로 이전했다. 플랑시는 이곳에서 1년 남짓 근무했다. *김탁환, 『(파리의 조선궁녀) 리심』. 하. 서울: 민음사, 2006. 부록 pp.329－330. ③ 『뮈텔주교 일기』 1895년 1월 23일. ……빌렘(Wilhelm) 신부는 그 자신 북아프리카 모로코에 있는 항구도시 탕헤르(Tanger) 공사관의 1등 서기관으로 임명된 콜랭 드 플랑시 씨로부터 이 정보를 얻었다고 한다.

178) 장악원(掌樂院): 조선시대 궁중의식에서 음악과 춤을 담당했던 무희와 악공들이 소속되어 있던 기관으로 왕실무희단도 이곳 소속이다. 본래 여경방(종로구 광화문 일대) 자리에 있다가 임진왜란 이후 현재의 서울시 을지로 2가 국립국악원 자리로 옮겨 1907년까지 활동했었다. 갑오개혁 이후에는 장악원이 궁내부(宮內部)에 소속되었으며 일제강점기 때는 이왕직아악부(李王職雅樂部)로 개편되면서 일부 이어졌으며, 8・15광복 후에는 구왕궁아악부(舊王宮雅樂部)로 고쳤다가 1951년 국립국악원이 설립되면서 계승되고 있다.

무희가 되게 한다. 이것은 이진이 외국인과 동거를 했음에도 정식으로 결혼을 하지 못하였기 때문에 이전의 조선 기녀라는 신분 굴레에서 벗어나지 못했다. 이진이 조선에 귀국했을 시 기적(妓籍: 기녀의 호적)에서 삭제되지 않았다면 조선의 법률에 따라 1907년 장악원 폐지 이전까지는 다시 기녀로 신분이 전환되는 것은 당시로서는 당연한 명분이었다.

고종 임금이 상당히 신임했던 플랑시에게 이미 결혼을 허락한 것임에도 다른 사람들은 거론하지 않는데 유독 한 명만 반대를 한 것은 이진을 평소에 사모했거나 플랑시와의 외교적·정치적 마찰 또는 청탁거절 등으로 인한 관계가 좋지 않았던 인물로 보이나 누구인지는 알 수 없다. 이진은 자신의 신분전환에 따른 충격을 이겨내지 못하고 금싸라기를 삼켜 스스로 목숨을 끊었다고 하나 그녀가 죽은 연도나 날짜는 알 수 없다. 그런데 의문이 가는 것은 4차례나 걸쳐 조선의 외교권이 박탈당한 1905년 이후 다른 나라 외교관들은 모두 철수했는데 플랑시만 1906년 1월 21일에 고베[神戶]에서 프랑스 우편선을 타기 위해 부산에서 조선을 완전히 떠난 이후 그가 사망할 때까지 조선으로 오지 않았다. 이는 그가 이진과의 사랑이 이미 끝났기에 막중한 정치적 문제라 해도 오지 않았을 것이다. 지나친 추측일지 몰라도 그렇다면 이진은 최소한 1905년 말까지는 생존하지 않았을까 생각된다. 2차 근무기간인 1899년 11월 말 이전에 이진이 사망했다면 미모에 반한 외국인에게 왕의 여자뿐만 아니라 노비신분인 궁녀를 외국공사에게 선뜻 내려 준 것은 고종의 정치적 행동일[179] 수도 있다.

당시 조선은 근대화와 식민화의 흐름 속에서 세계의 열강에서 벗어나 1897년 대한제국을 세우려는 준비에 1896년 4월에 귀국한 조선의 한 여인의 시련쯤은 외교 전략상 염두에 두지도 않았을 것이다. 이 같은 상황은 실

179) 당시에 조선은 혁신 정치를 함에 있어 이권을 차지하려는 일본과 러시아, 구미 열강국의 소용돌이에 휘말려 정치적으로 매우 혼란한 시기였다. 또한 조선의 개혁을 반대하는 일본과 1895년 을미사변 이후 러시아로 기울어진 이들 양국 간에서의 조선의 입장과, 이러한 조선의 급격한 변화를 조심스럽게 관망하는 독일과 미국에게 의지하는 것보다 이들 나라들을 견제하면서 새로운 국가를 세우는 데 다른 나라의 도움이 필요했다. 그런데 마침 프랑스에서 유학을 마치고 귀국한 홍종우는 고종의 절대적 신임을 얻어 프랑스와의 적극적인 외교를 통한 정치개혁을 시도하려 했다.

제로 고종이 플랑시를 불러 조선의 개화에 적극 협력할 것을 청했고, 어찌 되었던 이진은 당시에 파리 사교계의 유명 인사이자 조선 조정과 프랑스공사관을 잇는 중요한 국제관계 역할을 했을 것으로 추측된다. 플랑시 역시 자신의 적절치 못한 애정으로 외교에 치명적일 수 있다는 프랑스 정부의 압력이나 보수주의가 강한 귀족 출신으로 외교관 직분을 버리면서까지 신분격하의 요소가 될 결혼을 강행할 뜻이 없음을 스스로 시인한다. 그것은 이진과 프랑스에까지 가서도 미혼임에도 불구하고 정식으로 결혼을 하지 않고[180] 외교관 직분을 유지하면서 이진을 현지처로 대했을 뿐 진정한 사랑을 위해 외교관이라는 명예를 버리지 못한 외교관으로서의 공무수행에는 성실했을지 모르나 사랑에는 실패한 한 남자였다.

그러나 그가 1903년 조각가 클레르제에게서 받은 1900년 파리만국박람회 한국관에서 판매된 한국여인상을 사망하는 날까지 간직했다는데, 이는 이 조각상을 통해 이진을 그리워했음이 아니었나 한다. 플랑시가 이진이 귀국하여 다시 기녀로 되는 것에 적극적인 자세를 취하지 못한 부적절한 모습은 바로 이러한 자신의 외교관 신분과 조선의 규범에서 오는 신분문화 차이를 극복하지 못했음이 여실히 드러난다. 그는 본국으로 보낸 19세기 여성노비의 판매문서에서 "이런 야만적인 관습은 사라져야 합니다. 하지만 의외에 사건이 발생하지 않는 한 현재의 관습을 버리고 문명화의 길을 걷게 되리라고 예상하기 힘듭니다."라 하여 조선의 노비문제에 대하여 강한 문제의식을 가졌는데 이는 특히 이진과의 관계 때문이며 그런 그도 결국은 이를 벗어 버리지 못하고 이진과의 결혼을 하지 못한 듯하다. 플랑시와 이진의 결혼에는 외교관과 무희라는 신분적 갈등과 같은 둘만의 문제 외에 조선과 프랑스, 그리고 러시아라는 외교적 정치적인 복잡한 문제가 이들의 결합을 허용하지 않았을 것으로 추측된다. 그러나 이미 외국의 문명을 접한 개화된 사랑으로 무장된 이진의 활약이 오히려 보수적인 조선 관리들의 눈에 거슬렸고 급기야는 궁중 무희로 복직과 함께 스스로 목숨을 끊는 원인

180) 플랑시의 인사기록문서에는 1902년까지도 독신으로 되어 있었다.

이 될 수도 있다고 본다.

개화기 당시의 외교관들은 특히 독신들은 현지 근무처에서 하층계급의 여자를 가정부 겸 부인으로 임시 살림을 차리곤 했는데 우리나라의 외교관들도 부인을 대동할 수 없게 되자 기생들을 데리고 출국하였으나 이들이 한 나라의 정부를 대표하는 외교관의 부인 역할을 할 수는 없었다. 플랑시 또한 이진을 부인으로 맞기 위해서는 프랑스 외무부의 허가를 받아야 했는데 당시 프랑스 정부에서는 외교관 신분으로 첩보에 노출될 위험에 있는 외교관을 외국인과의 결혼에 승낙을 하기에는 국가의 보안상 무리가 뒤따랐기 때문이다. 더군다나 이진과 같은 조선 정부에 소속된 신분인 이상 불가능했기에 플랑시 또한 이를 정부에 소원조차 하지 않아 이들의 결혼은 이루어질 수 없었던 것으로 보인다. 이진은 서양 표류자나 선교사들이 우리나라에서 보고 느낀 것은 여행기 식으로 기록한 것과 같이 프랑스어에 익숙해지고 삶과 정신, 그녀의 모든 것이 변화되자 그 경험과 감동을 "서양의 언어가 가진 아름다움에 곧 익숙해질 수 있었다. 그녀는 자신이 관찰한 놀라운 서양의 문물(文物)을 여러 페이지에 걸쳐 기록해 두었는데, 나는 언젠가 그 기록들을 꼭 출판하려고 다짐하고 있다."라고 기록을 남겨 보티에가 출판을 하려고 했으나 불행하게도 그 기록은 현재 남아 있지 않다. 만일 이 기록이 발견된다면 플랑시가 우리의 고서를 수집하면서 이진의 도움을 받았을 것으로 추정된다. 이는 당시 궁중 무희와 나인들은 최소한의 한문이나 한글을 해독할 수 있는 기초교육을 받았다. 더군다나 내의원에 소속된 궁중 무희는 평상시 의녀로 근무하다가 궁중연회가 있는 때에는 가무를 보여 주는 기생의 역할도 담당했다.

(2) 궁중 의녀(醫女) 이진(Li Tsin)

조선시대 당시 유교의 뿌리 깊은 의식에 따라 여성들이 남자 의원에게 진찰이나 치료를 받는 것은 상상할 수 없었고, 이에 진료 한 번 못 하고 사망하는 부녀자들이 늘어났다. 이에 조선 태종 6년(1406) 3월에 허준의 건의에 의해 처음으로 설치된 여자 의사를 양성하는 의녀제도가 국가적 차원에서 시작되었다. 의녀제도는 단순히 의료사업을 수행하기 위한 것이 아니라 우리나라의 전통적인 사회적 제약이었던 남녀의 자유로운 접촉을 금단해 온 전통적 내외법 풍습으로 인하여 여성들이 좀 더 편리하게 의료 혜택을 받을 수 있도록 한 제도이다.

의녀는 남성 의원들이 양반급 다음 되는 중서급(中庶級: 중인과 서얼)에 속한 데 비해, 외부 남성과 자유롭게 접촉할 기회를 가질 수 있는 중서계급의 여성들도 의원을 하려 하지 않았다. 이러한 모순된 사회적 제약으로 의녀들은 모두 천류(賤流)의 노비 출신으로 충당되지 않을 수 없었다. 이러한 제도는 과거 우리나라 여성들의 생활배경과 직업여성의 사회적 활동이나 사상배경을 살피는 데 중요한 자료가 된다. 창설 초기의 의녀는 창고궁사(倉庫宮司)의 동녀(童女) 수십 명을 뽑아 맥경(脈經: 맥 짚는 법) 및 침구(鍼灸: 침과 뜸)의 법을 가르쳐 부인들의 병을 진료하게 했다. 이후 성종 때까지 경향(京鄕: 서울과 지방) 각지의 노비 출신으로 선발한 의녀들은 기녀들과는 달리 부인들의 진료에만 종사하였으나 그 계급적 지위는 기녀들과 거의 같이 취급되었다. 연산군 때 와서는 의녀들이 부잣집의 혼수사치를 검찬(檢贊)하는 업무로, 광해군 때에는 내방(內房: 안방)에 숨어 있는 죄인을 염탐 체포하는 경찰의 업무를 하기도 했다.

(사진 10)
조선시대 의녀

의녀는 중종 때부터 선조 때에 이르도록 연유(宴遊: 잔치를 베풀어 즐겁게 놂)에 참석하는 것을 금했으나 연산군 때는 의녀들이 자신의 간호, 의술 활동보다는 왕의 명령으로 인해 기녀와 같이 노래와 춤을 익히고 시를 외워 왕실의 잔치나 향연회(饗宴會)에 출입함으로써 의녀의 본래 역할이 흐려지기 시작했다. 의녀들의 주 임무는 서울 각 관청에서 잔치가 있을 때마다 화장을 하고 기생으로 참가하는 것이 되었다. 또한 내의원 의녀들은 궁중의 크고 작은 잔치가 있을 때에는 기생이 되어, 원삼을 입고, 머리에 화관을 쓰고, 손에는 색동 한삼을 끼고 춤을 추는 무희의 역할도 수행했다. 의녀의 규율이 점차 문란해져 조선 말에 와서는 내의원의 별칭이 약방이고 출신이 기생이기 때문에 약방기생으로 불릴 정도로 고종 때만 하여도 의녀의 수는 80명에 달했다. 그리하여 그들은 의기(醫妓)로서 의녀의 임무와 가무(歌舞)를 병행하여 그 인식이 저하되었다.

조선의 의녀라 할 수 있는 근대식 간호사 배출은 1887년 10월 20일 미국 감리교 여의사 메타 하워드(Miss Meta Howard. M. D.)가 내한하여 여러 선교사들과 함께 정동 이화학당 구내에 한국 최초의 여성전용 병원인 보구여관(保救女館, Caring for and Saving Woman's Hospital)이 개설되면서 시작되었다. 1903년에는 이 병원에 처음으로 간호부 양성소가 개설되었고, 5년 만인 1908년 11월 5일에 서양식 교육시스템에 의해 제복과 제모(캡)를 갖춘 정규 간호부(看護婦)들이 배출되기 시작했으며 양의사가 궁중에 들어오면서 의녀는 점차 없어졌다. 이렇게 의녀의 제도가 바뀌면서 약방기생이 줄어들자 구한말에는 50명 가량의 민간 소유의 기생으로 구성된 황실공연단이 설치되게 되어 황제나 황실 가족의 공연 요청에 따라 공연을 하기도 하여 이들은 더러 유럽인들을 볼 기회가 있기도[181] 했다. 이진이 궁중의 나인이 아니었다면 혹여 이러한 황실공연단 출신일 가능성도 없지 않다.

의녀들은 훈도관으로부터 전문적으로 교육을 받았다. 세종 때부터 지방에서 『천자문(千字文)』, 『효경(孝經)』, 『정속편(正俗篇)』 등 기초교육을 시켰다. 이는 한문으로 되어 있는 전문의서를 학습하기 위한 기초과정이었다. 그런 다음 우수한 동녀들을 차출해서 서울에서는 부인문, 진맥(診脈), 명약(命藥), 점혈(點穴) 등 전문교육을 시켜 그 학습정도와 숙련도에 따라 내의녀(여자 전문의), 간병의녀(간호사), 초학의녀(간호조무사)로 전문화 했다. 기초교육과정을 마친 의녀들은 서울에서 『가감13방(加減十三方)』과 같은 일반적인 상용 처방서, 맥경(脈經) 및 침구(鍼灸)·『직지맥(直指脈)』·『동인경(銅人經)』·『찬도(簒圖)』 등과 같은 진맥전문서와, 산서(產書)·『화제부인문(和劑婦人門)』 등의 산부인과의 전문서적으로 교육하여 진맥 및 침구

181) 바츨라프 세로셰프스키 지음, 김진영 외 옮김, 『코레아 1903년 가을』. 서울: 개마고원, 2006. pp.401 - 403.

또는 산부인과 등에 주력했다.

위에서 말한 바와 같이 조선시대 말기 고종 때까지도 궁중 무희는 내의원의 의녀들이 그 임무를 대행하여 궁중 무희였던 이진은 의녀 출신일 가능성이 높다. 이진이 의녀 출신이라면 의녀의 교육과정에서 보다시피 한문의 기초과정과 전문과정을 공부하려면 상당한 한문 실력이 있지 아니하면 책을 볼 수 없기 때문에 이진 또한 최소한 간병의녀 수준까지는 되었지 않았나 한다. 이진이 플랑시가 1차 근무 기간(1888년 6월 6일 - 1891년 6월 15일)에 만나 프랑스에 갔다가 2차 근무(1896년 4월 27일 - 1899년 11월 30일) 때에 한국에 다시 왔다면 『한국서지』 1, 3책이 1894년 - 1896년에 간행되었을 때는 미처 몰랐어도 『직지』가 수록된 4책 부록이 간행된 해가 1901년이므로 이진의 도움이 있지 않았을까 생각된다. 특히 이진은 의녀 전문교육에 『직지맥』이라는 의서도 있어서 비록 내용은 전혀 달라도 최소한 그러한 책 정도는 구별할 수 있지 않았을까 추측된다.

이진이 궁중 무희로서 외교관 특히 플랑시의 마음을 사로잡은 춤은 어떤 춤이었을까? 플랑시와 이진이 만난 시점이 조금 차이가 있긴 하지만 1901년(광무 5년) 6월 17일부터 10일간 우리나라를 기행하고 플랑시와 함께 6월 22일[182]에 열린 궁중연회에 참석하기도 했던 피에르 로티(Pierre Loti)가 1905년 쓴 『서울에서(A Seoul)』에서 그는 무용장 모습과 무용복장, 그리고 이진이 추었을 것 같은 궁중무용 가인전목단(佳人剪牧丹)의 춤사위를 아래와 같이[183] 표현했다.

"그런데 밤에 황제의 무용단이 우리를 즐겁게 하기 위하여 춤을 추기로 되어 있었는데, 우리는 흥미를 가지고 이를 기다렸다. 부드럽고 아름다운 밤, 유럽제 새 융단과 갓 못을 박아 고정한 탁상보로 덮어 임시로 마련한

182) ① 피에르 로티는 그의 글에서 내가 도착한 지 3일 내지 4일이 지나서 고종을 알현했다고 정확한 날짜를 모르고 있으나 「뮈텔주교 일기」에는 6월 22일에 알현한 것으로 기록되어 있다. ② 『뮈텔주교 일기』 1901년 6월 22일자 참조. "……제독의 알현은 일본 공사와 2명의 함장의 알현에 앞서 있었다. 포티에 제독의 알현은 더욱 장엄했을 것이다. 보병 장교들을 포함해 30명의 장교도 이 알현에 참석했고, 또 음악 연주도 있었다. 식사도 대접되었고 황제가 제독을 위시해 음악가에까지 일일이 다 보낸 선물도 있었다. ……."

183) 피에르 로티, 이진명 옮김, "새벽을 깨우는 王宮의 나팔소리", 『新東亞』1992년 6월호, pp.523 - 525.

단은 우리의 작은 테이블을 밖으로 두고, 그 가운데는 원형으로 넓게 비워 두었다. 아마 우리가 기다리고 있는 무희들을 위한 것인 듯하다. ……하인들이 인조(人造) 목련화(모란?) 꽃다발을 가지고 왔는데, 엄청나게 큰 꽃송이였다. 다른 하인들은 색칠한 마분지로 만든 작은 개선문을 갖다 놓았다. 이것들은 우리가 기다리고 있던 무희들의 액세서리였고, 드디어 무희들이 나타났다. 12명의 조그만 여자들, 아주 이상하고, 아양을 떠는, 창백하고, 긴 의복 속에 매우 수줍은 듯한 사람들! 납작하고 작은 얼굴, 뜰 수 없을 만큼 가느다란 눈, 보통 여자의 머리숱의 12배나 되리만큼 두터운 머리카락을 땋아서 얹었었다. 기막히게 거창한 머리장식(가체)이었다. 그 위에 얹는 조그만 서양모자(족두리)! 이 복장 가운데서는, 18세기의 우리 프랑스적인, 아니면 그보다 더 오래된 무엇인가를 발견할 수 있었다. 무희들은 루이 16세 시대 인형처럼 거짓 모습을 하고 있었다. 이런 모양으로는 그녀들이 아세아의 무희들이라고 아무도 상상하지 못할 것이다. 그러나 조선에서는 모든 것이 괴상하고 예측을 불허한다. 눈을 내리뜨고 무표정한 이 여자들은 우선 섬세한 손으로 칼을 흔들면서 일종의 비극적인 걸음을 연출했다. 그러고는 로코코식(구식) 모자를 벗고는, 끝없이 계속되는, 바보같이 순진한 놀이를 시작했다. 하나씩 하나씩 기운 없고 느린 몸짓으로 가벼운 공을 굴려 이 공이 개선문의 아래쪽에 뚫린 구멍을 통과하게 하는 것이었다. 공이 잘 통과하면, 다른 인형들은 상(賞)으로 오만하면서도 우아한 몸짓으로 거대한 목련화를 서둘러 머리에 갖다 주었다. 불행히도 공이 통과하지 못하면 그 무희는 벌을 받았는데, 벌로 다른 한 무희가 먹물로 태를 부리며 힘주어 얼굴에 검은 십자가를 그렸다. 끝에 가서는 무희들 모두가 얼굴에 먹물 칠갑이 되었고, 얼굴 위에 어울리지 않게 거대한 머리타래(가체) 위에 꽃을 함빡 쓰고 있었다. 그것은 권태롭고, 정신을 마비시키는 것이었다. 조금 전의 호랑이 춤(북청사자놀음?) 때와 마찬가지로 고함치는 듯한 재미없는 음악에 맞추어, 교태를 부려 의도적으로 하는 똑같은 느림과 동일한 몸짓의 계속적인 반복이었다. 인생의 한없는 권태에 대한 체념을 표현하기라도 하듯 신비로우리만큼 조용하며, 애처롭지 않으면서도 슬픈 것이었다. 지루했지만 우리는 모두 잘 구경했고 음악을 들으며 약간 매료되기도 했다. 이 모든 것에 우아함, 리듬 그리고 예술이 있었다.”

(3) 왕의 여자 이진(Li-Tsin)은 실존 인물이었을까?

(사진 11) 한인잡지

이진과 플랑시 공사와의 로맨스(Romance)는 플랑시의 후임으로 1892년 4월 10일부터 1894년 2월 27일까지 약 2년간 2대 프랑스 공사를 지낸 이포리트 프랑뎅(Hippolyte Frandin, 法蘭亭)이 여성 저널리스트(Journalist)이자 극작가인 보티에와 함께 1905년에 펴낸 산문집 『En Corée(한국에서)』에서[184] 처음 소개되었다. 그리고 1979년 프랑스 리옹3대학의 이진명 교수가 이를 한국어로 번역하여 재불한인회가 소식지 월간 잡지 『한인(1979년 4월호)』에 “이조 말엽 왕궁의 무희와 프랑스 외교관의 사랑”이란[185] 제목으로 실었고, 잡지 내용을 토대로 김성우(金聖佑) 한국일보 특파원이 한국일보에 싣는[186] 한편, 단편소설 작가 오인문 씨가 한국에서 단편소설을 발표했으며,[187] 1995년에는 이선주가 『주간조선에』,[188] 2005에는 프리랜서(Freelancer) 심세중 씨가 『메종』이란 잡지에 소개하기도[189] 했다. 또한 2006년 7월에는 이진명 교수의 번역본을 토대로 MBC 청주문화방송에서. 창사 36주년 다큐멘터리 “직지의 최

---

184) Madame Claire Vautier et Hippolyte Fradin, 『En Corée』. Paris: Librairie Ch. Delgrave, 1905, in-8. pp.137-141(188page).

185) 이 소식지는 16쪽 분량으로 A4용지에 한글 타자기로 쳐서 복사하여 한인들에게만 배포한 듯하다. *http://www.euro-coree.net: 이진명 교수, “프랑스 안의 한국문화(10)-프랑스 외교관과 한국 무희의 사랑” 참조.

186) 『한국일보』 1979년 6월 6일 5면. “파리의 첫 韓國女人은 宮中舞姬였다-19世紀末 駐韓公使의 기행문 『한국』에서 판명”

187) 『중앙일보』 2006년 5월 18일 21면. “한 여인 소재로 두 작가가……누가 먼저일까”.

188) 이선주, “불 외교관과 조선 궁중 무희의 비극적 사랑”, 『주간조선』 제1365호(1995. 8. 3). pp.52-53.

189) 심세중, “모두 그녀와 사랑에 빠져버렸네”, 『메종(Maison)』 2005년 2월호 pp.256-261.

초 발견자 콜랭 드 플랑시"[190]를 방영하면서 이진에 관련된 내용을 알려주기도 했으며, 2007년 6월에는 KBS1 방송에서 이진에 대해 역사 다큐멘터리로[191] 비교적 자세하게 이진의 삶을 조명하고 2008년에는 이를 책으로 펴내기도[192] 했다.

19세기 말 조선의 개화의 물결이 시작된 때 우리나라에 프랑스 외교관으로 부임한 초대공사 콜랭 드 플랑시가 궁중연회에 초대되었다가 궁중 무희에게 반하여 고종의 허락을 받아 그녀를 프랑스로 데려가 결혼을 하게[193] 된다. 예쁘고 총명했던 이진은 근대도시 파리를 처음으로 체험한 조선 여자로 그곳 살롱(Salon)과 같은 사교 모임에서 상류계층과 자주 어울렸고 많은 프랑스인과 교류하는 등 사람들의 관심 속에서 명사가 된다. 그러나 기후와 육체적 열등감[194]과 문화적 차이로 병을 얻자 플랑시는 한국식 규방(閨房)을 만들어 한국적 분위기를 조성하여[195] 주었음에도 낯선 문화에 대한 '문화적 충격 적응장애'를 극복하지 못하고 남편과 같이 고국으로 돌아오지만 신분의 장벽을 넘지 못하고 다시 헤어져야 하는 아픔으로 자살을 하는 국

190) MBC 청주문화방송 2006년 7월 31일 오후 11시 5분－12시. 창사 36주년 다큐멘터리(기획 김학찬, 연출 남윤성, 촬영 박종성). "직지의 최초 발견자 콜랭 드 플랑시"

191) KBS1 한국방송공사 2007년 6월 23일 오후 8시 10분－9시. 한국사傳 제2회. "조선의 무희, 파리의 연인이 되다－리진－"

192) KBS 한국사傳제작팀, 『한국사傳』. 서울: 한겨레출판사, 2008. pp.42－67. '한국의 무희에서 파리의 연인으로－리진 '

193) 이진과 플랑시와는 당시의 외교관들도 그들의 사실혼 관계를 알고 있었지만 플랑시의 고향이나 그 어떤 곳에서도 이 두 사람이 결혼을 했다는 기록은 어떤 이유에서인지는 모르겠으나 남아 있지 않다. 그러나 레미 테시에 뒤 크로 전 주한 프랑스 대사가 쓴 "서울의 빅토르 콜랭 드 플랑시"라는 글에는 이진은 한국 출신인 그의 부인이라고 이진을 소개하고 있는 자료가 있기도 하다. *『중앙일보』 2006년 9월 8일 19면. "리심 고종의 무희였던 여인의 향기 프랑스에서 맡다" 참조.

194) ① "그 서구 문명이 가진 압도적인 위용과 더불어 그것을 건설한 주체로서 그 어떤 서양인들에 대한 신체에 대한 어떤 열등감 혹은 거기에 대한 자기비아(自己非我) 같은 것들을 이진이 느꼈을 것이 아닐까?" *KBS1 한국방송공사 2007년 6월 23일 오후 8시 10분－9시. 한국사傳 제2회. "조선의 무희, 파리의 연인이 되다－리진－" 김경일 교수 인터뷰 참조. ② 프랑뎅은 그가 쓴 『한국에서』 이진이 서구에 대한 이해가 높아지자 자신과 프랑스인들과의 신체가 다름을 알고 작고 초라한 존재로 생각하여 "안락의자에 푹 파묻혀 앉은 이 가련한 한국 여인은 너무나 야윈 나머지 마치 장난삼아 여자 옷을 입혀 놓은 한 마리 작은 원숭이 같아 보였다."라고 하여 심각한 우울증에 빠져 있었다고 기술했다. *끌라르 보티에 · 이포리트 프랑뎅 지음, 김상희 · 김성언 옮김, 『En Corée(프랑스 외교관이 본 개화기 조선)』. 서울: 태학사. 2002.

195) 플랑시는 한국에서 수집해 간 여성용 가구로 이진의 방을 한국식으로 분위기를 조성하려고 노력하였으나 좋은 결과를 얻지 못하였고, 후에 이 가구들은 기메박물관에 기증되어 보관되고 있다.

제결혼의 슬픈 사랑 이야기이다. 이진과 플랑시와의 이야기는 프랑뎅이 말한 것을 토대로 보티에가 책으로 엮은 것으로 알고 있다. 그런데 과연 이야기는 진실일까? 아니면 한갓 에피소드(Episode)일까? 구한말 선교사들의 기록은 물론 프랑스 외교문서에도 플랑시가 조선 궁중 무희와 혼인을 했다는 기록은 발견되지 않고 있다. 설령 사실이라 해도 외교관과 노비가 결혼한 일은 외국인이 기록을 했다면 몰라도 우리나라 사서(史書)에는 기록되지 않았을 것이다.

또한 이 이야기는 프랑뎅 혹은 보티에의 완전한 허구일 수도 있다. 하지만 플랑시가 120년 전의 이진이라는 실존했는지 아닌지 알 수조차 없는 여인과 사랑에 빠진 것은 사실일 수도 있다. 만일 이야기가 사실이라면 프랑뎅은 보티에보다 더 이진을 사이에 두고 플랑시를 질투했을 것이다. 프랑뎅과 플랑시와는 "이진의 남편 되는 외교관은 그러한 사악한 제도에 대한 한 번 저항해 보지도 않고 비겁하게 그녀를 포기해 버렸다."라고 몰아칠 정도로 사이가 좋지 않았고 이후 실무의 무능함으로 2년간을 조선에서 공사로 있다가 다시 플랑시에게 넘겨 주어야 했기에 자연히 관계가 나빠졌을 것이다. 그가 조선에 공사로 있는 동안 프랑스 선교사들은 물론 자국민들에게도 인심을 잃을 정도로 평판이 좋지 않았다. 그렇다면 이 이야기가 실려 있는 『한국에서』의 실제 저자는 프랑뎅일 확률이 더 높다. 프랑뎅은 오리엔탈리즘(Orientalism})적인 시선과 거만하며 술주정에 허풍이 심하고 부하직원에게도 폭언과 욕설 등을 함은 물론 프랑스 선교사와 자국민들을 무시하는 경향이 많아 평판이 좋지 않았다고 한다. 그가 이처럼 자화자찬에 거드름을 피운 것은 자신의 약점을 감추기 위한 것이라고 한다. 우리나라에 대해서는 미개함에 대한 악의와 냉소를 『한국에서』 책의 내용에 그대로 드러나며, 고종황제도 프랑뎅이 외교관으로서의 자질이 플랑시에 비해 능력 부족이라고 비교하자[196] 자신의 외교적 수완을 발휘할 수 없는 곳이라고 다른 곳으

196) 『뮈텔주교 일기』 1895년 8월 28일. ……고종이 제독에게 그의 곁에 보다 높은 직책의 프랑스 대표를 두고 싶다고 밝혔다고 씌어 있더라고, 특히 실질적인 능력이 있는 사람을 원하는데, 지금 직책에 있는 사람 프랑뎅은 절대로 능력이 부족하여 이미 신용을 잃었다…….

로 인사이동되기를[197] 원했다. 이후 쿠랑이 쓴 『한국서지』는 도서관에서 먼지가 쌓이는 한편 프랑뎅이 쓴 책은 굉장한 성공을 거두었고 한국에 대한 상당히 부정적인 시각을 퍼뜨리게 되었다. 프랑뎅은 이진 뿐만 아니라 한국의 궁중 무희들에 대해 "한국 무희들은 힌두스탄(Hindustan: 인도)의 무희들처럼 우아하며 그네들은 시대의 선각자라는 의식을 가지고 있었으며 미묘한 매력을 간직하고 있었다. 한국의 젊은 여기들은 프랑스 국립음악원의 젊은 발레리나(Ballerina)들과 비교해도 조금도 손색이 없다."고[198] 말했을 정도로 관심이 많았다.

개화기 때 우리나라 사람으로 프랑스를 처음 밟은 사람은 최초의 프랑스 유학생 홍종우와 같은 시기 조선 여인으로 처음 프랑스에 간 이진이다. 그런데 홍종우는 왕당파(王黨派)로서 김옥균을 살해한 암살범임에도 불구하고 귀국 후 고종의 측근으로 권세를 누렸으나, 이진은 궁녀로 다시 신분이 격하되는 아픔과 끝내는 목숨을 버리는 삶을 살았다.

(4) 궁중 무희 이진(Li－Tsin) 삶 예술작품화

1886년 왕실의 궁녀 신분에 불과했던 이진이 1886년 한불수교 이후 초대 프랑스 공사로 부임한 플랑시와 사랑에 빠져 그를 따라 푸른 바다 건너 프랑스 파리에서 살았다는 운명을 건 사랑이야기의 역사적 실화는 불분명하지만 소설이나 드라마 · 영화 · 뮤지컬 · 희곡 등의 소재로 작품화되고 있다.

이진이란 한 여인을 소재로 한 작품을 쓴 보티에는 근대영화가 막 시작

197) ① 『뮈텔주교 일기』 1895년 8월 2일. 프랑뎅 씨를 방문. 최근에 얘기를 나누다가, 그가 내게 머지않아 여기를 떠나게 될 것 같다는 말을 한 적이 있었다. '외교적 수완을 발휘할 수 없는 이곳임지'는 곧 그 중요성을 상실하고, 아마도 부영사로나 될 것 같다는 말이었다. 포도는 아직 설익었는데! 오늘 그는 내게 플랑시 씨가 워싱톤주재 1등 서기관으로 임명되었으나, 그가 거절했다. 몇몇 인사이동은 조선에서까지 예상되었던 일이 아닌가……. ② 2대 프랑스 공사로 부임한 프랑뎅은 플랑시에 이어 프랑스가 조선과의 수교 시 주요 목적으로 내세운 선교사 보호와 천주교의 전교활동을 지원하는 일을 수행한다. 그러나 그는 중국에서 12년간의 경험이 풍부한 외교관의 능력을 조선에서는 제대로 발휘하지 못했다. 이는 조선 왕실 및 정부와의 접촉, 당시 조선의 국제정세, 거류민 관리 및 보호, 선교사 및 조선인 천주교 신자들과 관련된 수많은 민원 소송처리 및 외방전교회의 중재활동에 미숙함을 보여 주었다.

198) 끌라르 보티에 · 이포리트 프랑뎅 지음, 김상희 · 김성언 옮김, 『En Corée(프랑스 외교관이 본 개화기 조선)』. 서울: 태학사. 2002. pp.122－123.

(사진 12) 조선시대의 기생

되려는 지금으로부터 120여 년 전 20세기 초에 영화로 만들기 위해 시나리오를 쓰기도 했으나 당시에 영화가 제작되었는지는 잘 알 수 없으나 이후 프랑스에서 제작된 영화는 그다지 흥행을[199] 보지 못했다. 보티에가 영화로 제작하려는 동기는 이국나라 조선의 궁중과 파리를 오가는 스펙터클(Spectacle)에 격동의 시대이자 가련한 귀족 취향을 자극하기에 알맞은 작품이 되리라 생각했다. 더구나 주인공은 20세 전후의 조선 처녀, 앳된 궁중 무희에서 이제 연인이 되려고 하는 미모의 예술인이기도 했기 때문이다. 이진을 소재로 한 영화는 국내에서도 1995년에 한 차례 시도된 바 있었으나 아직까지 영화로 제작된 것은 한 편도 없고 현재 2편의 영화가 추진 중에 있다. 1995년 국내 광고대행사 킴벌리안에서 제작예정이었던 영화는 서인석 사장과 김규혁 이사, 현재의 디프러덕션 박지영 사장이 초고를 쓰고, 정지영 감독의 기획하에 프리랜서(Free lancer) 심세중 씨, 프랑스 유학생 김은희 씨 등이 관여하여 국내 최초의 페미니스트(Feminist)라 불릴 만큼 굴곡이 컸던 리진의 삶과 로맨스(Romance)를 줄거리로 한 "리진(영혼의 꽃)"의 프로젝트(Project)를 구상했다. 이 프로젝트는 재불유학생 이명환 씨가 우연히 파리 벼룩시장에서 보티에와 프랑뎅이 쓴 『

199) ① 우리나라에서 최초로 상영된 프랑스 영화는 1897년(또는 1888년) 10월 10일을 전후한 3일 동안 주한 영국 공사관 법무사인 영국인(미국인이란 자료도 있음) 에스터 하우스(Astor House)가 조선연초주식회사와 공동구매 방식으로 프랑스 파테사의 단편 실사 필름(단편영화)을 들여다 충무로 진고개(泥峴)에 있는 중국인 소유의 가건물에서 가스등으로 상영했다. 입장료는 백동전 한 푼이었는데 빈 담뱃갑 10장을 가져오는 사람에게는 무료 입장시켰고 모든 관람객에게 기생사진 카드 7장씩을 기념으로 나눠 주었다는 기록이 최초이나 정확한 시점은 불분명하다. 진고개(이현 泥峴)는 지금의 충무로 2가를 중심으로 한 지역을 말하며 일본인들이 이 땅에 들어오면서 이 일대를 본정통, 즉 '혼마치'라고 했다. *市川彩 著, 『アジア映畵の創造及建設』. 東京: 國際映華通信社出版部,大陸文化協會本部, 昭和16[1941. pp.99－100 '朝鮮映畵發達史' 참조. ② 이진을 소재로 한 영화가 1920년대 무렵 프랑스에서 무성영화로 제작되어 우리나라에도 수입되었으나 다른 외국영화처럼 흥행에는 실패했다고 일설에 전하고 있으나 그 기록은 분명하지 않다.

En Corée』를 발견하여 광고대행사 킴벌리안에 소개하자 프랑스의 필드블락사와 같이 한불합작으로 기획하여 영화를 만든 후 세계 메이저(Major) 업체를 참여시켜 다국적으로 홍보 배급할 계획이었다. 그리하여 프랑스 내의 유망한 시나리오(Scenario) 작가 패트릭 드 라샤뉴(Patrick de)가 각색을, 프로듀서 미셸(Michel)이 제작에 관심을 보이는 등 현실화되는 듯했다. 그러나 당시 40-50억에 달하는 제작비와 시나리오(Scenario)가 세계적으로 유명한 제인 캠피온(Jane Campion)과 올리버 스톤(Oliver Stone) 감독들에게 보내지고, 프랑스 유명 영화배우 제라르 드라프디유(Gerard Depardieu) 등을 접촉하였으나 이들 외국인들의 스케줄(Schedule)에 의해 3년간 준비하여 1996년도부터 크랭크 인(Crank in)하려던 리진영화는[200] 안타깝게 무산되었다.

이 작품의 시나리오는[201] 실제 인물인 이진이 자신의 가련한 생을 보고 느낄 수 있는 테마로 정했다. "명성황후 살해 사실과 동학혁명 등 역사적 사실과 교직(交織: 섞어서 짬)하면서 극을 이끌어 간다. 플랑시는 이진에게 예쁜 자전거를 한 대 선물한다. 자전거를 타고 불온한 바람의 냄새를 맡으며 자유를 수호하는 무정부주의자가 된다. 이진은 자유라는 이름의 사랑 혹은 사랑이라는 이름의 자유를 비로소 맛보게 한다. 이러한 사랑은 이진보다 나이가 배가 많은 플랑시로서도 어찌할 수 없을 것이다. 다시 한국을 찾은 이진에게 동학당인 오빠가 찾아오고, 쫓기는 오빠를 피신시키면서 모함을 받아 궁중 무희의 신분으로 되돌아간 이후 이진은 총살형에 처하고 이로 인해 플랑시는 이진을 사랑할 수도 없게 된다. 하지만 죽은 몸이지만 이진은 플랑시 공사의 가슴에 이미 돌멩이처럼 깊이 들어 앉아 있었다." 등이 대강의 줄거리면서 여기에 『직지』의 수집과정에 관련된 내용도 일부분 표현되어 있어 『직지』를 알리는 유용한 수단이 될 수 있었지만 자본과, 프랑스의 외교문제 여건 등으로 이 영화는 제작되지 못했으나 판권은 아직도

200) ① 심세중, "모두 그녀와 사랑에 빠져버렸네", 『메종(Maison)』 2005년 2월호 pp.258-259. ② 『매일경제』 2001년 11월 20일. "[매경춘추] 리진(영혼의 꽃" ③ 『프린팅코리아』 2004년 8월호, "<차한잔> 직지홍보대사 정지영 감독" pp.62-63. ④ 이선주, "불 외교관과 조선 궁중 무희의 비극적 사랑", 『주간조선』 제1365호(1995. 8. 3). pp.52-53.

201) ① 심세중, "모두 그녀와 사랑에 빠져버렸네", 『메종(Maison)』 2005년 2월호 pp.258, 261. ② 이선주, "불 외교관과 조선 궁중 무희의 비극적 사랑", 『주간조선』 제1365호(1995. 8. 3). p.53.

기획사에 남아 있는 상태이다.

한편 이진을 소재로 한 보티에의 작품이 국내에 한글로 번역되어 알려지면서 1981년 MBC에서는 창사특집극으로 『**이심(梨心)의 비련기**(悲戀記)』[202)]를 방영한 적이 있다. 이 특집극은 유흥렬이 기획하고 극본은 신봉승이, 연출은 표재순과 정문수가 맡았으며, 해설에 박일, 탤런트(Talent)로는 한인수・김영애(주연)・김주연(아역)・이정길・정욱・김보연・정혜선・고두심・김윤경・신충식・길용우・현석・미카엘・한국교회사연구소 배세영 신부(프랑스명 마르셀 펠리스) 등이 출연했다. 이 특집극은 1905년에 파리에서 발행된 프랑스의 짧은 소설 "앙 코레(En Corée: 한국에서)"에 "최초로 프랑스에 발을 들여놓은 한국여인"의 일생에 소개된 이야기를 프랑스 파리와 알프스(Alps) 등 유럽 현지 로케(Rocation)로 제작된 드라마(Drama)이다. 격동의 구한말을 배경으로 주한 프랑스 공사 플랑시와 결혼한 후 파리로 건너갔던 한국여성 이심의 파란 많은 생애를 그린 작품으로 당시 시대상을 영상화했다.

『**이심(梨心)의 비련기**(悲戀記)』 내용은 다음과 같다. 1부(성역의 골짜기): 이심은 구한말 천주교 박해가 심할 때 6세의 나이로 천주교 신자인 할머니에게 업혀 신도 모임에 갔다가 집을 잃고 고아 아닌 고아가 되어 숨어 있던 뵈르네 신부에게 맡겨져 불어를 배우며 만석이란 청년의 도움으로 20세까지 자란다. 2부(노도를 헤치고): 만석이 신부가 되려고 베이징으로 떠나자 이심은 장악원의 관기가 된다. 경회루 파티에서 프랑스 플랑시 공사를 알게 되나 첩자라는 오해로 수난을 받는 이심, 고종황제의 특명으로 플랑시 공사의 시중을 들게 된다. 3부(자유를 불사르고): 이심을 한 번 보고 반해버린 프랑스 공사 플랑시는 명성황후의 전의인 앨러스와 스크랜튼 부인을 동원시켜 신분의 차이를 무시하고 청혼을 한다. 그리하여 플랑시는 이심을 소실로 맞아 함께 파리에 가서 귀족부인이 된 이심은 결혼하여 생활하나 그간 잊지 못했던 만석 아저씨를 우연히 만난다. 남편이 한국 영사가 되어

---

202) MBC 창사20주년 기념 특집극 『**이심(梨心)의 비련기**(悲戀記)』 3부작 비디오테이프. 방송일자 1981년 12월 3일 오후 8시 30분－11시 30분.

함께 귀국하나 끝내 자결한다.

그리고 이진을 소재로 한 작품은 25년이 지난 2006년 전 김명곤 문화부 장관이 2005년 말에 창작 뮤지컬(Musical)과 영화로 동시에 구상한 바[203] 있다. 또한 소설과 동시에 영화로의 작품은 소설가 신경숙 씨의 연재소설과, 김탁환 씨에 의해 2006년 『세계의 문학』 여름호와 가을호에 연재소설에 이어 단행본으로 나왔으며[204] 신경숙 씨 또한 단행본과[205] 향후 각각 영화로 제작될 예정이어서 두 작가들 간에 황당함으로 문화계에 일대돌풍이 일었으나, 스타일(Style)이 다른 만큼 두 작품은 이야기의 전개방식이 다르다. 두 소설은 주인공의 이름도 각각 달라 김탁환 씨는 리심(李心)으로, 신경숙 씨는 리진(李眞)으로, 프랑스 공사의 이름도 김탁환 씨는 빅토르에밀마르조세프 콜랭 드 플랑시(Victor－Emile－Marie－Joseph Collin de Plancy)[206]로, 신경숙 씨는 콜랭 빅토르 오귀스트 드 플랑시(Collin Victor Auguste de Plancy)[207]로 표기했다.

두 소설의 시작은 김탁환 씨는 북아프리카 모로코에서 명성황후 시해 소식을 들음을 시작으로 하고 신경숙 씨는 프랑스로 가는 배 안에서부터 전개되는바, 이진이 프랑스로 떠난 해도 김탁환 씨는 1893년으로, 신경숙 씨는 1891년으로 역사적 사실 자료가 미흡하여 각각 조금씩 차이가 난다. 신경숙 씨는 조선일보에 2006년 5월 15일부터 "리진(Lee Jin) 푸른눈물"이란[208] 제목으로 연재를 했다. 신경숙 씨는 이 소설 작품을 위해 프랑스를 3번이나 현지 취재하고 일러스트(Illust)는 김동성 씨가 맡았다. 신경숙 씨는 봉건과 근대가 엇갈리던 시절 동서양을 오고간 시대 물결에 부응했던 한

203) 『한겨레신문』 2005년 12월 9일 22면. "월급생활 끝내는 김명곤 국립극장장"

204) ① 『중앙일보』 2006년 5월 18일 21면. "한 여인 소재로 두 작가가……누가 먼저일까" ② 김탁환, "리심(李心) 제1부 나아갈 진(進)", 『세계의 문학』 2006년 6월. 여름호. 민음사. pp.120－321. ③ 김탁환, "리심(李心) 제2부 흐를 류(流), 3부 돌아올 회(回)", 『세계의 문학』 2006년 8월. 가을호. 민음사, ④ 김탁환, 『(파리의 조선궁녀) 리심』 上 · 中 · 下. 서울: 민음사, 2006.

205) 신경숙, 『리진』1, 2. 서울: 문학동네, 2007.

206) 김탁환, "리심(李心)－제1부 나아갈 진(進)", 『세계의 문학』 2006년 6월. 여름호. 민음사. p.120.

207) 신경숙 "리진(Lee Jin) 푸른눈물", 『조선일보』 2006년 5월 15일 A26면.

208) 『조선일보』 2006년 5월 15일 A1면. "조선 궁중 무희, 佛외교관과 사랑에 빠지다", A19면 "파리에 간 왕의 여자 리진, 그녀의 슬픈 사랑 이야기".

여성의 파란만장한 운명을 오늘의 여성적 감각과 속도감 있는 문제로 되살려 냈다. 신경숙 씨는 자신의 소설을 각본으로 싸이더스 FNH(대표 차승재)와 2008년 초부터 영화제작을 기획하고[209] 있다. 이로써 1990년대 중반 한 차례에 걸쳐 시도되었던 이진을 소재로 한 영화가 드디어 제작을 앞두고 있다고 하나 영화와 관련한 각종 인프라와 이를 뒷받침하는 막대한 자본 등 제반 환경을 어떻게 극복하고 성공적으로 제작될 것인가 기대된다.

김탁환 씨 또한 그의 작품 『리심(李心)』[210]을 소재로 하여 LJ필름과 나우필름에 의해 미국의 대형 배급사와 손잡고 기획, 투자, 제작을 공조한 글로벌 프로젝트 합작으로[211] 영화로도 제작될 예정이다. 이 영화는 2008년 개봉을 목표로 200억 규모의 제작비를 들여 대한제국 궁중 무희의 파란만장한 삶을 영화화 할[212] 예정이었으나 현재 진행 중이며, 신경숙 씨의 작품과 같이 서로 다른 스타일의 두 작가가 똑같은 인물을 다루는 소설과 영화가 제작될 예정이다. 신경숙 씨와 김탁환 씨가 이진에 대해 알게 된 것은 우연의 일치로 거의 같은 시기에 작품이 나와 화제가 된 바 있다. 우선 신경숙 씨는 2003년에 문학동네 출판사(강태형 대표)를 통해 이진에 대한 이야기를 처음 듣고 작품을 구상하고자 프랑스 현지 취재여행도 세 차례나 다녀왔다고[213] 한다. 한편 김탁환 씨는 2002년 이진에 대해 처음 알게 된 나우필름의 이준동 대표에게 2005년 초에 듣고 바로 영화 제작을 목표로 집필을 시작했다고 한다.

서울예술단(정재왈 이사장)도 이진을 소재로 뮤지컬이나 연극을 공연물로 만들어 2008년 이후에 무대에 올린 예정이며, 2008년 6월 6일에서 8일에는 중앙대학교 연극학과에서 신경숙 씨의 소설 『리진』을 소재로 연극을 선보인 것을 시작으로 앞으로 문화계에 이진의 작품이 봇물을 이룰 것으로 보

209) 『조선일보』 2006년 5월 22일 A22면. “신경숙 본지연재 역사소설, 문화계 돌풍으로”.

210) 김탁환, 『(파리의 조선궁녀) 리심』 上 · 中 · 下. 서울: 민음사, 2006.

211) ① 『조선일보』 2006년 5월 22일 A22면. “신경숙 본지연재 역사소설, 문화계 돌풍으로” ② 『TVONE』 2006년 5월 18일. “궁중 무희 ‘리심’ 다양하게 환생”

212) 『연합뉴스』 2006년 5월 18일. “구한말 실존 궁중 무희 영화와 소설로 부활”

213) 『조선일보』 2006년 5월 22일 A22면. “신경숙 본지연재 역사소설, 문화계 돌풍으로”

인다. 한편 2008년도에는 『직지』를 소재로 한 어린이 동화를[214] 시작으로, 플랑시와 이진과 정반대의 역할이라 할 수 있는 실제로 프랑스에 고종의 밀사로 파견되었던 조선 외교관과 프랑스 여성 사진작가를 모티브(Motive)로 한 한국계 프랑스 작가가 쓴 소설과,[215] 오세영은 조선 야금장이 우여곡절 끝에 독일로 가서 구텐베르크와 금속활자를 주조했다는 역사적 상상력으로 동서양 역사와 실존인물과 사건을 정교하게 짜 맞춘 장쾌한 스케일(Scale])로 팩션(Faction)화[216]하는 등 금속활자를 소재로 한 문학작품이 세계적으로 주목받고 있다. 또한 조완선은 세계 최고의 금속활자였던 『직지』보다 더 오래된 금속활자가 있었다는 이규보의 『동국이상국집』의 기록을 근거로 조선 제22대 왕 정조가 만든 외규장각 도서를 둘러싼 음모와 연쇄살인사건을 작가의 상상력을 통해 팩션(Faction)으로 구성한 추리소설을 펴내는[217] 등 『직지』를 소재로 한 문학작품 신드롬이 일고 있다. 특히 이 작품은 외규장각 도서의 반환 협상을 둘러싸고 프랑스국립도서관에서 벌어지는 연쇄살인사건을, 직지를 프랑스에서 처음 발견한 박병선 박사를 모델로 추리소설화한 것이며 프랑스국립도서관장, 중국인, 직지발견자, 한국 외교관이 중심인물로 등장한다.

(5) 신경숙 소설 속에서의 이진과 『직지』

이진을 소재로 『리진 푸른눈물』이란 재목으로 연재소설을 쓴 신경숙 씨는 이진과 콜랭, 그리고 『직지』의 관계를 소설로 픽션화했는데 그 내용은[218] 다음과 같다.

물소리를 내지 않는 강이 깊은 법이다.

---

214) 조경희, 『천년의 사랑 직지』. 서울: 대교출판, 2008.

215) 이자벨 라캉, 김윤진 옮김, 『꽃들의 질투』. 서울: 예담, 2008.

216) 오세영, 『구텐베르크의 조선』. 3권. 서울: 예담, 2008.

217) 조완선, 『외규장각 도서의 비밀 1, 2』. 서울: 휴먼&북스, 2008.

218) ① 『조선일보』 2006년 11월 1일 A30면. "리진 푸른눈물(121회)" 3장 3 구경꾼들. ② 신경숙, 『리진』 2. 서울: 문학동네, 2007. "3장 3 나는 누구일까요" pp.90－94.

리진은 콜랭의 팔을 놓고 센 강물이 코앞에 보이는 둑에 앉았다.

－로즈 제독이 강화도에 함대를 몰고 간 건 조선에서 선교사들이 처형당했기 때문이오.
－알고 있어요, 콜랭. 조선에서의 천주교 박해는 뼈아픈 일이에요, 콜랭. 남의 나라에 선교를 나와 처형당한 선교사들을 생각하면 내 마음도 아파요. 그러나 당시의 조선 나랏법으로는 선교활동이 국법을 어기는 일이었다는 거……. 당신은 외교관이니까 그쯤은 알고 있겠죠. 악법이라고 해도 어쨌든요. 그렇다 하여 함대를 이끌고 강화도에 쳐들어온 건 침략이잖아요.
－진!
－당신이 어찌 생각하든 내 생각은 그래요, 콜랭.

센 강 위의 다리들 중 가장 오래된 퐁네프다리 기둥마다에 새겨져 있는 조각상이 황혼빛에 물들어 갔다. 손만 뻗으면 강물이 손에 닿을 듯했다. 조선을 두고 일본과 청나라와 러시아 그리고 구미의 열강들이 힘겨루기를 할 때마다 노심초사하던 왕비의 얼굴이 출렁이는 물 위로 떠올랐다. 리진은 강물 속으로 손을 뻗어 보았다. 왕비의 얼굴은 지워지고 차가운 센 강물만 리진의 손등을 적셨다.

콜랭은 벽오동 나무가 자라고 있던 조선의 공사관에서 직지(直指)를 한 장 한 장 아껴 가며 읽던 밤을 떠올렸다. 콜랭이 직지를 손에 넣어 골동품 수집가인 앙리 베베르에게 보낸 일을 리진이 알면 그녀의 낯색이 어떻게 변할는지. 콜랭은 지레 큼, 소리를 내며 목을 가다듬었다. 조선에서의 어느 날이던가. 조선사람들 사진도 찍을 겸 장터의 서책가에 나갔다가 길거리에서 모여든 사람들에게 사씨남정기(謝氏南征記)를 읽어 주는 전기수(傳奇叟: 이야기책을 전문적으로 읽어 주던 사람)를 만났다. 보통 장터에서 이야기책을 읽어 주고 돈을 받는 전기수들은 젊은 사내인데 그날 만난 전기수는 다 떨어진 짚신을 신고 있는 중늙은이였다. 목소리가 구수해서 주변에 모여든 사람들이 상당했다. 그 모습을 카메라에 담다가 콜랭은 중늙은이 전기수(傳奇叟)가 옆에 쌓아 놓고 팔고 있는 서책들을 발견했다. 다가가서 한 권씩 내려놓으며 살펴보다가 맨 마지막에서 직지(直指)를 발견했다. 금속활자로 찍어 낸 서책이라는 것에 놀랐고, 1377년에 만들어진 것이라는 사실에 더욱 놀란 콜랭은 주머니 속에 들어 있는 조선돈을 다 꺼내놓고 직지를 들고 왔다. 콜랭이 오래된 조선 서책들을 사들인다는 소문은 도성 바깥까지 퍼져 장서들을 한 무더기 보자기에 싸서 들고 오는 이들이 있었으나 그리 귀한 책은 처음이었다.

두 사람은 강변에서 올라와 일요일마다 꽃과 새를 싸게 파는 시장이 열리는 광장 쪽으로 걸었다.

조선 서책을 수집해 파리의 동양어학교에 보내는 일을 탐탁지 않게 여기는 리진이라 콜랭은 직지를 손에 넣은 기쁨을 그녀와 함께 나누지 못했다. 직지는 본래 상권과 하권으로 나뉘어 같이 보아야 할 책이었다. 그날 콜랭이 구한 건 하권뿐이었다. 공사관에 돌아와 살펴보니 첫 장이 결락되어 있어 절로 탄식이 새어 나왔다. 금속활자의 크기와 글자의 모양이 고르지 않고 들쭉날쭉하기도 했다. 간혹 목활자가 섞여 있기도 했고 어떤 것은 같은 글자인데 모양이 다르기도 했으나 귀한 것이었다. 사람의 마음을 직시하게 되면 그 마음이 곧 부처의 마음이라고 했던가. 콜랭은 수많은 불서의 법어와 문답들 중에서 중한 것만 채록되어 있는 금속활자본 직지의 가치를 알아줄 만한 이를 찾았다. 그가 앙리 베베르였다. 통역관 최 베드로와 함께 직지의 상권을 백방으로 수소문했으나 손에 넣지 못한 아쉬움이 콜랭에겐 아직 남아 있다.

(사진 13) 콜랭 드 플랑시와 이진의 데이트 장면 / 출처: 조선일보 김동성 추정 삽화

센 강변으로 새를 팔러 가는 것일까? 조롱이 매달린 긴 장대를 어깨에 멘 새장수가 지나갔다. 길린! 조롱에 시선을 주고 있던 리진이 서글프고 다정한 목소리로 콜랭의 조선 이름을 불렀다. 레핀 광장 주변의 웅장한 건축물들과 그 사이사이 드높이 솟아 있는 성당의 탑들이 두 사람을 내려다보았다.

– 나는 누구일까요?

나란히 걷던 콜랭이 걸음을 멈추고 리진의 어깨를 안았다. 나는 누구일까? 조선에서는 해 보지 않았던 생각이었다. 멀어져 가는 새장수를 바라보는 리진의 검은 눈동자에 우수(Brumes)가 실렸다.

(6) 김탁환 소설 『파리의 조선궁녀 리심』에서의 『직지』

기발한 상상력과 치밀한 고증으로 역사 소설의 새 지평을 연 작가 김탁환이 원고지 3,000장 분량의 신작 장편 소설 「리심」을 2006년에 발표했다. 이 책은 격동의 구한말을 배경으로 조선 궁중 무희 리심(梨心)과 프랑스 외교관의 사랑 이야기를 바탕으로 외세의 이권 침탈에 신음하며 힘겹게 근대의 싹을 틔워 가던 개화기 조선의 모습이 생생하게 펼쳐진다. 이 소설은 2006년 『세계의 문학』 여름호와 가을호에 두 차례 분재했던 것을 단행본으로 묶은 것이다. 작가 김탁환이 리심에 관한 소설을 쓰기로 결심한 것은 2004년에 우연히 구한말 2대 프랑스 공사를 지낸 이포리트 프랑뎅(Hippolyte Frandin, 法蘭亭)의 회고록을 읽다가 "리심은 자신이 관찰한 놀라운 서양 문물을 여러 페이지에 걸쳐 기록해 두었는데, 나는 언젠가 그 기록들을 꼭 출판하려고 다짐하고 있다."라는 대목을 발견하면서부터다. 이 문장에서 착상을 얻은 작가는 리심이 기록해 두었으나 지금까지 발견되지 않은 가상의 여행기를 쓰기로 결심한다.

▶ 중세와 근대, 전통과 외세, 제국과 식민지를 가로지른 선구자적 여인

지금으로부터 100여 년 전 사랑을 따라 낯선 이국땅을 떠돌았던 리심의 여행기는 작가의 손을 빌려 단순한 간의 이동이 아니라 중세 조선과 근대 구라파를 가로지르는 역사적 체험으로 승화된다. 조선의 궁중 무희였던 리심은 19세기 말 실존인물로, 프랑스 공사를 지냈던 빅토르 콜랭과 사랑에 빠졌던 궁중기생. 리심은 프랑스 공사의 부인이 된 후 빠르게 근대 문물과 질서를 받아들인다. 그런 그녀의 모습은 봉건적인 사회 질서를 혁파하고 근대 사회로 탈바꿈하고자 성장통을 겪던 개화기 조선의 혼란상을 그대로 보여 준다.

그녀는 1893년 5월 외교관 빅토르 콜랭을 따라 조선 여성 최초로 유럽 땅(프랑스 파리)을 밟았고, 이듬해 10월에는 모로코로 건너가 역시 아프리카를 처음 방문한 조선 여인이 되었다. 리심은 콜랭을 따라 일본과 프랑스, 모로코를 다니면서 많은 경험을 한다. 일본에서는 갑신정변에 실패하고 망명한 김옥균을 만나고 프랑스에서는 '암컷 원숭이'라는 조롱 속에 인종차별에 시달리며 모로코에서는 식민 통치에 시달리는 약소국 백성의 비애를 목격한다. 여행을 통해 리심은 콜랭과의 사랑만 아는 소극적인 여인의 모습을 탈피하여 고아들을 거두며 다른 어려운 이들에게 관심을 돌리게 되고, 지금까지 당연시했던 중세적인 질서에 의문을 품고 근대 학문을 배우기를 갈망하며, 조선을 개혁하여 부강한 나라로 만들 필요성을 자각한다. 그러나 빅토르 콜랭이 다시 프랑스 공사로 부임하면서 리심도 조선으로 돌아온다. 명성황후가 일본 낭인들에게 살해당하고 고종도 러시아공사관으로 피난하는 등 혼란스러운 정세 속에서 프랑스까지 다녀온 리심은 자연 사람들의 이목을 끈다. 하지만 리심은 곧 고종의 정치적 이해에 휘말려 강제로 궁중 무희로 복직된다. 결국 리심은 그녀의 '인간다움을 앗아가는 사내들'로부터 '자신을 지키고자' 금조각(Feuille d'or)을 삼키고 스스로 목숨을 끊는다. 김탁환은 이 작품에서 세심한 문헌 고증과 철저한 해외 현지답사를 하면서 리심의 실체를 복원한다. 그러면서 이국인과의 낭만적인 로맨스에만 머물지 않고, 콜랭이 동양문화 애호가였지만 현존 세계 최고의 금속활자본 『직지』를 비롯하여 조선의 귀중한 유물을 파리로 가져간 문화재 반출 행위에 대해서도 비판을 가하고 있다.

▶ 『직지』를 사다[219)]

"아직 주무세요? 저 탐언입니다."

빅토르 콜랭과 리심은 동시에 눈을 떴다. 어제 파티에서 마신 와인 때문에 아직도 취기가 돌았다. 혹시 늦잠이라도 잤는가 싶어 서둘러 올빼미 모양 탁상시계를 살폈다. 아직 15분 정도 여유가 있었다.

"일어났네. 왜 그러나?"

탐언의 목소리가 넓은 길을 달리듯 쌩쌩 신이 났다.

"괜찮은 서책을 하나 찾았습니다. 어서 나와 보세요."

"알겠네. 곧 가지."

빅토르 콜랭이 주섬주섬 옷을 챙겨 입었다. 리심이 이불을 목까지 끌어올리며 한마디 했다.

"탐언이 저렇게 흥분한 건 처음 봐요. 뭔가 대단한 서책을 구한 게 분명해요. 서재를 정리하고 또 당신 서책 사는 것을 거들며 안목이 늘었잖아요?"

빅토르도 고개를 끄덕였다.

"조선에서 체계적으로 고서(古書)를 살필 사람은 탐언이 유일할 게요. 어떻소? 함께 가서 보겠소?"

"먼저 가세요. 전 조금만 더 잘래요. 참. 내일 두지강 가는 거 잊지 않았죠?"

"잊을 리가 있겠소? 당신 고향이 어떤 곳인지 나도 꼭 보고 싶소."

"아름다운 곳이죠. 플랑시 마을처럼!"

"하면 그 마을에도 장이 서오?"

"물론이에요. 하지만 출판사도 없고 유대인이나 러시아 죄수의 후예도 살지 않는답니다."

"빅토르란 이름의 성인은 물론 없겠군."

"물을 포도주로 만들어도 좋아하지 않을 테니까요. 텁텁한 탁주라면 또 모를까?"

빅토르 콜랭은 리심의 뺨에다 입을 맞춘 후 방을 나섰다.

---

219) 김탁환, 『(파리의 조선 궁녀) 리심』下. 서울: 민음사, 2006. pp.111－117.

마당에서 기다리던 탐언은 꾸벅 절을 한 다음 문간방으로 자리를 옮겼다. 매일 세 명 정도를 들이던 것과는 달리 이날은 삿갓을 위에 탁자 위에 얹은 중늙은이뿐이었다. 탐언은 대문을 꼭꼭 걸어 잠그고 잡인들 출입을 막았다.

빅토르 콜랭이 중늙은이 맞은편에 자리를 잡았다. 탐언은 그 가운데에 등받침이 없는 의자를 놓고 앉았다. "자. 이분이 법국 공사십니다. 이제 서책을 보여 주시죠."

중늙은이가 아무 말 없이 삿갓을 들었다. 그 안에 서책이 있었다. 탐언이 그 서책을 들어 빅토르 콜랭에게 전달했다.

'直指'라는 두 글자가 선명하고 그 아래 '下'라고 적혀 있었다. 빅토르 콜랭이 고개를 들고 물었다.

"상(上)"은 어디 있소?"

탐언의 통역을 들은 중늙은이가 걸걸한 목소리로 답했다.

"역시 양이답게 욕심이 과하군. 상권까지 갖겠다고? 상권은 없소. 하권뿐이라서 보시 싫다면 이리 내시오." 중늙은이가 엉덩이를 들고 빅토르 콜랭의 손에서 책을 빼앗으려 했다. 탐언이 팔뚝을 붙들며 사정하듯 말했다.

"어허. 왜 또 이러십니까. 대사! 우리 공사님은 다란 양이들과는 다릅니다. 중국어에도 능하시고 한문에도 밝으세요. 천천히 제발 천천히 마음 가라앉히세요."

중늙은이가 그 팔을 뿌리치고 다시 자리에 앉았다.

"치워라 이놈아! 대사는 무슨 대사. 공사한테 불경 팔아먹는 대사 본 적 있느냐?"

빅토르 콜랭이 서책의 제일 마지막을 펴 간기를 읽었다.

선광 7년 정사 7월 일 청주목 외 흥덕사 주자인시

(宣光 七年 丁巳 七月 日 淸州牧 外 興德寺 鑄字印施)

빅토르 콜랭의 눈동자가 오랫동안 '선광'과 '주자'에 거듭 머물렀다.

"주자(鑄字)라면? 이 서책이 금속활자로 찍어 낸 것이란 말인가!"

꼼꼼하게 글자들을 훑었다. 글자본을 따라 어미자를 정성을 다해 만들어 찍은 덕분에 그 크기와 굵기가 한결같았다. 유연 먹을 사용하여 먹색이 진하지 않고 활자를 주조한 다음에 끌로 다듬어 글자 끝에 둥글둥글한 맛이 살아 있었다. 틀림없이 금속활자로 찍은 것이다.

빅토르 콜랭이 '선광' 두 자를 따졌다.

"선광은 연호인 듯한데?"

"원나라 기 황후의 아들이 황제의 자리에 오르니 곧 소종(昭宗) 황제입니다. 즉위년인 1370년부터 선광이란 연호를 사용하였지요."

탐언이 어젯밤 준비한 답을 내놓았다. 빅토르 콜랭의 목소리가 심하게 떨렸다.

"하면 이, 이, 이 서책이 1377년에 발간되었다는 말인가?"

"그렇습니다. 부처님과 고승들의 말씀을 뽑아서 서책으로 엮은 경한(景閑) 스님이 1372년 입적하자 3년 후 금속활자로 스님의 서책을 찍은 것이지요."

1450년 독일인 구텐베르크가 사용한 금속활자보다도 무려 78년이나 빠른 것이다. 빅토르 콜랭은 다시 찬찬히 서책을 넘겨보았다. 탐언의 설명이 사실이라면 이건 보물 중에서도 보물이었다.

"어때요? 꽤 귀중한 서책이죠?"

빅토르 콜랭은 기쁜 표정을 감추며 조금 딱딱하게 답했다.

"그래, 구입할 가치는 있겠구나. 한데 저 불제자는 이 책을 왜 팔려고 하지?"

탐언의 통역을 들은 중늙은이가 퉁명스럽게 답했다.

"내가 입히고 먹이며 챙겨야 하는 어린 거지들이 쉰 명이 넘소. 벌써 보름째 끼니를 잇지 못해 더러는 죽고 더러는 오늘내일하지. 부처님 말씀도 소중하지만 중생이 모두 죽으면 무슨 소용이 있겠어? 해서 아껴 두고 보던 거지만 가져오게 되었소. 법국 공사가 도성에서 서책 값을 가장 잘 준다는 풍문도 들었고, 또 저 탐언이란 녀석이 하도 졸라대는 바람에 ……500년이 넘은 서책이니 값이나 제대로 쳐주오."

빅토르 콜랭은 중늙은이 모르게 안도의 한숨을 내쉬었다. 이 불제자는 아직 금속활자의 가치를 모르는 것이다.

"원하는 값을 말해 보오."

빅토르 콜랭이 단도직입적으로 흥정에 들어갔다. 서책을 구입하기로 마음을 정한 이상 이것저것 따지는 것은 시간 낭비였다. 조금이라도 빨리 저 귀한 서책을 손에 넣고 싶었다. 중늙은이는 잠시 답을 미루고 빅토르 콜랭을 노려보았다. 빅토르 콜랭이 빙긋 미소를 지어 주었다. 다리 없는 안경을 고쳐 쓰고 오른 손바닥을 하늘로 보이며 약간 내밀기까지 했다. 얼마든지 후한 값을 치르겠다는 자세였다.

"하면 쌀 열 멱서리를 주오."

빅토르 콜랭이 곧바로 덤을 올렸다.

"좋은 일에 쓰는 것이니 열다섯 멱서리를 드리리다."

탐언이 끼어들었다.

"열 멱서리도 많습니다. 아무리 500년이 넘은 고서라지만 너무……."

빅토르 콜랭이 날카롭게 탐언을 쏘아 보았다. 중늙은이의 웃음이 떠들썩하게 울려 퍼졌다.

"하하하하! 과연 법국 공사는 탐서가답군요. 이만한 책이면 쌀 열다섯 멱서리가 뭐 그리 아깝겠소이까? 고맙소이다. 공사 덕분에 우리 아이들이 보름은 더 끼니를 잇게 되었소이다."

빅토르 콜랭도 따라 웃으며 한마디 덧붙였다.

"상권도 있으면 가져오세요. 하면 그땐 열다섯 멱서리가 아니라 스무 멱서리를 드리지요. 상하 완질을 갖춘 값 다섯 멱서리를 더 쳐서 말입니다."

"알겠소. 내 다시 구질구질한 서재를 뒤져 보리다."

빅토르 콜랭의 눈동자가 반짝였다.

"서재가……따로 있습니까?"

"서재랄 것도 없고, 이미 다 처분했어야 하는데…… 스승께서 물려주신 것들이라 아직 좀 가지고 있긴 하지만……."

"그 서재도 한 번 구경시켜 주세요. 꼭 『직지』가 아니더라도 충분히 값을 치르고 사겠습니다."

빅토르 콜랭은 오늘따라 더욱 집요했다. 중늙은이는 그 시선이 불편한 듯 고개를 약간 숙이며 답했다.

"오는 걸 마다하진 않겠소만 그리 집착이 많아서야……. 하나만 물어봅시다. 우리 서책을 왜 그리 많이 사들이는 게요? 취미나 조선 서책이 좋아서라는 답 말고 진심을 듣고 싶소."

빅토르 콜랭은 희미한 미소를 지우지 않고 말했다.

"나중에 이것들을 넘겨보면서 조선에서 보낸 행복한 나날을 추억하기 위함입니다."

(7) 조선여성 사회주의자 최영숙(崔英淑)

구한말 유교문화에 억압되어 있던 여성들이 다른 나라의 문명을 접한다는 것은 모래밭에서 바늘을 찾는 것만큼 어려웠다. 이진이 주한 프랑스 대사로 왔던 플랑시와 사랑을 나누어 그의 조국 프랑스를 비롯해서 임지였던 일본 · 미국 · 모로코 등지를 다녀 본 선진 여성이었다면, 다소 시기가 늦기는 하나 이진이 플랑시와의 사랑이 비극으로 끝날 무렵에 태어난 최영숙이란 여성 또한 이진의 생애와 비슷한 삶을 살다 떠났다. 최영숙의 이야기는 『직지』와 주제는 맞지 않으나 이진이란 여성을 다룸에 있어 그 이해의 폭을 넓히고자 그녀의 생애를 간략하게 소개하면[220] 아래와 같다.

대한제국 고종 10년(1906) 경기도 여주에서 태어난 최영숙은 완고한 부모를 설득해 이화학당에 입학한다. 그리고 유관순의 1년 후배였던 그녀는 일찍부터 조선의 처참한 현실에 눈을 뜨고자 임시정부가 있는 중국에 가서 독립운동을 하기로 결심하고 그곳에서 사회주의 사상에 심취하게 된다. 그녀는 스웨덴(Sweden) 여성운동가인 엘렌 케이(Ellen Key, 1849 – 1926)의 책을 읽고 감명을 받아 1926년 가을 스물한 살의 혈혈단신 앳된 처녀의 몸으로 스웨덴 유학의 길에 오른다. 수도 스톡홀름(Stockholm)에 도착한 그녀는 시골학교의 청강생으로 들어가 스웨덴어를 익히고, 밤에는 생계를 위해 부업으로 자수를 놓았다. 천신만고 끝에 스톡홀름대학 정치경제학과에 입학한

---

220) ① 전봉관, 『경성기담』. 서울: 살림. 2006. pp.310 – 341. ② 東光社 編, "經濟學士 崔英淑 女士와 印度青年과의 戀愛關係의 眞相", 『東光』 1932년 34(32,6). pp.33 – 37.

그녀는 황태자도서관의 연구보조원으로 아르바이트(Arbeit)를 하며 학교를 졸업했다. 동양인 최초 스웨덴 유학생이었던 그녀는 황태자와 친분을 쌓는 등 그곳에서 자리를 잡았으나 식민지 조국의 현실을 외면하지 못하고 귀국길에 오른다. 파란만장한 운명은 귀국길의 그녀를 그냥 놔 두지 않았다. 러시아 · 프랑스 · 이탈리아 · 그리스 · 터키 · 이집트 · 인도를 거쳐 귀국길에 오른 최영숙은 그녀도 사랑을 아는 여자였던가? 인도행 기선에서 로이라는 이름의 인도 청년을 만나 사랑에 빠진다. 인도에 도착해 봄페이(Bombay)에서 로이와 결혼한 그녀는 임신한 몸으로 1931년 11월 귀국을 결행한다. 그러나 돌아온 조국은 전근대적인 식민지에 불과했다. 일어 · 중국어 · 영어 · 스웨덴어 등 4개 국어에 능통한 개화된 그였지만 당장 일자리를 찾기도 힘들었다. 콩나물 장사를 하며 도서관을 드나들던 그녀는 확실한 병명도 모르는 병마에 시달리다 인도인과의 사이에서 생긴 아이를 낙태하고 귀국 5개월 만인 1932년 4월, 27년의 짧은 생을 마감하여 서울 홍제동 화장장에서 한 줌의 재로 뿌려진다.

천재박명이라고 했던가. 궁중 무희였던 구한말 이진과 사회주의자 최영숙에게 잘못이 있다면 너무 시대를 앞서 갔다는 신여성이란 것밖에 없다. 같은 시기 프랑스에 최초로 유학했던 홍종우는 비록 암살범이긴 했으나 권력에 밀착해 한동안 부를 누리다가 말년에는 비운으로 끝났지만 이진과 최영숙과 달리 개화된 남성이란 이유로 천시를 받지는 않았다.

6) 프랑스공사관과 정동구락부

(1) 주한 프랑스공사관

개화기 당시 덕수궁을 낀 서울의 정동(貞洞)은 1883년 미국공사관을 시작으로 1884년 영국, 1885년 러시아 등 열강의 공사관들이 앞다투어 들어서 치열한 외교전을 펼쳤던 한국 서구화의 1번지로 불리었다. 이후 정동 일대는 거류민들의 집과, 근대식 학교, 성당, 병원들이 우후죽순처럼 들어섰다.

(사진 14) 한옥 형태의 프랑스공사관

프랑스공사관은 1886년 한불수호통상조약이 조인됨에 따라 박동(薄洞)[221] 독일공관 서편 수표교 북방도로 현재의 관수동 126번지에 인접한 곳에 한옥을[222] 설립했다. 이 건물은 플랑시가 부임하기 전 독일이 사용하려고 했기 때문에 한때 한독(韓獨) 간에 외교문제가 되기도 하였으나,[223] 1888년 6월 6일에는 플랑시가 부임하자 곧바로 프랑스공관(Commissariar du Gouvernment Francais en Corée)을 개설하고 주조선 프랑스공화국 정부위원 사무소로서 공사관과 총영사관 집무를 시작했다. 그 후 1888년 11월 4일 플랑시는 공관을 신축하기 위하여 당시의 공관이 너무 협소하고 또 임시로 사용하고 있음을 이유로 들어 영구적인 공관을 세울 것을 역설하면서 정동의 러시아공관과 정동교회가 인접한 지역(현재의 창덕여중 자리)에 새로 공관

221) ① 박동(薄洞): 현재 서울특별시 수송동 종로구청 자리로 종로구 수송동과 조계사 사이의 고개를 박석고개, 한자로 박석현(薄石峴)이라 했다. 그것은 이 고갯길이 비가 오면 질퍽해서 통행이 불편하여 박석(얇고 넓적한 돌)을 깔았으므로 붙여진 명칭이다. 박석고개의 동쪽 마을을 동골(東谷), 서쪽 마을을 박동이라 했다. 개화기 때 독일인으로 조선의 외교고문인 묄렌도르프(Mllendorff, 穆麟德)가 이 마을의 민겸호(閔謙鎬)의 저택에 살기도 했다. ② 일부 논문에는 전동(甎洞·典洞)으로 되었는데 이는 오기이다.

222) 끌라르 보티에·이포리트 프랑뎅 원저, 김상희·김상언 옮김, 『프랑스 외교관이 본 개화기 조선』. 서울: 태학사, 2002. p.48에서 이 책의 저자는 우리의 한옥을 중국 고관들의 집이나 중국인들 주거지와 흡사한 건축형태로 보았다. 그러나 처음부터 서양식 건물을 세우지 않고 한옥을 택한 것은 유교식 전통을 살려내면서 외래 종교의 토착화를 이루기 위한 선교사들의 고민과 신앙의 미덕이라 할 수 있다.

223) 1884년 10월 14일에 독일공관이 정식으로 개설되었다. 최초의 공관은 당시 조선의 외교고문으로 파견된 묄렌도르프(목린덕(穆麟德): M llen dorff)에 의해 알선이 되어 낙동(駱洞, 현 충무로 1가 중앙우체국 뒤편)에 있던 한옥(韓屋)을 3개월에 한 번씩 불입하는 조건으로 매달 15원(元)에 임대를 하여 사용했다. 그 후 건물이 좁고 낡았다는 이유로 인근 서쪽에 있던 빈집을 임대하여 사용하려고 여러 차례 조선 정부에 청원했으나 조선 정부에서는 그 집은 프랑스공관(佛國公館)으로 사용하기 위해 비워 놓은 집이었기 때문에 끝내 거절했다. *李重華 撰, 『京城記略』卷四. 京城: 新文館 藏版, 大正 7年[1918]. p.123 참조.

기지를 선정하여 구매를 위한 가격조정을 조선 정부에 의뢰했다. 그리하여 1889년 10월 1일 이곳으로 공관을 옮기게 되었다. 1891년 12월 6일 분관을 낙성식하고, 1896년에는 정동 28－5, 27－3번지 일원에 새로 착공하여 1년 뒤인 1897년에 프렌치 르네상스(French Renaissance) 식[224]으로 벽돌 2층에 건평 415평 규모로 완공하였으며 러시아공사관보다 화려하게 지상 26.3m 높이의 탑도 설치했다.

이 공관은 내부장식도 최고급으로 하여 당시 서울에 세워진 초기 양관(洋館) 중 가장 아름다운 모습을 지녔다고 한다. 또한 1896년 4월 27일 플랑시는 외교사무관에서 대리공사로 임명되었고 프랑스공관의 이름도 이때부터 공식적으로 공사관이 되었다. 그리고 당시 고종이 러시아공사관에 파천되어 있었던 시기로 프랑스 공사 플랑시는 러시아의 비호(庇護)하에 고종을 자주 알현하고 위문하는 등 외교 신임을 얻는 데 성공한다. 그러나 고종은 프랑스가 중립적 견지(見地)에서 조선을 보호해 주기를 바랐으나 프랑스는 러일전쟁과, 러시아와의 동맹관계, 일본에 대한 중립적 의지 등 당시 복잡한 국제상황에 직면하여 구체적인 대책은 마련하지 못했다. 1905년 11월 18일에 을사조약이 체결됨으로써 대한제국의 외교권이 일제에 의해 박탈되었다. 1906년 1월 공사가 철수하면서 공관의 지위가 영사관(領事館)으로 격하되어 일본과의 외교관계 속에 지속되다가 1909년 10월 6일에 20만 원에 매각하고[225] 1910년 한일합방 후에는 서대문구 합동(蛤洞: 합정) 30번지 현재의 프랑스대사관 자리로 이전하여 1949년까지 영사관이 있었다. 이후 옛 프랑스공사관 건물은 총독부에서 인수하여[226] 조선교육회, 구매조합, 수양단 조선지부, 국민회 등에서 각각 사용하게 된다. 1919년 서대문 소학교(현재 창덕여중)[227]가 들어서고 건물이 교정에 걸린다는 이유로 1935년에 철

---

224) 신축된 프랑스공사관에는 프랑스 남부에서 비스케이만(Biscay)으로 흘러들어가는 루와르(Loire)강의 고성곽(古城郭) 중의 하나에서 가져온 유물들로 장식을 했다. *W. F. 샌즈 지음, 신복룡 역주, 『조선의비망록』. 서울: 돌베개, 2006. p.54.

225) 金源模, 『開化期 韓美 交涉關係史』. 서울: 단국대학교출판부, 2003. p.730 주31)에서 재인용함.

226) 프랑스공사관은 한때 조선 왕실에서 매입하려 한 적이 있다. 『뮈텔주교 일기』 1906년 8월 26일, 8월 28일, 9월 1일, 9월 2일, 9월 3일, 9월 5일, 9월 14일, 10월 5일 참조.

227) ① 서울특별시사편찬위원회 편, 『서울六百年史』 第4卷. 서울: 서울특별시, 1981. pp.345－146.

거되었다.

한국과 프랑스 간에 우호관계는 1886년 한불수호통상조약을 체결한 이후부터이다. 프랑스공사관은 개관 초기에서 1905년까지 영사관을 두기 전까지 공관장을 비롯하여 두 명의 직원이 근무했다. 1888년 6월 6일부터 플랑시가 서기관 게랭(M. Guérin, 業國麟)을 대동하고 부임하여 1891년 6월 15일까지 공사(公使) 겸 총영사(總領事)로 근무하고 일본의 1등 서기관으로,[228] 1893년 8월부터는 미국 워싱톤(Washington)주재 1등 서기관으로[229] 임명되었으나 본인이 거절하여 실제로 부임은 하지 않았으며, 1894년부터는 북아프리카 모로코 왕국의 탕헤르(Tanger)[230] 공사관의 1등 서기관으로[231] 근무하기도 했다. 1891년 6월 15일부터 1892년 3월 6일까지는 로셰(E. Rocher, 彌樂石)가 대리공사(代理公使)를 지냈고, 그다음은 1892년 2월 7일 서기관으로 부임한 게랭(M. Guérin)이 프랑뎅이 오기 전까지 1개월간 대리공사 겸 총영사로 있었다. 제2대 프랑스 공사는 이포리트 프랑뎅(Hippolyte

---

② 현재 창덕여자중학교 교내 화단에는 RF1896이라고 쓰인 프랑스공사관 머릿돌이 남아 있다.

228) 『뮈텔주교 일기』 1891년 6월 4일. ……플랑시에게 로셰(E. Rocher) 영사가 그의 후임으로 임명된 소식을 전하다. 플랑시 자신은 일본의 1등 서기관으로 가게 되었다.

229) 『뮈텔주교 일기』 1893년 8월 2일. 프랑뎅 씨를 방문 ……플랑시 씨가 워싱턴(Washington) 주재 1등 서기관으로 임명되었으나, 그가 거절했다. …….

230) 모로코 탕헤르 주(Tanger 州)의 주도(州都). 인구는 52만 1,735명(1994)이다. 아프리카 대륙의 북서단 지브롤터(Gibraltar) 해협에 면한 항구도시이다. 천연의 양항에 근대적인 항만시설을 건설하였으며 에스파냐와의 사이에 페리보트로 연락되고 자유무역구도 있다. 예로부터 전략상의 요충지로서 강국의 쟁탈의 표적이 되었으며, 7세기 말 아랍의 지배를 받았고 15세기부터 포르투갈・에스파냐・영국 등으로 지배자가 바뀌다가 1648년 모로코령이 되었다. 19세기에 다시 열강의 쟁탈의 표적이 되어 1902년 에스파냐-프랑스 조약에서 국제도시로서의 지위를 선언하였으나 독일의 야심 때문에 분쟁이 일어났다가 1912년 프랑스와 에스파냐가 모로코를 분할할 때 국제적인 위원회를 설치하여 1914년 국제도시의 지위를 확립했다. 모로코 왕국 탕헤르는 세계적인 아랍 최고의 여행가 이븐 바투타(Ibn Battutah, 1304-1368)의 고향이기도 하다. 또한 이 도시는 유럽과 아프리카, 이슬람과 기독교가 공존하는 도시이기도 하다. 모로코의 옛 건축물은 밖에서 보면 거의 초라해 보일 정도로 흙으로 된 집이다. 그런데 집 안으로 들어가면 화려한 타일(Tile)들로 장식된 벽과 아름다운 분수가 있는 정원, 섬세하게 조각된 문과 기둥들이 나타나는 새로운 공간이 있다. 그래서 밖에서 보면 높은 담과 작은 문 때문에 집 안에 무엇이 있는지 전혀 알 수 없다. 이는 검소함을 강조하는 종교적인 면과, 여성을 보호하기 위해 남녀의 문이 따로 있는 생활공간적 면, 그리고 전쟁이 잦았던 아랍문화에서 기인한 듯 독특한 양식으로 되어 있다.

231) 『뮈텔주교 일기』 1895년 1월 23일. ……프랑뎅 씨는 케르베르그(Kehrberg) 씨에게 간단한 편지로 3월 중에 돌아오겠다고 알려 왔다. 우리는 이 달갑지 못한 소식을 빌렘(Wilhelm) 신부의 편지로 이미 알고 있었다. 빌렘 신부는 그 자신 북아프리카 모로코에 있는 항구도시 탕헤르(Tanger) 공사관의 1등 서기관으로 임명된 콜랭 드 플랑시 씨로부터 이 정보를 얻었다고 한다.

Frandin, 法蘭亭)이 1892년 4월 10일부터 공사 겸 총영사로 1894년 2월 말일까지 2년간 있었는데 그는 끌라르 보티에(Madame Claire Vautier)와 함께 1905년에 『En Corée: 한국에서』를 집필하기도 했다. 그 후 1894년 3월 1일부터 1896년 4월 27일까지 2년간은 1893년 5월 주한 프랑스공사관 서기관으로 부임한 르페브르(G. Lefévre, 盧飛鳧)[232]가 대리공사 겸 총영사로 근무했고, 그의 후임으로 조선 정부의 간절한 건의[233]와 플랑시가 서울 근무를 자원하여 특명전권공사로 승진되어 1896년 4월 27일부터 1899년 11월 30일까지는 공사서리(公使署理) 겸 총영사(總領事)로 근무했다. 플랑시 공사의 휴가기간[234]인 1899년 11월 30일부터 1901년 3월 12일까지는 르페브르가 임시대리공사를 맡기도 했다. 이후 1901년 3월 12일 다시 부임한 플랑시는 이해 5월 24일 변리공사(辨理公使: 대리공사)에서 전권공사(全權公使)로 승진되었으며,[235] 1903년 10월 28일부터는 프랑스 외무부의 인사업무를 담당하였던 드 퐁트네(de Fonteney, 憑道來)가 부임하여 1904년 7월 7일까지 근무하고[236] 그다음 1904년 7월 8일부터는 다시 플랑시가 을사조약(乙

232) 르페브르는 1893년 5월 프랑스공사관 서기관으로 부임하여 1901년 8월까지 통역관을 겸하면서 근무하다가 플랑시가 본국으로 들어갔을 때 공사를 맡기도 했다. 또한 그는 1901년 8월 10일 한국서북철도국(韓國西北鐵道局) 감독자로 임명되어 1905년 6월 26일까지 활동했다. *『뮈텔주교 일기』4. p.66 주134) 참조.

233) 고종은 1895년 8월 19일 드 보몽(de Beaumont) 해군제독과 르페브르 프랑스 대리공사, 8월 28일 뮈텔 주교를 접견한 자리에서 가능한 빨리 높은 직책의 프랑스를 대표하는 전권공사를 파견해줄 것을 프랑스 정부에 요청했다.

234) 당시의 주한 외교관들은 교통이 좋지 않아 휴가기간이 길기도 했지만 휴가일정 중에 대체로 본국에서 열리는 업무협의와 외교행사에 참석하기 위해 최소한 2달 이상을 잡았으며 이 기간에는 그의 업무를 대신할 대사가 임시로 임명되기로 했다. 또한 개인적인 집안일을 처리하거나 친척들과 세계 각국에 주재한 외교관 친구들을 만나기도 하는 기회이기도 했다. 플랑시와 같은 외교관은 재직 중 수집했던 고서나 민예품 들은 휴가기간에 본국의 박물관이나 대학 등에 기증하기도 했다.

235) 프랑스 정부는 한불수교 직후 미미했던 조선에 대한 정치적, 경제적 이해관계를 1900년부터 상대적으로 강화하기 위해 플랑시 공사의 공식 직함을 총영사 겸 공사대리에서 전권공사로 승진임용하는 등 한반도에서의 적극적인 외교정책을 강화한다. 이후 철도를 비롯하여 광산채굴권 등 이권 획득에 치중하면서 파리만국박람회 참여와 한불우편조약을 체결하는 등 양국 간 이익에 크게 기여했다.

236) 드 퐁트네는 성직자 옹호자로 알려진 프랑스의 개량주의적 정치가 · 사회 철학자인 부르조아(Le'on Victor Auguste Bourgeois, 1851 – 1925) 씨의 후원을 받았으며, 매우 매력적인 여자와 결혼을 한 외무부 공무원으로 1903년 말 10월 플랑시의 후임으로 왔다가 1904년 7월 11일 한국을 떠났다. *『뮈텔주교 일기』 1903년 9월 5일, 9월 10일, 1904년 5월 25일, 7월 11일 참조.

巳條約)이 체결된 이후[237] 1906년 1월 6일까지 근무했다. 그리하여 플랑시는 당시 우리나라에 왔던 외교관으로는 한국 근무 기간이 가장 긴 13년간(4차)을 근무했다. 1906년 1월 6일부터는 플랑시의 후임으로 1902년 6월 5일부터 주한 프랑스공사관 부영사를 지낸 베르토(Fernand Berteaux)가 프랑스 거류민 보호를 위해 총영사로 재직하다가 이해 10월 17일 본국으로 귀국하였으며, 1908년 4월에 중국 요령성(遼寧省) 봉천(奉天: 瀋陽)의 부영사로 임명되었다.

조선과 프랑스 간의 수교로 1888년 초대 플랑시 공사로부터, 2대 프랑뎅을 지나, 다시 2차에 걸쳐 플랑시가 3대 공사로 1903년 임기를 마치고 프랑스로 귀국할 때까지 약 15년 동안에 정식 공사는 2명이었으며 그 나머지는 이 두 사람의 공백기간을 대리한 공사였다. 프랑스 정부는 플랑시를 두 번에 걸쳐 공사에 임명하여 외교정책에 일관성을 보이려는 점도 있었으나, 프랑스는 처음 수교 때처럼 조선에서 선교사 보호 및 천주교 전교활동 지원 이외에는 동방의 다른 강대한 중국이나 일본과 같은 국가들에 비해 자국의 이익에 별다른 가치가 없음을 드러내고 있다. 그런데 플랑시와 프랑뎅은 조선 정부의 입장이나 외교력에 있어서 상당한 차이를 보여 주고 있다. 한·프랑스 정치외교사나 문화교류사 등에서 플랑시의 업적은 크게 다루어지는 반면 프랑뎅은 이름조차도 언급되지 않고 있다.

특히 프랑뎅이 조선에 부임한 1892년에서 1894년, 3년간은 한불관계가 소원(疏遠)했던 시기에 비해 플랑시가 다시 부임해 온 1896년은 러시아와 동맹관계에 있었던 프랑스가 아관파천(俄館播遷) 이후 경제적 이권을 노리기 시작하면서 본격적인 한불관계가 수립되기 시작하던 시기로[238] 두 외교관의 능력이라기보다 이들이 부임했던 당시의 정치적·시대적 상황이 한불관계에 영향을 미쳤기 때문이다. 그러나 프랑뎅은 외교력이 다소 미진한 면

237) 1905년 11월 17일에 체결된 한일협약(乙巳條約)으로 한국의 외교권이 박탈되자 미국은 11월 23일에, 영국은 11월 30일에, 독일은 12월 11일에 각각 공사관을 철수했다. 그리고 총영사 또는 영사를 두어 자국 거류민의 보호에만 힘쓰게 되었다. 프랑스도 일본 당국의 1905년 12월 12일 철수 명령에 따라 다른 나라보다 다소 늦은 1906년 1월 6일 철수하기에 이른 것이다.

238) 이경민, "프랑뎅(Frandin)의 사진 컬렉션을 통해 본 프랑스인의 한국적 표상". 경기도박물관,『먼 나라 꼬레(Corée) - 이포리트 프랑뎅의 기억속으로』. 서울: 景仁文化社, 2003. p.223.

은 있지만 재직기간에 1900년 파리만국박람회의 참여를 기획하고 독려하기 시작한 새로운 전기를 마련하기도 했다.

프랑스공사관은 정식 외교관계가 수립된 1888년부터 1905년, 일본에 의해 외교권이 박탈당하기까지 17년간을 유지하다가, 1910년 한일합방 이후 프랑스공사관은 폐쇄되고, 주일공사관 관할하의 주경성프랑스총영사관으로 남게 되었으나, 이때부터 한·프랑스 간 외교는 단절되고, 1949년 대한민국과 프랑스 제4공화국이 국교를 재개할 때까지 양국은 국교 공백기를 초래하게 되었다.

(2) 주불 한국공사관

조선 정부는 1887년 9월에 심상학(沈相學)을 프랑스·영국·독일·러시아·이태리의 5개국 겸임 구주특명전권대신으로 임명했으나, 그가 부임하기도 전에 조신희(趙臣熙)로 대체하여 임지로 출발했는데 영국과 중국의 밀약으로 중국 당국이 억류하여 홍콩에만 2년간 있다가 귀국하고 말았다. 그 후 1890년 2월에는 박제순(朴齊純)을, 1897년 11월에는 민영환(閔泳煥)이 유럽 5개국 주차(駐箚) 전권공사로 임명되었으나 국내 사정의 악화로 아무도 부임하지 못했다. 1898년에는 민영돈(閔泳敦)이 공사로 임명되었으나 그도 부임하지 못했다. 그러다가 공사로 임명되어 최초로 프랑스 대통령에게 신임장을 제출한 외교관은 이범진(李範晉)이었다. 그는 1899년 3월에 러시아·프랑스·오스트리아주재 겸임공사로 임명되어, 1900년 4월 24일 프랑스 대통령에게 신임장을 제출한 다음 러시아로 떠났다. 그의 신임장은 1900년 파리만국박람회에 한국이 참가하는 것을 계기로 이루어진 것이다. 이 박람회에는 민영찬(閔泳瓚)이 한국 대표 단장으로 파견되었다. 이처럼 파리에 정식으로 공사관을 설치하고 파리만국박람회에 참가한 것은 프랑스에 새로운 기대를 걸었던 고종이 프랑스와의 관계를 강화하려는 의도였다.

1901년 3월에는 김만수(金萬壽)가 주불공사로 임명되어 7월 10일 임지에 부임했고,[239] 그의 후임으로 1902년 4월에 민영찬이 주 프랑스와 벨기에 공사로 임명되어, 임지인 파리에 부임했다. 그는 고종황제의 명으로 1903년 2월 8일에는 스위스(Swiss Confederation) 제네바(Geneva)에 파견되어 "陸戰病傷軍人救護協定"에 서명 조인하고, 다시 7월 2일에 고종이 적십자위원에 임명하자 9월 4일에는 제네바에서 개최된 만국적십자회에 서기관 이종엽과 함께 참석하기도[240] 했다.

민영찬이 파리에서 근무한 공사관에는 2등 서기관 이조, 3등 서기관 이종엽, 서기 강태훈, 이위종(이범진 주불 공사의 아들),[241] 김민수 등 공사를 포함하여 6명의 공관원이 근무했다. 1904년 민영찬 공사는 귀국하여 육군 부령에서 육군 참장(參將)에 임명되었다. 민영찬이 대한제국의 마지막 주불 외교 대표였으며, 1905년 11월 을사조약으로 한국의 외교권이 박탈되어 그 후에는 프랑스에 외교관을 파견할 수 없었다. 조선은 1887년 한불수호통상조약이 비준된 후, 곧바로 형식적이나마 프랑스에 외교관을 파견하는 등 대등한 상황에서 외교를 전개하려고 노력했다. 그러나 과다한 외채와 국가재정의 궁핍한 당시의 사정으로 재외공관을 유지하는 최소한의 예산도 없어 주재국에 신임장 제정을 비롯한 의전적 행사 외에 외교 활동이 제대로 이루어질 수 없었다. 뿐만 아니라 주재국에 파견되는 외교관들의 국제적 경험

239) 2007년 11월 주불공사를 지낸 김만수의 일기가 발견되었다. 이 일기는 1901년 3월 16일 고종에게 프랑스 공사를 임명받고 프랑스 현지에서 활동했던 김만수가 같은 해 4월 14일부터 1902년 2월 14일 귀국할 때까지의 활동내역과 과정이 기록되어 있어 초기 외교관계와 우리나라를 둘러싼 국제관계를 엿볼 수 있다. *동아일보, 2007년 11월 20일 A16면. "국내 최초 주불외교관 기록 발견".

240) 대한적십자사 100년사편찬위원회 편, 『한국적십자운동100년』. 서울: 대한적십자사, 2006. pp.100－103.

241) 이위종(李瑋鍾, 1887－?): 본관 전주(全州). 7세 때부터 아버지인 범진(範晉)을 따라 영국・프랑스・러시아 등 각국을 순회하여, 영어・프랑스어・러시아어에 능통했다. 러시아 페테르부르크(Peterburg) 주재 한국공사관 참사관을 지내다가 1905년 을사조약이 체결되어 공사관이 철수된 후에도 러시아에 남아 있었다. 1907년 고종의 밀령을 받고 이준(李儁)・이상설(李相卨) 등과 함께 제2차 만국평화회의에 참석하기 위하여 네덜란드의 헤이그에 갔으나 일본의 방해공작으로 뜻을 이루지 못하게 되자 만국기자협회를 통하여 연설할 기회를 얻어 일본의 야만적 침략행위를 공박, 세계의 여론에 호소했다. 이에 일본은 이들 3인에 대한 궐석재판(闕席裁判)을 열어 종신형을 선고하고 체포령을 내렸다. 그래서 이미 순국한 이준을 헤이그에 묻은 후 이상설과 함께 미국으로 갔다가 그 후 블라디보스토크로 가서 항일투쟁을 계속했다. 1962년 건국훈장 대통령장이 추서되었다. 이위종은 1899년 3월 20일 부친 이범진을 따라 유럽 각국을 순회하다가, 1900년 4월 24일 파리 대사로 부임했을 때 프랑스 쌩시르 육군사관학교(Ecole Militaire de St. Syr)에 입학하여 2년을 마치고, 1902년 4월 19일 민영찬이 주불 프랑스・벨기에 공사로 부임했을 때 주불공사관 서기관으로 임명되었다.

과 감각이 국제시류에 따라가지 못하여 활발한 외교 정책을 수행하기에는 어려움이 많았다.

그러나 만일 을사조약이 체결되지 않았다면 프랑스인에 의한 한국학 연구는 활발히 이루어질 수 있었을 것이다. 일제시대에 서영해가 상하이 임시정부 대표로 임명되기는 하였으나, 정식으로 한-불 양국 간의 외교관계가 재개되어 공사급의 외교관을 교환하게 되는 것은 1949년이다. 한불 간의 외교관계는 대한민국 수립 이후에 재개되었다. 1945년 8월 15일 해방이 되고, 3년 후인 1948년 8월 15일 대한민국이 선포되고, 그 이듬해인 1949년 2월 5일(프랑스 시간으로는 2월 4일) 프랑스는, UN, 미국, 자유중국, 영국에 이어 다섯 번째로 대한민국을 승인했다. 이로써 국교가 재개되어 양국은 상대국의 수도에 공사관을 설치하고 공사를 주재시키게 되었다.

(3) 정동구락부

프랑스공사관이 있던 정동은 서울주재 외국 공관이 많아 1892년 6월 2일 外交官俱樂部(Cercle Diplomatique et Consulaire)라는 친목단체가 생겨났다. 이 구락부 발족 당시 구성원들을 보면 플랑시를 비롯하여 미국공사 실(H. B. Sill, 施逸), 서기관이자 의사인 알렌(Horace N. Allen, 安連), 러시아 공사 웨베르(Veber, Karl Ivanovich, 韋貝), 미국인 고문관 르젠드르(Charles W. Legendre, 李善得), 미국인 군사고문 다이(William M, Dye, 茶伊)와 닌스테드(F. J. H. Nienstead 仁施德), 미국 선교사 아펜젤러(Henry G. Appenzeller, 亞扁薛羅)와 언더우드(Horace G. Underwood, 元杜尤), 중학교 교사 헐버트(Homer B. Hulbert, 紇法), 고종의 전의 에비슨(Oliver R. Avison, 芮斐信) 등이었으나 미국인이 대부분으로 이 클럽은 당연히 미국공사관에서 주도했다. 이 외교관구락부는 정동에 있는 서양인 마을에 모인 정객이란 의미로 정동구락부(貞洞俱樂部)라고도 하여 처음에는 비정치적인 성격을 띠었으나 후에는 황실의 보호와 미국과 러시아 공사의 후원을 입는 배일(排日) 성향을 가진 막강한 정치단체로 변모했다. 이는 당시 일본세력의 압력을 받고 있던 고종과 명성황후가 구미 열강의 힘을 빌려 일본세력을 물리치고자 정동구락부에 시종(侍從)을 보내어 호의를 베풀고, 민영환 · 윤치호 · 이상재 · 이완용 · 정경원 등과 같은 근신(近臣)들에게 구미인들과의 친교를 권장하는 등 적극적으로 지원을 했다.

이 단체는 주한 외교관뿐만 아니라 조선인 관리를 비롯하여 독일 국적의 독신녀로 궁내부(宮內府)에서 양식 조리와 외빈 접대를 담당하였던 손탁(Antoinette Sontag, 孫澤,宋多奇,孫鐸, 1854 – 1925)과 같은 이도 일원이 되었는데, 그녀는 자신의 사저에서 사교모임을 전개하면서 배일운동과 황실과 정동구락부 간의 중개역할을 주도하기도 했다. 이 단체의 구성원 중 플랑시가 접촉을 하였을 이로는 프랑스어에 능통한 손탁과 친미파이며 1893년 미국 시카코만국박람회 출품대원이었던 정경원(鄭敬源)이 1900년에 열린 파리만국박람회 파리위원회 위원인 쿠랑에게 도움을 주도록 주선했을 가능성이 높다. 1892년 6월 2일에 결성된 정동구락부는 1903년 1월 31일에 기한이 만료되어 없어지고, 대신 클럽인 서울구락부(The Seoul Club)가 1903년 2월 5일에 정식으로 발족되었다. 플랑시는 천주교 선교에도 앞장서 명동성당 종의 축성에 기부금을 내고[242] 자신은 대부(代父)로, 프랑스공사관 비서관의 부인 마그리트 르페브르(Leféyre)는 대모(代母)로 선정되어[243] 1898년 5월 29일 축성식에 참가하기도[244] 했다.

242) 명동대성당의 종탑공사가 끝나고 그 위상에 알맞은 종이 자금난으로 구입이 어렵게 되자 1897년 7월경 프랑스 선교사들은 기금을 모아 모국에 종을 주문하였으며 이듬해 3월 종이 완성되자 조선으로 운송하여 1898년 5월에 축성을 했다.

243) 임정의 편저, 『명동성당 100년』. 서울: 코리언북스, 1998. p.62.

244) 『뮈텔주교 일기』 1898년 5월 29일 참조.

2. 모리스 쿠랑(Maurice Courant)

1) 모리스 쿠랑(Maurice Courant)의 생애와 한국학 연구

(1) 모리스 쿠랑(Maurice Courant)의 집안 배경

(사진 15) 모리스 쿠랑

모리스 쿠랑(Maurice Courant, 古恒, 1865 - 1935)은 1865년 10월 12일 프랑스 파리의 프랑크랭(Franklin)가(街) 6번지에서 국방성의 하급관리 서기직인 아버지 샤를 이지도르 쿠랑(Charles Isidore Courant, 1826 - 1888)과 빠시(Passy)구(區) 공증인(公證人)의 딸인 어머니 마리 꼬스나르(Marie Cosnard, 1835 - 1907)와의 사이에 장남으로 태어났다. 쿠랑의 집안은 노르망디(Normandie)의 후손으로 프랑스혁명(Revolution Francaise) 당시 리지외(Lisieux)의 나사(螺絲, Screw) 상인이 그의 조상이며 쿠랑에게는 여러 형제가 있었으나 대부분 어려서 죽고 남동생 앙리(Henri, 1871 - 1925)[245]만 살아 남았다. 쿠랑에 대해 유아기 · 사춘기에 대한 기록은 거의 없으며, 5명의 자식을 두었지만, 1895년 중국에서 콜레라로 어린 두 아들을 잃고, 1930년 셋째 아들 샤를(Chales)이 사망하였으며 다른 한 명은 후손을 두지 않고 1950년에 세상을 떠나 쿠랑에게는 직계 후손이 없다. 쿠랑은 낭비벽이 있던 부인과 1921년 초에 별거한 후 이혼을 하고 외교관으로, 학자로 명성을 날릴 만도 했지만 1932년부터는 강의를 제대로 할 수 없을 정도로 건강이 악화되었다. 1934년부터는 전혀 강의를 하지 못했고 작은 방에서 고독하게 생활하다가 1935년 8월 18일 리옹의 외곽도시 깔뤼르(Caluire)에서 70세를 2개월여 앞두고 세상을 떠났을 때도[246] 프랑스 내에서조차 관

---

245) Daniel Bouchz, "韓國學의 先驅者 모리스 쿠랑(上)", 『東方學志』 第51輯(1986). pp.153 - 154.

246) 한국학계에서는 쿠랑이 1939년에 사망한 것으로 알고 있었는데 조카 손자의 증언과 쿠랑의 묘비가 파리 시내 공동묘지에 있음을 알게 되었으며 묘비에서 그의 죽음은 1935년으로 밝혀졌다.

심을 끌지 못했다.

쿠랑은 1935년 그가 사망할 때까지 리옹대학에서 머물며[247] 중국어와 극동 특히 한국에 대한 강의와 집필을 하였는데 이는 서양에서의 한국학에 선구자적 역할을 했음을 인정해야 한다. 또한 『직지』의 존재가 알려지면서 그의 학문적 성과가 나타남은 당연하며 외교관 생활을 하면서 다른 나라의 역사를 연구한 그의 학자적인 면은 존경받아 마땅하다 하겠다. 쿠랑의 무덤은 파리의 파시(Passy) 공동묘지(또는 파리의 트로가데로에 있는 가족묘지)에 있었으나, 돌보는 사람이 없어 폐허 상태로 있다가 최근에 무덤이 없어지고 그의 유해는 파리의 납골당으로 옮겨졌다. 그리고 리옹3대학교 본관 계단의 벽면에 쿠랑의 상반신 돌 조각상이 남아 있다. 쿠랑이 세상을 떠난 다음에도 리옹대학의 중국어 강좌는 계속되었으나 한국과의 관계는 끊어졌다. 그로부터 50여 년 후인 1983년 리옹3대학교에 한국어 강좌가 개설되면서[248] 한국과는 관계가 다시 수립되었다.

(2) 모리스 쿠랑(Maurice Courant)의 외교관 생활

쿠랑은 1883년 대학자격 시험에 통과, 같은 해 파리대학 법학과에 입학하고, 2년 후인 1885년에는 동양어학교에 등록, 중국어와 일본어를 공부하면서 외교관으로, 동양학자로서의 기초를 쌓는다. 쿠랑의 동양어학교에서 중국어는 폴란드인 알랙상드로 클렉초우스키(Alexandre Kleczkowski, 1818－1886) 백작과, 가르리엘 드베리아(Gabriel Devéria, 1844－1899), 마지막에는 모리스 잠텔(Maurice Jametel, 1856－1889) 등 3명에게, 일본어는 레옹 드 로니(L'eon de Rosny, 1837－1914)에게 가르침을 받았다. 쿠랑은 1886년 법학학사 학위를 받았으며, 1888년 아버지가 돌아가시던 해 동양어학교 중국어과와 일본어과 두 개 학과를 제2·3학년 장학생으로 졸업하면서 2개 과목에 대한 고등교육학위를 취득했다. 쿠랑의 동양어학교 시절 학우로는 이

247) 리옹3대학의 대학 본부 건물 계단의 벽에는, 리옹대학 최초의 중국어 교수로 1900년부터 1935년까지 재직한 쿠랑의 석회석 흉상(胸像) 조각이 있다.

248) 이진명, "쿠랑－유럽 한국학의 선구자－", 『한국사 시민강좌』 제34집. 서울: 일조각, 2004. p.52.

후 최고의 중국학 권위자인 에두아르 샤반느(Edouard Chavannes, 1865－1935)로[249] 이 둘은 친분관계를 계속 유지했다. 이와 같이 쿠랑은 중국어를 비롯한 동양학을 전공하면서 쌓은 한문지식의 학문적 배경은 이후 외교관 생활은 물론 동양에 대한 연구 특히 『한국서지』의 편찬과 해제를 할 수 있는 중요한 인프라(Infra)가 되었다.

쿠랑은 1888년부터 동양어학교 졸업한 해 9월 6일부터 21개월간 베이징 주재 프랑스공사관에서 통역실습생으로 있는 동안 첫 외교관 생활을 시작하였으며 마지막 6개월(10개월 등 정확하지 않음)은 아르노 비시에르(Arnold Vissiére)를 대신하여 수석 통역관 임무[250]를 수행했다. 그는 이때 이미 동양학자로 발을 내딛기 시작하여 중국에 통역관으로 있으면서 여가를 이용하여 연구한 『북경의 궁정(La Cour de Péking)』이 1891년에 프랑스 외무성으로부터 통역관상을 받았다. 그런데 이 책은 쿠랑이 부재중 저자의 허락 없이 수정이 안 된 상태에서 출판이 되어 차후 연구를 포기하는데, 이때 이러한 사연을 선배 외교관 플랑시와 편지를 나누는 등 동양학자로의 친분을 유지하여 우리나라에 같이 근무하면서 『한국서지』를 간행함에 이르게 된다.

쿠랑이 한국에 근무하게 된 해는 그가 25세 때인 1890년 5월 23일 베이징에서 서울로 전속되어 프랑스와 게랭(Francois Guérin)의 후임으로 프랑스공사관 통역 서기관 겸 총무를 수행한다. 당시 프랑스주재 외교관의 정원 2명으로 한 분은 바로 그의 상관이 되는 동양어학교 선배이자 12년 연상인 플랑시였다. 당시 플랑시는 쿠랑에게 동양어학교 교수들이 거의 언급조차 하지 않았던 이 미지의 나라 조선에 대해 자신이 직접 와서 체험하고 발견한 것을 후배에게 알려주었다. 그리하여 쿠랑은 한국에서 1892년 2월 11일까지 약 21개월을 근무하면서 상관인 콜랭 드 플랑시로부터 고무적인 격려

249) Daniel Bouchz, "韓國學의 先驅者 모리스 쿠랑(上)", 『東方學志』 第51輯(1986). pp.154－155.

250) Daniel Bouchz, "韓國學의 先驅者 모리스 쿠랑(上)", 『東方學志』 第51輯(1986). p.155에서 뽈 드미에빌(paul Demiéville)은 동양에 파견된 통역관에 대해 "그들은 당시 동양 제국과의 관계에서 중요한 역할을 담당할 인물들이다. 그들에게 주어진 책임은 막강한 것이었다."고 평가를 내린 바 있다. 이는 당시 프랑스가 서구 열강과의 사이에서 자국의 이익을 위한 치열한 외교전을 펼쳤음을 알 수 있는 부분이다.

를 받아 그의 정력을 한국의 도서 연구에 쏟았던 것이다.

플랑시는 처음에 쿠랑과 함께 자신이 수집한 『한국서지』를 공저할 뜻을 동양어학교장인 샤를 셰페르(Charles Schefer)에게 알렸고 그로부터 그들의 저서를 동양어학교 총서(publication de L'École des Lanques Orientales)에 포함시키겠다는 회신을 받게 되나, 1892년 초에 들어서서 플랑시가 자신의 역량이 적다는 애매한 이유로 공저자하기를 사양하고 쿠랑에게 단독으로 집필하기를 제안하면서[251] 혼란과 시간 낭비를 막기 위해 인쇄와 교정처리 또한 거절했다. 이는 1891년 한국의 문화에 대한 입문서로서 『朝鮮文獻一覽(Tableau de la littérature Coréenne)』이란 가제가 붙은 이 『한국서지』는 간단한 도서목록 정도의 첫 계획에서 해제를 첨부한 서지로 파리의 에르네스트 르루(Ernest Leroux)사에 의해 빅토르 콜랭 드 플랑시와 모리스 쿠랑, 뮈텔의 공저로 출판하기로 결정된 점이 이와 같은 사실을 입증한다 하겠다. 당초에 이 서지는 『한국서지』의 구상 및 계획표 작성, 서적조사의 접근방법, 해제의 저술 방법과 이미 전체의 3분의 1에 해당하는 5－6장의 저술을 작성한 플랑시와 뮈텔 주교, 쿠랑의 공저로 준비되었으나 뮈텔이 저자로 밝히기기를 극구 사양하였고 플랑시 또한 쿠랑에게 "나는 너에게 임무를 줬을 뿐"이라며 거절하여 쿠랑의 단독 저서로 간행되었다는[252] 설이 유력하다. 만일 뮈텔만 빠지고 플랑시와 공저로 간행이 되었다면 그 영예는 플랑시에게 넘어갔을지도 모른다. 그러나 결국 책은 쿠랑 한 사람의 이름으로 출판된다.

쿠랑은 1892년 3월 21개월의 한국체류를 마치고 베이징으로 전속된 후

---

251) 이와 같은 사실은 1891년 6월 도쿄으로 전속된 플랑시가 쿠랑에게 저서의 계획표를 부쳤으며 3개월 후인 9월 9일 이를 받았다는 서로 오고간 편지에 의해 밝혀지고 있다. 또한 1892년 초 플랑시는 갑자기 쿠랑에게 보낸 편지에서 처음부터 이 작업에 전념할 의도는 없었으며, 쿠랑에게 그 일을 권한 것은 그로 하여금 주재국에 관심을 갖게 하려는 의도였다고 고백하면서 모든 영광을 쿠랑에게 돌리기로 했다. *Daniel Bouchz, "韓國學의 先驅者 모리스 쿠랑(上)", 『東方學志』 第51輯(1986). pp.160－161.

252) Daniel Bouchz, "Un défricher méconnu des études Extrêmes orientales: Maurice Courant(1865－1935)" (잘 알려지지 않은 극동학의 개척자: 모리스 쿠랑). 『Journal asiatique(동양학보)』1983. pp.43－150. *이진명, "프랑스 국립도서관 및 동양어대학 도서관 소장 한국학 자료의 현황과 연구동향", 『국학연구』 제2집(2003, 봄・여름). p.210 주22)에서 재인용함.

그곳에서 7개월 가량 머물면서 『한국서지』의 행정 · 의례 · 불교 · 도교 부문을[253] 완성하면서 뮈텔 주교에게 편지로 한국과 『한국서지』에 관한 의견을 주고받는 등 우리나라에 대한 정보를 계속 얻을 수 있었다. 쿠랑은 뮈텔 주교에게 존경과 친구로서 주교의 판단에 신뢰를 느끼고 있었기 때문에 대작을 남길 수 있었다. 쿠랑은 베이징으로 전속된 이후에도 한국에 대해 커다란 애착을 갖게 된다. 그가 연구하고자 했던 『한국서지』 외에 여러 분야를 연구하기 위해 한국으로 다시 부임하기를 본인은 물론 1896년 학부대신 민종묵(閔種默)이 프랑스 공사이며 쿠랑의 공동저자가 되는 플랑시를 두 번이나 방문하여 프랑스 정부에 학부(學府)의 외국 고문 자격으로 근무해 줄 것을 고종의 인가를 받아 건의했다. 그러나 당시 조선에 가장 큰 영향력을 행사하고 있던 전임 러시아 공사 웨베르(Waeber)의 반대로 실현되지[254] 못했다.

쿠랑은 1892년 10월 귀국하여 1893년 1월에 동양어학교장의 딸 엘렌 셰페르(Héléne Schefer)와 결혼을 한다. 그 후 반년간 파리에서 보낸 후 1893년 11월에 도쿄으로 와서 2년간 머무는 동안 일본어 공부와 『한국서지』 준비로 대부분의 시간을 보냈으며, 뮈텔 주교에게 계속 한국에 관한 참고자료를 부탁했다. 또한 우에노(上野) 도서관과 쇼죠지(增上寺)에 소장된 전적을 조사하여 15세기 일본에 건너간 『대장경』을 접하기도 했다. 한편 일본에 있는 두 해 동안 장남 샤를(Chales)과 차남 루이(Louis) 두 아들이 태어났다.

쿠랑의 연구는 비단 한국에 머물렀던 기간 뿐만 아니라 베이징(北京)에 있을 때도 파리에 돌아가서도 당시 도쿄(東京)에 머물렀을 때에도[255] 계속 되었다. 그리하여 1894년에 오늘의 불후의 대저(大著)라고 하는 『한국서지(Bibliographie Coréenne)』 전 3권과 증보 1권 등 모두 4권을 발간했다. 쿠랑은 도쿄주재 프랑스공사관 통역관을 지내던 1894년에 서문을 완성하여 요

253) 쿠랑은 1892년 6월 베이징에서 플랑시에게 『한국서지』의 행정 · 의례 · 불교 · 도교 부문의 완성과 역사와 문집류의 해제가 정리단계라는 저술과정을 편지로 보냈다.

254) 趙胤修, 『모리스 쿠랑의 한국서지에 대한 서지학적 고찰』. 석사학위논문. 이화여자대학교대학원, 1989. p.9.

255) 모리스 쿠랑 원저, 李姬載 譯, 『韓國書誌 - 修訂飜譯版 - 』. 서울: 一潮閣, 1994. 원저자 쿠랑의 머리말 참조.

코하마(橫濱)에서 『한국서지』 제1권을 출간하였고,[256] 이해 12월에는 서문 별책본을 뮈텔 주교에게 보냈다. 쿠랑은 1895년 서울로 보내 달라는 간청에도 불구하고 다시 중국 텐진(天津)영사관으로 발령을 받아 6월 1일 일본을 떠나면서 『한국서지』 제2권을 프랑스로 보내고 중국에 도착 직후 콜레라(Cholera)로 두 아들을 잃는 비극적 사건이 터진다. 그리하여 쿠랑은 타국에서 자식을 잃은 아픔이 계기가 되어 외교관 생활을 접고 파리로 귀국하여 정착하면서 전문적인 학자의 길을 걷게 된다.

『한국서지』 제3권은 1895년 텐진(天津)주재 프랑스영사관 통역관 당시에 파리와 텐진 · 도쿄를 오가며 세 차례의 교정이 이루어지는 등 진전하다가 1896년 말 외교관직을 그만두고 프랑스로 귀국하자 『한국서지』 제3권을 출간하여[257] 프랑스 문예아카데미(한림원)로부터 그 학문적 가치를 인정받아 스타니슬라 쥘리앙(Stanisla Julien)상을 받았다. 『한국서지』의 모든 인쇄비용은 쿠랑의 장인이 교장으로 있던 동양어학교가 부담했으며, 쿠랑은 이 저서를 장인이자 한림원 회원이던 샤를 셰페르(Charles Schefer)에게 헌정했으며 그가 상을 받게 된 것은 장인의 영향이 미쳤다고 할 수 있다. 특히 쿠랑이 1894년에서 1896년에 걸쳐 펴낸 『한국서지』 제3권은 동양 3국(한국 · 일본 · 중국) 공사관 특히 주한 프랑스공사관에 재직하면서 뮈텔 주교의 도움과 그 자신 또한 근무 중 틈틈이 연구한 것은 물론 휴가기간을 이용하여 유럽의 유명한 도서관과 박물관 등을 돌아다니며 조사한 결과물이라[258] 하

256) 『한국서지』 제1권이 출간되자 쿠랑의 동양어학교 시절 학우이며 중국학의 최고 권위자인 에두아르 샤반느는 이 책이 서지(書誌) 이상의 작품이라고 높이 평가했다. 그는 한국 인쇄문화의 오랜 역사와 우수성, 중국서적의 재판(再版), 한반도에 미친 유교사상의 '경탄할 만한 영향력'과 같은 새로운 사실이 『한국서지』의 서문에서 밝혀졌음을 강조했다. *Daniel Bouchz, "韓國學의 先驅者 모리스 쿠랑(上)", 『東方學志』 第51輯(1986). p.175.

257) 『한국서지』 제1, 제2, 제3권의 한글 활자는 서울에서 만들어져 일본 요코하마(橫濱)에서 책을 인쇄했다.

258) 『한국서지』 3권에 각각 기록된 쿠랑의 외교관 직함을 보면, 출판사는 파리의 동양관계 전문 출판사 에르네스트 르루(Ernest Leroux)와 동양어학교로 되어 있고, 제1권(1894년)에는 주 도쿄 프랑스공사관 통역관으로, 제2권(1895년)에는 앞의 직함에 동양어학교 출신이 추가되어 있으며, 제3권(1896년)에서는 주 텐진 프랑스영사관 통역관 및 동양어학교 졸업생으로 되어 있다. 그리고 제4권(1901년)에서는 동양어학교 졸업생, 중국어 - 일본어 통역관 겸 서기, 리옹대학교 문과대학 부교수, 리옹 상공회의소 소속 교수로 되어 있어 외교관들의 임지가 2 - 3년 단위로 인사이동이 되었음을 알 수 있다.

겠다. 그럼에도 불구하고 몇몇 동양학자들의 감탄 이외 한글과 그 문화에 대해 무지했던 당시의 학계에서는 별다른 평가를 받지 못했다. 한편 그 무렵 쿠랑에게는 또 한 번 샤를(Chales)로 이름 지어진 셋째 아들이 태어났다.

(3) 모리스 쿠랑(Maurice Courant)의 한국학 연구

쿠랑은 1890년-1892년 사이에 서울주재 프랑스공사관에서 통역으로 근무한 후 프랑스로 귀국하여 1894년에서 1896년 사이에 『한국서지』 제3권을 출판했다. 그리고 그 이듬해인 1897년에는 파리국립도서관(La Bibliothèque Nationale de France, 약칭 BNF)[259]의 사서로 근무하면서 한국과 일본도서 특히 중국 서적의 목록을 작성(중국도서목록)하는 작업을 맡는다. 이 무렵 프랑스국립도서관은 1853년에 스따니슬라 쥘리앙(Stanisla Julien)이 극동지역의 서적 목록을 작성한 필사본이 있었지만 그 정확성이 부족하고 현저하게 늘어나는 서적에 대해 새로운 목록을 작성할 필요가 있어 이 일을 쿠랑이 하게 된 것이다. 쿠랑은 쥘리앙이나 레뮈자(Rémusat)의 목록보다 완전하고 체계적인 도서목록을 이루고자 했으나 1912년까지 15년에 걸쳐서도 『中韓日圖書目錄』은 완성하지 못하고[260] 『中國圖書目錄』만을 출판하게 된다. 쿠랑은 1898년에 광개토대왕비 전문을 프랑스어로 해석하여 유럽 학계에 최초로 소개한 『高句麗 王朝의 紀念碑(Stéle Chinoise du Royaume de Ko Kou Rye, 30쪽)』이란 논문을 동양학보(Journal asiatique)에 발표했다. 이 논문에서 쿠랑은 광개토왕비석은 한국의 지명과 인명에 관한 것이라며 모든 고유명사를 한국 발음으로 표기하여 고구려가 한국사에 속하는 것임을 분명히 하는 등 한국학에 조예가 깊었다. 현재 이 논문은 프랑스 기메박물관에 소장되어[261] 있다.

---

259) BNF는 파리 2구 리슐류(rue de Richelieu)街의 현재 『직지』가 소장되어 있는 구관과, 최근에 파리 13구 톨비악(Tolbiac) 구역에 세워진 세계 최대 최신의 프랑스아 미테랑관(Site F. Mitterrand)인 신관(新館)이 있다. 동양필사본부와 지도-도면부는 구관에 그대로 있다.

260) 쿠랑이 작성한 『中韓日圖書目錄』은 1902년-1903년에 7권의 소책자로 간행되었고, 1912년에 제8권이 간행되었으나 전체적인 완성을 하지는 못했다. 이 도서목록의 제목에는 한국도 있지만 이미 우리나라는 『한국서지』에 망라되어 이 도서목록에서는 빠져 있다.

전문적인 학자의 길로 들어선 쿠랑은 고등교육기관에서 동양학 강의를 하는 교수자리를 얻기 위해 동양학 관계 논문을 집필하기 시작한다. 처음에 그는 동양어학교의 일본어과 교수가 되고자 일본어 문법책과 몇 가지 논문 등을 준비했으나 자리가 나지 않아 중국어 준비를 한다. 그러던 중 1899년 동양어학교 중국어과 교수가 병으로 세상을 떠나 공석 자리에 지원을 하나 당시 문예학술원 및 교수회의에서 실무경력자 우선 방침으로 쿠랑은 중국에서 18년간 통역관으로 근무한 아르노 비시에르(Arnold Vissiére)에게 밀려 파리의 교단에 서지 못하게 된다. 당시 이 학교 교장으로 있던 쿠랑의 장인은 바로 전해에 세상을 떠나 어떠한 영향도 미칠 수 없었다. 이와 같이 교수자리를 얻지 못함은 개인뿐만 아니라 다수의 중국·한국서적을 소장하고 있는 국립도서관과 동양어학교도서관으로부터 멀어짐을 의미했다. 만일 그가 파리에 머물며 양 도서관을 최대한으로 활용할 수 있는 여건이었더라면 프랑스의 동양학 특히 한국학 발전에 막대한 공헌을 하였을[262] 것이다.

1896년 말 본국으로 귀국한 쿠랑은 1899년 자신이 바라던 교수직을 파리에서 구하지 못하자 극동과 가장 긴밀한 관계를 유지했던 도시인 리옹(Lyon)으로 거처를 옮긴다. 그리하여 1899년 12월(또는 1900년 5월)부터 쿠랑은 외무성 통역직을 사임하고 리옹 상공회의소[263]와 리옹대학에서는 1900년 3월 7일부터 저녁 강의에서 "중국의 일상생활"과 중국어를 가르치기 시작하여, 그해 5월 1일에 리옹대학교 문과대학 조교수에 임명되었다. 첫해 수강생은 15명, 그다음 해부터 강의가 주 6시간으로 늘었고 1903년에는 리옹대학에 정식으로 중국학 학위가 설치되었다. 이후 수강생의 수는 제1차세

261) ① 『조선일보』 2005년 11월 1일 A22면. "서구학계 일찍부터 고구려 韓國史로 인식" ② 서길수, 『한말 유럽학자의 고구려 연구』. 서울: 여유당, 2007. 모리스 쿠랑은 유럽에서 광개토대왕비뿐만 아니라 고구려 역사를 연구한 최초의 학자였다. 그는 일본의 자료를 바탕으로 연구하였지만 "일본 학자들이 제시한 설명이나 해석들을 모두 받아들여야 한다고는 생각하지 않았다."는 입장을 분명히 했다. 그리고 그의 논문에는 일본의 연구를 넘어서 독창적인 자기주장이 뜻밖에 많다.

262) 趙胤修, 『모리스 쿠랑의 한국서지에 대한 서지학적 고찰』. 석사학위논문. 이화여자대학교대학원, 1989. p.10.

263) 1844년부터 중국과 교역을 시작한 리옹의 상공회의소는 중국어와 중국풍습에 대한 필요성이 있던 시기여서 쿠랑을 초빙하게 되어 1900년 1월 25일 첫 강의를 시작으로 중국어 교수가 되었다. 리옹시는 당시 유럽 견직물 공업의 중심지로, 생사수입을 통해 중국과 일본에서 많은 교역을 하고 있었다.

계대전 기간을 제외하고 평균 10－18명이었다. 1900년 12월 23일에는 기메박물관에서 『한국의 기념물』이란 주제로 강연을 하기도 했다.

쿠랑은 리옹 상공회의소에서 극동문화에 대한 특히 한국에 관한 강의와 집필생활을 주로 많이 하여 1935년 그가 사망할 때까지 리옹에 머물며 35년간 서양의 대학에서 동양학과 한국학 강의와 연구의 선구자적인 업적을 남겼다. 특히 쿠랑은 말년에는 리옹대학에서 한국의 역사에 관한 조선 왕조의 창건과 조선시대의 왕권, 정치인에 관한 것이 주된 강의 내용이었다. 1900년에 열린 파리만국박람회 프랑스 파리위원회 위원으로 참가함은 물론 박람회장의 한국관을 소개하는 글을 쓴 공로로 대한제국으로부터 1901년 5월 31일 팔괘장(八卦章) 4등을 받기도[264] 했다. 쿠랑은 프랑스에서는 샤를 바라 이후 두 번째로 열리는 전시회에서 1892년 샤를 바라에 의해 트로카데로(Trocadéro)박물관에서 전시되었던 한국의 모자들이 파리만국박람회에서 전시되지 못함을 매우 아쉬워하기도[265] 했다.

쿠랑은 리옹대학 교수로 재직하고 있는 동안 주로 중국어를 가르쳤으며 리옹학사 회원, 프랑스·중국협회 회장직을 역임했다. 『한국서지』 보유판 1책(Supplément a la Bibliographie coréenne, 1901)은 본국 귀국 후 1901년에 리옹대학(Université de Lyon) 강사 및 상업부 교수 재직 중에 중국과 일본어의 정부 번역판을 발행함으로써 『한국서지』는 4년여의 기간을 거쳐 완성됨에 이른다. 프랑스는 1900년부터 1914년 사이 극동 사태의 향방을 대중에게 인식시키기 위해 쿠랑의 협조를 종종 요청했다. 그리하여 그는 1914년

---

264) ①『高宗實錄』41卷. 高宗 38年 5月 31日條. 表勳院總裁閔泳煥奏: "卽接法國巴璃萬國博覽會副員閔泳瓚報告, 則'博覽會法國人之幹事于大韓博物局諸員, 效勞頗多, 不可不論, 玆將各該姓名修呈'云矣. 諸員勞績, 允合敍勳, 故自臣院經議後, 敍勳相當等級, 謹具開錄, 請聖裁." 制曰: "依允." 各賜八卦章. 【勳二等賜八卦章, 法國巴璃萬國博覽會大韓博物局總務員子爵米模來、事務員梅仁; 勳三等賜八卦章, 事務員總領事路里羅; 勳四等賜八卦章, 建築師幣乃、事務員古恒雷物仰닌쓰、公使館參書官來薩泰.】 ②『日省錄』光武 5年(1901) 4月 14日. 該院奏言 卽接法國巴璃萬國博覽會副員閔泳瓚報告 則博覽會法國人之幹事于大韓博物局諸員 效勞頗多 不可不論 玆將各該姓名修呈云矣 諸員勞績 允合敍勳 故自臣院經議後 敍勳相當等級 謹具開錄 請聖裁允 之勅以各賜八卦章. 勳二等賜八卦章 法國巴璃萬國博覽會大韓博物局總務員子爵未模來 事務員梅仁 勳三等賜八卦章 事務員總領事路里羅勳四賜八卦章 建築師幣乃 事務員古恒雷物仰닌쓰 公使館參書官來薩泰(쌍달).

265) 프레데릭 불레스텍스 지음, 이향, 김정연 공역, 『착한 미개인 동양의 현자』. 서울: 청년사, 2001. p.137.

까지 뮈텔 주교가 한국에서 정규적으로 보내 주는 『Korea Repository』·『Korea Review』·『Korea Press』 등의 자료로 정치학에 관련된 글을 수편 작성하나 현지에서 멀리 떨어져 극히 한정된 자료를 바탕을 쓴 논문이므로 일시적인 가치를 지닐 뿐이다.

쿠랑은 45세 때인 1910년 12월 중순, 서가의 높은 곳에 있는 책을 꺼내기 위해 사다리를 놓고 올라갔다가, 사다리가 넘어져 떨어지는 바람에 유리 조각 하나가 오른쪽 손목에 깊숙이 들어가 오른손을 완전히 마비시켜 사용할 수 없게 되었다. 그리하여 그는 정상이 아닌 오른팔을 소매 속에 감추고 다니며 왼손으로 글을 쓰는 법을 배우게 되지만 자연히 저술활동이 저조해졌다. 그럼에도 불구하고 쿠랑은 1913년 리옹대학 문학부에서 『중국음악사론』으로 박사학위를 받았는데[266] 이 논문의 부록에 실린 '조선음악'은 『音樂百科事典』에 수록되어 그의 한국 음악에 대한 연구 또한 높이 평가할 만하다. 그는 이해 11월 1일자로 정교수에 임명되어 학자로서의 경력이 절정에 달했다.

쿠랑은 1919년 리옹 교육구청장과 함께 일본을 방문하여 일불회관(日佛會館)[267] 건립에 관한 사업을 논의했다. 그러나 협상이 장기화되자 교육구청장은 귀국하고 쿠랑은 그 틈을 이용하여 중국을 방문한 후 육로로 그해 9월에 자료수집차 두 번째로 27년 만에 다시 한국을 방문했다. 그리하여 한국에서 평양·서울·대구 등 겨우 15일간 머물렀으며, 1908년 이래 만나지 못했던 뮈텔 주교를 두 번째로 만났다. 쿠랑은 그때서야 규장각과 장서각 도서를 구경하고 12월에 프랑스로 귀국했다. 만일 그때 조선 정부와의 긴밀한 접촉하에 이루어져 체류기간이 넉넉했다면 그가 문예학술원의 원조금으로 계획했던 금석학적 연구와 서구의 한국학 연구에 지금보다 더 큰

---

266) 쿠랑은 프랑스 학사원에 박사학위논문으로 『한국서지』를 제출한 바 있다.

267) 일불회관은 주일대사로 부임한 작가 폴 클로델(Paul Claudel)과 일본 사업가 시부사와 등의 노력으로 1924년에 도쿄에 개관되어 현재도 운영되고 있다. 이 회관의 최초 프랑스 유학생 입주자는 프랑스에서 한국학의 제도적인 기초를 마련한 샤를 아그노에르(Charles Haguenauer(1896－1976))였다. 쿠랑을 이을 수제자가 단 한 명도 없다가 쿠랑은 알지도 보지도 못한 샤를 아그노에르에 의해 한국학 연구가 그 명맥을 이어 가고 있다. *이진명, "쿠랑－유럽 한국학의 선구자－", 『한국사 시민강좌』 제34집. 서울: 일조각, 2004. p.46.

공헌을 하였을 것으로 추측된다. 쿠랑은 프랑스에서 1921년 리옹에 설립된 불중학원(佛中學院)의 운영 참여와, 1927년 리옹 중법대학(中法大學) 설립 문제로 실무직에서 물러날 때까지[268] 한국학 분야의 50여 편에 달하는 많은 업적을 남겼으며,[269] 1930년까지 지속된 그의 헌신적인 한국학 연구에도 불구하고 그의 업적은 좋은 평을 듣지 못했다.

우리나라에서는 1970년도에 쿠랑의 서지적 업적을 인정하여 그에게 문화훈장을 추서(追敍)하기로 결정하였으나 쿠랑의 후손을 찾지 못하여 전달하지 못하고 프랑스 외무부에 보관되어 있다가 1977년에 조카 손자를 찾아 전달했다. 이상으로 보아서 모리스 쿠랑이 한국학 연구의 기본을 닦았다는 사실을 부인하는 학자는 아무도 없을 것이다. 그러나 불행하게도 쿠랑의 모국인 프랑스에서는 그의 업적이 그다지 알려져 있지 않다. 이 같은 사실을 안타깝게 생각하였던 프랑스 국립학술연구재단[270] 연구관이자 파리7대학 한국과 교수인 다니엘 부셰(Daniel Bouchez)에 의하여 1977년부터 쿠랑의 업적을 프랑스 학계에서도 재인식할 필요가 있음을 통감하고[271] 우선 쿠랑의 후손 찾기에 힘써 그 후손을 찾게 되었다. 부셰 교수는 쿠랑이 말년까지 리옹대학에서 중국어 교수 등을 역임한 사실이 있기 때문에 그곳에 연락하여 쿠랑의 조카 손자가 파리교외 세브르에 거주하고 있는 것으로 알아 이 사람을 통하여 지금까지 밝혀지지 않았던 쿠랑에 대한 사실을 알게 되었다.

쿠랑은 1930년대까지 프랑스에서 한국을 가장 잘 아는 학자로 인정되어 여러 학술잡지에 우리나라에 관한 논문과 기사를 많이 게재하였지만 이미 발견된 미발표 유고만도 『이조관직제도』·『한국역사』·『한국의 비명(碑銘)』 등이 있었다. 부셰 교수는 300여 권의 귀중한 우리나라 서적을 소장하고 있었던 것으로 알려진 쿠랑의 장서를 찾으려고 노력했다. 쿠랑은 『한국서지』

---

268) 쿠랑이 리옹에서 중불 단기대학 운영에 관여하였지만 중국 측 지도자들은 쿠랑의 노고를 단 한 번도 감사해하지 않았다.

269) 쿠랑의 연구업적은 그가 외교관 생활을 시작한 1891년부터 리옹대학에서 연구와 강의를 하던 1927년까지 동양학 전반에 걸쳐 무려 103편의 논문을 남겼다.

270) 프랑스 국립학술연구재단(CNRS): Centre Nationale de la Recherche Scintifique.

271) 『조선일보』 1977년 10월 18일 5면. "19세기 韓國學의 巨星 〔모리스 쿠랑〕 硏究 활발－저서 『조선서지』 전4권 프랑스서 재평가－".

이외에도 우리나라의 문화와 서지에 관한 조사를 하여 많은 연구발표를 하였으니 그 당시까지의 우리나라의 서지 정리를 한 셈이 되는 것이다. 그러니까 우리나라 사람도 아닌 외국인으로서 이러한 커다란 사업을 하는 데 있어서 그 노력과 고충이 얼마나 많았었을까 하는 생각할 때 우리는 그의 많은 공헌과 업적에 대하여 보답하여야 할 것이다.

쿠랑은 극동에 대한 연구를 함에 있어 학문적·언어학적 지식을 활용함은 물론 중국과 일본, 한국에 대략 10여 년간 직접 체류를 하면서 이론과 실제 경험을 모두 겸비한다. 이러한 토대 위에서 한국에 관한 다양한 형식의 자료에서부터 한국의 정치·경제·사회·문화·예술 등 각 분야에 대한 광범위 하며 개인적 호감의 주제까지 연구대상으로 다루었다. 이상 쿠랑의 『한국서지』의 서지학적 분석 등에 관한 자세한 내용은 다니엘 부셰 교수와 조윤수(趙胤修), 엄숙경(嚴淑瓊)의 학위논문[272]에 자세하게 나와 있으며, 지금까지 밝혀진 쿠랑의 생애와 저술을 연도별로 요약하면 아래와 같다.

1865년 10월 12일 프랑크랭(Franklin)가(街) 6번지에서 아버지 샤를 이지도르 쿠랑과 어머니 마리 꼬스나르 사이에서 장남으로 태어남
1871년 남동생 앙리 태어남
1883년 대학자격 시험 통과(문학사), 파리대학 법학과 입학
1885년 동양어학교 등록(중국어과·일본어과)
1886년 법학학사 받음
1888년 동양어학교 졸업(중국어과·일본어과), 아버지 샤를 이지도르 쿠랑 사망
1888년 군복무 면제
1888년 9월 6일 – 1890년 5월 베이징주재 프랑스공사관 통역실습생 근무
1889년 11월 – 1890년 5월 베이징주재 프랑스공사관 아르노 비씨에르(Arnold Vissiére, 1858 – 1930) 대신 수석 통역관 대행
1890년 5월 23일 – 1892년 2월 11일 베이징에서 프랑스와 게랭의 후임으로 서울 전속 발령(서기관)
서울주재 공사관 통역 영사 근무(플랑시와 2인이 외교공관 유지). 『한국서지』연구 시작(추정)
1890년 7월 12일 베이징 전속발령

272) ① Daniel Bouchz, "韓國學의 先驅者 모리스 쿠랑(上, 下)", 『東方學志』 第51輯(1986). pp.153 – 194./第52輯(1986). pp.83 – 121. ② 嚴淑瓊, 『19세기말 在韓 프랑스 외교관 모리스 쿠랑의 韓國書誌에 대한 고찰』. 석사학위논문. 경성대학교대학원, 1999. ③ 趙胤修, 『모리스 쿠랑의 한국서지에 대한 서지학적 고찰』. 석사학위논문. 이화여자대학교대학원, 1989.

1890년 8월 16일 도쿄 전속발령

1891년 "北京의 宮廷"연구로 프랑스 외무성 통역관상 받음. 플랑시, 쿠랑 공저『朝鮮文獻一覽(Tableau de la littérature coréenne)』이라는 가제가 붙은『한국서지』출판 결정(에르네스트 르루사)

1891년 6월 이후부터 플랑시에게 편지를 쓰기 시작함

1891년 6월 15일 에밀 로셰(E'mile Rocher) 서울 도착

1891년 11월－1892년 1월[273] 금석문 연구.『朝鮮職官歷代總覽(Répertoire historique de l'administration coréenne)』[274] 집필, 뮈텔 주교 만남

1891년 12월『한국행정제도사 일람』작성[275]

1892년 프랑스 외무성 통역관상 받음, 뮈텔 주교에게서『大東韻府群玉』복사본 받음

1891년에 작성된『한국행정제도사 일람』으로 외교관상 수상

1892년 3월 10일 베이징 전속발령으로 조선을 떠남, 뮈텔 주교에게 편지를 쓰기 시작함

1892년 6월 플랑시에게 보낸 편지에 의하면『한국서지』행정・의례・불교・도교 부분 완성, 역사・문집류 해제 정리단계

1892년 10월 프랑스 귀국

1893년『한국서지』집필을 위해 대영박물관 및 프랑스국립도서관 도서를 조사하여 해제 보충

"한국에서 사용된 다종의 화폐소사" 집필

1893년 1월 동양어학교장의 딸 엘렌 셰피르와 결혼

1893년 11월 일본 도쿄 전속발령

1893년 12월 도쿄도서관과 서점, 우에노도서관(上野圖書館) 및 증상사원(增上寺院)에서 한국도서 조사

1893년－1895년 2명의 아들 출생

1894년－1901『한국서지』에 "조선의 예술은 인간의 예술이다" 기록

1894년 2월 도쿄의 (주)東京築地活版製造所[276]와『한국서지』서문 완성, 제1권, 제2권, 제3권 인쇄계약 맺음

1894년 12월『한국서지』서문 별쇄본 인쇄본 뮈텔 주교에게 보냄,『한국서지』제1권 출간

---

273) 쿠랑이 서울에서 외교관 생활을 한 시기는 1890년 5월 23일부터 1892년 2월 11일까지 21개월이었다.

274) 이 논문은 서울에서 재직하던 1892년에 완성하여 프랑스 외무성에 보냈다. 두 권의 공책에 쓴 것으로, 제1권은 282장, 제2권은 154장으로 쿠랑 생전에는 출판되지 못하고 콜레주 드 프랑스의 한국연구소(Institut d'Etudes Coréennes) 도서실에 보존되어 있던 필사본은 1986년에 서문과 함께 다니엘 부셰 교수에 의해 영인 출판되었다. 이 논문이 당시에 출판이 되지 못한 것은 1894년 갑오경장으로 조선의 모든 관직제도가 유럽식으로 바뀌는 바람에 외국 외교관들을 대상으로 한 독자 대상이 없어지고 역사학자들에게만 효용성이 남아 있을 뿐이었기 때문이다.

275)『뮈텔주교 일기』1891년 12월 27일. 미사를 드리러 막 강당으로 가려 할 때, 홍살문에서 한 교우가 두세(Doucet) 신부의 도착을 알려 준다. 되돌아와 여기에서 8시 미사를 집전. 코스트 신부의 첨례. 쿠랑 씨가 저녁 식사에 초대. 그는 우리에게 조선의 행정에 관한 자신의 역사 연구서인『한국행정제도사 일람(Répertoire historique de l'administration Coréenne)』의 서문을 읽어 주었다. 매우 아름다운 문체로 쓰인 현학적인 서문이다. 조선 백성의 성격이 아주 뚜렷이 드러나 있다…….

276) 이 인쇄소는 당시 日本 東京市 京橋區 築地 貳丁目 17番地에 있었다.

1895년 "한국에서 사용된 각종문자 체계" 집필

1895년 6월 1일 중국 전속발령, 『한국서지』 제2권이 출판되자 프랑스로 보냄.

1895년 6월 초 두 아들 병으로 잃음, 직업외교관 퇴직

1895년 - 1896년 "한국사의 주요시기" 집필

1896년 학부대신 민종묵이 학부 외국고문으로 파견해 줄 것을 프랑스 정부에 건의·파리 정착, 『한국서지』 제3권 출판
셋째 아들 출생

1897년 프랑스국립도서관 근무 극동지역 도서목록 작성
"한국의 판소리와 무용" 논문 집필
"한국학 및 일본학 小考" 제11차 국제동양학자회의의 〈극동의 언어와 고고학〉에 발표

1897년 2월 기메박물관 주제 강연 "9세기까지의 한국, 일본과의 관계 및 일본문화 起源에 미친 영향"

1897년 5월 13일 조선의 학부 고문 위촉과 관련 협상 위임(성사 안 됨)

1898년 『高句麗 王朝의 紀念碑』 논문 집필: 광개토왕비에 관한 서양 최초의 연구 논문

1899년 동양어학교 중국어과 교수 지원 실패, 『韓國學 및 日本學 小考』 출판

1899년 12월 리옹 상공회의소와 리옹대학에서 중국어 가르침

1899년 12월 17일 기메박물관 주제 강연 "韓國의 宗敎儀式略史"

1900년 파리만국박람회 고종황제가 파리위원회 위원으로 임명. 『샹드 마르스에 있는 한국관』 설명서 집필

1900년 1월 1일 - 1900년 2월 리옹 상공회의소 파견

1900년 3월 1일 - 1913년 10월 31일 리옹대학교 문학과 강사

1900년 5월 리옹대학 중국어 강의, 리옹 상공회의소 극동문화 강의

1900년 12월 23일 기메박물관 주제 강연 "한국의 기념물들"

1900년 - 1912년 『中韓日圖書目錄』 별책 2권 첨부한 필사본 간행

1901년 『한국서지』 보유판 출간

1903년 정치학 연감(Annales de sciences politiques)[277]에 『극동의 정치생활』 연재 1908년까지

1904년 "조선과 외국의 세력", "극동사정, 조선조정", "조선에서의 일본 제국주의의 건설: 15세기 이후의 부산[278]" 등 논문집필. 단행본 관광 안내서 『한국』 집필, "9세기까지의 한국, 일본과의 관계 및 일본문화 起源에 미친 영향" 학회 발표. 마드롤 가이드북(Madrollés Guide Books)에 "중국 북서부와 한국, 시베리아 횡

277) 당시 선진 유럽에서는 자신들의 견해에서 후진국이라는 모든 국가들에 대해 백인종의 우월감과 관대함이 확산되는 시기였다. 그럼에도 불구하고 쿠랑은 이 연례 시론에서 프랑스 이외의 문명에 대한 평가절하의 위험성을 독자들에게 경고했다. 또한 그는 자주성을 잃어 가고 있는 한국의 비극에 대한 내용과도 차별화하여 조선을 이웃 강대국에 의해 위협받는 유럽의 국가들, 나아가 프랑스와 비교하며 "국가의 독립은 이를 위해 투쟁하는 자들의 것"이라고 주장했다.

278) 『Un établissement japonais en Corée, Po-san depuis le XVe siécle』라고 제목이 붙은 이 논문은 쿠랑이 당시 일본이 한반도에 대한 역사적 권리를 내세우는 근거가 없는 것임을 보이기 위해 작성한 것으로 한국의 편에 서서 목소리를 높여 준 외국인 가운데 한 사람이었다.

단철도(Chine du Nord et de l Quest, Corée, le Transsibérien)"[279] 기고
1908년 『동서양의 정치생활』연재 1914년까지 지속
1909년 『同盟에서 統治까지 보호령의 宿營地』 『종교 및 윤리백과사전』내 '한국' 항목 집필
1910년 12월 중순 서가에서 추락사고로 오른손 불구됨. 왼손 사용 시작
1912년 12월 1904년에 집필한 단행본 『韓國』이 『Chosen』으로 영역되어 수록
1913년 11월 1일 - 1935년 1월 31일 리옹대학교 문학과 교수
1913년 리옹대학 문학부에서 『중국음악사론』으로 박사학위 받음
1917년 폐렴에 걸림
1918년 - 1919년 리옹대 문과대학에서 극동사 공개강의 개설 "일본의 근대화"란 주제로 강의
1919년 일본에 일불회관(日佛會館) 건립 사절단[280]으로 파견(6주)
1919년 9월 한국방문(평양 · 서울 · 대구) 15일간 머묾. 뮈텔주교 재 상봉(1908년 이래). 장서각 방문
1921년 초 부인과 이혼
1923년 8월 첫 만남(1891년 11월) 이후 뮈텔과 편지를 주고받음
1925년 남동생 앙리 사망함
1927년 리옹대학 교수 퇴직, 『한국문자』 집필
1928년부터 1930년 "1567년에서부터 1644년까지의 한국" 강의
1930년 셋째 아들 사를 사망함
1930년부터 1931년 "1392년, 왕조교체" 강의
1935년 2월 1일 리옹대학교 문학과 교수 퇴직
1935년 8월 18일 70세로 리옹 인근 깔위르에서 사망
1950년 쿠랑의 아들 사망
1970년 대한민국 정부에서 문화훈장 추서(후손을 찾지 못해 프랑스 외무부 보관)
1977년 쿠랑의 조카 손자에게 대한민국 문화훈장 전달

2) 『한국서지(Bibliographie coréenne)』의 편찬 배경

『한국서지』는 주한 프랑스 외교관으로 근무했던 플랑시의 제안으로 쿠랑과 함께 수많은 한국의 도서관과 서점, 노점 뿐만 아니라 휴가를 이용하여

279) 이 책은 1904년 이후 동북아로 여행을 떠나는 사람들에게 한국에 관해 간략하면서 완전하고 소중한 정보를 제공하는 서구에서 나온 최초의 전문적인 관광여행 안내서이다. 쿠랑의 글은 45쪽에 이르며 권위 있는 아세트(Hachette)출판사의 마드롤 관광 가이드 컬렉션의 하나인 "중국 북부 및 한국" 편에 들어 있다.

280) 도쿄 프랑스연구소 및 베이징 프랑스 중국학연구소 설립조건 검토 사절단.

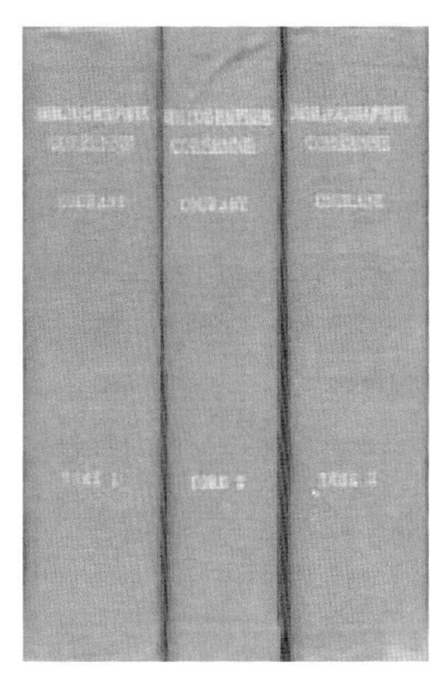

(사진 16)『Bibliographie coréenne』

외국의 도서관, 학교를 방문해 우리나라의 책을 조사하고 연구한 책들에 대해 해제(解題)를 달았다. 이러한 프로젝트(Project)에는 다블뤼 주교와 뮈텔 주교와 같은 프랑스 선교사들의 도움이 상당히 컸다.『한국서지는』플랑시가 계획하여 준비한 것으로 그에게서 집필을 인계받은 쿠랑은 플랑시가 수집한 기초 자료를 보충하고 뮈텔 주교의 도움을 받아 완성될 수 있었다.『한국서지』를 편찬함에 있어 쿠랑의 첫 번째 생각은 서론에 앞서 목록을 만드는 것이었다. 그러나 서명의 단순한 일람표는 경우에 따라서는 도서관 사서들에게만 흥미를 끌게 할지도 모를 일이었다. 그 내용과 그리고 가능하다면 저자, 편찬의 상황 등에 대한 소개가 필요하다는 것을 플랑시가 먼저 깨달았다. 다시 말하여 서양에 발표되지 않은 취할 수 있는 모든 정보를 갖추고 귀중본이라든가 원본의 경우 관계가 있는 사람들의 흥미를 끌 만한 주석이 첨부된 진정한 서지적 목록을 만들어야 했다. 두 사람은 작업에 아주 만족하였으나 얼마 안 있어 일본으로 전근을 가게 된 플랑시는 쿠랑 혼자 이 계획을 완성시키도록 하였고 그는 얼마간 망설였으나 곧 열정을 가지고 작업에 임했다. 그 결과를 모두가 알다시피 단순한 한국문헌의 소개를 훨씬 뛰어넘은『한국서지』였다. 이 책은 한국에서 김휴(金烋)의『해동문헌총록(海東文獻總錄)』이래 2세기 반 만에 이 나라 서지사(書誌史)에 커다란 발자취를 남겼다. 부셰 교수는『한국서지』의 편찬 배경에 대해[281] "플랑시는『한국서지』편찬에 쿠랑의 조언자가 아닌 공저자라고 할 수 있을 만큼 큰 역할을 했다. 플랑시는 동양어학교 교수들이 거의 언급조차 하지 않던 미지의 땅 조선에서의 체험과 특히 한국의 고문서에 관심이 많았다. 그리하여 같은 동양학을 전공한 후배이자 외교관인

281) Daniel Bouchz, "韓國學의 先驅者 모리스 쿠랑(上)",『東方學志』第51輯(1986). pp.157 – 162.

쿠랑과 대화를 하던 중 당시 서양에 거의 존재조차 알려지지 않은 조선문학에 대한 목록, 더 나아가 이를 서지로 만들고자 생각했다. 특히 중국이나 일본에 근무하기를 원했던 쿠랑이 한국으로 오게 되어 흥미를 잃고 의기소침한 채 권태로운 몇 달을 보내자 그에게 자신이 구상한 것처럼 말하며 도움을 요청했다. 그럼에도 불구하고 처음에 쿠랑은 이 계획에 전혀 흥미를 느끼지 못했고 관심도 없었다. 그러나 플랑시는 여러 달 동안 쿠랑 혼자서 전적으로 맡아 줄 것을 설득하여 『한국서지』가 탄생하게 되었다."고 말하고 있다.

『한국서지』는 모두 2012페이지이며 여기서는 인쇄술이 발명된 이후부터 쿠랑이 책을 저술할 때까지의 한국에서 생산된 인쇄본 및 필사본 서적 3,241종(580종 부록 제외)의 한국본의 목록을 게재하고 이것을 해제했다. 이것은 놀랍게도 지금까지 국내외를 막론하고 어느 것보다도 우수하여 가장 방대하고 정밀하며 또한 투철한 한국의 문화 및 서지를 연구한 것이었다. 쿠랑은 한국전적에 대한 예비지식 없이는 한국의 서지를 도저히 이해할 수 없다고 생각하여 200여 페이지의 서론 부분에서 한국의 책사(冊肆: 서점),[282] 당시의 대문고(貸文庫: 도서대여점), 지질(紙質), 체재(體裁)에 관한 것뿐만 아니라 활자인쇄술이 세계에서 가장 먼저 시작되었다는 인쇄의 발명과 발달에 관한 내력을 알려 주었다.

위에서 서술한 바와 같이 이 책은 1894년 프랑스에서 방대한 고가물(高價物)로 출판되었으며 서론 부분은 영어로 번역되어 1897년 『Korean Repository』에 게재되었다. 『한국서지』의 편찬을 시작한 쿠랑은 플랑시가 탁월한 조언으로 제시해 준 전거문헌(典據文獻)이 있었으나 당시 그는 후에 한글을 익혔지만 처음에는 한국어를 알지 못하여 듣고 이해하는 것은 불가능했다. 하지만 중국어를 전공한 그는 한자를 알고 있어 서울의 프랑스 공사관의 한국의 통역관이나 선비 또는 책쾌[283]들에게 서적을 통해 얻을

---

282) 서점은 조선시대에는 서사(書肆: 書籍放肆) 또는 책사(冊肆)라 불렀고, 일제시대에는 서포(書舖)나 책포(冊舖)라 불렀다.

283) 책쾌는 조선시대 때 도서를 거래 해주는 중개인이자 책 안에 담긴 문화 수요의 증가에 맞추어 책을 매매하는 서적 전문 유통인으로 서점의 책을 이들을 통해 공급되었다.

수 없었던 설명이나 정보[284]를 도움받아 수많은 시행착오를 면할 수 있었다. 쿠랑의 한자실력은 조선의 거의 모든 전적이 한문으로 되어 있었기 때문에 그가 문헌을 접근하고 분석하는 데에는 그다지 큰 어려움은 없었을 것으로 생각된다. 그리하여 당시 서양의 동양학자들이 한국의 지명, 인명, 용어들을 중국식 발음대로 표기한 것과 달리 그는 한국의 한자음대로 표기하는 방식을 채택했다.

그리고 쿠랑이 「한국서지」를 편찬함에 있어 또 다른 도움을 준 이는 한국 가톨릭교회의 창설자이자 서울의 교구장인 귀스타브 뮈텔(Gustave Charles Marie Mutel, 閔德孝, 1854－1933) 주교로 쿠랑은 그가 보내 주는 각종 전적 자료를 통해 한국학 연구를 계속할 수[285] 있었다. 쿠랑은 1891년 2월 서울에 두 번째 들어왔을 때[286]부터 뮈텔을 만나 그와 친분을 맺어 그의 만년까지 서신을 주고받게 된다. 그리하여 『한국서지』 중 천주교와 개신교의 서적이 들어 있는 제3권과, 보유편 저술은 쿠랑이 뮈텔에게 서신연락을 통해 자료수집과 그에 대한 해설을 의뢰하여 그것을 바탕으로 저술된 것으로 여기에는 천주교 박해시대부터 1890년까지 간행된 100여 종의 한국 천주교 서적들이 수록되어 있다. 『뮈텔주교 일기』에 의하면 1923년까지 쿠랑의 편지가 보관되어 있어 이 편지를 통해 쿠랑의 생애는 물론 『한국서지』의 작업 중 뮈텔에게 경과와 서지학적 또는 역사학적 정보를 자문하였음을 알 수 있다. 필자는 이에 한국교회사연구소에서 번역된 『뮈텔일기(Journal de Mgr)』를 참조하여 쿠랑의 생애를 밝히는 데 일부분 도움이 되었으나 아직 번역되지 않은 프랑스에 보관된 뮈텔문서(Documents de Mgr) 자료들에 대해서는 자료 확보와 언어 해득의 문제로 종합적인 검토를 하지 못해 향후 기회가 되면 더 보완하고자 한다.

284) 쿠랑은 그 당시 최근 세기의 역사를 비롯하여 구전문학에 대한 자료를 조사하기도 했다.

285) 쿠랑은 『한국서지』 편찬 발상은 플랑시가 제안한 것이고 그에게 많은 확실한 정보와 조언을 받았으며 한국인과의 대화를 통해 책의 정보를 알아냈다고 『한국서지』 원저자 머리말에서 밝히고 있다.

286) 쿠랑이 뮈텔 신부를 처음 만난 것은 1891년 2월 24일 뮈텔이 플랑시 공사와 쿠랑을 방문하면서부터이다. *『뮈텔주교 일기』 1891년 2월 24일.

뮈텔은 천주교 관련 서적 이외에도 쿠랑이 한국을 떠난 후에 『삼국사기』·『동국여지승람』 등과 같은 『한국서지』 편찬에 중요한 도서들을 구해 달라고 부탁하면 자신이 구할 수 있는 도서들을 모두 구하여 쿠랑에게 보내 주었다. 특히 희귀본 같은 경우는 필사생을 시켜 필사본으로 만들어 주었는데 1892년에 복사를 하여 보내 준 『대동운부군옥(大東韻府群玉)』이 한 예이다. 쿠랑은 이러한 노력에도 불구하고 『한국서지』를 짧은 기간에 외국 등지에서 펴낸 바, 모든 왕실도서관의 장서목록 중에서 가장 우수한 『서고장서록(書庫藏書錄)』과 1908년에 간행된 『문헌비고예문고(文獻備考藝文考)』 등 2개의 중요서목은 이용하지 못했다. 그러나 쿠랑이 조선 왕실의 문헌목록들을 번역하는 데 만족했다면 그의 작업은 한국인들에게 거의 관심거리가 될 수 없었을 것이다. 실제로 그는 17세기의 한국인 선행자처럼 행하면서 그의 문헌조사의 결함들을 보강했다. 한국에 체류하는 동안 노상서점, 세책가(貰冊家)[287] 및 대본소(貸本所) 장서목록,[288] 사찰의 서고, 개인 소장처 등지를 모두 돌아다니면서 조사하고 설명을 달고 목록카드를 모았다. 또한 걸어서 서울에서 이틀거리인 강화도까지 가서 비문을 탁본하는 등 열정적이었다.

이 같은 연구는 서울에 체류했던 2년간의 기간에 국한되지 않고 『한국서지』 편찬을 위해 플랑시와 쿠랑 모두 유럽과 일본 등 다른 부임지로 가는 데서도[289] 이어졌다. 이 조사를 통하여 쿠랑은 19세기 말 한국인 자신들을 위한 그들 국가의 기술문화(記述文化)와 구술전통(口述傳統) 등을 제시한 증인이[290] 되었다. 『한국서지』는 플랑시와 쿠랑이 수집한 장서 이외 다른

---

287) 세책가들은 세책본을 주로 취급했다. 세책본(貰冊本)이란 주로 19세기에 대여를 목적으로 발행된 책으로 흥미를 유발할 만한 부분을 늘여 원본에 변형을 가하고 한 페이지에 들어가는 행수를 줄여 책의 분량을 늘이고, 재미가 고조되는 부분에서 한 권을 마무리하여, 다음 권을 빌려 읽도록 유도한 점이 특징이다. 이러한 세책본에는 『홍길동전』·『춘향전』·『유충렬전』·『구운몽』·『열국지』·『옥환기봉』·『옥인기연』·『춘추열국지』 등 당시에 가장 인기 있는 소설과 『한양가』·『원달고가』·『남훈태평가』와 같은 가사(歌辭) 위주의 책들이었다.

288) 『한국서지』의 편찬은 서점 이외에 책 대여점과 같은 곳에서도 많은 책의 실물을 보고 이러한 대여점에 관한 서울까지 조사함으로써 개화기 당시의 사회문화 및 독서문화를 파악할 수 있는 중요한 자료를 수록하고 있다.

289) 『한국서지』는 프랑스·독일·영국 등 유럽의 도서관과 베이징, 일본 근무시의 현지조사를 통해 국내외의 약 20여 개처에 소장된 한국도서 2070종을 조사했다. *조윤수, p.24.

사람들의 장서나 기증된 도서관의 전적까지 망라되어 있다. 모두 4권으로 완성된『한국서지』는 제1권의 첫머리인 서설(序說) 215페이지는 조선의 서지와 문화에 대한 개략적인 설명이 실려 있고 이후 본문이 503페이지에 달한다. 제2권은 539페이지, 제3권은 본문 446페이지 및 색인 177페이지, 제4권은 부록 서문 10페이지 및 본문 122페이지 등 합계 2012페이지의[291] 방대한 저서이다. 4권까지 본문에는 여기에 실린 전 서적에 대한 소개와 설명이 실려 있는데 서명은 한글과 한문으로 표기되어 있고, 서명 옆에는 프랑스어 발음이 표시되어 있으며, 서적에 대한 설명은 프랑스어로 되어 있다. 이상『한국서지』의 참고문헌, 편성체제 및 내용분석, 소장처별 분석에 대해서는 조윤수와 엄숙경의 학위논문[292]에 자세하게 나와 있다.

3)『한국서지(Bibliographie coréenne)』의 출판과 연구

쿠랑에 의해 출판된『한국서지』가 역작임에도 불구하고 출판 당시는 프랑스 학계에서는 한국을 잘 알지도 못했고 관심도 없어 큰 호응을 얻지 못했다. 그러나 이 책은 2년이 채 못 되는 짧은 체류기간을 의심할 정도로 한국의 서지와 문화에 대한 다양한 측면을 예리하게 잘 파악하고 새로운 관점을 제시하고 있다.

이 책은 독자들이 읽는 대중서가 아니고 도서 전문가들과 한국의 책이나 문화에 깊은 관심이 있는 사람들만 보는 참고용 도서이기 때문이다. 또한 처음 출판할 당시 총 인쇄부수가 얼마인지 알 수 없으나 후일 구미학계에서 이 책 원본에 대한 수요가 늘어 프랑스 고서점가에서 절품되어 뉴욕에

---

290) 모리스 쿠랑 원저, 李姬載 譯,『韓國書誌－修訂飜譯版－』. 서울: 一潮閣, 1994. 부셰의 卷頭辭 참조.

291) http://www.nl.go.kr/(국립중앙도서관)에서『Bibliographie coreenne』검색하면 목차가 자세하게 나와 있다.

292) ① 趙胤修,『모리스 쿠랑의 한국서지에 대한 서지학적 고찰』. 석사학위논문. 이화여자대학대학원, 1989. ② 嚴淑瓊,『19세기말 在韓 프랑스 외교관 모리스 쿠랑의 韓國書誌에 대한 고찰』. 석사학위논문. 경성대학교대학원, 1999.

서 새로 인쇄된 것[293]이 구미 서점가에 배부됐다. 『한국서지』의 수요가 늘면서 미국인과 일본인에 의해 번역되고, 우리나라 사람에 의해서는 해방 이후에 소개되었지만 한국고서를 보유한 서양의 도서관에 근무하는 사서·서지학자·연구자들이 오늘날 필수적으로 참고하는 기본도서이다.

『한국서지』가 한국에 처음 소개된 것은 영국인 선교사 켄뮤어(A. H. Kenmure)[294]가 1896년 『한국서지』가 발간된 바로 이듬해인 1897년에 『The Korean Repository』 6월호와 7월호에 『한국서지』의 간략한 해제와 특히 서론 부분의 내용을 상세히 검토하여 소개 발표한 것이[295] 최초로 쿠랑의 저작은 상당히 빨리 알려진 셈이다. 『The Korean Repository』는 당시 배재학당 부속의 이름난 출판사인 삼문출판사에서 국판 크기로 발행되는 영문으로 간행된 월간잡지이다. 『한국서지』의 번역은 1901년 게일(Jas. S. Gale)에 의해 두 번에 걸쳐 부분적으로 영역되었으며,[296] 1912년에 일본인 아사미 린타로(淺見倫太郎)[297]가 일역을 하여 『조선예문지(朝鮮藝文誌)』[298]라 펴냈다. 이

293) 이희재, "모리스 쿠랑과 한국서지" 프랑스 국립극동연구원, 『서울의 추억 - 한/불 1886 - 1905 - 』 한불수교 120주년 기념전시 심포지엄 논문집, 2006. p.35 주2).

294) 켄뮤어(Alexander. H. Kenmure): 대영성서공회 소속 선교사. 1893년 한국에서의 성서사업을 논의하기 위하여 당시 대영성서공회 만주지부 총무로 있으면서 한국 성서사업의 책임도 지고 있던 털리(R. T. Turley)와 함께 내한했다. 1895년 대영성서공회 한국지부를 설립하고 초대 총무로 서울에 정착하여 한국의 성서 번역사업에 큰 업적을 남겼다. 1905년 4월 건강악화로 한국을 떠났다.

295) A. H. Kenmure, "Bibliographie coréenne", 『The Korean Repository』. June(pp.201 - 206), July(pp.258 - 266). Seoul: Trilingual Press, 1897. *이 잡지는 1887년 12월에 감리교 선교사로 내한했던 올링거(F. Ohlinger) 부부가 1892년 1월 서울에서 창간한 한국 최초의 영문 잡지이다. 1892년 12월호까지 발행한 후 창간자의 귀국으로 휴간되었으며, 1895년부터 아펜젤러(H. G. Appenzeller)와 헐버트(H. B. Hulbert)에 의해 다시 속간되어 1898년 4월 통권 58호를 마지막으로 폐간되었다. 현재 이 잡지는 1986년 한국교회사문헌연구원에서 재판한 바 있으며, 배재대학교 중앙도서관에 연간물자료 청구기호 P951K84에 1892년 1월호부터 종간되었던 1892년 12월호까지 소장되어 있다. *유영렬, 윤정란 지음, 『19세기말 서양 선교사와 한국사회』. 서울: 景仁文化社, 2004. p.3 참조.

296) J. S. Gale은 『The Korea Review』. 1901년에 『한국서지』 서론의 내용 중에서 일부분만을 영역했다. 『The Korea Review』 pp.155 - 163에서는 한자가 한국에 도입된("The Introduction of Chinese into Korea, Translated from the introduction to Courant's Bibliographie coréenne") 부분을, pp.289 - 293에서는 이두("The ni - t'u")에 대한 부분을 소개했다.

297) 아사미 린타로(淺見倫太郎): 1868 - 1943. 법관, 법학자. 일본 도쿄제국대학교 법학대학을 졸업한 뒤 검사를 거쳐 판사에 임용되었다. 1906년 7월 을사보호조약 이후 통감부 고문 변호사로 조선에 파견되었으며 한일합방 이후 조선총독부 판사와 경성고등법원 판사로 활동했다. 아사미는 조선에서 판사생활을 하면서 조선 고대 문화에 대한 관심이 있어 문화재위원으로 활동하기도 했다. 특히 아사미는 조선의 고서적에도 많은 관심을 보여 왕족이나 양반집에서 나온 책들을

후 1936년에 미국인 메씨 로이드(W. Massy Royds) 여사가 영역을[299] 했다. 이 영역판은 일본인 오구라 치카오(小倉親雄)가 다시 일역으로 1938년에 『讀書』[300]에 게재하였으나 이 잡지가 폐간되어 1940년 9월부터 『朝鮮』[301]이란 잡지에 『(モ－リスクーラン)朝鮮書誌序論』로 연재했다. 이처럼 해방 이전 일본인들에 의한 『한국서지』 번역은 식민통치의 정당화를 위한 문화자원 인프라(Infra) 구축의 일환으로 한국의 우수성을 축소하기 위한 것이라 할 수 있다. 미국에서는 1966년도에 로이드 여사의 영역본인지는 확실하게 알 수 없지만 Burt Franklin출판사에 의해 하드커버(Hardcover)로 다시 출간되기도[302] 했다.

우리나라에서는 일본에서 약리학 박사과정 중인 이근배가 1940년대 초에 『한국서지』를 큐슈(九州)제국대학에서 빌려 번역을 하고자 프랑스어를 배우며 시도하였으나 후에 큐슈대학도서관에 소장돼 있는 책이 희귀본임을 알고 회수하여 해방 이후 조선일보사 부속 대동문총(大同文叢)에서 『한국서지』 원본 4권을 빌려 4년 반 만인 1950년대 초에 원고지 약 8천 매에

집중적으로 사들였으며 한일합방 이후에는 한 왕자집에서 많은 책을 유출하기도 했다. 아사미가 수집한 조선의 고서 4천여 책은 1917년 서울에 있는 미쓰이 물산을 통해 일본 미쓰이 문고로 보내진다. 그리고 미쓰이 문고 측은 이 책들에게 아사미 문고라 이름을 붙인다. 1918년 3월 13년간 한국 생활을 마치고 일본으로 귀국한 아사미는 조선의 고서를 바탕으로 1922년 도쿄대학에서 "조선법제사고"란 논문으로 법학박사 학위를 받았다. 아사미 문고는 1920년에 미쓰이(三井) 재벌에 팔려 "미쓰이 재단문고"로 되었다가, 1945년 일본이 패전으로 이 장서는 1950년 11월 미국의 캘리포니아주립대학(UC) 버클리 대학에서 당시 록펠러 재단으로부터 7천500달러를 지원받아 조선 왕조나 한글을 알고 싶어 하는 대학생들을 위해 이 문고를 사들였다. 그리하여 현재 이 문고는 버클리 대학의 리치몬드도서관(동아시아도서관) 내 한국관에 "아사미 문고"로 보관되어 있다. 우리나라에서는 2006년부터 이 문고를 조사하여 2008년 4월에 조선 후기 고서 1,400여 종, 4,500책에 대해 서지적으로 정리를 마쳤다. *『중앙일보』 2006년 11월 21일. "미국 UC버클리대학 도서관 내 한국관컬렉션" *『연합뉴스』 2008년 4월 16일. "美 대학도서관서 한국 고서 유일본 대거 발견".

298) 淺見倫太郎 譯, 『朝鮮藝文誌』. 京城: 朝鮮總督府, 1912.

299) Mrs W. Massy Royds, "Introduction to Courant's Bibliographie Coréenne", 『Translations of the Korea branch of the Royal Asiatic Society』. XXV(25권). Seoul, 1936년. pp.1－99.

300) マシ－ロイズ 女史 英譯, 小倉親雄 譯註, 『(モ－リスクーラン)朝鮮書誌序論』. 『讀書』第2卷 第3號. 京城: 朝鮮讀書聯盟, 昭和 13年[1938]. pp.1－31.

301) マシ－ロイズ 女史 英譯, 小倉親雄 譯註, 『(モ－リスクーラン)朝鮮書誌序論』. 『朝鮮』304號. 京城: 朝鮮總督府, 昭和 15年[1940]. pp.61－90.

302) 『Bibliographie Coreenne, Tableau Litteraire De LA Coree』(4 Vols in 3) by Maurice A. Courant(Hardcover－Jun 1966). Publisher: Burt Franklin(June 1966). Language: English. ISBN－10: 0833706926, ISBN－13: 978－0833706928.

달하는 번역을 끝냈으나[303] 이 책이 출판사에서 정식으로 출판되었는지는 잘 알 수 없다. 이근배 박사는 의사이면서 한국서지학의 선구자였던 김두종 박사와 같이 고서연구에도 해박하여 『한국서지』에 관심을 갖게 되었다. 이근배 박사의 『한국서지』 번역작업에는 프랑스에 유학을 하기도 했던 그의 프랑스어 실력과, 프랑스 고전학자 겸 언어학자인 이밀 레트레(Emile Littré) 선생의 도움을 받았다고 한다.

국어학자 김수경(金壽卿)은 1946년에 『조선문화사서설』[304]이란 이름으로 초역했으며, 1974년에는 박상규(朴相奎)에 의해 『한국의 서지와 문화』[305]가, 1989년에는 정기수에 의해 『조선서지학서론』을, 1995년에는 1946년에 김수경에 의해 처음 번역되었던 초판본이 끊긴 지 오래고 하여 맞춤법과 문체를 1995년 당시 문교부표기법과 표현방식으로 하여 같은 서명으로[306] 다시 출간했다.

우리나라 김수경에 의해 처음 번역된 『한국서지』는 박상규의 1974년판이나, 김수경의 1995년 수정판은 『한국서지』 보유판까지 4종을 모두 우리말로 옮긴 것이 아니다. 둘 모두 '제1권 권두에 붙인 200쪽에 이르는 여섯 항목(1: 한국서지의 탄생, 2: 한국의 도서, 3: 한국의 문자, 4: 한국의 사상, 5: 한국의 학예, 6: 한국의 문학'이며, 특히 1974년판에는 책 뒤에 『보유 1권』을 풀어서 3,821권에 이르는 조선 문헌 목록을 붙여 『직지』도 소개가 되었었는데, 1995년판에는 이 3,821권 목록이 수록된 『보유 1권』이 빠져 있다. 지금까지 『한국서지』 전 4권 전체를 번역한 것은 1994년 이희재 교수에 의해 처음 완역되고[307] 2005년에 원문과 삽화까지 포함된 CD판과[308] 현재는

303) 이근배, "내 생애의 한 단장(斷章)", 『책과 인생』 1997(3, 4). pp.66－69.

304) 金壽卿, 『朝鮮文化史序說』. 서울: 凡章閣, 1946. *이 책은 절판된 지 오래되었고 고서점가에서도 구하기 어렵다.

305) 朴相奎 譯, 『韓國의 書誌와 文化』. 서울: 신구문화사, 1974(新丘文庫: 8). 이 책은 1984년에 『La Corée ancienne a' travers ses livres』라는 서명으로 재판되었다.

306) 모리스 쿠랑 지음, 김수경 옮김. 『조선문화사서설』. 서울: 범우사, 1995(범우문고 127).

307) 李姬載 譯, 『韓國書誌－修訂飜譯版－』. 서울: 一潮閣, 1994.

308) 李姬載 譯, 『韓國書誌』 原文 포함. 改訂飜譯. 서울: 누리미디어, 2005년. CD판. CD를 구입한 해당기관 URL(Uniform Resource Locator)을 통해서만 열람이 가능하며 가격이 120만 원이다. 이 CD판은 이미지 스캔방식으로 디지털화하여 독자가 원할 때 한글판과 같은 내용의 원문을 바로

(사진 17) 『조선문화사서설』

웹버전(Web version) 전자도서로도[309] 보급되고 있다. 프랑스에서 간행된 『한국서지』가 국내에서도 두 차례 영인되었지만[310] 부록이 빠진 3권까지 영인된 책이 국립중앙도서관에 소장되어[311] 있으며, 현재 국내외 고서점에서[312] 유통되고 있다. 이후 외국인에 의해 쓰인 고대의 한국을 볼 수 있는 완벽한 저서라 할 수 있는 이 책은 거의 1세기가 다 되어서야 우리말로 완역이 되었다. 숙명여자대학교 이희재 교수가 근 7여 년에 걸쳐 한국에 관한 문화, 문헌뿐만 아니라 정치·경제·예술 등 문화 전반에 이르기까지 모든 것을 집대성한 양적으로 방대하고 질적으로도 매우 우수한 기록인 『한국서지』의 원문 오류를 새로이 잡고 소장처를 밝힌 개정번역판을[313] 냈다. 그러나 이 책에서는 원본에 있는 도록이나 그림(Tableau)이 빠져 있다. 모리스 쿠랑이 쓴 『한국서지』는 한국 문화나 삶, 사회, 정치 경제 문제와 문학을 겉핥기로 대충 헤아린 것이 아니라 3,821부에 이르는 목록만 보아도 알 수 있듯이 자기가 찾아볼 수 있는 어지간한 문헌은 하나하나 알아보고 살펴보면서 서지학적으로 분석했다는 것이다. 또한

실행시켜 볼 수 있으며 이때 삽화도 그대로 디스플레이 된다.

309) ① http://www.nurimedia.co.kr/catalogue/(누리미디어): 李姬載 譯, 『韓國書誌－修訂飜譯版－』. 서울: 一潮閣, 1994를 디지털화 한 것으로 웹버전 가격이 1,200,000원의 고가인 편이다.
② http://www.kdatabase.com/SchRstBook.aspx?schKeyword=2338(한국학전자도서관): 명지대학교 정성화 교수가 해제하고 경인문화사에서 2000년에 近世 東亞細亞 西洋語 資料叢書 1－3에 영인하여 실린 『Bibliographie Coreene Vol.1－3』를 디지털화한 것으로 주)코리아콘텐츠랩에서 2007년부터 운영하고 있다.

310) Maurice Courant, 『Bibliographie Coreen』(영인본). 서울: 景仁文化社, 2000. 近世 東亞細亞 西洋書 資料叢書 1－3).

311) www.nl.go.kr/

312) ① http://nomadbook.co.kr/ BIBLIOGRAPHIE COREENNE 1－3(조선서지. 3책 완질 영인본) COURANT ERNEST LEROUX EDITEUR 1894－1896 1976페이지. ②http://www.amazon.com-/s?ie=UTF8&keywords=Bibliographie%2BCoreenne%2C%2BTableau&tag=icongroupinterna&index=books&link%5Fcode=qs ③ http://search.half.ebay.com/bibliographie－coreenne_W0QQmZbooks 에서는 196달러에 판매되고 있다.

313) 모리스 쿠랑 원저, 李姬載 譯, 『韓國書誌－修訂飜譯版－』. 서울: 一潮閣, 1994. 이희재의 머리말 참조.

그는 서지연구를 통해 우리 삶과 사회와 문화를 날카로운 시각으로 파헤친 문화인류학자이기도 했다.

쿠랑은 『한국서지』 외에 우리나라와 중국, 일본 등 국제서지의 기능을 가진 동양종합서적 목록을 작성하고자 15년에 걸친 방대한 작업을 하였으나 작업량의 과다로 처음 의도대로 되지 못하여 중국의 책만 모은 『中國書籍의 目錄』만을 펴내어 상당히 애석함으로 남는다. 쿠랑의 『한국서지』는 앙리 꼬르디에(Henri Cordier)의 『중국서지』[314]와 오스카 나호트(Oskar Nachod)의 『일본서지』[315]와 더불어 서양인의 동양 서지학상 하나의 금자탑을 이루게 한 동양의 3대 서지라고 할 수 있는 불후의 노작이다. 이상 한국인에 의한 모리스 쿠랑의 『한국서지』에 관한 석사학위논문 2편과 일반 논문 내용은 이귀원의 글[316]에 자세하게 나와 있다.

4) 『한국서지(Bibliographie coréenne)』와 『직지』

『직지』를 처음으로 소개한 『한국서지』는 고려시대의 『고금상정예문(古今

314) Henri Cordier, 『Bibliotheco Shinica』 4 vol, Paris, 1904 - 1908, Supplément 1922 - 1924. Henri Cordier의 『중국서지(中國書誌』초판은 1881 - 1884년간에, 재판은 1904 - 1908년에, 이어 추록은 1924년에 모두 파리에서 출판되었다. 이 서지는 중국에 관하여 1884년 이전에 출판된 서양어로 된 자료목록과 간단한 해설을 곁들인 자료로서 중국을 위주로 하였으나 우리나라를 포함한 인근 국가에 대한 항목도 들어 있다. 현재 이 책의 초판이나 재판은 전 세계 인터넷으로 연결되는 고서점에 단 1질도 없는 구하기 극히 힘든 자료이다. 저자 꼬르디에는 1890년 네덜란드의 Leiden에서 창간된 일 년에 한 번 발행되는 학술지 『通報誌』의 편집자의 한 사람이기도 했다. 이 『통보』는 주로 중국에 관한 학술지로서 중국 인접 국가(한국 · 일본 · 인도차이나 · 중앙아시아 및 말레이시아) 등도 같이 다루고 있는 권위 있는 학술지이다.

315) Oskar Nachod, 『Bibliography of the Japanese Empire 1906 - 1926』. 2Bde(2권 1질). Karl W Hiersemann: Leipzig /Edward Goldston: London, 1928. 1906년부터 1926년까지 서양어로 출판된 일본(한국 포함)관련 자료 목록으로 모두 9575종의 자료를 소개하고 있다. 日本관련 서지는 1895년(제1권은 네덜란드에서 발행)과 1907년(제2권은 일본에서 발행)에 발행된 2권으로 된 Wenckstern, F. von의 『Bibliography of the Japanese Empire』가 있는데 이 책에서는 1859년부터 1906년 중반까지 서양어로 발행된 모든 일본관계자료(한국포함)를 소개하고 있다. 제1권은 1859년부터 1893년까지 수록되었으며, 제2권은 1894년부터 1906년 중반까지 수록되어 있다. Oskar Nachod의 『일본서지(Bibliography of the japanese Empire 1906 - 1926)』는 앞의 Wenckstern의 후속편으로 나온 것이다.

316) 이귀원, "한국에서의 모리스 쿠랑 연구." 프랑스 국립극동연구원, 『서울의 추억 - 한/불 1886 - 1905 - 』 한불수교 120주년 기념전시 심포지엄 논문집, 2006. pp.66 - 70.

詳定禮文)』에서 구한말의 『한성순보(漢城旬報)』에 이르기까지 프랑스국립도서관 소장본, 동양어학교 소장본, 플랑시의 개인 소장본, 유럽 각국의 주요 도서관 소장의 한국본 등[317] 1899년까지 한국에서 나온 3,821종의 고서를 교회부(敎誨部)·언어부(言語部)·유교부(儒敎部)·문묵부(文墨部)·의범부(儀範部)·사서부(史書部)·기예부(技藝部)·교문부(敎門部)·교통부(交通部) 9부로 나누어[318] 간단한 설명, 소장처, 기록의 근거, 사진 등을 수록하고 있는 한국고서목록 겸 해제집이다. 모리스 쿠랑은 1890년 5월 23일부터 1892년 2월 11일까지 프랑스공사관 통역관으로 있으면서 이미 1887년 한국의 첫 번째 외교관으로 부임한 플랑시의 책에 대한 서지학적 지식에 감화되었다.

그가 플랑시의 보좌관으로 근무하는 동안 우리나라 전역의 책과 규장각 도서 외국도서관 소장 책과 병인양요 때 약탈해 간 책 등 한국관계 도서를 1894－1899년에 걸쳐 국배판으로 출판했는데 이것이 『한국서지』로 3책과 보유편 1책 등 모두 4책으로 되어 있다. 쿠랑은 서울의 프랑스공사관 서기로 와 있으면서 조선의 옛 책과 역사를 연구하였고, 귀국 후 프랑스어판 『한국서지』를 발간함으로써(1894－1901) 한국과는 깊은 인연을 맺었다. 현존 세계 최고의 금속활자본 『직지』는 모리스 쿠랑에 의해 그의 저서 『한국서지』의 제1－3책의 편간에 이어 1901년에 증보하여 별책으로 발행한 부록(Supplément)에 수록돼 알려졌다. 쿠랑은 그가 수집한 책의 일부를 모교인

---

317) 『한국서지』에 수록된 그 소유자의 첫머리 글자가 표시된 공공기관과 개인장서의 소장처는 다음과 같다. <공공기관> B. R(서울의 규장각) Bibl. Nat(파리국립도서관) Brit. M(대영박물관 동양본과) C. des Int(서울의 사역원) Com. F.S(서울의 프랑스공사관) L.O.V(파리 동양어학교도서관) Miss. étr. Séoul(서울의 외방선교회도서관) <개인장서> A.V(Arnord Vissiére) 장서: 동양어학교(L.O.V)도서관에 기증 C.P.(Collin de Plancy) 장서: 국립도서관((B.N), 기메박물관, 미술과 고고학 도서관에 분산 Coll. von der Gabelentz: 라이프치히(Leiipzig)대학 도서관에 따르면 61권의 이 장서는 2차대전 말기에 분실되었다고 함. J.B(Jean Beauvais): 동양어학교도서관에 기증. M.C(Maurice Courant): 한학연구소(漢學硏究所)에서 재구입하여 현재 꼴레쥬 드 프랑스(Collége de France)에 소장. 한국의 도서들은 그 제목과 저장명이 한국어가 아닌 중국어 발음으로 전사(轉寫)되어 분류되었다. *모리스 쿠랑 원저, 李姬載 譯, 『韓國書誌－修訂飜譯版－』. 서울: 一潮閣, 다니엘 부셰 교수의 권두사 참조.

318) 조윤수에 의하면 『한국서지』에 수록된 책 수는 교회부(敎誨部) 76, 언어부(言語部) 142, 유교부(儒敎部) 258, 문묵부(文墨部) 968, 의범부(儀範部) 866, 사서부(史書部) 820, 기예부(技藝部) 346, 교문부(敎門部) 333, 교통부(交通部) 32 등 3,841권으로 되어 있다. 趙胤修, 『모리스 쿠랑의 한국서지에 대한 서지학적 고찰』. 석사학위논문. 이화여자대학교대학원, 1989. p.72.

동양어학교에 기증했다가 다시 이 책의 중요성 때문에 본인이 끝까지 지니고 있다가 그가 죽은 이후 프랑스국립도서관에 귀속되었다. 쿠랑은 플랑시의 요구에 의하여 1899년까지 『한국서지』 제3권에 싣지 못해 누락된 580종(3241－3821)의 책들을 그 보유편에(Supplément a la Bibliooographie Coréenne, Paris: Ernest Leroux, 1901)에 해제하여 3,821종이 수록되어 있는데 『직지』는 이 책의 NO 3738번에[319] 해제되어 있다.

제4권 보유편은 122쪽의 소책자로 에르네스트 르루(Ernest Leroux) 출판사가 발간했지만, 인쇄는 파리국립인쇄소에서 했다. 특히 이 보유편에서 한자 제목의 책제목은 한자라 표기되어 있지만 한글 제목은 로마자로 표기되어 있는데, 이는 한글 활자를 프랑스에까지 가지고 가지 못했거나 설령 가지고 갔다 해도 당시 프랑스에는 한국인이 거의 없어 이를 식자(植字)할 수 없었을 것으로 보인다. 또한 이 보유판에서는 『한국서지』 제1권－제3권에서처럼 도록이나 책의 내용 설명이 없다. 그동안 금속활자본 소재와 서지적 실체에 대하여는 도무지 확인할 길이 없었다. 그러던 중 1972년에 세계 책의 해(L'Année Intrenationale du Livre)를 기념하기 위하여 5월부터 10월까지 개최되었던 『책』의 전시회에 처음으로 출품됨으로 인하여 그것이 이 지구상에서 가장 오래된 현존의 금속활자본임이 비로소 확인되었다. 이때 그 활자본이 언론에서 대서특필되어 온통 세계의 이목을 집중시키게 되었으며 이때부터 국내학계에서는 연구가 본격적으로 시작되었다.

쿠랑은 『직지』를 인쇄사상 대단히 중요한 책으로 인정하고 있다. 그는 『한국서지』의 서문에서 조선 왕조의 3대 태종이 계미자(癸未字, 1403)를 처음 발명하여 쓴 것처럼 되어 있는 것과 잘못된 사실을 들고 이 『직지』가 고려 우왕 3년에 주조된 활자로 인쇄된 사실이 있는데도 태종이 활자인쇄를 자신의 공으로 돌린 것에 대한 모순을 지적하고 있음이[320] 이를 입증한다. 『한국서지』는 모리스 쿠랑이 1894년부터 1899년 사이와 1901년에 프랑스에서 간행한 책으로 간행한 지 100년이 넘은 오늘날에도 한국을 연구하는 학자

319) 모리스 쿠랑 원저, 李姬載 譯, 『韓國書誌－修訂飜譯版－』. 서울: 一潮閣, 1994. p.847.

320) 모리스 쿠랑 원저, 李姬載 譯, 『韓國書誌－修訂飜譯版－』. 서울: 一潮閣, 1994. pp.11－12.

들에게는 귀중한 저서일 뿐 아니라 한국의 인쇄문화를 서구에 소개한 최초의 책으로 높이 평가되고 있다. 그러나 보다 중요한 것은 그 속에 현존 세계 최고의 금속활자본인 『직지』의 해제가 있다는 사실이다. 『한국서지』는 개화기 시대 플랑시와 쿠랑에 의해 우리가 미처 살피지 못했던 이국의 서지문화를 개척했다는 점에서 이들은 외교관으로서 뿐만 아니라 우리가 본받아야 할 새로운 지식인상이라 하겠다. 이 책은 한국의 책을 유럽에 최초로 소개한 것으로 유럽인들이 한국의 문화와 사회를 이해하는 데 커다란 역할을 했다. 또한 서구 문화의 유입으로 중요한 역할을 했던 천주교와 기독교의 소개가 당시로서는 유일한 것으로 최근에 이르기까지 기본적 자료로 이용되는 문화의 전령사 역할을 수행했다.

5) 외교관 쿠랑이 본 한국 이미지(Image)

개화기 이전에 우리나라에 들어온 외국인에 비친 이미지(Image)는 종교적 성향, 높은 교육열, 뛰어난 손재주, 예술적 취향으로 취급된다. 이러한 표상(表象)은 착한 미개인이나 동양의 현자(賢者) 이미지(Image)가 여전히 존재하는 가운데 '조용한 아침의 나라' 또는 '은둔의 왕국'과 같은 긍정적이거나 부정적인 시각을 함께 담고 있는 상징적인 두 가지 표상으로 되었다. 그런데 한 국가의 외교관이자 서지학자인 쿠랑은 개화기 당시 구미 열강은 물론 모국 프랑스조차도 제국주의적 침략이라는 사실을 스스로에게 숨기며 우리나라가 처한 주변상황을 가장 잘 알고 있었음에도 불구하고 지나치게 냉철함을 잃을 정도로 정치적 희망을 걸고 있는 듯한 면모를 보이고 있다. 쿠랑의 이와 같은 긍정적 사고방식은 파리만국박람회 때 쓴 『서울의 추억, 한국(Souvenir de SÉOUL 1900)』이라는 소책자에서 서구인들의 오만함과 우월주의를 비판하며 이들에게 겸손해야 한다는[321] 따끔한 교훈을 주기도 한

---

321) ① Mourice Courant, "Le Pavillon Coréen au Champ-de Mars" S'il est une lecon á tirer de l'exposition coréene, n'est-ce pas une lecon de modestie?……l'Europe l'ignorait et, avec son orueil habituel, l'aurait volontiers traité de barbare……il a fait voir ce qu'il est, et donné en

다. 그는 한국이 비록 일본에 비해 뒤처져 있기는 하지만 자국의 주체성은 잃지 않아 변화에 충분히 대응할 수 있다고 보았다. 쿠랑은 파리만국박람회 전시물들이 수공예나 예술분야에 치우쳐 국제적 수준에 뒤떨어졌지만, 한국은 수 세기 동안 폐쇄주의에서 벗어나 개방과 독립을 이룬 나라, 부강과 번영의 모습이 담겨 있었다고 전했다. 그가 프랑스가 매우 우월한 입지를 굳히고 있었던 식민주의 전성시대에 외교관으로서 이러한 의식을 갖고 자국을 비판했다는 것은 매우 의미심장한 일이라[322] 하겠다.

쿠랑은 우리나라에 대해 매우 이상적인 이미지로 묘사하고 있다. 그의 평가는 당시 한국을 여행한 수많은 여행가의 부정적 · 비판적 시각과 거리가 있을 뿐만 아니라 당시 한국의 외교 정세와도 상이한 것이기도 한데 쿠랑은 시간에서 격리된 이상화된 한국을 자신만의 리듬(Rhythm) 속에서 만들어[323] 내었다. 그러나 이러한 반이미지의 중요성은 기억되어야 한다. 문호개방이라는 새로운 개념(Concept) 속에서 또 열강의 식민지화 나라에서 1900년대의 한국을 긍정적 이미지로 묘사하기란 쉽지 않았을 것이다. 프랑스의 식민주의적 사관은 단지 아시아에 대해 중세적 이미지를 다시 살리려는 듯 서방을 인류의 중심에, 종교적 · 경제적 목표를 지향하는 새로운 십자군의 중심에 위치해 있었다. 쿠랑은 외교관으로 한국에 왔지만 정치적 목적보다도 진실로 한국을 사랑하고, 문화를 이해하고 존중하며, 이를 가르치면서 한평생을 살다 간 학자라 할 수 있겠다.

---

même temps une lecon aimable á notre orgueil……. ② Henry Vivarez, *Mémoires et Communications – Vieux Papiers de Corée – Le Vieux Papier,* Come Premier, 1900 – 1902, Archéologique, Historique & Artistique, 1903. p.80.

322) 프레데릭 불레스텍스 지음, 이향, 김정연 공역, 『착한 미개인 동양의 현자』. 서울: 청년사, 2001. p.130

323) 프레데릭 불레스텍스 지음, 이향, 김정연 공역, 『착한 미개인 동양의 현자』. 서울: 청년사, 2001. p.131.

3. 프랑스의 한국학 연구

개화기 문호개방을 계기로 서구 이방인들의 한국에 대한 연구는 과거 항해 중 표류되어 우리나라에 머물던 헨드릭 하멜(Hendrick Hamel, 1630－1692)과 다른 문화의식을 보여준다. 이 시기 프랑스 또한 우리나라의 역사와 현실에 대해 이렇다 할 정보가 없었으나 문호가 개방되자 그들 또한 예외가 아니었다. 프랑스인들의 한국에 대한 관심 소재는 문호개방 이전과 이후가 다른 양상을 보여 주고 있다. 문호개방 이전에는 간략한 한국인 묘사, 정치적 목적을 위한 지도제작, 여행가 및 선교사들의 기행문과 일기, 한국문학의 번역 등 그다지 비중이 높지 못하다가, 문호개방 이후 『한국서지』가 발행됨으로써 본격적인 학문의 궤도에 진입했다고 말할 수 있겠다. 『한국서지』의 발행은 한국학이란 용어도 없던 19세기 말 20세기 초에 다양한 주제의 장대한 연구라는 점에서 역사적 의의가 크다.

1) 문호개방 이전의 한국학 연구

문호개방 이전 프랑스인들의 한국학 연구는 문화 전반에 관한 학문연구라기보다 우리나라에 관한 다른 나라 사람들에 의해 저술된 표류기를 번역하거나 지도가 실리는 정도의 수준이었다. 그러나 현재 일본이 독도문제를 거론함에 있어 프랑스인들이 이미 문호개방 이전에 전문지에 실리는 등 지금으로써 독도가 한국의 고유 영토가 확실하다는 결정적 증거를 제시해 주고 있다. 프랑스인에 의한 한국연구는 우리나라를 직접 오지 않고 중국을 통하거나, 다른 문헌을 인용하여 기술한 경우도 있다. 이들은 우리나라를 직접 경험하지 않고 책을 저술하였기 때문에 우리의 문화를 개괄적으로 묘사하는 데 그쳤다. 또한 우리나라의 문화를 중국에 견주어서 설명하여 중국의 주변문화로 이해하기도 했다. 문호개방 이전 한국을 알렸던 이들은 거의 대다수가 신부들이었다. 당시 예수회 신부들은 지도제작에 필요한 지리와 역사에 중점을 두었고, 문화적 측면은 크게 중시하지 않았다. 이들은 한국 문화에 깊은 관심을 가졌다기보다는 지도제작에 필요한 정보나 당시 많은 속국(屬國)을 거느리고 있었던 청나라 왕조의 우월성을 증명하는 왕조 역사 관련 자료를 수집하는 것에 만족한 것으로 보인다.

(1) 『몽고제국 여행기』

한국이라는 존재가 프랑스인에게 처음 알려진 것은 1886년 한국과 프랑스가 공식적인 외교관계를 수립하기 이전, 고려시대에 이미 몽고에서 비공식적으로 접촉한 사실이 프랑스 상원의 『한불관계보고서(1997 – 1998)』에 기록되어 있다. 이 보고서에 의하면 최초로 한국인을 만난 이는 프랑스 플랑드르(Flandre) 지역 뤼브룩(Rubrouck) 출신인 성 프란체스코회(St. Francesco)의 수도사 기욤 드 뤼브룩(Guillaume de Rubrouck, 1215 – 1295)이다. 그는 국왕 루이 9세(Louis IX, 1214 – 1270)의 명으로 몽고에 복음을 전파하는 신앙적 목적 뿐만 아니라 당시 막강한 세력이었던 몽고의 정치적 사정은 물론 풍습과 지리에 관한 상황을 파악하기 위한 사절 임무를 지니고 비공식적으로 방문한다. 기욤은 1253년에서 1254년 약 1년간 몽고제국을 여행하고 프랑스로 돌아와 몽고 여행에서 보고 겪은 것을 자세히 편지로 적어 루이 9세에게 보냈는데 이것이 바로 『몽고제국 여행기』이다.

이 책은 마르코 폴로의 『동방견문록』보다 시기적으로 앞섰을 뿐만 아니라 유려한 문체로 중국의 실체를 좀 더 분명하게 밝힌 동방에 대한 중세의 귀중한 기록으로 평가 받는다. 그런데 이 책의 내용 중 한국인에 대해 "스페인 사람처럼 작고 구릿빛 피부를 가진……시선은 항상 밑을 보고, 긴 예복을 입은……."이라고 묘사한 부분이 있다. 기욤은 한국을 직접 방문하지 않고 몽고에 머물던 중 그곳 황실에서 고려인을 만나게 되며 그때의 일을 기록한 것이다. 그가 만난 고려인은 고종(高宗) 40년(1253) 12월에 안경공(安慶公) 창(淐) 왕자가 참지정사(參知政事) 최린(崔璘)을 데리고 몽고에 가서[324] 아모간(阿母侃)에게 향연을 베푸는 등 호의를 얻어 고종 41년(1254) 1월 군대를 철수하게[325] 한 뒤 이해 8월 중순에 몽고 사신의 호위를 받으며 무사히 돌아가는데,[326] 기욤은 이때 몽고 황실에서 전란을 막기 위해 몽고에 와 있던 안공경 창 왕자의 일행을 만난 것으로 추측된다.

(2)『하멜표류기』 번역

프랑스의 한국학에 관한 관심은『하멜표류기(Journael van de Ongeluckige Voyagie van't Jacht de Sperwer)』의 번역 출판이 그 시초가 된다고 볼 수 있다. 이 책은 네덜란드 발음으로 헨드릭 하멀의『스뻬르베르 호의 불행한 항해 일지』라는 뜻으로 A4용지 40－50쪽의 적은 분량이다. 프랑스어판『하멜표류기』는 1668년 로테르담(Rotterdam)과 암스테르담(Amsterdam)에서 네덜란드어판 원판이 출간된 지 2년 후인 1670년에 파리에서 짧은 텍스트를 그림이 없이 174쪽의 작은 단행본으로 내놓았다. 네덜란드어보다 세력이 강한 프랑스어본이 나옴으로써 1671년에는 독일어판이, 그리고 1704년에는 프랑스어판을 번역한 영어판이 나와 한국의 사정을 알리는 데 큰 역할을 했다. 우리나라에서는 1939년에 와서야 이병도가『하멜표류기』란 이름으로 영역본을 번역한 단행본이 처음[327] 나왔다. 이『하멜표류기』는 백과

---

324) ①『高麗史』卷第24. 世家 第24 高宗3 高宗 40年 12月 壬申條. 遣安慶公淐 如蒙古. ②『高麗史節要』卷17. 高宗安孝大王4 高宗 40年 12月條. 遣安慶公淐 如蒙古 初宰樞請遣淐 乞班師 王不允 參知政事崔璘 獨奏曰 愛子之情 無貴賤一也 然不幸有死別者矣 殿下何惜一子乎 今民之存者 十二三 蒙兵不還 則民失三農 皆投於彼 雖守一江華 何以爲國 王不得已而頷之 宰樞欲使僕射金寶鼎 從安慶公以行 王以璘代之.

325) ①『高麗史』卷第24. 世家 第24 高宗3 高宗 41年 1月 丁丑條. 安慶公淐 至蒙古屯所 設宴張樂 饗士 阿母侃還師. ②『高麗史節要』卷17. 高宗安孝大王4 高宗 41年 1月條. 安慶公淐 至蒙古屯所 設宴張樂 饗士 阿母侃還師.

326) ①『高麗史』卷第24. 世家 第24 高宗3 高宗 41年 8月 己丑條. 安慶公淐 還自蒙古 蒙使十人偕來 王幸梯浦 宴慰 蒙使曰 帝勑臣等 伴公護行 萬里風塵 恐有不寧 今日幸無恙還國 吾等甚喜 仍請獻爵 王許之. ②『高麗史節要』卷17. 高宗安孝大王4 高宗 41年 8月條. 安慶公淐 還自蒙古 蒙使十人偕來 王幸梯浦 宴慰 蒙使曰 帝勑臣等 伴公護行 萬里風塵 恐有不寧 今日幸無恙還國 吾等甚喜 仍請獻爵 王許之 淐初至江都 遣人奏曰 臣久染腥膻之臭 經宿乃進 王曰 自爾去後 祈天禱佛 曷日相見 今幸好還 何宿於外 悉焚爾所著衣裳 更衣卽來 至夜淐入謁 王及左右 皆爲之流涕.

327) 유홍준, "네덜란드어『하멜보고서』완역판을 펴내며". 헨드릭 하멜 지음, 유동익 옮김.『하멜보고서』. 서울: 중앙M&B, 2003. pp.7－10 참조.

사전류와 여행 관계 서양의 서적들이 그대로 인용하여 1874년 샤를 달레(Charles Dallet)가 쓴 『한국천주교회사(Histoire de L'Eglise de Corée)』가 출판될 때까지 한국에 관한 유일한 참고자료였다.

(3) 『한국천주교회사』

파리외방전교회 소속 샤를 달레(Charles Dallet, 1829－1978) 신부가 1874년에 쓴 『한국천주교회사』는 저자가 한국에 직접 오지 않고 1872년에서 1873년에 걸쳐 한국에서 파리로 보내 준 안토니오 다블뤼(Antoine Daveluy, 1818－1866, 安敦伊) 신부가 쓴 각종 자료를 기본 사료 초고로 거의 그대로 이용하였고, 기해박해(己亥迫害) 이후의 사실은 재한 선교사들이 수집하여 보낸 각종 보고서와 자료를 가지고 보충하여 쓴 것이다. 이 책은 국판 상・하 2권(총1168쪽)으로 『하멜표류기』 이래 한국에 관한 정보가 빈약하였던 19세기 후반 서구사회에 조선의 내부 사정을 가장 상세하고 정확하게 소개하는 데 크게 이바지한 저서로 한국 천주교회사 연구의 기본 자료이다.

특히 『한국천주교회사』 제1권의 192쪽에 달하는 서문에서는 한국의 자연지리, 역사, 왕실, 정부조직, 사법제도, 과거와 교육제도, 조선어, 사회신분, 여성의 처지, 가족제도, 종교, 한국인의 성격, 오락, 주거와 풍습, 산업과 국제관계 등 전 분야를 15개항에 걸쳐 기술되어 있는 한국학개론이다. 그리고 상권 서설 그다음 본론(384쪽)과 제2권(592쪽)에서는 한국 천주교회의 기원에서부터 병인박해(丙寅迫害)까지 설립 초기 복음을 전하기 위해 애쓴 선교사들과 그들의 활동을 망라한 것으로 선교국의 국민성, 핍박으로 인한 고통, 사형 집행인들의 잔인성 등등을 세세하게 기록하고 있다. 이 책의 서설 부분은 한국을 이해하는 데 가장 중요한 서구문헌으로서 영국・러시아・네덜란드・일본에서 번역되었다. 우리나라에서는 1947년에 이능식(李能植)과 윤지선(尹志善)에[328] 의해, 1964년에는 정기수(丁奇洙)에[329]에 의

328) 李能植, 尹志善 共譯, 『朝鮮教會史: 序說』. 서울: 大成出版社, 1947.

329) 丁奇洙, 『朝鮮教會史序論』. 서울: 探求堂, 1964. 1975. (探求新書 101).

해 서설만 번역되었으며, 1979년 불문학자 안응열(安應烈)과 교회사가(敎會史家)인 최석우(崔奭祐) 신부에 의해 상 · 중 · 하 3권으로 분책되어 역주본으로[330] 완간되었다.

1901년에는 파리외방전교회 소속 아드리앙 로내(Adrien Launay) 신부가 『한국천주교회사』의 내용을 요약하고, 1866년 이후의 조선의 실정을 소개한 『조선과 프랑스 선교사들(La Corée et les missionnaires Francais)』을 펴냈다. 특히 이 책에서는 조선 풍물을 그린 펜화 21장과 김대건을 포함한 프랑스 순교자들의 초상화를 비롯하여 프랑스공사관 전경과 명성황후의 사진이 실려 있다.

(4) 『한국의 지리 관찰과 역사』[331]

이 책은 프랑스인에 의해 한국에 관한 『몽고제국 여행기』 다음으로 두 번째 기록이라 할 수 있다. 프랑스 이스트레(Istres) 지역 출신의 레지스(Jean-Baptiste Régis) 신부는 중국 청나라의 강희제를 위해 일했던 예수회 소속 지도제작자이기도 했다. 그는 1698년 선교활동을 목적으로 중국에 갔고, 1738년 베이징에서 사망할 때까지 40여 년간을 포교활동과 함께 지도제작은 물론 중국 고대서적을 연구한 서지학자이기도 했다. 레지스가 쓴 『한국의 지리 관찰과 역사(Observations géographiques et Histoire de la Corée)』는 한국을 방문한 적이 없이 중국인과 조선인들의 증언을 토대로 쓰인 것으로, 1735년 뒤 알드(Jean-Baptiste du Halde)의 『청국기』에 처음 수록된 이후 1748년에는 아베 프레보(l'Abbé Prévos, 1693-1793)의 『여행의 역사(Histoire des Voyages)』에 편집 수록되었다. 이 방대한 프레보의 저서는 각국의 기행문을 수집 정리하여 여러 권으로 묶은 것으로서, 이 책에는 하멜의 『제주도 난파기』와 『조선왕국기』도 실려[332] 있다. 레지스의 책은 백과

---

330) 샤를 달레 原著, 安應烈, 崔奭祐 共譯註, 『韓國天主教會史』上 · 中 · 下. 서울: 분도출판사(1979). 한국교회사연구소(2000).

331) 이 글은 이진명 교수의 http://www.euro-coree.net. "프랑스 안의 한국문화 (2), (3)"의 일부를 그대로 옮겼음.

사전식으로 서술되어 있다. 이 책의 내용은 당시 예수회 신부들의 서술 방식대로 먼저 국가 이름의 변천사와 그 기원, 한국의 내륙지방과 산과 강 등 지형 특징을 설명했다. 다음으로 한국의 가옥에 대해 서술하였는데 당시 주거양식이 문화를 이해하는 데 중요한 소재로 인식되었음을 알 수 있다. 뒤이어 수도 이름과 의복 그리고 언어와 종교에 대해 설명했으며 조선 조정과 사법체제에 대해서도 언급되어 있다.

(5) 중국과 일본 서적 속의 한국지도333)

『하멜표류기』 다음으로 우리나라에 관한 책은 뒤 알드(Jean-Baptiste Du Halde) 신부가 전 4권으로 저술하여 1735년에 출판한 『지나제국전지(支那帝國全誌)』이다. 이 책의 제4권에는 중국 자료에 의거하여 레지스(Jean-Baptiste Regis) 신부가 쓴 "조선왕국의 지리적 고찰" 및 "조선 略史"가 35면에 걸쳐 실려 있으며, 당대 프랑스 최대의 지리학자 당빌((J. B. B D'Anville, 1697-1782)이 그린 『조선전도』도 수록되어 있다. 이 지도는 당빌이 1720년경에 『황여전람도(皇輿全覽圖)』 중의 『조선전도』를 저본(底本)으로 그린 필사본 『조선왕국전도(Royaume de Corée)』를 1732년에 동판에 긁어, 1735년 『지나제국전지(支那帝國全誌)』에 첨부한 것으로 독도가 울릉도 왼쪽에 챤챤-타오(Tchin-chan-tao, 牛山島)로 표기되어 있다. 2년 후인 1737년에는 네덜란드의 헤이그에서 프랑스어로 『중국신지도첩』이란 책이 출판되었는데 여기에는 당빌의 『조선전도』를 포함한 중국·타타르·티벳 및 아시아 전도들이 한데 묶여 있다. 이처럼 18세기 이전의 한국 고지도에는 지도 제작자들의 실수로 울릉도와 독도의 위치가 뒤바뀌어 있기도 했다. 또한 1736년 샤를보아(Charlevoix) 신부는 일본의 역사·정치·사회·문화에 대한 서술을 한 『일본사(Histoire et description generale du Japon)』를 전 2권

---

332) 프레데릭 불레스텍스 지음, 이향, 김정연 공역, 『착한 미개인 동양의 현자』. 서울: 청년사, 2001. p.52.

333) 이 글은 이진명 교수의 http://www.euro-coree.net. "프랑스 안의 한국문화 (2)"의 일부를 그대로 옮겼음.

으로 펴냈다. 이 책의 제1권에는 "하멜표류기"의 제2부에 해당하는 '조선사'가 전재되어 있고 당빌의 지도와 비슷한 『조선왕국전도』도 1점이 실려 있는데 독도는 울릉도의 왼쪽에 챤챤－타오(Tchinchantao, 牛山島)로 표기되어 대륙에 아주 가까이 그려져 있다. 그런데 이 책의 제1권 첫머리에 실려 있는 『일본전도』는 프랑스 해군성 지도－해도실의 제도사 작크 벨렝(Jaques Bellin)이 1735년에 일본·포르투갈·폴란드와 예수회 선교사들이 그린 지도들을 참고하여 제작한 것으로 이 지도에서 동해는 '조선해(Mer de Coree)'로 두 번이나 표기되어 있으며 조선해의 일본 섬으로는 오키(隱岐)까지만 나와 있다.

(6) 프랑스에서 제작된 한국지도

서양에서 제작된 조선지도에 독도(Ousan)가 울릉도 오른쪽에 나타나는 것은 1855년 이후로 특히 프랑스에서 제작된 천주교 계통의 지도도 모두 3점이다. 이 중 첫 지도는 김대건 신부가 중국에 있던 프랑스 신부들에게 조선 입국 경로를 알리기 위해 1846년에 『조선전도(Carte de la Coree d'apres l'original dresse par Andre Kim)』를 작성하여 주중 프랑스 영사 몽티니(Montigny)에게 주었다. 이후 몽티니는 김대건 신부의 지도를 바탕으로 한자 지명의 한국식 발음을 프랑스어와 한자로 표기하여 서양의 종이에 『조선전도』를 다시 그렸고, 이를 1849년에 프랑스로 가지고 와 1851년에 프랑스국립도서관 지도－도면부(Departement des Cartes et Plants, DCP)에 기증했다. 이 필사본 지도를 기본으로 하여 지리학자 말트－브렁(Malte－Brun)이 김대건 신부의 지도를 원산 정도까지는 1/2로 축소하였고, 그 이북은 1/4로 축소한 『조선전도』를 그려서 『파리지리학회지』 1855년판에 실었다. 이 지도는 서양에서 제작된 지도로는 처음으로 울릉도를 'Oulangto'로, 독도를 'Ousan'으로 표기하였으며 독도가 울릉도 오른쪽에 나타나 있다.

강화도의 풍경을 그리기도 한 앙리 주베르(Henri Zuber)는 1870년에 『한국지도에 관한 고찰(Une Expédition en Corée)』에서 한국전도를 실었으며,

이를 토대로 1873년에는 등고선과 고유명사가 정확하게 기록된 『한국지도에 관한 단상(Note sur la carte de Corée)』을 프랑스 지리학회 회보에[334] 게재했다.

(7) 순 한글 한국지도

프랑스국립도서관 지도-도면부에는 1846년에 김대건 신부가 작성한 『조선전도』 외에 『해좌전도(海左全圖)』와, 제목 없이 모든 지명이 순 한글로 된 조선전도가 있다. 『순한글 조선전도』는 『해좌전도』와 닮았는데, 우리나라의 고지도 중 지명이 순 한글로 된 지도로서 한자가 한 자도 없는 유일한 지도이다. 이 지도는 한글 지명 옆에 프랑스어 표기를 한 것으로 한국의 천주교인이 『해좌전도』를 모사하고 프랑스 신부가 프랑스어 발음을 표기한 한불 공동으로 제작한 지도이다.

(8) 프랑스와 독도

독도(獨島)는 경상북도 울릉군에 속하는 울릉도에서 남동쪽으로 90㎞ 해상에 위치하는 화산섬으로 비교적 큰 동도(東島)와 서도(西島) 두 섬 및 부근의 작은 섬들로 이루어져 있다. 부근 해역은 전갱이, 고등어, 미역 따위가 풍부한 좋은 어장으로 면적은 0.186㎢이다. 독도는 물개를 의미하는 가지도 · 가제도 · 돌섬 · 독섬으로 불리기도 했으며, 옛날에는 한문으로 우산(于山)이라 한 것을 지도를 제작하면서 잘못 쓰거나 읽어서 자산(子山) · 간산(干山) · 천산(千山) · 정산(丁山)[335]으로 표기된 지도도 있다. 독도란 이름은 1906년 울릉군수 심흥택이 가장 먼저 사용한 것으로 알려졌으나, 1890년대에 이미 울릉도 사람들이 지방 사투리로 돌섬을 독섬으로 부르던 것을 한

334) 프레데릭 불레스텍스 지음, 이향, 김정연 공역, 『착한 미개인 동양의 현자』. 서울: 청년사, 2001. p.114.

335) 프랑스국립도서관 지도-도면부에 소장되어 있는 『한국본 동아시아 지도』에는 독도가 정산도(丁山島)로 되어 있는데 이는 우산(于山)의 '于'를 '丁'으로 잘못 읽어서 생긴 오류이다. 이 지도는 본래 중국의 왕반(王伴)이 1594년에 제작한 『천하여지도(天下輿地圖)』를 1603년에서 1650년경에 조선의 궁중 화원(畵圓)들이 다시 그린 것이다.

자 표기상 독은 獨으로 섬은 그 뜻에 해당하는 島를 사용하여 獨島가 된 것이다. 1849년 1월 27일 프랑스의 르 아브르(Le Havre)항에 선적을 둔 윈슬루(Winslou) 고래잡이회사 소속 포경선 리앙꾸르(Liancourt)호가 동해에서 포경 중, 서양에서는 최초로 독도를 발견하고 정확한 좌표도 측정했다. 이와 같은 사실을 보고받은 프랑스 해군성은 1851년 발간한 『수로지(Annales Hydrographiques, vol.4, 1850)』에 올리면서 독도를 리앙꾸르 바위섬(Rochers Liancourt or Liancour Rocks)이라 이름을 붙여 사상 최초로 독도의 정확한 좌표가 확정되어 전 세계에 알려지게 되었다. 이후 1855년 프랑스 해군 함정 콩스탕틴호가 굵은 비가 내리는 가운데 독도 부근을 지나면서 우표만 한 크기의 그림을 그려 1856년에 발간한 『수로지 1854－1855』에 수록됨으로써 사상 최초로 실측 독도 그림이 책자에 올려졌다. 한편 러시아의 팔라다 함이 독도의 그림 3점을 1854년에 그렸으나 프랑스보다 1년 늦은 1857년에 발표하기도 했다. 이 사실이 알려지면서 서양에서는 독도를 리앙투르 바위섬이라 부르게 되었고, 현재도 미국에서는 이 명칭을 독도에 대한 표준 명칭으로 사용하고 있다. 그러나 현재 대부분의 세계지도에서는 독도(Dokdo, 獨島) 하나만 사용하거나, 독도를 먼저 쓰고, 다케시마(Take－shima, 竹島)를 괄호 속 아니면 Dokdo 옆에 병기하고 있다.

(9) 천주교 서적의 번역과 초청 연회의 보신탕

프랑스인들은 지금도 우리나라의 보신탕 음식문화를 야만적이라 비판하지만 문호개방 이전부터 그들도 보신탕을 즐겨 먹었다는 기록이 있어 흥미롭다. 한국의 개 식용에 관한 최초의 프랑스인은 1866년 제5대 서울교구장이었던 안토니오 다블뤼(Antoine Daveluy, 1818－1866, 安敦伊)[336] 주교가

---

336) 안토니오 다블뤼(Antoine Daveluy): 프랑스 아미앵 출생. 1841년 12월 18일 서품을 받아 신부가 되어 파리외방전교회 선교사가 되었다. 중국의 마카오를 거쳐 1845년 10월 12일 김대건 신부와 함께 충청도 강경의 황산포로 처음 조선에 들어왔다. 주로 경상도 지방에서 전교활동을 하다가, 1857년 3월 25일에 부주교로 승품되었다. 이보다 앞서 1856년에는 충청도 제천의 배론(排論·舟論)에 한국 최초의 신학교를 세웠으며, 1859년에는 조선교회의 순교자 150여 명의 자료를 수집·기록하여 파리외방전교회 본부로 보내어, 이것을 『다블뤼의 비망록』이라는 제목으로 간행했다. *윤병훈에 의하면 한국 근대교육의 효시는 1850년 프랑스 파리외방전교회 선교사들에 의

보신탕을 즐겼다고[337] 하며, 1874년 프랑스 선교사 샤를 달레(Ch. Dallet)가 저술한 『한국천주교회사(Histoire de L'Eglise de Corée)』[338]에서도 언급되어 당시 조선에 나와 있던 프랑스인들도 보신탕[339]을 식용으로 하였음은 물론 조선에서는 외교관을 초빙한 연회에서도 보신탕을 내놓았다고 한다.

1894년 8월 15일자 일뤼스트라시옹(Illustration)지에 프랑스인이 아닌 미국 한성주재 총영사 겸 공사관의 서기관인 찰스 샤이에 롱 베(Charles Chaillé Long Bey, 1842–1917)[340]가 조선에 대한 소개와 서방 외교관의 동정을 담은 기고 형식의 연재물로 한국을 보도했는데, 여기에 조선 조정이 1894년

해 충청북도 진천에 세워진 조선교구 신학교(베티신학교)와 설립연도가 2년 정도 앞당겨진 1854년에 설립된 배론신학교라 할 수 있다는 주장이 있다. 이들 학교에서는 신학교육뿐만 아니라 일반교육, 사범교육, 실업교육, 여성교육, 한글 보급 교육 등 다양한 교육활동을 펼쳤다. 1866년(고종 3) 병인박해(丙寅迫害) 때 베르뇌 주교가 3월 8일에 참수되자 그 뒤를 이어 제5대 조선교구장이 되었는데, 그 3일 후인 11일 충청도 내포(內浦)에서 체포되었다. 그리하여 3월 30일 현재 충청남도 보령시 오천면 영보리 갈매못에서 위앵 민 마르티노 신부, 오메크로 오 베드로 신부, 황석두 루가 회장, 장주기 요셉 회장과 그 밖의 수많은 무명 순교자들이 처형되었다. 1968년 교황 바오로 6세에 의해 시복(諡福)되고, 1884년 5월 6일 한국 천주교 200주년 기념행사 때 방한한 교황 요한 바오로 2세에 의해 시성(諡聖)되었다. 저서에 『신명초행(神命初行)』·『회죄직지(悔罪直指)』·『영세대의(領洗大義)』·『성찰기략(省察記略)』이 있고, 역서에 『성교요리문답(聖教要理問答)』·『천주성교예규(天主聖教禮規)』·『천당직로(天堂直路)』가 있다. 지금은 성지로 지정되어 있지만 당시 흥선대원군이 갈매못을 처형장으로 택한 것에 두 가지 설이 있다. 첫 번째는 고종과 명성황후의 국혼이 예정되어 있으므로 서울에서 200리 이상 떨어진 곳에서 형을 집행해야 탈이 없으리라는 무당의 예언이 있었기 때문이다. 또 한 가지는 1839년에 엥베르 주교와 모방 신부, 그리고 샤스탕 신부 등 3명의 프랑스 선교사를 처형한 것을 항의하려고 안면도 앞 오천면 외연도(外烟島)를 서울 양화진으로 알고, 프랑스 로즈 제독이 왔던 곳이라 흥선대원군은 서양을 배척하는 의미로 프랑스 사제들이 외연도를 바라보이는 곳인 갈매못을 처형지로 정했다.

337) 安龍根 著, 『韓國人과 개고기』. 서울: 도서출판 효일, 2000. p.21.

338) ① 샤를 달레 原著, 安應烈, 崔奭祐 共譯註, 『韓國天主教會史』上. 서울: 한국교회사연구소, 2000. ㉮ "조선에는 돼지와 개가 엄청나게 많으나, 개는 지나치게 겁이 많아서 식육으로밖에는 별로 쓰이는 데가 없다. 개고기는 매우 맛이 있다고들 하는데 어떻든 조선에서는 그것이 가장 훌륭한 요리의 하나이다. 정부에서는 양과 산양 기르는 것을 금한다. 임금만이 이 특권을 가지고 있는 것이다. 양은 임금이 조상들에게 제사를 지낼 때 쓰이고, 산양은 공자에게 제사 지낼 때에 쓰이기로 되어 있다."(33쪽) ㉯ "소를 잡아서 고기가 잔뜩 나왔을 때는, 한 사발 가득 담은 고기를 보고 놀라는 회식자는 하나도 없다. 점잖은 집에서는 소나 개고기를 크게 썰고……."(234쪽) ㉰"양고기는 없고, 그 대신 개고기가 있는데, 선교사들은 그 맛이 조금도 나쁘지 않다고 일치하여 말한다."(256쪽) ② 『한국경제신문』 2001년 12월 15일자 "개고기 관련 논쟁 – 프랑스도 20세기 초까지 개고기 먹어 –", 참조.

339) 보신탕은 원래 개장(狗醬)으로 1988년 서울 올림픽 이후 영양탕 또는 사찰탕으로 부르게 되었다. 옛 선비들은 지양탕(地洋湯)이라고도 불렀다.

340) 프랑스계 미군으로 많은 여행기를 남겼다. 이집트에서 군복무를 한 그는 변호사가 되기 전 우간다에서 파견군대를 이끌었다. 1887년에 한양의 총영사직으로 부임하여 2년여 남짓 조선에 머물면서 하멜 이후 외국인으로서는 최초로 제주도를 여행했다.

(사진 18) 구한말 외교관 초청연회 모습

7월 23일 일본공사 오토리 게이스케(大鳥圭介)가 궁중에 난입하기 이전에 서방 외교관들을 초대하여 연회를 베푸는 것으로 추정되는 삽화가 실렸다. 이 글과 삽화를 실은 샤이에 롱은 1887년에서 1889년까지 서울에서 근무했고 1892년부터 1902년까지 파리에서 거주했으며, 1894년 여름 조선에 파견되었을 때 이 글을 쓴 것으로 보인다. 이 삽화에서 연회를 주관한 사람은 1893년에 외무독판에 임명된 조병직으로 그는 청일 두 나라 군대가 몰려들어 군사적 긴장이 높아 전운이 감도는 시점에서 열강의 외교관들에게 만찬을 베풀며 외국군대의 압력을 완화하려고 모임을 가졌던 것이 아닌가 한다.

당시 열강들의 태도를 보면, 영국은 일본을 동맹국으로 보고 청일전쟁 개시 전인 1894년 7월 16일 영·일 간 불평등조약 개정에 동의하면서 일본의 침략전쟁 개시를 승인했다. 그러고 나서 청일전쟁 후 일본과 한반도 지배권을 두고 경합을 벌이게 되는 러시아는 청·일 간의 세력판도를 예의주시했을 것이다. 일뤼스트라시옹(Illustration)지에 실린 기사에서 샤이에 롱은 조병직 독판에 대해 65세의 나이로 매우 친절하며 위엄을 갖추고 있다고 기술하고 있으며, 만찬 장면에서는 나라를 구하기 위한 외교전으로 외교관들에게 보신탕을 제공했다는, "외무독판(장관)은 모든 외교관들이 도착하자, 8명의 무희들을 들게 했다. 식탁에 놓인 그릇과 테이블보(Table cover) 등은 유럽식이고 메뉴(Menu])도 서양식이었다. 사냥에서 잡은 고기요리였으나 술에 너무 많이 절여 맛이 좋지 않았다. 우리에게 왕과[341] 양반들이 매일 먹

341) 샤이에 롱은 1894에 출판된『코리아 혹은 조선(La Coree ou Tchosen – La terre du calme matinal)』이라는 책에서는 콜레라 치료제로 일반 백성은 물론 고종임금까지도 개고기로 즙을 내어 만든 죽(개죽)을 복용했다 하여 우리의 열악한 의료수준을 시사(示唆)한 바 있다. 조선에서 개는 약재로 쓰일 뿐만 아니라 사람이 먹다 버린 음식 쓰레기나 오물을 처리해 주기도 하고, 야심한 시각

는 국민요리인 보신탕을 대접했다."는 내용이 있어 서방에 소개된 최초의 보신탕 기록을 남기고 있다. 그리고 당시에 조선을 여행한 바 있는 샤를 바라와 러시아 학자 바츨라프 세로셰프스키(Vatslav Seroshevskii)는 보신탕은 조선인뿐만 아니라 중국인들도 즐겨 먹었다고 그들의 기행문에서[342] 밝히고 있으며, 충북의 단양 일부 마을에서는 성황당에 호랑이에게 물려 죽은 남자의 혼령이 살고 있는 나무에는 개고기를[343] 제물로 쓰기도 했다.

천주교 서적의 우리말 번역은 1794년 베이징의 주교로부터 파견된 청국의 주문모(周文模) 신부에 1797년 모든 통용되는 언어로 작성될 것을 주장하는 조서를 만들어 당시에는 많은 종교서적들이 필사의 형태로 번역되었다. 프랑스인에 의한 천주교 서적 번역은 페레올(Ferreol), 베르뇌 주교에 이어 다블뤼가 남긴 많은 저서를 남겼는데 이 중 1864년에 펴낸 죄의 통회(痛悔: 지은 죄를 진심으로 뉘우침)를 통한 지침서인『회죄직지(悔罪直指)』[344]가『한국서지』[345] 및 플랑시의 문서[346]에 남아 있다. 이 책은 이탈리아의

문단속을 책임진 문지기 역할도 충실히 수행하는 것이다. 저자는 이 책에서 한국의 민속화가가 그린 소박한 민속판화 20점, 풍경필화 5점, 및 제주도 지도 1점을 실었다. *샤이에 롱 지음, 성귀수 옮김,『코리아 혹은 조선』. 서울: 눈빛, 2006. pp.252, 253 참조.

342) ① "중국인들과 마찬가지로 개장국이나 갈비 요리로 이 가엾은 짐승(개)의 육질을 선호하는 조선인의 몽둥이 세례쯤이야 누워서 식은 죽 먹기로 따돌리면서 말이다" *샤를 바라 지음, 성귀수 옮김,『조선 종단기』. 서울: 눈빛, 2006. p.185 참조. ② "한국인들은 자신들이 혐오해 마지않는 우유와 유제품을 제외하고는, 중국인들처럼 소화가 가능한 것은 거의 다 먹는 편인데, 그들과 달리 고양이・여우・백조 고기는 먹지 않아도 개고기만큼은 중국에서와 마찬가지로 대단히 인기가 있다." *바츨라프 세로셰프스키 지음, 김진영 외 옮김,『코레아 1903년 가을』. 서울: 개마고원, 2006. p.118. ③ "한국의 농촌에서는 ……대신 초라하게 비루먹은 개들은 어디나 어슬렁거린다. 집 지키는 데 뛰어날 뿐만 아니라, 멀리서도 유럽인 냄새를 기막히게 잘 맡는 개들이다. 한국인들은 개고기를 즐겨먹은 까닭에 껍질이 벗겨진 개의 몸통고기가 정육점에 돼지고기, 쇠고기와 함께 나란히 걸려 있는 경우도 많다." *바츨라프 세로셰프스키 지음, 김진영 외 옮김,『코레아 1903년 가을』. 서울: 개마고원, 2006. p.172. ④ "모든 집은 개를 기르며……개는 사람의 친구도 아니며 식구도 아니다. ……개는 무척 거칠다. 개들은 늙기 전에 봄철의 보신탕이 된다. ……봄철이면 개고기 판매도 흔했다. ……어떤 계절에 개고기가 많이 소비되기 때문에 식용개를 집중적으로 키운다." *I. B. 비숍 지음, 신복룡 역주,『조선과 그 이웃 나라들』. 서울: 집문당, 2006. pp.56, 126, 153. ⑤ "개 도살업자가 개를 잡은 것을 보게 되는데 그들은 개를 올가미 밧줄로 묶어 의식을 잃은 개를 죽을 때까지 작대기로 두들겨 팬다. 좋은 고기를 살 수 없는 사람들은 이를 먹기 위해 역겨운 냄새가 나는 것(개장국)을 끓인다." *W. F. 샌즈 지음, 신복룡 역주,『조선비망록』. 서울: 집문당, 2006. p.50.

343) I. B. 비숍 지음, 신복룡 역주,『조선과 그 이웃 나라들』. 서울: 집문당, 2006. pp.99－100.

344) 여기서 책의 제목으로 쓰인 '直指'는 죄를 바로 깨닫고 회개한다는 뜻이다.

345) 모리스 쿠랑 원저, 李姬載 譯,『韓國書誌－修訂飜譯版－』. 서울: 一潮閣, 1994. p.684. 도서번호 2721.

예수회 수사로 중국에서 활약한 최초의 선교사인 알레니(Aleni Giulio, 1582-1649, 艾儒略)가 한문으로 저술하여 필사본으로 전해왔다. 이를 충청도 연풍 출신의 황석두(1812-1866, 루까)가 기초 원고를 쓰고, 베르뇌(Berneux, 張敬一) 주교가 감준(監准: 교정을 보고 승인함)한 것을 다블뤼 주교가 순한글 내려쓰기로 옮겨 1864년에 한글 목판본으로 간행했다. 이 책은 대죄를 지은 신자가 고해성사를 볼 수 없을 때나, 임종 때에 상등통회(上等痛悔: 마땅히 사랑해야 할 하느님께 순종하지 않은 일을 슬퍼하는 태도)를 통하여 구원에 이르도록 하는 방법을 모두 네 부분으로 나누어 제시하고 있다. 당시의 신도들은 육신의 때는 물로 씻고, 영혼의 죄는 통회의 눈물로 씻는다고 했다. 그래서 신도생활에 중요한 참회지도서가 필요했으며 어린 아이들도 배우기 쉽고 한자를 배울 방법이나 시간이 없는 여성들과 신분이 낮은 이들을 위해 읽기 편리한 한글로 번역한 것이다.

성서번역과 中-韓-佛 사전편찬, 종교서적의 교정, 조선어 연구에도 조예가 깊던 다블뤼의 활동에 자극을 받아 동료들도 비슷한 연구에 몰두하여 이것이 선교의 앞날에 가장 큰 장점으로 작용했다. 한편 다블뤼는 조선의 옛 책들이 무관심 속에 없어지는 것이 안타까워 오랜 세월 전교를 하는 동안 매우 희귀한 조선의 옛 책을 몇 권 모으는 데 성공했으나 집의 화재로 소실되었는데[347] 여기에는 국한문으로 쓴 순교자들의 사기(史記)의 원제목과 자세한 이야기가 들어 있는 7, 8권의 원고와 우리나라의 역사서, 그중에서도 여러 왕조의 연대순 명단이 들어 있었고, 매우 귀중한 조선 서적이 많이 수집되어 있었다고[348] 한다. 특히 그가 번역한 금속활자본 『직지』와 이름이 유사한 『회죄직지』가 『한국서지』에 수록되지 않고 플랑시의 또 다른 문서에 남았다는 것은[349] 아직도 정리되지 않은 다블뤼가 수집한 한국의

346) 이진호 지음, 『한국 성서 백년史 I』. 서울: 대한기독교서회, 1996. pp.609-616에 의하면 『회죄직지』를 포함하여 천주교 서적만 29권이나 된다.

347) 샤를 달레 原著, 安應烈, 崔奭祐 共譯註, 『韓國天主教會史』上. 서울: 한국교회사연구소, 2000. p.137.

348) 샤를 달레 原著, 安應烈, 崔奭祐 共譯註, 『韓國天主教會史』下. 서울: 한국교회사연구소, 2000. p.301.

349) 이진호 지음, 『한국 성서 백년史 I』. 서울: 대한기독교서회, 1996. p.605.

고서가 상당수에 이른다고 말할 수 있다. 다블뤼는 1859년 천주교도를 위한 인쇄소를 설립했으며, 1864년에는 또 하나의 인쇄소를 만들어 활자로 책을 인쇄하여 보급하려 했으나 1866년 천주교 박해로 중단되기에 이른다.

2) 레옹 드 로니(Léon de Rosny)의 한국학 연구

프랑스인 중 한국학 연구를 처음 시작한 이는 파리 동양어학교 일본어 교수인 레옹 드 로니(Léon de Rosny, 1837－1914)였다. 그는 19세기 후반 한국의 언어 · 지리 · 역사에 대해 정기적으로 연구들을 발표했던 최초의 학자로서 한국학을 형성하는 데 막대한 공헌을 했다. 로니는 한국을 방문한 적이 없이 학술적인 자료들을 토대로 한국을 연구했다. 그 대표적인 성과물은 1859년에 『한반도와 그 미래』, 1861년에 『중국 · 한국 · 아이누어 어휘』, 1864년에 『한국어 개괄』, 1864년에 『아시아 지리 및 역사연구』, 1868년에 『한국의 지리와 역사에 대하여』, 1872년에 『동양의 역사 지리적 다양성』 등으로 프랑스의 학자가 동양학보에 발표한 한국에 관한 최초의 논문들이다. 로니는 1868년 동양어학교에 일본어과가 설치되면서 교수가 되어 1905년까지 재직했다.

로니는 "과학은 이미 한국을 제외한 동방의 거의 모든 나라에 손길을 뻗었다. 한반도의 역사는 아시아에서도 가장 오래전으로 거슬러 올라가며, 오늘날 매우 중요한 전략적 위치를 접하고 있어 극동에서 가장 중요한 국가 중 하나로 손꼽힌다. 이 반도는 서구의 모든 해상 세력으로부터 엄격히 단절되어 있으며 아직도 수수께끼 같은 암흑 상태로 남아 있다. 서구 세계의 주요한 인류학적 문제의 해결은 바로 이 나라에 대한 지식에 달려 있기에 더욱 안타까운 일이다."라며[350] 우리나라의 지정학적 특수성과 폐쇄성을 지적하고 오랜 역사에 찬탄하면서도 우려어린 전망을 내놓았다. 로니의 학문

---

350) 프레데릭 불레스텍스 지음, 이향, 김정연 공역, 『착한 미개인 동양의 현자』. 서울: 청년사, 2001. p.126.

세계는 당시 특유의 식민주의적 사관이 엿보여 실증주의 시대였던 당시의 분위기를 반영하고 있다. 그는 한국의 문호개방에 대해 지역의 전략적 관계 차원에서 뿐만 아니라 서구 세계의 학문적 문제에 대한 해답을 줄 수 있을 것이라는 시각으로 기존의 양면성 주제를 구현하고 있다. 로니가 한국에 대해 비록 현장 체험 없는 연구를 했지만 중국의 사료에만 의존하지 않고 식민주의적 지리학에서 영향을 많이 행사했던 지정학 · 역사 · 지리 · 인류학의 분야를 포함하는 다양한 주제를 다루었다. 로니의 식민주의적 사관은 유럽이 동방을 정복하는 것은 동방에 세상의 빛을 전달해 주기 위한 것으로[351] 믿었다.

3) 피에르 로티(Pierre Loti)의 서울 방문기[352]

근대 프랑스 문학을 대표하는 문호 중 한 사람인 로티(Pierre Loti, 1850 - 1923)는 소설가이면서 여행가로서 1868년에 해군장교로 임관하여 1910년 전역할 때까지 42년 동안이나 군에 있으면서 세계 각국을 기행한 독특한 이력을 갖고 있다. 로슈포르(Rochefort)에서 출생한 그의 본명은 줄리앙 비오(Louis - Marie Julien Viaud)이며 피에르 로티(Pierre Loti)는 필명이다. 그는 어려서부터 고독하고 몽상적인 성격으로 벵골만(Bengol B)에서 죽은 형과 같은 선원이 되고 싶어 했다. 그리하여 남태평양의 폴리네시아(Polynesia)를 시작으로 이스탄불(Istanbul: 옛 콘스탄티노플(Constantinople) · 그리스시대 때 비잔티움(Byzantium), 타히티(Taïti), 동양의 중국, 일본, 인도(India), 버마(Burma: 미얀마), 팔레스타인(Palestine), 아프리카의 세네갈(Senegal), 모로코(Morocco) 등지를 두루 돌아다녔는데 각지의 인상을 바탕으로 관능적이고 이국적인 기행소설과 낭만이 풍부한 작품을 많이 남겼다. 그의 정신 밑바닥에 깔린

351) 프레데릭 불레스텍스 지음, 이향, 김정연 공역, 『착한 미개인 동양의 현자』. 서울: 청년사, 2001. pp.125 - 126.

352) 피에르 로티, 이진명 옮김, "새벽을 깨우는 王宮의 나팔소리", 『新東亞』1992년 6월호, pp.514 - 525 참조.

것은 비관주의라고 하는 페시미즘(Pessimism)이다.

프랑스 한림원 회원(Academie Francaise)이었으며 주요 작품으로는 『아지야데(Aziyadé), 1879』·『로티의 결혼(Le Mariage de Loti), 1880』·『아프리카 기병(Le Roman d'un Spahi), 1881』·『빙도(氷島)의 어부(Pêcheur d'Islande), 1886』·『동방의 환영(幻影) (Fantôme d'Orient), 1892』·『라문초(Ramuntcho), 1897』 등이 있다. 특히 1893년에 일본을 무대로 쓴 『국화부인(Madame Chrysnateme)』은 초베스트셀러로 현재까지 50번 이상 출판되었고 1940년대까지 250여 판이나 찍었다.

로티가 한국에 온 것은 1901년 6월 17일에 승선하고 있는 함정 르 르두타블(Le Redoutable)호를 따라 중국에서 인천(제물포)에 도착하여 일본으로 떠나기 전까지 약 10일간 서울에 머물면서 그 짧은 기간에 있었던 일을 기록한 것이다. 그는 당시 프랑스 해군 중장 포티에(Pottier) 제독을 수행하여 1901년 6월 22일에 고종황제를 알현하는 데 배석하기도 하여 그 장면과 궁중 무희가 춤을 추는 모습을 아주 자세하게 묘사하기도 했다. 이 글은 1905년에 초판을 낸 기행수필집 『梅花婦人의 제3의 젊음(La troisiéme jeuness de Madame Prune)』에 서울 방문기인 "서울에서(A Seoul)"라는 20쪽짜리 글이 수록되어 있다. 초판 이후에도 증보를 하여 1923년 피에르 라피트(Pierre Lafitte) 출판사본에는 덕수궁의 왕좌를 구경하는 자신과 궁중 무희를 그린 그림 2점이 들어 있으며, 1936년 출간된 칼만－레미(Calmann－Levy) 출판사본에는 화가 실뱅 소바주(Sylvain Sauvage)가 그린 컬러 삽화 담뱃대를 문 노인과 고종 및 황태자의 초상 천연색 삽화 2점이 추가되어 있다.

특히 로티의 작품을 통해 외국인들의 알현 장면과 이진과 관련된 궁중연희에서의 무희 춤사위가 들어 있어 『직지』와 관련해서는 그 가치가 높다 하겠다. 로티는 이 글에서 서울거리의 풍경과 왕궁묘사, 특히 서민들의 일상생활 모습을 생동감 있게 묘사하였으며, "이 이상한 나라 조선은 앞으로 얼마나 존속할까? 느슨한 중국의 굴레에서 겨우 벗어나자, 사방에서 오는 위험이 조선을 위협하고 있다. 일본은 손 닿는 데 있는 손쉬운 포획물로서의 조선을 탐내고 있으며, 북쪽으로부터는 시베리아의 스텝과 만주평야를 거쳐 큰 걸음으로 러시아가 다가오고 있다."는 등 당시의 조선을 둘러싼 국제정세와 기울어져 가는 이씨조선의 잔영(殘影)을 잘 표현한 것으로 평가되고 있다. 그의 문학 특징은 호흡이 짧으면서도 서정이 넘치는 것이 장기라 할 수 있는데, 이 글에서는 문맹국으로 바라보는 견해인지는 몰라도 이국 풍경은 어떤 면에서는 '괴상한 작은 군인', '게딱지하며 우스꽝스럽고 단조로운 회색인', '밋밋하고 노란 얼굴', '현란한 겉날개를 단 거대한 곤충과 같다', '먼지 먹은 수많은 게딱지같은 잿빛기와' 등등 지나치게 비아냥거리며 업신여기는 듯한 문체로 표현한 것이 흠이라면 흠이라 하겠다. 그러나 머리를 땋은 남자 소년들은 구라파 소녀로 착각하는 장면과 서양의 뾰족모자를 흉내 낸 것과 같다는 망건에 대한 표현에서 여자의 치마는 아주 위까지 올라가 두 젖꼭지가 드러나도록 터져 있다는 등 사실적으로 그리면서 이국문화의 정서에 대해 재미있게 구사한 것도 특이하다고 하겠다.

로티(Pierre Loti)의 글을 비롯하여 개화기 당시 서구인들의 시선으로 본 조선의 시대상을 담은 책은 외부인의 눈을 통해 우리를 객관적으로 살펴볼 수 있다. 『조선과 그 이웃나라들』을 쓴 이사벨라 버드 비숍(Isabella Bird Bishop) 여사나 『대한제국의 비극』을 쓴 매켄지(Frederick Arthur Mckenzie)는 조선 사람들을 매우 활기차고 도덕적이라고[353] 평가했다. 또한 『1900, 조선에 살다(Village Life in Korea)』를 쓴 제이콥 로버트 무스(Jacob. Robert Moose, 무야곱)도 조선은 쇠락해 가는 왕국이 아닌 생명력이 넘치는 땅이라며 조선의 미래를 긍정적으로 보는 반면 여성들의 수난사를 집중 조명하기도[354] 했다. 그러나 미국의 기자였던 조지 케넌(George Kennan) 같은 이는 1905년에 『코리아: 타락한 국가』와 『코리아: 한 퇴락한 문명의 산물』이라는 글을 통해 "조선은 심하게 병들어 있으며 장기적 치유가 필요하다."고

353) 비숍 여사는 여성들에게 바지의 착용이 허용되기 이전 당시 빅토리아조 여인들의 불편한 치마 차림으로 세계 각국을 여행하며 섬세한 눈으로 관찰하고 문학적 글로 많은 여행기를 남겼다. 그녀는 미국을 시작으로 오스트레일리아, 뉴질랜드, 하와이, 티베트 등을 여행하였으며 1883년에서 1887년 사이에 우리나라를 4번이나 방문하여 1898년에 『조선과 그 이웃나라들』이란 책을 출간했다. 비숍이 남긴 글은 식민주의가 주도하던 시대에 현지의 역사와 문화에 대해서는 개방적인 반면 부패와 악에 대해서는 매서운 비판을 가하고 있는 것이 특징이다.

354) 제이콥 로버트 무스 지음, 문무홍 외 옮김, 『1900, 조선에 살다』. 서울: 푸른역사, 2008.

악평했다. 또한 일본 낭인(浪人) 출신으로 통감부 관리를 지낸 혼마 규스케(本間九介)는 청일전쟁을 앞두고 조선의 정세가 요동치던 1893년 조선을 정탐(偵探)하고 남긴 여행기에서 "조선 역사를 사대주의 역사로 폄하하고, 조선인을 불결하며 자력갱생의 의지가 없다."고 전형적인 제국주의와 조선 침략을 기정사실화한 정한론(征韓論)을 노골적으로 표출하는[355] 등 타자가 본 조선의 시각은 다양했다.

구한말 조선을 방문했던 서양인들은 당시 조선이 자주적 근대화로 개화되고 있다는 점을 미약하게나마 시사하면서도 주체적 발전역량을 부정하는 강대문명국들이 미문명화된 나라들에 대한 고정된 식민사관을 갖고 있어 조선사회의 내재적 발전가능성에 대해서는 확실한 입장을 밝히기를 피했다. 그들은 또한 우리의 문화유산에 대해서는 비교적 칭찬을 하면서도 현재의 폐허상황과 전통을 계승하지 못하는 점에 있어서는 냉혹하게 비평했다. 우리는 이러한 서구인들의 시각을 부정적 · 비판적으로 수용하지 말고 우리 민족의 정체성을 찾고 향후 세계 속에서 위상 정립을 위한 토대로 활용해야 할 것이다.

4) 홍종우의 한국학 프랑스 전파

홍종우가 1890년 12월 24일 프랑스에 도착했을 때 당시 언론은 홍종우에 대해 '조용한 아침의 나라'에서 온 수수께끼 같은 인물이라 소개했다. 그는 1893년 7월 22일까지 프랑스에서 2년간 체류를 마치고 같은 해 중국 상하이에서 1884년 갑신정변의 주동자인 친일파 김옥균을 암살하기도 하는 등 테러리스트(Terrorist)였지만 한국의 문화를 프랑스에 처음 알린 민간 외교사절로 또 다른 시각에서 평가를 받아야 할 것으로 보인다. 홍종우는 프랑스에 있는 동안 1892년에서 1893년 2년간 기메박물관에 근무하면서 조선의 역사와 문화를 프랑스에 알리기 위해 한국 문학작품과 박물관 전시물

355) 혼마 규스케 지음, 최혜주 역주. 『(일본인의 조선 정탐록) 조선잡기』. 서울: 김영사, 2008.

의 한자 이름을 프랑스어로 프랑스인들이 번역하도록 도와준다. 그리하여 한국의 문학을 통해 우리나라를 발견할 수 있는 길이 열리게 된다. 프랑스인들이 한국문학 번역에 눈을 돌린 것은 새로이 발견된 미지(未知)의 땅 또는 지역의 정치적 격동기나 시들어져 가는 무역에 대한 관심이 있었기 때문으로 보인다. 홍종우가 한국학 번역에 참가하여 간행된 책은 아래와 같다.

○ 『춘향(Printemps Parfumé)』 이 책은 홍종우의 도움으로 벨기에 출신 조셉 앙리 보엑스(Joseph Henri Boex, 1856-1940) 형제 중 형인 로니(Joseph Henri Rosny)[356]가 프랑스어로 번역하여 1892년에 파리의 발르와 광장 3번지 당튀(Dentu) 출판사에서 『향기로운 봄(Printemps Parfumé)』이란 제목으로 출판했다(7.5 × 13.5㎝, 140p). 보엑스는 다음 해인 1893년 7월 8일에 『라 드뷔 블루』지에 실린 "한국의 문인이 본 풍속"이란 글에서 춘향전을 번역하게 된 계기와, 홍종우,[357] 조선문화의 특성 등을 소개했다. 이 글에 의하면 춘향과 이도령의 재회 장면 등을 프랑스식으로 바꾸었음은 물론 메롤드와 미티스가 그린 삽화 또한 서양인의 모습을 한 춘향과, 고깔모자를 쓴 방자 등 상상도에 가깝게 왜곡묘사[358] 되었다고 했다. 이후 춘향전은 1999년 프랑스 출판사에서 다시 재출간되었다. 이 책은 지금까지 전해지는 고전소설의 첫 해외 번역본이었으나 최근 1889년에 한국에 온 최초의 미국 선교사로 광혜원((廣惠院)[359]을 설립한 알렌(H. N. Allen)이 미국 출판

---

356) 보엑스(Boex) 형제는 모두 로니(J.H.Rosny)라는 같은 필명을 썼다.

357) 보엑스는『라 드뷔 블루』지에 실린 글에서 홍종우는 오귀스탱 거리의 작은 호텔 방에서 자신에게 춘향이의 감미로운 노래(춘향가)를 들려주었는데, 그 노래는 마치 수 세기 동안 백인의 문명과 황인종의 문명이 서로 교류되지 못하고 평행선을 이룬 것처럼 느꼈다고 했다. *조재곤,『그래서 나는 김옥균을 쏘았다』. 서울: 푸른역사, 2005. p.74.

358) ① 프레데릭 불레스텍스 지음, 이향, 김정연 공역,『착한 미개인 동양의 현자』. 서울: 청년사, 2001. pp.135-136. ② 유럽에서의 춘향전에 대한 왜곡은 1956년 핀란드 국립발레단이 헬싱키에 있는 국립오페라 극장에서 초연한 "사랑과 시련"이란 작품에서도 나타난다. 세계적인 안무가 마하일 포킨(1880-1942)의 작품이기도 한 팸플릿에는 주인공인 춘향이 충양(Chung Jang)으로 표기되어 있다. 이 작품은 후에 1956년부터 1968년까지 러시아 레닌그라드, 프랑스 파리, 영국 에든버러, 그리고 독일과 헝가리 등 유럽무대에서 활발히 공연되었다. 그런데 1시간 분량의 단막 작품으로 여주인공의 이름 뿐만 아니라 이 도령은 젊은이로만 등장하고, 변사또는 자만심 강한 서양에서 온 대사(大使)로 인물이 바뀌었으며, 배경도 옛날 머나먼 아시아에서로 되어 있고 무대의상은 중국풍으로 왜곡되어 있다. *『동아일보』 2006년 10월 12일 A21면. "50년 전 유럽인들 발레로 춘향전 봤다" 참조.

359) 1885년(고종 22)에 세워진 한국 최초의 근대식병원. 미국인 선교사이며 의사인 알렌(Horace N.

사에서 펴낸 『코리안 테일스(Korean Tales)』에 들어 있는 심청전 · 춘향전 · 홍길동전 · 별주부전 · 견우직녀 등 7편의 한국소설의 영역 요약본이 발견되어[360] 홍종우가 프랑스어로 번역한 『춘향』보다 앞서게 되었다.

○ 『한국소설 다시 꽃이 핀 마른 나무(Roman Coréen le Bois sec refleuri)』 이 책은 홍종우가 기메박물관 대중소설 총서 제8권으로 1893년부터 2년에 걸쳐 단독 번역하여 파리 보나 파르트 28가 28번지의 엘레스트 르루(Ernest Leroux) 서점에서 1895년에 간행되었으며, 1923년 기메박물관측은 이 책을 도쿄대학도서관에 기증했다. 이 책의 내용은 『심청전』과 『별주부전』 등 조선의 각종 고전소설들을 혼합하여 재구성한 것으로 본래의 『심청전』과는 다르다. 홍종우가 이 책을 번역한 것은 춘향전 출간 이후 프랑스의 지식인들이 조선의 불후작품(不朽作品) 중에서 번역할 만한 것이 없는지 물어와 그들의 요구에 답하기 위해 번역한 것이라 했다. 홍종우는 이 책의 첫머리에 프랑스 연구자들을 만족시키기 위해 무려 32페이지의 서문에서 주로 한국의 역사를 소개하고 있다. 그는 서문의 마지막에서 "양국이 서로 잘 알고 가까워지게 하는데 내가 조금이라도 이바지할 수 있었다면 나로서는 나 자신이 가장 행복한 사람들 중의 하나라고 생각하게 될 것이다."라[361] 했다.

○ 『직성행년편람(直星行年便覽)』 이 책은 앙리 슈발리에(Henri Chevalier)[362]가 점성술에 관심이 많았던 홍종우와 함께 『개개인의 별자리의 행운을 찾고 한 해의 운수를 알기 위한 지침서(GUIDE POUR RENDRE PROPLCE L' E'TOILE QUI GARDE CHAQUE HOMME)』라는 제목으로 1897년에 『직성행년편람(直星行年便覽)』을 출판했다. 이 책은 홍종우의 귀국으로 공

Allen, 安連)이 서울 재동(齋洞) 홍영식(洪英植)의 집에 차린 서양식 병원으로서, 통리교섭아문(統理交涉衙門) 관리하의 최초의 국립병원이기도 하다. 알렌은 1884년 9월 미국 북장로회의 의료선교사로 한국에 들어와 활동하던 중, 갑신정변 때 칼을 맞아 중상을 입은 민영익(閔泳翊)을 치료해 생명을 구해 준 것이 인연이 되어 고종의 총애를 받아 왕실부(王室附) 시의관으로 임명되었으며, 병원 설립을 건의하여 고종의 허락을 얻었다. 1886년 5월 고종은 이 병원이 백성의 치료에 공이 크다 하여 <제중원(濟衆院)>이라 이름을 고치고, 알렌에게 당상관 통정대부(通政大夫)의 벼슬을 주었다.

360) 『동아일보』 2006년 3월 14일 A19면. "홍길동전 등 한국 고전소설 1889년 발간 첫 영역본 발견".

361) 조재곤, 『그래서 나는 김옥균을 쏘았다』. 서울: 푸른역사, 2005. pp.74 – 76.

362) 슈발리에는 샤를 바라(Charles Varat)가 조선에서 가져온 모자와 스틴에이커(Steenackers)의 소장품을 분석하여 『한국의 모자(Les coiffures Coréenne)』라는 책을 출간하기도 했다.

동번역을 완결하지 못하고 서울주재 변리공사 아스톤(W. G. Aston)과 모리스 쿠랑의 도움으로 1896년 3월에 완역했다. 그러나 표지에는 홍종우와 공역으로 1987년 파리 엘레스트 르루서점에서 발행한 것으로 되어 있다. 『기메박물관 연보(ANNALES DU MUSÉE GUIMET)』 제26호로 발행된 이 책은 당시 점성술이 풍미하던 유럽에 큰 방향을 미쳤다고 한다.

홍종우가 기메박물관에서 우리나라의 문학작품과 역사, 점성술 등을 번역한 것은 그가 시서화(詩書畵)와 한국역사에 상당한 조예가 있었기 때문에 가능했다. 또한 당시 기메박물관에서 한국의 작품을 출판한 것은 문학작품의 가치를 떠나 "거의 알려지지 않은 한국문학의 표본으로 출판할 만한 가치가 있다고 판단"하여 책을 낸다고 밝혔다. 그리하여 홍종우가 참여하여 번역한 고전작품은 문학적 가치를 떠나 우리나라 문학이 프랑스어로 번역되어 알려지게 되었다는 데 그 의의가 있다고 보아야 한다. 그런데 홍종우가 남긴 글 등에서는 한국의 금속인쇄술에 대해서는 언급이 거의 없으며 특히 그는 『직지』의 존재는 아예 모르고 있었던 것으로 보인다. 만약 당시에 홍종우가 『직지』의 가치를 알았거나 번역을 하여 우리나라의 인쇄술이 알려졌더라면 현재와 같이 프랑스에 『직지』가 유출되지는 않았을까 생각된다.

5) 서영해(徐嶺海)의 한국학 프랑스 전파

서영해는 1903년 부산의 한의원 집안에서 태어났다. 1919년 3・1운동에 참여한 뒤 일본 경찰의 추적을 피해 중국 상하이(上海)로 망명했다가, 1920년에 프랑스로 건너가 파리에 체류하면서 우리나라가 주권을 잃었던 어려운 시기에 프랑스에 한국의 서민문학을 소개하여 한국의 이미지를 알린 독립운동가이다. 그의 활동은 1920년대의 한국의 잃어버린 정체성을 인정해 줄 것을 요구했다. 이 시기 우리나라가 지켜내려고 했던 것은 첫째로 식민통치자들이 파괴하려 했던 전통세계와, 둘째로 와해(瓦解) 직전에 놓인 국가의 일체성이다. 서영해가 유학시절 대한민국 임시정부는 프랑스 파리에 임시정부위원부를 두고 있었으며, 1921년 서영해는 프랑스에 유학 중인 학생들과 임시정부 수반(首班) 김구 선생 사이에 연락업무를 하는 등 항일 독립운동을 전개했다. 1929년 파리에서 고려통신사(高麗通信社)를 설립하고 상하이 대한민국 임시정부의 주(駐) 프랑스 통신원으로 활약하면서 유럽 각국의 언론사들에게 일제의 한반도 강탈과 잔학(殘虐)한 만행을 알리는 데 전념했다. 1934년에는 주 프랑스위원부 대표로 임명되었다. 1935년 임시정부의 주 프랑스 외무행서(外務行署) 외교특파원으로 임명되어 유럽 각국의 요인들에게 한국의 정세를 널리 알리고, 한국의 독립에 관한 원조를 요청하는 한편, 1944년에는 임시정부 외무부 산하 주 프랑스 예정대사(豫定大使)로 선임되어 역시 한국의 독립과 관련된 외교 활동을 전개했다.

1945년 3월 프랑스 정부가 임시정부와 외교 관계 수립을 요청하자, 같은 달 12일 임시정부 주 프랑스 대표로 선임되어 8・15광복 때까지 계속 외교를 통한 항일 독립운동에 앞장섰다. 해방 후 연세대학교에서 교수로 있었으나 6・25동란 때 월북했다.

서영해가 프랑스에 알린 서민문학은 주로 우화였는데 이를 시대별로 보면 아래와 같다.

1929년 『어느 한국인의 일생(Autour d'une Vie Coréene)』은 주 프랑스 임시정부 홍보국 아장스 코리아 출판부(Editions Agence Korea)에서 출판되었다. 프랑스어 제목 밑에 한국 역사소설이라고 한글과 한자를 섞어 세로로 썼지만 소설도 아니고 역사서도 아닌 본인 자신의 이야기이다. 이 책은 작품으로서의 가치는 거의 없으나 한국 독립을 변론하는 점이 돋보인다. 자료 없이 기억을 더듬어 쓴 것이므로 구성이 체계적이지 못하고 프랑스어 문장이 서투르다. 이 작품의 제1부에서는 한 애국지사의 항일운동이 묘사되어 있다. 제2부에서는 주인공의 어린 시절을 통한 한국 생활의 기록이다. 그런데 그 내용 중에서 저자는 어느 영국인이의 말이라고 하면서 "한국인들은 독일인보다 78년 앞서 금속활자 인쇄술을 발명했다. 이탈리아 사람들보다 100년 전에 측우기를 발명했고, 이순신 장군의 거북선은 최고의 엔지니어(Engineer)들도 감탄해 마지않는 발명이다."라고 했는데 이진명 교수에 따르면[363] 서영해는 『직지』가 1911년 플랑시 컬렉션 때 경매되어 팔렸지만 이 책이 쿠랑이 쓴 『한국서지』에 언급되어 있어 서영해도 이를 알고 있었을 것이므로 서영해가 말한 것은 『직지』를 두고 한 말이라고 했다. 그러나 필자가 보기에는 프랑스에 유학을 했던 서영해가 플랑시와 쿠랑이 프랑스인인지도 모르고 영국인이라고 했다는 데에는 다소 의문의 여지가 있다고 본다.

재미유학자 강용흘(姜龍訖)[364]이 1931년에 출판한 그의 자전적 소설 『초당(Grass roof)』은 영어로 집필되었지만 프랑스, 독일어, 체코어, 유고슬라비아어 등 10개 외국어로 번역되었으며, 1948년에 우리나라에서는 김성칠(金聖七)에 의해 제1부가 번역된 바[365] 있으며 최근에는 여러 출판사에서[366] 번역되었다. 그런데 서영해와 거의 같은 시기에 출판한(1931년) 이 책에서 저자는 "금속활자로 인쇄된 가장 오래된 책이 한국 책이란 점을 들어, 인쇄술은 중국이 발명했다고 잘못 알고 있는 서양인에게 이를 지적한들 무슨 소용이 있겠는가? 겨우 글씨나 읽고 쓸 줄 아는 야만적인 대국 일본에 대항하여 1592년에 한국이 처음으로 거북선(목선에 양철판을 입힌 배)을 발명했다고 자랑스러워해도 무슨 소용인가?"라[367] 하여 이때 이미 금속활자 인쇄술에 대해 잘 알고 있었으나 나라 잃은 식민지 국가에서 이를 자랑한들 무엇 하느냐고 한탄하는 내용이다. 이들의 이러한 글은 우리의 금속활자 발명을 일본이 억지로 축소하려 했었다는 것을 의미하기도 한다. 1930년 초

363) http://www.euro－coree.net: 이진명 교수, "서영해의 역사소설과 강용흘의 『초당(草堂)』"에서 재인용함.

364) 강용흘(姜龍訖, 1898－1972): 함남 홍원(洪原)에서 태어났다. 함흥 영생(永生)중학을 졸업하고 도미(渡美)하여 보스턴대학교에서는 의학을, 하버드대학교에서 영미문학을 전공했다. 미국에 귀화하여 『대영백과사전』의 편집위원으로 근무하면서 동양문학을 번역 · 소개하는 한편, 영문소설 창작에 전념, 1931년에 자서전적인 장편소설 『초당(草堂): The Grass Roof』을 발표했다. 국권피탈(國權被奪)과 3 · 1운동을 배경으로 한국 고유의 정서를 그린 이 작품은 10개 국어로 번역되는 성공을 거두어 일약 세계적인 작가로 각광을 받으면서 구겐하임상(賞)을 수상했다. 그 후 소설 『행복한 숲: The Happy Grove』 · 『동양인 서양에 가다: East Goes West』 등을 발표했고, 1971년 한용운(韓龍雲)의 『님의 침묵』을 번역 · 간행했다. 해외에 거주하면서도 작품의 소재는 항상 한국에서 구한 '영원한 한국인'이었던 그는 아끼던 장서 5,000권을 고려대학교에 기증했고, 1970년 서울에서 개최된 국제펜클럽대회에 참석했다.

365) 姜龍訖 著, 金聖七 譯, 『草堂(上)』. 金龍圖書, 4281[1948].

366) ① 강용흘 저, 장문평 옮김, 『초당』. 서울: 범우사, 1999. ② 강용흘 저, 유영 옮김, 『초당』. 서울: 혜원출판사, 1994.

367) 강용흘 지음, 장문평 옮김, 『초당』. 서울: 범우사, 2002. pp.284－285.

에는 『한국 문명과 한국문학』을 1934년에는 『거울, 불행의 씨앗 그리고 기타 한국우화(Miroir, cause de malheuri Et autres Contes Coréens)』를, 1935년에는 『우화 모음집』을 펴냈는데 이 책에서는 한국의 특성과 독특한 혼이 담긴 전설, 일화, 우화 등 총 35편을 담고 있다. 이러한 이 책의 독창성은 책의 내용에 있는 것이 아니라 최초로 한국인이 직접 불어로 쓴 글이라는 데 있다. 서영해는 민담을 통하여 프랑스 독자들에게 전통 한국 사회의 관습과 풍습, 도덕적 가치관, 구전문학 등을 소개했다.

6) 프랑스 선교사들의 사전편찬

리델(Ridel) 신부는 1880년에 한국 최초의 한국어-외국어 사전인 『韓佛字典(Dictionnaire Coreen-Francais)』을, 그 이듬해인 1881년에는 과학적이고 체계적인 최초의 한국어 문법서인 『韓語文典(Grammaire Coreenne)』을 파리외방전교회가 우리나라에 프랑스어 활자가 없어 일본 요코하마(橫濱)에서 출판했다. 특히 『한불자전(韓佛字典)』과 『한어문전(韓語文典)』 여기에 사용된 한글 글씨체는 최초의 우리말 '신식 연활자'인 최지혁체라는 서체로 최지혁이 자모(字母) 글씨를 쓴 것으로 오늘날 한글 글씨체의 기본이 되었다. 최지혁(崔智爀, 1809-1878)은 충청도 공주 출신으로 1846년 다블뤼 신부에게 영세를 받고 1866년에는 병인박해로 중국으로 피신한 리델 신부와 함께 중국의 상하이와 만주에 머물며 10년 이상 조선 전교를 하면서 리델 신부를 도와 사전 편찬 사업에 참여하며 조선 정세 파악에 도움을 주었다. 『한불자전(韓佛字典)』은 4절판 705쪽의 방대한 분량으로 순 한국어는 한글, 한자어는 한자어와 한글, 발음, 불어 번역, 동사변화, 인명, 도시와 산, 강의 위치, 행정구역 등이 망라된 최초의 현대적인 한국어 사전이라 할 수 있다.

푸르티에(Charles Antoine Pourthié, 1830-1866) 신부는 1830년 12월 20일 프랑스에서 출생하였고, 1854년 6월 11일 사제로 서품된 후 곧바로 파리외방전교회에 입회했다. 1855년 중국의 귀주(貴州) 지역 선교사로 임명되었으나 도중에 임지(任地)가 조선으로 변경되어 베르뇌 주교, 프티니콜라(Petitnicolas) 신부와 함께 상하이를 거쳐 한국에 입국했다. 입국 후 충청북도 제천(堤川)의 배론(排論・舟論) 성 요셉 신학교 교장으로 임명되어 한국인 성직자 양성을 위해 노력하였으나 병인박해 때 프티니콜라 신부, 장주기(張周基, 요셉) 등과 함께 체포되어 3월 11일 새남터에서 군문효수형으로 순교하였고, 5월 27일 왜고개에 매장되었다가 1899년 10월 30일에 발굴되어 용산 예수성심신학교에 안장되었다. 그의 유해는 1900년 9월 4일에 명동성당으로 옮겨져 현재에 이르고 있다. 그는 배론 신학당에서 신학생들을 가르치면서 평소에 관심이 많았던 조선의 식물학・지질학・동물학 연구 및 어학 사전 편찬에 힘써 『나한한사전(羅漢韓辭典)』을 출판했다. 현재 그의 저서는 소실되어 전해지지 못하고 있으나 그가 파리에 보낸 식물표본의 일부는 아직도 보존되어 있다.

프티니콜라(Michel Alexander Petitnicolas, 1828 – 1866) 선교사는 한국에서는 박(朴) 신부로 불렸다. 코앵슈 출생. 1852년에 사제가 되고, 1853년 인도로 파견되었으나 풍토에 적응 못하고 홍콩으로 갔다가 조선에 부임(赴任) 명령을 받았다. 1856년 C. A. 푸르티에 신부와 함께 중국에서 해로로 조선에 입국하여, 한때 충청북도 제천(堤川)의 배론(排論・舟論)에 있는 한국 최초의 신학교인 성요셉신학교에서 원장으로 있었는데, 1866년의 병인박해(丙寅迫害) 때에 체포되었다. 그는 한국어를 잘하였고 의술(醫術)에도 능통하여 많은 사람들에게 교리를 전하고 또 많은 환자들의 병을 고쳐 주었다. 또한 3만 이상의 라틴어와 10만에 가까운 조선어를 담아 ≪나한사전(羅漢辭典)≫을 지었는데, 그중 한 부는 파리의 외방전교회 본부로 보냈고 나머지는 병인박해 때 소실되었다. 1866년 3월 11일 푸르티에 신부와 함께 새남터에서 순교했다.

페롱(Stanislas Férron, 1827 – 1903) 선교사의 한국 성은 권(權). 프랑스 세즈 출생. 1850년 12월 사제서품(司祭敍品)을 받고, 1854년 파리외방전교회(外邦傳敎會)에 들어가 1년간 수련 후 1857년 한국에 왔다. 1855년 이래 조선 천주교회를 이끌던 베르뇌 주교가 다블뤼 신부를 후임으로 임명했을 때, 경상도 서북지방을 중심으로 전교활동을 시작했다. 1866년(고종 3) 병인사옥(丙寅邪獄)이 일어나 한국인 천주교도 수천 명이 학살되고 주교 2명과 7명의 성직자가 순교했으나, 칼레 신부와 함께 화를 면했다. 한국에서의 참상을 알리기 위하여 리델 신부를 청나라에 보내고 자신은 남아 있다가 본국으로 소환되어 조선 천주교의 박해 실상을 소상히 전했다. 1870년 인도 퐁디셰리로 파견되어, 그곳에서 30년간 봉직했다. 페롱 선교사는 남다른 근면성을 발휘해서 1868년 5월과 1869년 2월 사이에 『불한사전(佛韓辭典, Dictionnaire Francais－Coréen)』을 완성하여 편찬했다. 이 사전은 한국교회사연구소에서 2004년에 영인본으로 펴낸 바[368] 있다.

안토니오 다블뤼(Antoine Daveluy, 安敦伊) 신부는 프랑스 아미앵 출생으로 1841년 12월 18일 서품을 받아 신부가 되어 파리외방전교회 선교사가 되었다. 그는 『중한불사전(中韓佛辭典)』과 『라한사전(羅韓辭典)』 등 사전 외에도 『신명초행(神命初行)』·『회죄직지(悔罪直指)』·『영세대의(領洗大義)』·『성찰기략(省察記略)』이 있고, 역서에 『성교요리문답(聖敎要理問答)』·『천주성교예규(天主聖敎禮規)』·『천당직로(天堂直路)』와 같은 많은 저서를 남겼다.

7) 기타 프랑스인의 한국학 연구

○ 1896년 빌르캥(Billequin)/『한국 도자기 연구(Notes Sur La Porcelaine de Corée)』

○ 1899년 앙리 슈발리에(Henri Chevalier)/『한국의 모자(Les Coiffures Coréennes)』

○ 1899년 까미으 앵보－위아르(Camille Imbault－Huart): 외무성 영사이며

---

368) 한국교회사연구소 발행, 『Dictionnaire Francais－Coréen』. (영인본). 서울: 한국교회사연구소, 1904. 한국교회사연구자료 제23집.

중국어 통역관/『프랑스인을 위한 한국어 口語 독본(Manuel de la langue coreenne parlee)』

○ 1902년 에밀 부르다레(Emile Bourdaret), 인류학자 에른스트 샹트르(Ernest Chantre)와 공저/『한국인, 그 인류학적 스케치(Les Coréens, esquisse anthropologique)』

○ 1904년 에밀 부르다레(Emile Bourdaret), 조선 정부의 기술 고문./『한국에서(En Coree)』, 파리, 1904년. 국판 357쪽, 25장의 사진 첨부. 한국의 정치, 사회 등 전 분야 기술하고 있는데, 특히 민간 신앙과 무속 미신에 관해 상세히 언급되어 있다. 프랑스에 귀국하여 부르다제는 1903년과 1904년 한국의 돌멘, 강화도의 선사유적, 한국인의 인종학적 고찰 등에 관한 강연 및 리옹의 인류학회지에 발표를 했다. 1905년에 끌라르 보티에(Madame Claire Vautier)가 집필한 『En Corée: 한국에서』와는 다른 작품임. Emile Bourdaret, 『En Corée』. Paris: Plon－Nourrit et Cie, 1904.

『직지』의 경제적 가치

1. 『직지』의 경매

1) 『직지』의 경매 과정

플랑시가 극동(한국·중국·일본)에 체류하는 동안 수집한 소장품 883점이 1911년 3월 27일-30일 4일 사이에 드루오 경매장(Hôtel Drouot)에서 경매되어 여기저기 흩어졌는데 우리나라의 물품이 주를 이루어 그 양(量)이 무려 700여 점[369]으로 80%를 차지했다. 이 플랑시의 소장품 중에서 고서가 『직지』를 포함하여 77권이었다. 플랑시는 쿠랑이 작성한 경매 카탈로그(Catalogue de vente)의 서문에 "구텐베르크가 유럽에 그의 경이로운 발명을 주기 훨씬 전에 한국이 금속인쇄술을 알고 있었다."고 홍보했다. 경매 카탈로그 중 711-787번은 책이고, 788-789번은 판화, 790-798번은 지도였다. 그 외에도 초상화·향로·식기 등의 동제품과 금속제품·목제품·칠기·자개·보석·부채·병풍·비단·가구와 동전 2,500개도 포함되어 있었다. 경매에 나온 책들은 모두 쿠랑이 1901년에 출판한 『한국서지』 보유

369) Collection d'un amateur(Mr. Collin). Objets d'art de la Coree, de la Chine et du Japon, Me Andre Desvouges, Commissaire-priseur, Paris, Ernest Leroux Editeur, 1911.

판에 수록되어 있는 것들이었다. 그럼에도 불구하고 이 플랑시의 소장품을 도서의 경우 몇 권을 제외하고 프랑스국립도서관(La Bibliothèque Nationale de France)에서 50여 권을 구입하면서도 『직지』만은 구입하지 않았는데, 이는 동양 서지학의 전문지식 부족으로 『직지』의 가치를 아예 몰랐거나 알았어도 국가적 위상을 고려하여 약소국의 출판물이라 하여 무시했을 가능성이[370] 있었다고 보인다.

그리하여 『직지』는 당시 유명한 보석상이며, 장신구 디자이너이자 골동품 수집가인 앙리 베베르(Henri Vever: 1854－1944)에게 180프랑에 경매되어 소장하고 있었다. 이후 프랑스국립도서관 측에서는 베베르에게 『직지』를 포함하여 당시 3,000프랑이라는 가장 고가에 낙찰되었던 『삼강행실도』를[371] 비롯한 『육조대사법보단경(六祖大師法寶壇經)[372]』 등 그의 소장품들을 기증할 것을 간청하자 베베르는 '내가 죽은 후에 기증하겠다.'고 약속했다. 1943년에 베베르가 사망하자[373] 그의 유언에 따라 손자 모탱(François Mautin)이 1950년에[374] 프랑스국립도서관에 『직지』를 기증하여 현재는

370) 쿠랑이 『한국서지』에서 지적한 바와 같이 한국에서 금속활자의 발명이 태종(太宗)의 명(命)에 의해 1403년인데, 1377년에 금속활자로 인쇄했다는 기록을 말함.

371) 『삼강행실도』는 당시 수집가 비녜(Vigné)에게 3,000프랑에 경매되었다가 다시 작크 두세(Jacques Doucet)에게 넘어간 후, 두세가 이를 프랑스 예술고고학 도서관에 기증한 것으로 보인다. *이진명, "프랑스 국립도서관 및 동양어대학 도서관 소장 한국학 자료의 현황과 연구동향", 『국학연구』 제2집(2003, 봄·여름). p.209 주21) Macouin의 글에서 재인용함.

372) 『六祖大師法寶壇經』은 1377년에 목판으로 간행한 것으로 쿠랑의 『한국서지』 3730번이며, 1911년 경매 시 경매번호 712번으로 베베르가 62프랑에 구입했다가 『직지』와 마찬가지로 BNF에 기증된 책으로 도서번호 110번, 기증번호 9833번이다.

373) ① 프랑스국립도서관 소장본 『직지』 속표지 뒷면 COLLECTION H" VEVER FARIS 1911－1943 ② http://www.asia.si.edu/archives/finding_aids/vever.html에는 베베르의 사망연도가 1942년으로 되어 있다. ③ 국내 인터넷을 비롯한 대다수의 다른 자료에는 베베르가 1950년에 사망하자 상속인에 의해 프랑스국립도서관에 기증되었다고 사망연도를 잘못 기록하고 있다. ④ 베베르의 사망연도는 자료에 따라 1942년(http://www.asia.si.edu/archives/finding_aids/vever.html), 1943년, 1944년, 1947년(http://www.euro－coree.net), 1950년으로 된 것이 있다.

374) ① Li Ogg, "Imprimerie Coréenne du Ⅵ^e au ⅩⅣ^e" siécle(한국의 인쇄술, 6세기에서 14세기). suivi d'une discussion de Daniel Bouchez(뒤에 다이엘 부셰의 토론), Le Livre et l'imprimerie en Extrême－Orient et en Asie du Sud－actes du Colloque Organisé a Paris du 9 au 11 mars 1083 (극동과 동남아시아의 책과 인쇄술: 1983년 3월 9일－11일 학술대회 논문집), préparés par Jean－Pierre Drege. Mitchiko Isigami－Iagoinitzer et Monique Cohen, Bordeaux. Société des bibliophiles de Guyenne, 1986. 이진명 교수는 위의 Daniel Bouchez 교수의 논문을 인용하여 1911년 플랑시 콜렉션 경매 때 『직지』가 베베르에게 낙찰되자 BNF가 베베르에게 간청하여 그가 사망한 후 BNF에 기증하기로 약속했다. 그리고 그가 1943년(이진명 교수는 1947년)에 사망

귀중본 실(Grand réservé)에 도서번호 109, 기증번호 9832-3738, 귀중본 번호 1513-Ⅲ으로 분류되어 단독 금고에 보관되어[375] 있다. 여기서 의심되는 부분은 쿠랑의 전문적인 협조를 받아 『직지』를 수집했던 플랑시가 『직지』를 자신의 고서 수집품에 들어갔다가 파리로 가져갔다고 한다.

그런데 『직지』가 플랑시의 소유였다고 하나 『한국서지』를 작성할 당시에는 쿠랑의 손에 의해 쓰였고, 다시 동양어학교에 기증되었다가 경매로 넘어가는데 왜 동양어학교에서는 경매에 붙였는지 그리고 최종 누구의 소유였는지가 명확하게 밝혀지지 않았다. 필자의 지나친 추측일지 몰라도 쿠랑은 플랑시와 동양어학교 동문으로 1895년 중국에서 두 아들을 병으로 잃고 나서 학자의 길을 걷고자 모교의 일본어 교수 자리를 원한다. 하지만 당시 일본어 교수는 공석이 없어 중국어과 교수를 지원하여 가장 유력한 후보였으나 실무경력자를 우선하는 대학 측의 방침으로 동양어학교 교수가 되지 못하고, 1900년 5월부터 1927년까지 리옹대학의 교수로 있게[376] 된다. 쿠랑의 이러한 사정으로 보건대, 필자의 생각으로는 쿠랑이 처음에 리옹대학에 몸담고 있으면서 자신의 모교에 대한 미련을 버리지 못하여 동양어학교에

하자 그의 손자에 의해 1950년에 BNF에 기증했다고 말하고 있다. *이진명, "프랑스 국립도서관 및 동양어대학 도서관 소장 한국학 자료의 현황과 연구동향", 『국학연구』 제2집(2003, 봄·여름). p.196. 주9)에서 재인용함. ② http://www.ccfr.bnf.fr: BNF 홈페이지에는 기증연도가 1952년으로 되어 있는바 1950년에 기증을 받아 1952년에 정리를 마친 것이 아닌가 한다.

375) ① 프랑스에 보관되어 있는 『직지』는 일반인들은 쉽게 볼 수가 없다. 그간 이를 직접 열람한 이들에 의하면 한지로 만든 속지에는 나무의 진이 묻어 얼룩이 져 있으나 표지는 깨끗한 편이며 표지를 다시 만들면서 아래·위를 잘라내어 크기가 줄어들었으며, 흐린 글씨는 붓으로 덧칠한 흔적도 있다고 한다. 2004년 10월 최창호 청주고인쇄박물관장이 프랑스에 가서 『직지』 원본을 직접 열람한 바 있다. 최 관장에 의하면 표지는 문양이 선명하게 드러난 손때가 거의 묻지 않은 상태로 잔 보푸라기가 있는 상태로 후대에 다시 개장(改裝)한 것으로 보였다. 내용면 속지는 훼손된 부분을 한지로 배접 보존 처리하여 종이가 약간 빳빳한 상태로 전체적으로 두터워진 상태였으며, 인쇄면은 조판의 미숙으로 먹의 진하고 엷음(濃薄)이 분명하고 인쇄된 글자가 흐린 부분을 다시 붓으로 진하게 덧칠을 한 것으로 보였다. 그러나 육안식별과 전문지식의 부족으로 조사연구의 기초가 되는 종이질, 먹 성분, 금속활자와 목활자의 구분 등은 밝혀내지 못했다. 2005년 10월 프랑스와미테랑도서관에서 공개되었을 때의 『직지』 원본은 유리 상자 속에 담겨 빨간 빌로드 천에 위에 맨 마지막 장이 펼쳐진 상태로 "한국에서 1377년에 인쇄되었다."는 설명문이 붙어 있었다. 또한 책장 하나하나에는 보관을 위해 프랑스에서 최고급의 두꺼운 종이를 덧대어 놓았다. *『한빛일보』 2004년 11월 22일 4면. "직지원본 열람③-최창호 청주고인쇄박물관장 유럽출정기-" ② BNF., MSO COREEN 109, 9832-3738, 1513-Ⅲ.
http://images.bnf.fr/jsp/index.jsp?destination=afficherListeCliches.jsp&origine=rechercherListeCliches.jsp&contexte=resultatRechercheSimple

376) Daniel Bouchz, "韓國學의 先驅者 모리스 쿠랑(上)", 『東方學志』 第51輯(1986). 178-180.

플랑시와 자신이 한국에서 수집해 간 자료를 기증(기탁?)했다가 희망이 없자 모교에 대한 배신감으로 1911년 경매에 내놓기 직전 『직지』 소유자인 플랑시를 설득하여 되돌려 받았지 않았나 한다.

그러나 쿠랑과 같이 서지학 조예가 깊은 학자가 『직지』와 같이 귀중한 자료를 선뜻 경매에 내놓게 하지는 않았을 것으로 보인다. 플랑시는 또한 그가 사망하기 11년 전에 『직지』를 경매에 내놓은 이유에 대해 남윤성 PD[377]는 플랑시가 경매 당시 이미 공직에서 물러난 한참 후여서 경제적으로 어려웠거나 건강이 좋지 않았을 것으로 보이며, 매우 싼값으로 팔린 것은 당시 사람들이 『직지』의 가치를 몰랐기 때문으로 보았다. 『직지』는 프랑스 파리시립 고문서실(Archives Municipales de Paris)에 보관되어 있는 경매기록부(Archives de Paris, D-60E3-83)[378]에 앙리 베베르(Henri Vever)라는 이에게 180프랑에 팔렸다는 매도인 매수인의 이름, 연번, 경매책자 번호, 거래가격이 기록되어 있어[379] 『직지』가 경매되었음을 입증하고 있다.

또한 『직지』는 이 경매 카탈로그 "어느 아마추어의 컬렉션-콜랭 씨-한국·중국 및 일본 예술품(Collection d'un amateur[Mr. Collin]. Objets d'art de la Corée, de la Chine et du Japon, Me Andre Desvouges, Commissaire-priseur, Paris, Ernest Leroux Editeur, 1911. p.98."목록의 711번에 수록되어 있으며 한국고서에 관한 설명은 『한국서지』를 참고한 것으로 보인다. 당시 BNF는 플랑시의 경매된 책 가운데 값이 비싼 몇 권을 제외한 대부분의 책을 비롯하여 몇 점의 그림과 하회탈도 구입하여 소장하고 있다.[380] 이때 구입한 책은 모두 플랑시의 장서표인 '葛' 자가 붙어 있는데, 새로 한국본 장서의 도서번호가 시작되어 110번까지가 고서이고, 111번부터는 한국 현대

377) MBC 청주문화방송 창사 36주년 다큐멘터리 2006년 7월 31일. "직지의 최초 발견자 콜랭 드 플랑시" 참조.

378) ① 파리시립 고문서실 문서번호 D-60E3-83번, "Procés-verbal de la vente(경매기록)", 27 an 30 mars 1911(1991년 3월 27-30일). ② 1911, Me André Desvouges, commissaire-peiseur.

379) ① Daniel Bouchz, "韓國學의 先驅者 모리스 쿠랑(上)", 『東方學志』 第51輯(1986). pp.156-157에서 재인용함. ② MBC 청주문화방송 창사 36주년 다큐멘터리 2006년 7월 31일. "직지의 최초 발견자 콜랭 드 플랑시" 참조.

380) 파리시립 고문서실, 문서번호 D-60E3-83번 '경매기록' 참조.

서적들이다. 도서대장에는 경매 카탈로그(Catalogue de vente) 번호와 함께 플랑시의 약자인 CP가 명기되어 있으며, 쿠랑(MC)의 『한국서지』의 번호가 기록되어 있다. BNF의 플랑시 경매 구입품은 1－72번이 고서로 모두 80권이다. 1번은 1444년에 간행한 『小學集成』이며, 72번은 1905년에 간행한 『大韓刑法』이다. 73－102번은 지리서적과 지도이고, 103－108번은 중국과 한국의 왕조도표·달력·한글 반절표·삼재부 등이다.

2) 장식예술가 앙리 베베르(Henri Vever)

(사진 19) 앙리 베베르

『직지』를 경매에서 입수한 베베르는 1854년 프랑스의 메츠(Metz)에서 태어났다.

1870년의 프러시아 전쟁(France－Prussian War) 당시 메츠가 독일군에 의해 점령당했을 때, 그는 가족들을 룩셈부르크(Luxemburg)로 옮기고 일 년 후 파리에 보석가게를 내고 메이슨 베베르(Maison Vever)라 이름 붙였다. 1881년에 아버지 어네스트 베베르(Jean－Jacque Ernest Vever)가 메이슨 회사를 은퇴함에 따라 그의 형 폴(Paul)과 함께 보석회사인 메이슨 베베르를 물려받아 경영했다.

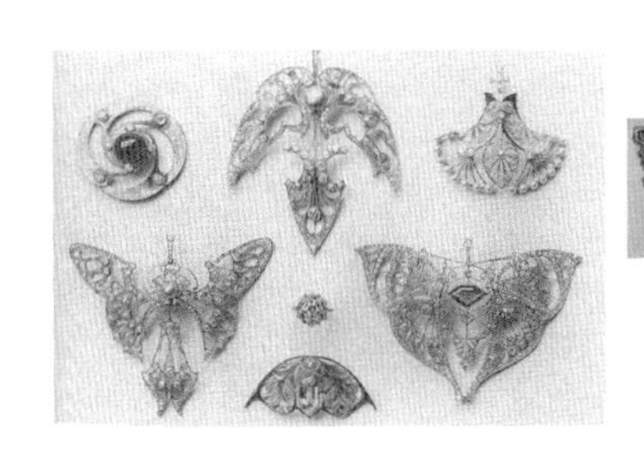

(사진 20) 앙리 베베르의 작품

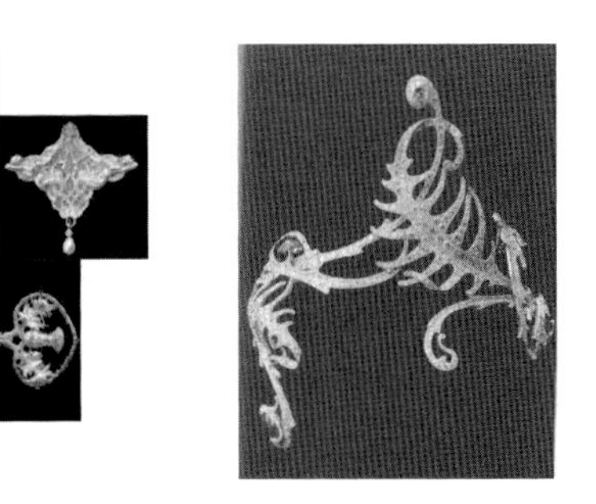

(사진 21) 앙리 베베르의 작품

베베르는 당시 장식예술인 아르누보(Art Nouveau)[381] 양식의 장신구 디자이너로 1878년에 파리만국박람회에 작품을 출품하기도 했다. 1892년 일본 목판화(浮世繪: 우키요에)[382] 수집에 관심 있던 그는 '일본예술에 관심 있는 친구(Les Amis de l'Art Japonais)'에 가입했는데, 그곳은 일본예술에 대해 의논하면서 저녁식사를 하는 모임으로 활자 지면을 디자인한 바 있는 삽화가이자 장식가인 유진 그라쎄(Eugéne Grasset, 1841 – 1917)를 만났으며, 보석계의 천재 장인 르네 라리끄(René Lalique, 1860 – 1945)와 에드워드 콜로나(Edward Colonna, 1862 – 1948)는 베베르의 회사 운영에 참여하기도 했다. 1900년에는 1878년 이후 프랑스에서 개최된 파리만국박람회에는 자연주의적 형태를 살려 나비를 소재로 한 것과,[383] 양치식물 같은 모양에 다이아몬드로 빼곡히 박은 티아라(Tiara)[384]와 같은 보석공예품을 출품했으며 이때부터 전문 예술가로 진정한 명성을 확립했다. 베베르는 메이슨 회사를 경영하기 시작한 1881년부터 1921년 은퇴할 때까지 예술품 수집가로서 그는 유럽, 아시아, 그리고 이슬람 예술품들을 무척 많이 모았다. 1921년에 회사에서 은퇴했고, 폴(Paul)의 아들인 앙드레(André)와 피에르(Pierre)가 가게를 맡았으며, 1943년에 노와이에(Noyer)에 있는 사유지에서[385] 사망했다.

---

381) 19세기 말부터 20세기 초에 걸쳐서 유럽 및 미국에서 유행한 건축·공예에 나타난 미술 부드럽게 흐르는 곡선 형식이 그 주된 특징인 장식예술의 양식.

382) 일본의 무로마치(室町)시대부터 에도(江戶)시대 말기(14 – 19세기)에 서민생활을 기조로 하여 제작된 회화의 한 양식.

383) 앨러스테어 덩컨 지음, 고영란 옮김, 『아르누보』. 서울: 시공사, 2001. pp.149 – 150.

384) 교황이 쓰거나 교황 앞에 운반되는 교황관. 행렬 같은 몇몇 비전례적인 용도에 쓴다. 벌통처럼 생겼고, 높이는 38㎝가량 되며, 은사로 만들어졌다. 3줄의 왕관 띠로 장식되었으며, 뒤에는 래핏이라고 불리는 리본 2개가 길게 달려 있다. 티아라는 그리스 로마 세계에서 쓰던 원뿔형 모자인 프리지아 모자에서 발전한 것으로 보인다. 교황 콘스탄티누스 1세(715 죽음) 때는 '카메라우쿰'이라고 불렸으며, 9세기에는 '프리기움'이라고 불렸다. 10세기에는 교황청이 발행한 동전에 그 모습을 새겼으며, 14세기 무렵에는 3개의 왕관으로 장식되어 있었다. 르네상스 시대에 교황이 쓴 티아라는 특히 장식이 요란하고 값어치가 있었으나, 일부 교황들이 쓴 티아라에는 보석이 전혀 박혀 있지 않았다. 티아라는 또한 여자들이 쓰는 보석이나 장식물로 꾸민 반원형 머리띠를 가리키는 말이기도 하다.

385) http://www.asia.si.edu/archives/finding_aids/vever.html. Jeweler, art collector, and author Henri Vever was born in Metz, France in 1854. Together with his older brother Paul, Henri Vever managed the family jewelry firm, Maison Vever, from 1881 until Paul's death in 1915 and Henri's retirement in 1921. As an art collector, Vever amassed a large collection of European, Asian, and Islamic art. Through his work as a jeweler, art collector, and author, Henri Vever

베베르는 장식예술분야인 보석세공과 보석장식의 용어를 분류한 『19세기 프랑스 장신구(La Bijouterie Francaise au XIXe Siécle)』[386]이라는 3권의 저서를 펴냈는데 이 책은 19세기 프랑스 장식예술에 관한 중요한 자료이다. 베

---

played an important role in the twentieth-century art world.
To equip him with the proper skills to run Maison Vever, Henri Vever apprenticed in the studios of Louguet and of Hallet and attended the Ecole des Arts Décoratifs in 1871. Two years later, the Ecole des Beaux-Arts accepted Henri and he entered the studios of artists M.A. Millet and J.L. Gérôme. Jean-Jacque Ernest Vever retired from Maison Vever in 1881 and his two sons, Henri and Paul, assumed control.
The youngest son of Jean-Jacques Ernest Vever, Henri Vever was born into a family of jewelers. His grandfather, Pierre-Paul Vever, launched a successful jewelry shop in Metz in 1854. Upon retirement, Pierre-Paul Vever's son, Henri's father, assumed control of the shop. With the German annexation of Metz during the Franco-Prussian War in 1870, Jean-Jacque Ernest Vever took his family to Luxembourg and one year later acquired a jewelry shop at 19 Rue de la Paix in Paris and named the new shop Maison Vever.
That same year Henri married Jeanne Monthiers and she gave birth to the couple's only child, Margeurite, in 1882. Henri, Jeanne, and Margeurite Vever lived at 19 Rue de la Paix in the same building that housed Maison Vever. In 1892 Jeanne Vever inherited her family's estate in Noyers, France.
The Vever brothers ran a very successful jewelry studio. Not only did Maison Vever's clientele base expand during their tenure, but its designs were often prizewinners at various expositions around the world. The 1900 Exposition Universalle in Paris offers an example. The Maison Vever submission won a Grand Prix at this exposition in which the art movement Art Nouveau played a major role.
Henri Vever was a proponent of the Art Nouveau movement, a turn-of-the-century art movement whose adherents sought to forge a new, modern style, one that would, "reunite art and craft." According to curator Glenn Lowry, Vever's interest in Art Nouveau affected the Maison Vever's designs. "……during the 1880s many of the Maison Vever's designs were highly traditional, by the beginning of the 1890s the firm was at the vanguard of the art nouveau movement.
In addition to his work at Maison Vever, Vever amassed an enormous and influential collection of European, Asian, and Islamic art. Initially a collector of European art, by the late 1880s Vever's collecting interests expanded to include Asian and then Islamic art works. According to Lowry, Vever's interest in Islamic art was sparked in 1891 when he traveled to Moscow to participate in a jewelry exhibition. In approximately 1892 Vever joined Les Amis de l'Art Japonais, a group whose members met for dinners at which they discussed Japanese art. Claude Monet was also a member of this group.
From 1906 to 1908, Vever published a three-volume series, Bijouterie Française au XIXe Siècle. This set became the, "standard text on nineteenth-century jewelry". Through his art collections, writings, and profession, Henri Vever played an important role in the twentieth-century art world. He acquired a large art collection and often loaned pieces out for exhibition to various galleries and museums throughout the world. Henri Vever retired from Maison Vever in 1921 and the sons of Paul Vever, André and Pierre, took over the reigns. Henri Vever died in 1942 at the country estate in Noyers. Maison Vever continued operation until 1982 when it permanently shut its doors.

386) 앨러스테어 덩컨 지음, 고영란 옮김, 『아르누보』. 서울: 시공사, 2001. p.148.

베르는 문인으로도 활동하며 현대적인 예술적 자극을 수용하는 한편 귀금속 재료의 전통적인 위계질서를 무너뜨리지 않는 범위 내에서 조용한 혁신을 시도한 공예작가로서 20세기 예술사에 엄청난 역할을 했으며 『직지』와 관련이 깊은 인물로 남게 되었다.

2. 『직지』의 경제적 가치

현존 세계 최고의 금속활자본 『직지』는 프랑스국립도서관에만 유일하게 남아 있어 우리나라로 반환운동을 펼쳤으나 중앙정부 차원에서의 외교적 상황에 봉착했다. 그리하여 국내에서 당시 인쇄술로 보아 최소한 300여 부 정도를 간행하였을 것으로 추정하고 이를 국내에서 찾고자 1997년부터 청주시민회가 앞장서 '직지찾기운동'을 활발하게 벌여 왔다. 그 결과 원본 『직지』는 찾지 못하였으나 수종(數種)의 이판본(異版本)을 수확했다.

고귀한 문화재를 경제적 가치로 계산한다는 것[387]은 있을 수 없는 일이겠으나 필자가 '직지찾기운동'에 관여하면서 관심 있는 많은 시민들로부터 『직지』를 찾게 된다면 그 보상금은 얼마나 되며 그 실제의 가치는 어느 정도냐는 질문을 다소 받아 왔다. 그리하여 1997년 '직지찾기운동본부'에서는 『직지』가 있는 소재만 파악된다면 그 입수의 여부에 관계없이 이를 발견한 사람에게 1천만 원의 보상금을 걸은 바 있으며, 2005년 청주시의회에서는

---

387) ① 국보는 가치를 돈으로 환산할 수 없기 때문에 국보의 경제적 가치를 알려면 보험가로 추정할 수 있지만 이것이 진정한 국보의 가격과 연결되지 않는다. 1996년 미국 애틀랜타 올림픽 문화교류 출품 당시 국보 83호 반가사유상의 보험가는 500억 원이었으며, 1998년 미국 메트로폴리턴박물관 전시 때 국보 78호 반가사유상은 300억짜리 보험에 들었으나 모두 추산일 뿐 실제 가치는 부르는 게 값일 정도로 가격을 매길 수 없다. ② 2006년 1월 인터넷 경매업체에서 국내에서 가장 오래된 1290년도에 제작된 것으로 추정되는 고려시대 사경이 경매에 거래되었다. 이 고서는 불경의 내용을 요약해 묘사한 회화성이 뛰어난 변상도와 경문(經文)의 서체가 우려한 금니(金泥)로 된 『감지금니묘법연화경(紺紙金泥妙法蓮華經)』제5권으로 고려시대 작품의 전형적인 양식인 1행 17자의 절첩본(折帖本)이다. 이 고서는 경매에서 5억 1,000만 원에 낙찰되었는데 현대 화가인 박수근이 1964년에 그린 유화가 6억 6,000만 원에, 그리고 또 다른 작품이 2005년 말에 9억 원에 낙찰된 것으로 본다면 고려시대의 『묘법연화경(妙法蓮華經)』은 오히려 저렴한 가격이라 할 수 있다. *『중부매일』 2006년 1월 20일 9면 "불교 미술품 경매시장 살아난다" 참조.

직지보상금으로 1백억 원이 거론되고[388] 있어 그 기대에 관심을 두고 있다.

그렇다면 『직지』의 경제적 가치는 대체로 어느 정도나 될까? 『직지』는 이미 1911년에 단 한 번, 『구텐베르크 성서』는 1970년과 1987년에 두 번이나 경매에 거래된 바 있어 이러한 사실을 토대로 당시와 오늘날의 경제적 환율을 적용한다면 대략 『직지』의 당시와 현재의 자산가치를 추정할 수 있다. 『직지』가 세계적으로 각광을 받기 시작한 때가 1972년 이후이니까 그 후의 화폐가치로는 물론 평가할 수 없는 문화재이지만 『직지』를 수집해 간 콜랭 드 플랑시(Collin de Plancy)의 수집품의 대부분이 1911년도에 경매에 입찰되어 앙리 베베르(Henri Vever)에게 넘어갔을 때의 경매 낙찰가격이 당시의 경매기록부에 180프랑(2006년 현재 우리 돈 64만 원 정도[389])으로 팔렸다고 기록되어 있다. 특히 경매 당시 제작한 카탈로그에도 『직지』의 가치를 매우 중요하게 언급했는데 BNF에서 구입하지 않았다. 당시 플랑시의 경매 카탈로그(Catalogue de vente)를 보면, 한국고서 80여 종이 있었는데, 그중에 BNF에서는 약 45종을 구입하면서 1,544프랑을 지불했다. 가장 비싼 것은 『오경백편(五經百篇)』으로 135프랑에 구입하였으며, 가장 싼 것은 『척사륜음(斥邪綸音)』으로 3프랑에 구입했다.

『직지』 책의 경제가치를 그 당시와의 상황과 비교가 되지 않을 정도로 차이가 나지만 필자가 1997년 당시의 화폐가치와 오늘날의 화폐가치를 적용하여 환산했을 때 대략 경매 당시의 180프랑의 『직지』는 4억 800만 원, 오늘날 『직지』의 중요성으로 본 경제적 가치는 929억 400만 원(?)으로 추정한 바[390] 있다. 한편 2004년 충북개발연구원에서는 『직지』 문화적 자산가치를 무려 8,694억이란 연구결과가[391] 나와 필자와는 10배 이상의 가치

388) ① 『중부매일』 2005년 8월 30일 2면. "직지소재 신고자에 보상금 지급" ② 『충청투데이』 2005년 8월 30일 1면. "직지 신고자에 100억 내 보상 추진"

389) 『직지』의 경우 1911년에 180프랑에 팔렸는데, 정상천 박사(외교통상부)는 외교 채널을 통해 프랑스에 확인한 바에 의하면, 현재 금액으로 환산하여 64만 원 정도가 된다고 한다. 1프랑은 3,555원이 되는데, 파리시립 고문서실에 보관된 플랑시 경매기록부에는 총 34,390프랑이었다. 이를 환산하면 122,256,450원이다. *남윤성, 『앞의 방송』, 2006년 7월 31일, 정상천 박사 인터뷰 참조.

390) 이세열 "직지의 역사적 성격", 『충북의 민족문화와 직지 고인쇄문화』. 제2회 문화예술 정책 세미나. 청주예술의 전당 대회의실. 1997년 10월 6일. pp.41－43.

로 보았다.

필자가 1997년에 『직지』의 가치를 추정했을 시보다 현재의 환율변동과 그간 『구텐베르크 성서』의 경매가격의 상승, 쌀 가격 상승, 그리고 『구텐베르크 성서』의 수량 등을 다시 적용하여 계산하면 다음과 같은 결과가 나온다. 『직지』가 경매된 해는 1911년으로 한일합방이 된 직후여서 일본의 화폐단위로 쓰였을 가능성이 높다. 당시의 쌀 가격으로 추정해 본다면 쌀 1㎏의 가격이 0.139원(당시는 원과 엔을 혼용하였음. 1911년도 쌀 1석은 180ℓ, 즉 144㎏의 평균 시장가격 20원으로 추정)이었을 것으로 보고 당시 국제금융정세가 금본위제였기 때문에 엔화와 프랑과의 환율 변동이 크게 없어 1:1이었을 것으로 본다. 『직지』가 당시 경매되었던 가격에 현재의 물가변동률과 환율을 적용해 보면, 우선 1911년도의 엔화와 프랑과의 환율은 1:1로 보고 1911년과 2008년도의 쌀 가격으로 추산한 물가변동률 16,187배(현재 쌀 가격 1㎏당 평균 2,250원)에 180프랑을 곱하면 대략 2,913,000원 정도이며, 여기에 현재의 1프랑당 환율(2008년 현재 247원)[392]을 곱하면 최소 7억 1천9백만 원 정도가 되는 셈이다.

이는 당시에 『직지』와 함께 경매되었던 조선시대의 서책인 『삼강행실도』가 3,000프랑에 팔린 것과 비교해 볼 때 참으로 의심이 가지 않을 수 없다. 그렇다면 이들은 이 판본이 세계 최고의 금속활자본이라는 사실을 몰랐을 가능성도 있다. 『직지』의 겉표지에는 모리스 쿠랑(Maurice Courant)의 글씨로 보이는 프랑스어로 된 "1377년에 주조활자로 인쇄된 가장 오래된 한국

---

391) 충북개발연구원 정연정, 조택희 연구원은 2004년 『직지의 가치 추정 및 활용 방안』이라는 연구보고서에서 비시장 재화에 대한 화폐가치를 평가하는 조건부 가치측정(CVM) 방식을 적용, 전국 340명의 표본을 대상으로 실시한 조사 결과 『직지』에 대한 자산가치를 8천694억 원으로 추정했다. 이 보고서에 의하면 『직지』 보전 및 세계화 사업을 위한 부담금 지불 의사를 묻는 응답에 표본 대상 가운데 44.4%가 지불할 의사가 있다고 답했으며 지불 부담금은 5년간 매년 1만 840원이다. 이를 전국 가구 수에 적용할 경우 직지의 문화적 총 자산가치는 8천694억 원에 이른다는 것이다. 이 연구는 지불 의사를 묻는 방식으로 추정한 가치이기 때문에 여건에 따라 달라질 여지가 있으며 지역문화 유산의 자산의 가치를 추정해 봄으로써 보존 및 개발의 계기를 마련해 보자는 취지의 자산가치를 추정한 것으로 보인다.

392) 프랑스에선 2000년부터 EU 가입국 중 영국을 제외한 국가들은 유로화(Euro)를 사용하고 있어 프랑 가격을 산출하기가 매우 어렵다. 2008년 3월 현재 1프랑이 한국화폐 1471.14원에 해당되지만 여기서는 유로화를 사용하기 이전의 프랑 가격으로 산출한 것이다.

인쇄본이다."는 것을 인정하지 않았다는 셈이 된다. 그렇다면 이 글씨는 모리스 쿠랑의 글씨가 아니라 국내에 있을 때나 그렇지 않으면 프랑스국립도서관에 소장된 이후 누군가에 의하여 쓰였을 가능성이 높다고 하겠다. 『구텐베르크 성서』는 비교적 근대에도 두 차례나 경매된 적이 있다. 1970년도에는 미국 뉴욕에서 250만 달러에 거래되었고, 1987년 10월 뉴욕경매 때에는 540만 달러에 낙찰되었으며,[393] 2003년 7월 미국 텍사스 대학의 Harry Ransom Center에서 보유한 1760년대 독일 남부 수도원에서 사용되었던 『구텐베르크 성서(Gutenberg Bible) 42행 성서』 전문을 인터넷에 올려[394] 일반인과 연구자들이 쉽게 이용할 수 있게 하였는데 이 책의 가치를 2,000만 달러의 가치가 있는 것으로 추산하여[395] 『구텐베르크 성서』 중 지금까지 가장 많은 가격을 매긴 셈이다. 1970년대 당시의 달러 환율이 평균적으로 316.65원, 1987년 달러환율은 800원, 2003년 7월 달러환율은 1,200원,

---

393) ① 김희보 지음, 『(한권으로 보는) 세계사 101장면』. 서울: 가람기획, 2002. p.268. ② 이광주 지음, 『아름다운 지상의 책 한권』. 서울: 한길아트, 2001. p.225.

394) 『42행 성서』, 즉 『구텐베르크 성서』는 영국과 일본의 게이오대학교, 그리고 미국의회도서관에서도 CD－ROM으로 볼 수 있다. 『직지』의 금속활자본 원문은 1998년 9월에 직지인터넷박물관에 의해 처음 인터넷에 올려졌으며, 1999년에는 『직지』원문이 실린 CD－ROM이 출시된 바 있다. *백운화상불조직지심체요절－깨달음의 이야기 직지－CD－ROM. 청주: 직지문화연구소, 1999.

395) ① http://www.hrc.utexas.edu/exhibitions/permanent/gutenberg/
The Gutenberg Bible at the Ransom Center
The Gutenberg Bible, the first book printed with movable type, is one of the greatest treasures in the Ransom Center's collections. It was printed at Johann Gutenberg's shop in Mainz, Germany andcompleted in 1454 or 1455. The Center's Bible was acquired in 1978 and is one of only five complete examples in the United States.
Digital Gutenberg Images
The Book before Gutenberg
Johann Gutenberg
The Printing of the Bible
The Spread of Printing
The Appearance of the Bible
Anatomy of a Page
The Ransom Center Copy
Selected Passages
Digital Gutenberg Project
Additional Resources
K－12 Educator materials
Now Available on CD－ROM
② 『국회도서관 소식』 2003년 8월호 New Line "인터넷에 공개된 가장 값비싼 책".

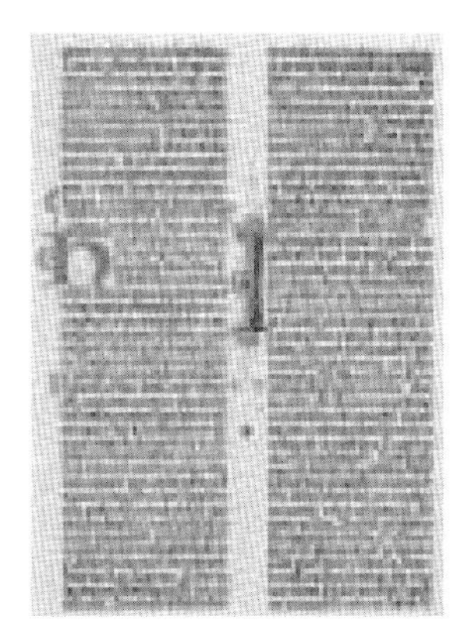

(사진 22)『구텐베르크 성서』

2008년도 달러환율을 평균적으로 1,000원으로 볼 때 달러환율 변동률은 1970년대 3.2배(35년), 1987년도 1.25배(18년)가, 2003년은 2008년 현재보다도 오히려 1.2배(2년)나 더 높아 경매가 연도와 현재의 달러환율로 계산하여 보면,『구텐베르크 성서』가 1970년대 처음 거래된 가격 250만 달러에 달러환율 316원을 곱하면 대략 우리 돈으로 7억 1천9백만 원 정도가 되며, 여기에 1970년대 당시와 현재의 달러 변동률 3.2배를 곱하면『구텐베르크 성서』는 현재 우리나라의 돈으로 약 25억 2천8백만 원 정도에 거래되었다는 계산이 나온다. 이어 1987년도 경매된 540만 달러 가격을 위와 같은 방식을 적용하였을 때, 43억 2천만 원과 54억으로, 2003년 2,000만 달러의 가치를 2007년 환율로 만 계산하면 2백억에 이른다. 이러한 사실로 보더라도『직지』와『구텐베르크 성서』가 오늘날 화폐의 가치로도 무려 4.1배의 차이가 나는 것은 참으로 이해할 수 없는 현상이지만『직지』가『구텐베르크 성서』가 거래된 직후인 1972년도에 전 세계에 알려졌으니 지금에 와서는 그 가치가 새롭게 평가될 것이 분명하다.

그렇다면 지금에 와서 프랑스에 있는『직지』가 경매된다면 과연 얼마의 가치가 있을 것인가? 이 또한 관심의 대상이 아닐 수 없으나 이제는 세계적인 문화재이자 보물이어서 화폐단위로 계산한다는 것조차 어리석은 일이라 하겠다. 그러나『구텐베르크 성서』는 현재 48부 정도가 세계 각국에 흩어져 각급 도서관에 소장되어 있다고 하는 것에 비하여『직지』는 세계에서 현재까지 프랑스국립도서관에 있는 것 이외에 더 이상 발견이 되지 않고 있다. 이러한 희귀성에 비추어『직지』의 가치를 계산하여 보면『구텐베르크 성서』의 거래된 현재의 화폐가치에 48부에서 1부를 뺀 47부의 가격을 곱하면 이 지구상에서 단 하나뿐인『직지』 경제적 가치는 최소 약 7억 1천9백에서부터 337억 9천3백만 원(7억1,900백×47)이나, 1,188억1,600만 원(25억 2천8백만 원×47),[396] 2,538억(54억×47)[397]에서 최대 9,400억(200억×47)

등 1조 원에 이르러 충북개발연구원에서 『직지』 문화적 자산가치를 산출한 8,694억 원이란 연구결과에 근접하고 있다. 우리는 가끔 외국의 경매시장에서 우리의 문화재들이 고가에 팔리는 것을 보고도 우리나라에서 구입하지 못하는 것을 보고 매우 안타까울 때가 더러 있다. 우리는 문화재의 경제적 가치보다는 그것이 가지고 있는 문화적 가치를 새롭게 인식하여 문화재를 소중히 아끼는 정신을 갖추었으면 한다.

---

396) ① 2004년 5월 뉴욕 소더비 경매에서는 파블로 피카소의 1905년도 작품 『파이프를 든 소년』이 1억 4백16만8천 달러에 낙찰되었다. ② 1774년 영국에서 설립되어 크리스티(Christi)와 함께 최대의 미술품 경매회사로 알려진 소더비(Sothby's)의 경매품 중 1908년에 그린 클로드 모네(Claude Monet)의 『대운하』는 2005년 현재 추정가가 무려 120억에서 160억에 이른다. ③ 2006년 6월 18일 뉴욕타임즈는 '아르누보' 화풍의 오스트리아의 화가 구스타프 클림트(1862 – 1918)의 대표작으로 1907년에 그린 『아델레 블로흐 바우어의 초상』 작품이 경매회사 크리스티의 도움을 받아 1억 3,500만 달러(약 961억 원)에 세계적인 화장품 회사 에스티 로더 그룹의 로널드 로더 회장에게 판매되었다고 보도했다. 이 그림은 당시 유태인 제당 사업가의 부인인 오스트리아 사교계의 유명한 명사이며 클림트의 모델이자 후원자였던 아델레 블로흐 바우어 부인을 유화물감으로 그리고 금으로 덧칠한 초상화이다. 그런데 이 작품은 1925년 43세에 사망한 부인이 자신과 남편의 소유인 이 작품과 클림트의 다른 작품 4점을 남편 사망 직전까지 오스트리아 밖으로 내보내지 말라고 유언하였으나, 독일의 나치정권이 1938년 오스트리아를 점령하면서 남편은 다른 나라로 도망갔고, 나치정권은 이 작품들을 압수해 3점은 오스트리아 빈의 벨베데레 미술관에 소장하고 나머지 2점을 팔았다. 이 때문에 블로흐 바우어 부인의 조카딸인 마리아 알트먼 씨가 오스트리아 정부와 7년간의 반환 법정투쟁 끝에 2006년 1월에 모두 돌려받았다. 이 작품을 구입한 로널드 로더는 세계적인 사업가이자 자선가이며 유럽 미술품 소장가로 2001년 뉴욕 맨해튼 5번가와 86번가에 독일과 오스트리아 출신 화가들의 작품만을 전시하는 미술관 '노이에 갤러리'를 세워 운영 중이다. * 『경향신문』 2006년 6월 20일 20면 "1억 3,500만 달러 사상 최고가 그림" 참조. ④ 2006년 11월 1일 미국의 추상 표현주의 작가인 잭슨 폴록(1912 – 1956)의 대표작인 '넘버 5;1948'이 약 1억 천만 달러(약 1천3백 13억 원)에 팔렸다고 뉴욕타임즈가 보도했다. * 『경향신문』 2006년 11월 4일 7면 "1천 313억 원 세계 최고가 그림" 참조. ⑤ 2007년 12월 뉴욕 소더비 경매장에 나오는 근대 헌법의 토대가 된 영국의 대헌장 『마그나카르타』는 3,000만 달러(약 276억 원)로 추정했다. 이 대헌장은 현존하는 17개 가운데 유일한 민간 소유본으로 소장자가 1984년에 150만 달러에 구입하였던 것이다. 『마그나카르타』는 1215년 영국 존 왕이 자신의 실정을 비판하는 귀족들의 강요로 서명한 것으로 군주의 권한을 제한하고, 보통 사람에게도 법 아래 동등한 권리를 부여한 역사적인 법문서이다. 13세기까지 수정과정을 거쳤으며 현재 17개의 원본이 남아 있으며, 이번 경매에 나온 이 대헌장은 1297년 영국 왕 에드워드 1세가 승인한 것이다. * 『서울신문』 2007년 9월 27일 27면. "마그나카르타 소더비 경매 나온다 낙찰가 276억 원 예상" ⑥ 13세기 이슬람 경전인 필사본 코란이 2007년 10월 23일 영국 크리스타 경매업체에 의해 114만 파운드(약 21억 4,000만원)에 팔렸다. 이 코란은 1203년에 제작된 것으로 금니(金泥)로 코란 전문을 써 놓은, 현존하는 가장 오래된 필사본이다. * 『경향신문』 2007년 10월 25일 8면. "13세기 코란 필사본 21억원 낙찰"

397) 『국민일보』 2007년 7월 11일 29면. "신앙의 향기를 찾아 시공 초월한 희귀본 성서 가득" 인천주안감리교회 국제성서박물관에는 1456년에 만들어져 현재 48권 밖에 남아 있지 않은 『구텐베르크 성서』의 진본을 1990년 미국의 고고학자 데이비드 웨이크필드 박사에게서 기증받아 아시아에서는 단 한 권만 소장하고 있다. 이 박물관에 따르면 이 표지는 1979년 영국 경매장에서 13억 원에 거래되었던 것으로 그 희귀상 세상가치로는 한 페이지당 가격이 3억 원 정도로 전체 책은 무려 3,000억대가 넘는다고 한다.

3. 개화기 우리나라의 경제

1) 화폐경제

갑오경장 이후 조선의 경제는 쌀이나 포목으로 급료를 지급하던 것을 돈으로 대신 지급하는 전 경제기(錢 經濟期)였다. 1890년 이후 은자(銀貨) 1냥은 동전 10냥으로 시장가(市場價)는 시대에 따라 현격하게 변화되었다. 고종 15년(1878) 상평통보(常平通寶) 발행 당시 쌀 1석은 은전 1냥(1냥=동전 10문) 5전(1전=동전100문)으로 상평통보 600문이다. 당시는 은전상준제(銀錢相準制)로 칭량화폐(兩・錢・分)[398]인 은으로 상품의 가치를 평가하고, 상평통보를 은 대신 지급할 수 있게 한 제도가 시행되던[399] 때이다. 갑오경장 이전까지는 화폐 대신에 생활물자인 쌀과 면포 등으로 급료를 지급한 포트폴리오(Portfolio: 유가증권 일람표) 지급표준이었다. 이러한 지급표준은 쌀과 면포라는 주된 생활물자를 임금으로 지급하는 경우에 있어서도 쌀과 면포의 구성비가 동일하지 않으면, 쌀과 면포의 가격변동은 임금의 실질가치의 변동을 가져온다. 그럼에도 불구하고 조선 정부가 이와 같이 한 것은 노동자의 생활수준이 어느 정도 안정될 수 있게 하는 지급체계로 동전이 유포되면서 쌀과 면포의 일부가 대전(代錢)되었으며 갑오개혁 이후에는 완전히 화폐임금으로 변했다. 그러나 화폐보다는 급료를 쌀로 지급하기도 했는데 이는 쌀 시장이 발전하지 않아 면포로 쌀을 구하기 어려웠기 때문에, 노동자의 입장을 반영하여 면포 대신에 정부가 보유한 쌀을 지급하여 식량으로 쓰도록 한[400] 제도였다.

---

398) 칭량화폐(稱量貨幣)는 일정한 순도・분량・형상으로 주조되고 표면에 일정한 가격을 표시한 화폐. 중국의 마제은(馬蹄銀)과 같은 초기의 금속화폐는 무게로 교환가치가 산출되어 칭량화폐(兩・錢・分)라고 불렀다. 그와 달리 개수화폐(個數貨幣)는 관(貫)・문(文)으로 그 수를 계산하는 것만으로 전액을 알 수 있으므로 개수화폐라고도 불렀다. 주조되면서부터는 오늘날과 같이 주화(鑄貨)로 불린다.

399) 이영훈 편, 『수량경제사로 본 조선후기』. 서울: 서울대학교출판부, 2004. p.54.

400) 이영훈 편, 『수량경제사로 본 조선후기』. 서울: 서울대학교출판부, 2004. 95.

인조 11년(1633)에 처음으로 주조가 시작되어 전국적으로 유통된 상평통보(常平通寶)는 융희 2년(1908) 통용이 중단되기까지 우리나라 화폐 사상 270여 년의 가장 장기간 유통된 것으로 그 종류만도 3천여 종에 이른다. 우리나라에서도 금・은화를 주조한 시기가 있었다. 1800년대 후반과 1900년대 초반에 이르러서는 사용된 1푼과 5푼, 1전, 5전, 10전짜리 동전인 근대주화가 통용되었으며, 고종 19년(1882년)에는 금화의 통용을 결정하고 주조 유통을 시도하여 1893년에는 1원짜리 은화와, 1888년에는 태극휘장과 이화휘장이 새겨진 1원짜리 은화가 유통된 적도 있었다. 이후 광무 10년(1906)년에는 20원, 10원, 5원짜리 주화가 통용되었으며 같은 해에 5원, 10원, 20원 짜리 금화가 유일한 통용화폐로 발행됐다가 바로 회수돼 녹여지는 바람에 희귀성이 높아져 현재 고가에 거래되고 있다.

2) 곡물가격

18－19세기 이후 벼 1석은 20두(20말)로 쌀 8두이나 도량형이 지방마다 생산지와 소비지에 따라서도 달랐다. 그리하여 생산지에서 쌀 1석은 20두(말)이나 소비지인 서울에서는 운반비를 고려하여 1두가 쌀 1석이 된다. 18세기 중반에서 갑오경장(1894) 이전에는 쌀 1석이 4－6냥이었으나[401] 1878년에는 8냥, 1897년에는 26.4냥, 1900년에는 30냥으로 19세기 초반의 7배가량 올랐고, 1년 뒤인 1901년에는 38.6냥, 1909년에는 75.8냥으로 최고조에 달했다가 한일합방해인 1910년에는 50냥으로 다시 내리는 등[402] 쌀 가격은 시대적 정치상황과 지역에 따라 변동이 심했다. 『직지』가 경매된 1911년도의 서울에서 거래된 쌀 중품 1석(당시 180ℓ)은 17.4원으로 평균 20원으로 당시의 1석 180ℓ는 현재의 144㎏이다. 이것은 도량형 환산이 지금과는 달리 사용되기 때문으로 1㎏은 1.25ℓ로 1ℓ는 0.8㎏으로 적용하

401) 갑오경장 이전 쌀 1석은 면포 2필과 동전 4냥과 같은 가치이고 1원은 10냥이었다.

402) 이영훈 편, 『수량경제사로 본 조선후기』. 서울: 서울대학교출판부, 2004. pp.68, 90.

여야 한다. 이것을 2008년 시세로 환산하면 쌀 1가마(100ℓ: 80㎏)가 11.12원이니까 1㎏당 0.139원이 되므로 당시의 쌀 1석 14㎏을 현재 시가(1㎏당 2,250원)로 계산하여 보면 324,000원이 된다. 이것은 2008년도 쌀 1가마(80㎏)를 평균가격인 180,000원으로 나누면 1㎏당 2,250원이 되는[403] 셈이다.

동양화가로 알려진 이당(以堂 김은호(金殷鎬 1892－1979)는 20세 되던 해인 1912년에 서울 서화미술회(書畵美術會) 화과(畵科)에 입학, 심전(心田) 안중식(安中植)과 소림(小琳) 조석진(趙錫晉)에게 3년 동안 배우고 서화미술회 출신 화가들 중에서도 이당은 일찍부터 천재성을 발휘했는데, 20대 초반에 고종어진(御眞)과 순종어진을 그린 어용화사(御用畵師)가 되었다. 이때 김은호는 조선 서화학교에 입학한 지 3주밖에 안 됐을 때 스승인 조석진과 안중식을 대신해 친일 세도가 송병준 초상화를 그린 것이 계기가 되어 이당의 기량을 발견한 고종의 주치의가 그를 왕실에 소개했다. 새파란 신인이었지만 일단 어진을 그리고 나자 하루아침에 대접이 달라졌다. 1912년 당시 쌀 한 가마니 값이 4원(40냥)이었는데, 고종은 김은호에게 4,000원(40,000냥)을 하사하였을 정도로 파격적으로 대우했다.

3) 임금

구한말 외교관이나 군인으로 파견된 이들은 자국의 임금에 해당되는 봉급을 연봉계약 또는 월급으로 조선 정부로부터 받기도 하였으나 외교관 대표의 경우는 임금이 높아서인지 본국으로부터 봉급을 받았다. 조선주재 프랑스공사관 플랑시는 1달에 25,000프랑(6,250원)[404]의 봉급을 받아 어지간한 외국인들의 1년 연봉 정도로 급료가 많은데, 이는 플랑시의 봉급이라기보다는 공관의 유지비까지 포함된 것으로 보인다. 플랑시가 처음 조선주재 외교관으로 올 당시(1887년 11월경)에는 22,000프랑이었으나 여러 가지 사

---

403) 이세열 “직지의 역사적 성격”, 『충북의 민족문화와 직지 고인쇄문화』. 제2회 문화예술 정책 세미나. 청주예술의 전당 대회의실. 1997년 10월 6일. p.43.

404) 국사편찬위원회 편, 『프랑스 외무부 문서 2(조선Ⅰ 1888)』. 서울: 국사편찬위원회, 2003. pp.53, 105.

정상 증액 인상한 것이다. 그 사정이란 조선 관료들의 식사초대와 같은 접대비(로비자금)[405]가 포함된 기관운영비를 비롯하여 생활필수품[406] 등 막대한 비용이 지출되어 예산을 증액하지 않을 수 없었다. 그런데 당시 외국인들의 생활이 얼마나 어려웠는지 플랑시가 받은 급료도 텐진(天津)이나 광동(廣東) 그리고 요코하마(橫濱)의 프랑스 외교관들이 모국 정부위원의 절반이나 더 많은 보수를 받았으며 다른 나라 외교관들도 프랑스 외교관보다 절반이나 더 받는 것에 비해 훨씬 적었다고 한다. 외교관에 소속된 통역관의 1달 봉급은 1889년도에 1,000냥(65원=260프랑)으로[407] 당시 1원은 16냥으로 화폐의 변동률이 심하지 않았다면 『직지』가 경매될 당시의 가격으로 추정한다면 플랑시는 1달에 대략 4,000여만 원, 통역관들은 4만 원 정도의 급료를 받은 것으로 보인다.

구한말 선교를 목적으로 우리나라에 들어온 성직자들인 수도회원(교사)은 연봉은 1,500프랑(375원=6,000냥), 블랑(Blanc) 주교는 연봉 660프랑(165원=2,640냥)이며, 수도회의 1년 예산은 20,000프랑으로[408] 외교관이나 군인들에 비해 상당히 적은 보수를 받았다. 또한 유럽적인 교련(教鍊)으로 우리나라 군대를 훈련시킬 조선파견 외국인 군관(장교)들은 우리 정부에서 봉급을 지불했다. 1888년 군관학교 설립을 목적으로 파견된 미국인 장교들의 경우 계급에 따라 미국에서 받는 연봉기준으로 장군은 5,000원(20,000프랑), 대령은 3,000원(12,000프랑), 대위는 2,500원(10,000프랑)의 급료 외에 1,000원(4,000프랑)의 왕복 여행경비를 지급하며, 주택제공과 의료혜택은 물론 그들이 이행하도록 약속된 원정과 정찰비, 말(馬)유지비 등이[409] 별도로 지급

405) 당시 열강의 외교관들은 조선의 이권을 획득하기 위해 조선 고급관리들을 외교관의 공관에 초대하여 후하게 대접하면서 실제적인 영향력을 얻도록 일종의 공식적 비공식적으로 로비(Lobby) 활동을 하였는데 러시아와 미국의 외교관들이 이러한 처세에 신속하게 대처했다.

406) 외교관들은 식량이나 의복 등은 물론 생활필수품을 조선에서 조달할 수 없기 때문에 외국인들이 비교적 많이 나와 있어 상권(商圈)이 형성된 청나라와 일본에서 큰 비용을 들여 수입했다.

407) 국사편찬위원회 편, 『프랑스 외무부 문서 3(조선Ⅱ 1889)』. 서울: 국사편찬위원회, 2004. p.268. 1889년 당시 1냥은 엽전 100개의 가치가 있었으나 실제는 20개의 가치였다. 1냥은 1원과 동등 환율로 4프랑 정도이며 1달러는 0.25프랑이었다. 그러나 1년 후인 1890년에는 1냥이 5.8프랑까지 오르기도 했다. 그러니까 180프랑은 45원(45달러) 720냥이 되는 셈이다. 1891년에서 1911년간 1냥의 가치는 3,000원에서 5,000원의 가치가 있다.

408) 국사편찬위원회 편, 『프랑스 외무부 문서 3(조선Ⅱ 1889)』. 서울: 국사편찬위원회, 2004. p.261.

되었다. 궁궐 건축전문직인 프랑스 건축가이며 플랑시의 최초 자문관이기도 한 살라벨(Salabelle)은 1년(1888 – 1898)에 3,000원으로[410] 연봉계약을 맺었다.

(사진 23) 민영찬

지금까지 외국인이거나 외국공관에 소속된 조선인들에 대한 급료를 알아보았다. 그렇다면 우리나라 관료들과 서민들의 경제사정은 어떠한가를 살펴보자! 1900년대 종2품 법부차관(오늘날 법무부 국장급)인 명성황후의 사촌인 민영찬(閔泳瓚)[411]은 1달 급료가 5,000프랑(1,250원)이었으며, 민영찬의 보좌인 프랑스인 살타렐(Pience – Marre Saltarel, 薩泰來)[412] 씨의 급료는 1,000프랑(250원)[413]이었다. 당시 살타렐 씨는 파리만국박람회 한국지부 부총무대원의 직책을 맡고 있었다. 당시 민영찬은 30세 정도의 나이에 군부소속의 육군대령이었는데 프랑스인 육군대령 앨레(Hailer)에 의하면[414] 군대에서 어떠한 지휘권도 행사하지 않고 군사적인 문제에 관여하지 하지도 않은 그에게 단지 유럽식 제복을 입히기 위하여 수여한 계급이라고 했다. 더군다나 당시 장교들은 한 손이나 혹은 두 손으로 안장 머리를 잡고 안장 위에 앉아 있는데, 민영찬은 이러한 군인들의 승마법을 몰라 마부 두 명의 안내로

409) 국사편찬위원회 편, 『프랑스 외무부 문서 2(조선Ⅰ 1888)』. 서울: 국사편찬위원회, 2003. pp.90 – 96.

410) 국사편찬위원회 편, 『프랑스 외무부 문서 3(조선Ⅱ 1889)』. 서울: 국사편찬위원회, 2004. p.155.

411) 민영찬(閔泳瓚): 명성황후의 인척으로 민겸호(閔謙鎬)의 아들이며 민영환(閔泳煥)의 동생이다. 그는 고종 27년(1890)에 알성문과(謁聖文科: 비정규 시험)에 병과로 급제, 홍문관정자・한림・대사성 등을 지냈다. 1895년 명성황후의 주선으로 미국에 유학하였고, 곧 을미사변이 일어나 명성황후가 시해(弑害)되자 귀국했다. 개화운동에 참여했다가, 1896년 학부협판(學部協辦: 교육인적자원부 차관)・궁내부협판 등을 지냈다. 광무 4년(1900)에는 30대의 나이에 프랑스 파리만국박람회에 특파대사로 파견, 1902년 주프랑스 공사(公使)로 임명되었다. 이듬해 적십자회 회원이 되어 스위스의 적십자회의에 참가했다. 1904년 육군참장(參將)에 임명되고, 이듬해 훈1등에 서훈되었다. 을사조약 체결로 외교권이 일본에 빼앗기자 귀국한 뒤, 정계에서 은퇴했다. 그는 수줍고 똑똑하며 진보적인 인물로 병약했으나 학구열이 높았다.

412) 1899년 1월 31일부터 1900년 1월 16일까지 프랑스공사관 서기관을 역임하였으며, 1901년 6월 7일자로 우리나라 2대 금광지의 하나인 평안북도 창성군(昌城郡) 동창면(東倉面) 대유동(大楡洞) 광산 채굴권을 획득하여 운영했다.

413) 국사편찬위원회 편, 『韓佛關係資料 – 駐佛公使・파리博覽會・洪鐘宇 – 』. 서울: 국사편찬위원회, 2001. p.212.

414) 앨레(Hailer), "민영찬의 프랑스 행 및 그의 이력 등 보고(Le Commandant VIDAL, Attaché Militaire)" 상하이 1900년 2월 1일.

천천히 다녔다고[415] 한다. 2008년 현재 정무직 차관급 공무원의 연봉이 9,300만 원으로 본다면 당시 민영찬은 대략 매달 775만 원을 받은 셈이고, 프랑스인 보좌관은 155만 원을 받았음을 알 수 있다.

1905년 한국 정부에 고용된 프랑스인들의 봉급은 광산 기술자가 월 2,160원에서 재한 프랑스인 중 가장 높은 서열의 관직에 있었던 크레마지(Larent Grémazy, 金雅始)[416]는 6,000원까지 최고액을 받는 등 직종에 따라[417] 커다란 차이가 있었다. 구한말 노동 기술직들의 급료는 5일이나 10일 동안의 임금을 모아 주는 월급제가 아닌 날짜로 헤아려 일한 날짜에 따라 임금을 지불하였으며 반일제(半日制)나 반반일제(半半日制)와 같은 시간급제도 있었다. 이 외 출장비(盤纏), 직책수강(待令料), 야간작업수당(肉塊價), 포상금(賞格) 등이[418] 있었다. 1902년 노동자 임금을 보면 숙련자가 90

---

415) ① 구한말 당시 승마에 능숙하지 않은 관료나 양반들도 유일한 교통수단으로 말을 이용했다. 말을 타는 기수는 하인의 도움을 받아 발이 말의 측면에 반도 내려오지 않게 등자 위에서 왼손으로 안장의 앞에 설치된 아치를 꼭 잡고서 똑바로 앉았다. 이들은 하인들이 채찍을 들고, 또한 양쪽에서 상전의 발을 잡아 떨어지지 않게 하면서 말을 끌었다. 승마법을 모르는 말을 타는 사람도 괴롭고 이들을 모시는 하인들도 괴롭기는 마찬가지였다. *I. B. 비숍 지음, 신복룡 역주, 『조선과 그 이웃나라들』. 서울: 집문당, 2006. p.63 참조. ② 여러 가지의 화려한 빛깔로 치장한 번쩍이는 갑옷을 착용한 장군은 구식 무기로 무장했다. 그 뒤를 따르는 군관들은 거의 기립한 모습으로 말을 탔는데 굴레를 잡고 말을 몰고 가는 병사들이 그런 식의 불편한 자세를 취하고 있는 상관들을 밑에서 받치고 있다. *김상희, 김성언 옮김, 『프랑스 외교관이 본 개화기 조선』. 서울: 태학사, 2002. p.95. 이상과 같이 구한말 당시 고급 군인들이 승마에 익숙지 못한 것은 문관출신 왕실 인척들이 유럽의 계급제도를 본떠 군사훈련을 받지 않고 고급 군인이 되었기 때문이다. ③ 국사편찬위원회 편, 『韓佛關係資料－駐佛公使・파리博覽會・洪鐘宇－』. 서울: 국사편찬위원회, 2001. p.221.

416) ① 크레마지(Larent Cremazy, 金雅始): 대한제국 때의 프랑스인 법부(法部) 고문. 1900년 9월 18일 고종황제에 의해 의정부 의정관으로 황제의 법률고문・법부고문・법관양성소 교수직을 겸직하며, 고등법원의 의결권을 가졌다. 1905년에는 불어로 역술한 『대한형법(大韓刑法: La Code Penal de La Coree[)』을 저술했다. ② 『官報』光武 4年[1900] 9月 18日 火曜. 敍任及辭令……法部法律師 金雅始…….

417) 1905년 5월 15일 기준 한국 정부에 고용된 프랑스인들의 봉급액은 아래와 같다. 우정 소속의 끌레망세(Clémencet)는 5,400원, 학부 소속의 마르뗄(Martel)・르미옹(Remion)은 3,600원을, 광산 소속의 트레물레(Trémoulet)・르꼬끄 드 라 망슈(Lecog de la Manche)・뀌벨리에(Cuivillier)는 4800원인데 같은 광산소속의 라벡(Rabec)은 3,000원을, 평양황실 광산소속의 뿌샤르(Pouchard)・라벵(Rapin)・트뤼쉬(Truche)는 프랑스인 중 가장 낮은 2160원을, 철도 소속의 르페브르(Lefévre)는 5,100원・드 라뻬이리에프(De Lapeyriére)는 4,800원・부다레(Boudaret)는 4,200원을 받았다. *홍순호, "구한말(舊韓末) 서구 열강(西歐列强)의 대한(對韓) 인식－프랑스를 중심으로－" 경기도박물관, 『먼 나라 꼬레(Corée)－이포리트 프랑뎅의 기억속으로』. 서울: 景仁文化社, 2003. p.111 <표 2> 참조.

418) 이영훈 편, 『수량경제사로 본 조선후기』. 서울: 서울대학교출판부, 2004. p.76.

냥, 미숙련자가 48냥이고 1909년에는 숙련자가 300냥, 미숙련자는 150냥으로 오르는[419] 등 변화가 심했다. 그 당시의 화폐가치를 추정하기가 매우 어렵지만 1909년 쌀 1석 가격이 75냥인 것으로 볼 때 숙련 노동자는 1달에 쌀 2석을 받는 셈이라 할 수 있다. 이는 19세기 중반 인거장(引鋸匠: 큰톱장이)은 쌀 9두 면포 3필을 받았을 때[420]와 비교하면 급료가 상당히 좋아진 셈이라 하겠다.

인쇄공인 각수(刻手)의 경우는 갑오경장 이전에는 원료전(元料錢) 2전 8푼과 반조역전(半助役錢) 1전을 합하여 3전 8푼을 받는데,[421] 이를 공정대전가로 환산하면 쌀이 27두에 면포가 1필이 넘는 급료였다. 참고로 1920년대 순종 때에 궁녀들에게 지급했던 월급은 최고액이 196원으로 당시 쌀 1가마니가 20원으로 오늘날 화폐로 환산하면 200만 원 정도를 받았다. 1916년도에는 우산 1개에 5엔 10전이었고, 두 사람이 쓰는 인력거 요금은 1엔 50전이었으며, 쌍두마차 영구차를 빌리는 데는 50엔을 주어야 했다. 1890년 이전 외국인들이 주로 드나드는 제물포의 상급 호텔 객실 숙박료는 하루 2원 50전이었다.

4) 현상금 및 주택가격

범죄를 저지른 악질범들에게 걸린 현상금으로 강도·살인 방화범은 1,000원이며,[422] 유괴범을 체포하거나 사회를 혼란시키는 유언비어를 살포한 자를 체포한 자에게는 500냥(8,000원)의[423] 사례금을 걸었다. 대한제국이 외국에 유일하게 설치한 외교관 상주공관인 미국의 수도 워싱턴(Washington)

---

419) 이영훈 편, 『수량경제사로 본 조선후기』. 서울: 서울대학교출판부, 2004. p.90.

420) 이영훈 편, 『수량경제사로 본 조선후기』. 서울: 서울대학교출판부, 2004. p.88. 이를 공정대전가로 환산하면 쌀 1석이 4냥일 때는 8.4냥이고, 6냥일 때는 9.6냥을 받은 것이다.

421) 이영훈 편, 『수량경제사로 본 조선후기』. 서울: 서울대학교출판부, 2004. p.91. 이 당시 쌀 9두 면포 1필은 공정대전가로 4냥 4전이며 돈으로는 1전 4푼 정도이다.

422) 국사편찬위원회 편, 『프랑스 외무부 문서 3(조선Ⅱ 1889)』. 서울: 국사편찬위원회, 2004. p.232.

423) 국사편찬위원회 편, 『프랑스 외무부 문서 2(조선Ⅰ 1888)』. 서울: 국사편찬위원회, 2003. pp.22-23.

에 있는 주미공사관은 1891년 고종이 25,000달러의 내탕금으로 외교가(街)였던 로건 서클 건물을 구입했으나 1910년 한일합방 직전 일본 정부는 조선에 겨우 5달러를 주고 건물을 강탈한 뒤 미국인 개인에게 팔아 버렸다.[424)]

5) 도서가격

플랑시는 1888년 12월 고종황제에게 기조(Guizot)가 지은 『프랑의 역사(Histoire de France)』 7권을 선물했는데 이 책은 장식한 그림과 장정이 아주 잘된 것으로 187프랑(46원)이었다. 이때 플랑시는 고종황제 알현 후 프랑스 저작에 대해 고종이 관심을 갖자 여러 권의 저서 및 앨범(Album)과 고종에게 새해 선물로 특별히 철로 장식한(양장본) 출판물을 보내 줄 것을 프랑스 예술부장관에게 요구했다.

(사진 24) 루브르 궁전

◈ 별지 조선왕에게 기증할 책에 대한 의견서[425)]

다음에 언급된 저서들은 조선국왕을 위한 것으로서, 새해 선물용 책들 중에서 북 커버(Book cover)가 직물로 된 철제 양장본입니다.

○ 프랑스 건축에 대한 개념을 줄 수 있는 저서들: 루브르궁(Louvre), 뛸르리궁(Tuilleeries), 베이사이유궁(Versailles), 파리의 기념 건축물 등의

---

424) 『중앙일보』 2007년 10월 24일 2면. "고종의 자주 실용 외교 상징 구한말 주미공사관 매입 추진" 이 건물은 15 Logan Circle NW Washington D.C에 있으며, 백악관에서 자동차로 10분 거리에 있다. 빅토리아풍(Victorian Architecture)으로 지하 1층 지상 3층의 적갈색 건물인 이 공사관은 현재 미국인 개인이 소유하고 있으며 2007년 현재 재미동포들과 한국 정부에서 매입을 추진 중이다.

425) 국사편찬위원회 편, 『프랑스 외무부 문서 2(조선Ⅰ 1888)』. 서울: 국사편찬위원회, 2003. pp.155－158.

광경

○ 군대에 관한 저서들:

『프랑스 군대(L'armée francaise)』
유형과 제복: 데타이(Détaille)
글: 리샤(J. Richard), 2권(800프랑)
발행인: 부쏘 라동社(Boussod, Valandon et Cie), 탈가 9번지

『전장에서(En campagne)』
도표와 그림: 메소니에(Meissonnier), 데타이(Détaille), 드노빌(de Neuville)
글: 리샤(J. Richard), 2권, 호화장정(25프랑)
발행인: 뤼도빅 바셰社(Ludovic Baschet), 생 제르만가 125번지

『우리 군대의 영광(Nos gloires militaires)』
저자: 딕 드롱래(Dick de Lonlay)
1권, 호화 판지 장정, 20프랑
발행인: 맘므社(Mame), 투르시(市)

『군대의 전람회(Le salon militaire)』
발행연도: 1886년 - 1887년, 2권
제본된 책 1권당 42프랑
발행인: 알프 피아제社(Alph Michailovich), 보즈가 16번지

또는 군대의 장면과 군복을 재현할 수 있는 모든 다른 저서들.

위의 사실로 보아 당시 프랑스의 도서가격은 대체로 20 - 50프랑(5 - 12원)이며 비싼 경우 800프랑(200원)까지 나간 것으로 추정된다. 당시의 우리나라 도서의 가격을 보면

『蠶桑實驗說』
著者: 松永五作, 譯者: 申海永, 校閱者 徐丙肅
發售所: 廣文社, 光武 5年(1901) 發行
定價: 金70錢

『新撰地文學』
編述者: 閔大植

發行所: 徽文館, 光武 11年(1907) 7月 15日 發行
定價: 金40錢

『大東文粹』
編纂者: 徽文義塾編輯部
發行所: 徽文館, 光武 11年(1907) 6月 5日 發行
定價: 金75錢

『初等 大韓歷史』
纂輯者: 鄭寅琥, 校閱者: 張世基
發行所: 玉虎書林, 隆熙 2年(1908) 7月 日 發行
定價: 金70錢(郵稅2錢)

다소 시대적 차이는 있어도 우리나라의 도서가격은 1원 미만으로 보인다. 그렇다면 『직지』가 경매된 해와 무려 10여 년의 차이가 나지만 『직지』의 경우는 프랑스의 귀중도서보다도 가격이 무척 저렴했지만 국내 도서보다는 상당히 높았음을 알 수 있다. 플랑시가 1888년 12월 고종황제를 알현하고 고종이 요구한 프랑스의 도서가 1989년 11월 7일 플랑시에게 도착하여 11월 25일에 왕에게 12권으로 된 9개의 작품을 전달했다. 그런데 그 책들 중에 『1888년 전시회(Exposition de 1888)』는 나체 작품이 들어 있어 조선의 도덕적 정서에 맞지 않아 12권 중 1권은 전달하지 않았다. 우리나라의 프랑스에서 발간된 서적 기증은 1900년 파리만국박람회를 앞두고 고종황제에게 1889년 박람회에 관한 몇몇 그림 목록 및 다른 발간물들을 보내기도 했다. 한편 고종은 그 답례로 프랑스 대통령에게 『원행을묘정리의궤(園幸乙卯整理儀軌, 도서번호 130)』를 기증했는데 이 도서는 현재 프랑스국립도서관에 소장되어[426] 있다.

한편 우리나라는 사실 이때까지도 인조 15년(1637) 청 태종에게 강화도 함락으로 삼전도(三田渡)에서 항복 후 맺은 조약으로 조선이 청나라에게 보내는 조공 중에는 종이가 들어 있었다. 인조 때에는 질 좋은 큰 종이 20장들이 1,000권과 질 좋은 작은 종이 20장들이가 1,500원이었던 것이 1888년

426) http://www.euro－coree.net: 이진명 교수, “동양어대학 도서관과 프랑스국립도서관(BNF) 소장 한국고서”.

청나라 정부에 보낼 적에는 2,000권(큰 종이), 3,000권(작은 종이)로 오히려 더 늘어났으며 인조 때의 치욕이 이때까지도 이루어졌음을[427] 알 수 있다.

플랑시나 쿠랑이 우리나라의 고서를 구입할 당시는 엽전을 뜻하는 sapéques라는 화폐단위를 사용했다. 1885년에서 1900년까지 도서를 수집하기 위해 지급한 화폐는 10푼(1전, 10전＝1량)[428] 미만의 파격적인 가격으로 구입하였을 것으로 보인다. 당시 세책가에서 책을 빌리는 값은 서울지방에 한해서 1일 1권당 10분의 1, 2푼 정도로[429] 민간에서 도서를 보급하기도 했다.

---

427) 국사편찬위원회 편, 『프랑스 외무부 문서 2(조선Ⅰ 1888)』. 서울: 국사편찬위원회, 2003. pp.165－167.

428) 쿠랑은 원주에서 100문(文)이 1량(兩), 10량이 1관(貫)이다. 1890년, 1891년, 1892년에 멕시코 피아스타의 환산이 1－3관으로 오르내리는 것을 보았다. *모리스 쿠랑 원저, 李姬載 譯, 『韓國書誌－修訂飜譯版－』. 서울: 一潮閣, 1994. 序論 p.2 주5).

429) 당시 양질의 종이에 인쇄된 한글판 인본이나 사본으로 된 소설이나 노래책들을 저렴한 가격으로 빌려주는 세책가가 있었다. 책울 빌릴 때에는 돈이나 물건으로 담보를 요구하는데 돈 몇 냥, 운반하기 쉬운 화로나 솥 등이다. 이 일은 생활이 어려운 하층 양반들이 돈벌이가 잘 안 되는 것이지만 명예로운 것이라 생각하여 자진해서 시작한 자유직업이라 할 수 있다. 그런데 책을 빌린 이들이 잘 돌려주지 않아서 주문을 하면 정해진 날에 받을 수 없었지만 이들이 가지고 있는 장서목록은 쿠랑이 『한국서지』를 작성하는데 상당한 도움을 주었다. *모리스 쿠랑 원저, 李姬載 譯, 『韓國書誌－修訂飜譯版－』. 서울: 一潮閣, 1994. 序論 pp.3－4.

IV

해외에서의 『직지』 홍보

1. 파리만국박람회(萬國博覽會)

1) 파리만국박람회 참가 및 전시품

(사진 25) 고종황제

고종은 1900년 4월 15일에서 11월 15일까지[430] 프랑스 파리에서 개최되는 만국박람회(Exposition Universelle)에 참여하고자 열의를 갖고 출품할 예술품을 새로 수집 또는 제작했다. 박람회는 정치적 행사이므로 프랑스공화국 정부가 1889년 박람회 자료들은 조선에 제공하고 1년 후에 열리는 파리만국박람회 참가 준비에 적극 지원했다. 이처럼 파리만국박람회에 대한 지대한 관심은 1889년 9월 19일에 프랑스혁명 100주년 기념 파리만국박람회에 전시대를 개설한 바 있으며,[431] 4년 후인 1893년 4월 미국 시카고만국박람회(The

---

430) 프랑스 파리만국박람회의 공식기간은 1900년 4월 14일(공식 개막일)에서 11월 12일까지로 초청국 56개국 중 40개국이 참가 방문객수가 무려 50,860,800명에 달하는 대규모였다.

431) 엘리자베트 샤바놀, "1900년 파리만국박람회 한국관", 프랑스 국립극동연구원, 『서울의 추억 - 한/불 1886 - 1905 -』 한불수교 120주년 기념전시 심포지엄 논문집, 2006. p.121 주6)에서 재인용함.

World's Colmbian Exposition in Chicago) 참가 이후 우리나라의 미술·공예가 집중적으로 유럽에 소개되는 최초이기 때문이다. 그리하여 우리나라에서는 파리만국박람회 참가 의사를 1893년 5월 7일 이포리트 프랑뎅(Hippolyte Frandin) 조선주재 프랑스 공사를 통해 프랑스 외무부에 알렸고, 박람회 개막을 4년이나 앞둔 1896년 1월 7일에 프랑스 정부는 조선주재 프랑스 서리공사 르페브르(Lefévre)를 통하여 공식 초청을[432] 하자 고종이 흔쾌히 허락했다. 이어 참가절차와 추진방법, 한국관 설치 및 관리, 전시품 뒤처리에 있어서는 당시 플랑시 주한 프랑스 공사의 적극적인 협조를 받았고, 그 밖에 서울에 와 있던 여러 명의 프랑스인이 서울의 관계 사무처에 고용되었다. 그리고 현지에서도 프랑스인들을 임시로 채용했다.

우리나라에서는 박람회 참가와 관련된 제반 문제의 임무를 수행할 관리로 처음에는 1897년 1월 11일 민영환(閔泳煥) 장군이 프랑스 특명전권공사로 임명되었으나 파리까지 가지 못하자[433] 조선 정부는 1897년 6월에 한국측 대표(한국지부 위원)를 다이아몬드(Diamand) 상인이며 프랑스 사람인 샤를 루리나(Charles Roulina)에게 맡겼다가 다시 한국인이 맡는 등 우여곡절을 겪었다. 처음에는 경복궁 근정전의 모델을 본뜬[434] 한국관 설치비용을 부담하겠다는 들로 드 글레옹(Delort de Gléon) 남작이 맡았으나, 1899년 11월 9일에 그가 갑작스럽게 사망하자 법부차관이며 종2품의 군부 소속 육군대령 민영찬(閔泳瓚)이 부총재대원의 직책으로 실제적인 책임을 맡고 파

432) ①『舊韓國外交文書』第19卷 法案 684號 建陽 元年 1月 7日. ②『舊韓國外交文書』第19卷 法案 687號 建陽 元年 1月 7日. ③『高宗時代史 4』1896년 1월 27일. "프랑스 서리공사 르페브르가 외부로 公函을 보내어 1900년 4월 15일부터 該國 파리에서 열리는 만국박람회에 참가할 것을 요청하였던 바 이날 외부대신 金允植이 官員과 商民을 파견하고 또 출품도 할 것으로 照覆하다."

433) 1897년 4월 1일 민영환은 조선이 조약을 맺은 프랑스·독일·영국·오스트리아의 유럽국가 대사로서 유럽을 떠났다. 러시아에서 니콜라이 2세 대관식에 참가한 후 런던에서 빅토리아여왕 즉위 60주년 기념행사에 참가했다. 그러나 파리까지는 가지 못해 한국의 만국박람회 참가 준비를 지휘하지 못했다. *엘리자베트 샤바놀, "1900년 파리만국박람회 한국관", 프랑스 국립극동연구원, 『서울의 추억-한/불 1886-1905-』 한불수교 120주년 기념전시 심포지엄 논문집, 2006. p.123 주22)에서 재인용함.

434) 당시 만국박람회 참가국 전시관은 임시대사관으로도 쓰였다. 그리하여 각국의 공식전시관은 전통 특색을 살리면서 자국의 위대함을 상징하도록 가장 눈에 띄게 독창적으로 우아하게 설계를 하고자 노력했다.

(사진 26) 1900년
파리만국박람회 한국관

리로 파견되었다.[435] 그리고 현지와의 원활한 전시수행을 위해 프랑스공사관 참서관으로 근무했던 살타렐(M. Saltarel) 씨와 1900년 1월 9일자로 한국지부 파리위원회 총무대원인 미므렐(Comte de Mimerel) 백작을 글레옹의 후임으로 임명하여 30대의 젊은 민영찬을 보좌하도록 했다.

우리나라는 한국관의 책임자가 교체됨에 따라 처음에 기획했던 규모보다 축소되어 박람회 개막을 겨우 한 달 반 앞두고 부지 기초공사가 시작되었다. 처음 파리만국박람회 한국관에 대한 모든 책임을 맡았던 들로 드 글레옹은 박람회에 한국의 고유풍습, 민속까지 프랑스인들은 물론 세계인이 주목할 수 있는 기회를 갖고자 커다란 인종전시장 겸 취락지역 프로젝트[436]를 가지고 있었다. 그러나 그의 사망으로 후임으로 온 미므렐(Mimerel)은 민속부문의 전시기획을 철회하고 공공부문의 전시만을 실현시켰다. 그리하여 조선에서 처음으로 외국에서 개최되는 국제 엑스포(Expo)에 한국의 문화를 생생하게 소개할 수 있는 기회가 적어짐이 못내 아쉬웠지만 국제인종전시 같은 제국주의 국가의 볼거리는 되지 않았다. 미므렐이 한국관 계획을 다시 진행시켜 규모가 글레옹 남작의 처음 계획보다는 축소되었지만 민영찬이 1900년 2월 말 한국의 건축가 2명을 프랑스로 데려와 그들의 도움을 받아 매우 우아한 자태의 경복궁 근정전을 재현한 것[437]은 대한제국에서

435) 黃玹, 『梅泉野錄』. 卷3. 光武3年己亥 11月. "박물대원 민영찬을 프랑스 서울 파리로 파견했다." <博物大員閔泳瓚 赴法京巴里>.

436) 강대국 서양에서 박람회를 개최하며 회장 내에 '식민지 취락지역'을 재현하여 그곳에 각국에서 온 원주민의 필요한 식료와 생활도구만을 주고 수개월간 생활하게 했다. 이러한 박람회는 당시 유럽을 비롯하여 미국과 일본에서 열린 박람회에서도 가장 인기 있는 볼거리의 하나로 전시되었다. 그런데 강대국의 이러한 취락지역의 재현은 19세기 초와 20세기 말에 식민지 개척에 성공한 제국주의 국가들의 자신감의 표출이며 서구 유럽에 풍미했던 인종이론을 학습하는 장이기도 한 문명이라는 이름을 내세운 야만적인 전시방법이었다. *吉見俊哉, 『博覽會の 政治學』. 中公新書, 1992. p.185.

437) 『동아일보』 2008년 1월 9일 A14면. "1900년 파리만국박람회 한국관 내부사진 발견" 1900년 프랑스 파리만국박람회 한국관 내부의 전시 물품과 한국관 건립에 기여한 프랑스 관계자들을 찍은 사진이 발견됐다. 프랑스에 거주하는 한국 관련 자료수집자 오영교 씨는 최근 20세기 초 폴제르의 저서 『(1900년)』에서 파리박람회 한국관 내부에 전시된 용 조각상, 무기 및 의상, 악기

광산채굴권을 따나려는 정치적인 속셈도 없지 않았다. 박람회가 열리는 동안 한국관에는 한국 국기가 그려진 모자를 쓴 경비원들이 건물을 보호했다.

1900년 프랑스 파리만국박람회 한국지부 관원은[438] 아래와 같다.

○ 서울위원회 총재 대원: 민병석(정2품 의정부 의원), 부총재대원: 민영찬(종2품 법부협판(법무부 차관), 유일한 파리대표), 위원: 고영근(종2품 중추원 의관), 윤덕영(정3품 봉상사 부제조), 이인영(정3품 군부 외국과장), 이근배(정3품 중추원 의관), 정영두(6품 관원)

○ 파리위원회 위 원 장: 루리나(C. H. Roulina, 다이아몬드 상인, 파리주재 한국 총영사), 위원: 의사 멘느(Edme Edouard Méne, 동양전문가), 쿠랑(Maurice Courant, 전직 텐진주재 프랑스영사관 번역관, 현직 외무부 임시직원), 총무대원: 미므렐(Comte de Mimerel) 백작, 총서기: 레옹 보(Léon beaup), 위원: 포병소령 비달(Videl 위원 사임)

1900년 프랑스 파리만국박람회 출품목록은[439] 다음과 같다.

군	등 급	전 시 품
3	11	다양한 인쇄물, 설비와 생산품
3	13	책과 그림책(콜랭 드 플랑시), (그리유 기술자)
3	15	옛날 화폐와 메달(콜랭 드 플랑시)
3	17	전통악기
3	18	예술 극단 물품
4	22	기계, 도구, 금속과 목재가공
6	28	토목공학 재료, 도구, 방식
6	30	4륜 마차와 채탄

등을 찍은 4컷의 사진을 입수해 공개했다. 이 책에는 또 고종황제 특사 겸 한국관 명예위원장인 민영찬, 러시아 프랑스 오스트리아 겸임공사인 이범진, 한국관 위원장 겸 파리주재 한국 총영사인 샤를 루리나, 한국관 재정후원자인 미므렐 백작, 한국관 설계자인 외젠 페레 등 한국관 관련 인물의 사진이 모두 들어 있다.

(사진 27)
『EN 1900』

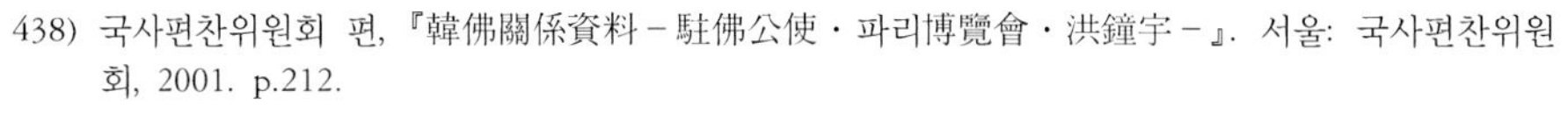

438) 국사편찬위원회 편, 『韓佛關係資料－駐佛公使・파리博覽會・洪鐘宇－』. 서울: 국사편찬위원회, 2001. p.212.

439) 국사편찬위원회 편, 『韓佛關係資料－駐佛公使・파리博覽會・洪鐘宇－』. 서울: 국사편찬위원회, 2001. pp.221－223(원문 pp.302－304).

군	등 급	전 시 품
6	31	마구제조업과 칼붙이 제조업
6	33	통상용 항해물품
7	35	농촌 경작 도구와 방식
7	39	식용농산물(식물)
7	41	비식용농산물
7	42	유용한 곤충(누에)과 그 생산품(명주), 유해한 곤충과 기생식물
8	44	식용식물(산나물)
8	45	과수목과 과일
8	46	나무, 작은 관목, 식물과 화훼
8	48	곡물, 종자(씨앗)
9	49	삼림경작과 삼림기구 및 방식
9	50	삼림경작과 임업생산물
9	51	사냥무기
9	52	사냥 생산품, 한국산 표범 가죽(콜랭 드 플랑시)
9	53	어업과 농업기기, 도구, 생산품
10	56	전분 생산물과 그것의 파생물
10	59	설탕과 당과류, 양념과 조미료
11	62	다양한 음료
11	63	광산개발, 광산과 채석장
11	64	대규모 제련소
11	65	소규모 제련소
12	66	옛날의 도로표지판, 목조각, 건물과 주택에 붙이는 장식
12	68	색종이
12	69	고가 및 저가가구, 장롱과 경대(그리유 기술자, 비달 포병 중령 한국주재 프랑스 무관) 대형장롱(아르노 비시에르 프랑스 영사)
12	70	융단, 장식용 융단과 다른 실내장식용 직물, 호랑이・용・새 등이 장식된 화문석(콜랭 드 플랑시)
12	71	움직이는 장식과 장식용 세공품
12	72	도자기, 자기, 옛날 도기, 토기(콜랭 드 플랑시)
12	73	크리스탈, 유리제품
12	75	비전기 조명기구와 조명방식
13	76	제사(製絲)와 끈 도구와 방식
13	80	무명실과 직물
13	81	노끈으로 만들어진 실과 직물
13	82	양털실과 직물
13	83	명주와 명주실
13	84	레이스, 자수와 장식 끈 명주조각(명주와 모직물 위에 자수장식), 명주에 자수를 놓은 병풍, 부채와 차양막(콜랭 드 플랑시)
13	85	남성・여성・아동용 기성품과 의상실 산업
13	86	왕과 황제의 의상, 모자에 관한 다양한 산업
14	87	화학기술과 약학, 설비, 방식과 생산품
14	88	종이제작, 원제료, 설비, 방식 생산품

군	등 급	전 시 품
14	89	가죽과 피혁제품
14	90	향수
14	91	담배와 성냥
15	93	병
15	94	옛날 종교용 금은 세공품, 두 개의 8각형 상자(잔 아돌핀 쉬)
15	95	보석세공과 보석상, 여성용 보석(콜랭 드 플랑시)
15	97	낡고 장식된 골동 옛날 청동 동상
15	98	장식판자, 모로코 가죽제품, 상아 등 세공품과 죽세공품, 붉은 옷을 입힌 손궤(팔렝로그 대사관 1등 서기관) 벽장형 기구, 손궤, 상자, 보석상자, 나전칠 식탁, 청동과 철로 된 물품(콜랭 드 플랑시)
15	9	여행과 캠핑용품
18	116	옛날 전쟁무기와 포병기구, 은을 칠하고 새겨 넣은 투구, 은과 구리도 도색하고 새겨 넣은 대량의 무기, 16세기 천으로 된 목덜미 덮개(에드므 에두아르 멘느 의학박사) 한국 장군의 투구, 검과 군복(그리유 기술자), 검, 화살통(콜랭 드 플랑시)
18		행정업무

(사진 28) 파리만국박람회에 전시되었던 가야금

위의 1900년 파리만국박람회 출품목록에서 플랑시가 담당했던 분야는 책과 그림책 · 옛날 화폐와 메달, 사냥 생산품 · 한국산 표범가죽, 화문석, 도자기 · 자기 · 옛날 도기 · 토기, 레이스 · 자수와 장식 끈, 명주조각: 명주와 모직물 위에 자수 장식 · 명주에 자수를 놓은 병풍 · 부채와 차양막, 보석 세공과 보석상 · 여성용 보석, 벽장형 가구 · 손궤 · 상자 · 보석상자 · 나전칠 식탁 · 청동과 철로 된 물품, 검 · 화살통 분야였으며, 책과 그림책은 기술자 그리유(A. Fives Grille)[440]와 함께 일했다. 특히 플랑시는 자신이 직접 수집한 한국 도자기를 세브르박물관(Musée de Sévres)에 기증한 수집품들로 한국관을 장식한 것으로 보면,[441] 당시 한국관에 출품한 전시품들은 프랑스인 위원들이 개인적으

440) 2차로 조선에 부임한 플랑시는 프랑스 자본을 끌어들여 그리유를 대표로 하는 피부 그리유(Cie Fives－Grille) 상사를 설립하게 하여 광산지질조사와 철도부설권 획득 계획을 추진하여 경의선 부설권을 따내는 정책을 실현시켰다.

441) 국사편찬위원회 편, 『韓佛關係資料－駐佛公使 · 파리博覽會 · 洪鐘宇－』. 서울: 국사편찬위원

로 수집한 전시품이 상당수 프랑스 유일의 아시아박물관인 기메박물관(Musée Guimet)에 기증되거나[442] 개인이 소장하였음을 알 수 있다. 그 외 특이한 것은 경비문제로 중지되고 말았지만 1900년 파리만국박람회 때 조선에서 조선 미인(기생)을 파리에 공연예술단으로 보내려고 한 적도[443] 있었다.

한편 파리위원회 위원인 쿠랑은 박람회 출품목록 수집에는 직접 참가하지 않았으나 출품목록 중 다양한 인쇄물과 설비와 생산품 등 인쇄와 관련 있는 분야를 담당했을 것으로 보이며 이 목록에서 『직지』에 대한 직접적인 언급은 없어도 위에서 언급한 것처럼 파리만국박람회 전시출품 목록을 수집하면서 한국에 관한 정보를 더 많이 알았을 것으로 보인다. 쿠랑은 한국지부 파리위원회 위원으로서 1898년 초 플랑시로부터 1900년 파리만국박람회에 대비하여 너무나 알려지지 않은 한국의 지리·역사·행정·사회·지질·식물 전체를 총망라한 완벽한 보고서를 작성해 보라는 제안을 받는다. 처음에는 사양했으나 1899년에 본국으로 귀국하였음에도 박람회의 전체적인 홍보와 한국문화 전시물은 물론 한국의 정치문화적 상황 등에 대한 해설을 맡은 것(Curator)[444]으로 보인다.

회, 2001. p.227.

442) 1907년 유럽인 최초로 중국 지린성(吉林省) 지안(集安)의 고구려 유적을 답사했던 프랑스 학자 에두아르 샤반느(Edouard Chavannes, 1865－1935)가 촬영한 장군총을 비롯한 광개토왕비 등과 같은 유적 사진도 기메박물관에 소장되어 있다. 중국학 권위자인 샤반느는 모리스 쿠랑과는 동양어학교 시절 학우이기도 하다. (조선일보 2005년 10월 30일 A9면 "가장 오래된 광개토왕碑 사진")

443) ① 『삼천리』 1934년 11월호. 김진송, '서울에 딴스홀을 허하라'. 『현실문화연구』, 1999. p.218에서 재인용함. "파리박람회에 기생출품－1900년 파리(巴里)에서 열린 만국박람회(萬國博覽會)에 조선에서는 반도 특산물 몇 종과 조선 미인을 세계에 소개할 작정이었는지 장안 일등 명기 10명을 골라 파리로 파견하기로 했다. 그러던 것이 그만 경비 문제로 맨 나중 날에 중지되고 말았는데 그때 출품되려던 기생 이름은 홍옥(紅玉)·유색(柳色)·연화(連花)·도색(桃色) 등이었다고" 이와 같은 기사가 나온 것은 필자의 생각으로는 플랑시가 휴가기간인 1899년 11월 30일－1901년 3월 12일 동안 프랑스에서는 1900년 4월 15일(14)－11월 15일(12)에 파리만국박람회가 열렸고 조선에서 전통공연예술단을 파견한다는 소식이 전해졌다. 이 무렵 플랑시는 이진을 데리고 프랑스에 있었으며 이러한 일로 인하여 이러한 기사가 나오지 않았나 추측된다. ② 『대한매일』 1910년 4월 14일 기사에서는 일본에서 열리는 만국박람회에 기생을 보내고자 한 것을 통해 정부에서도 기생을 일종의 공연예술자로 보았음을 알 수 있다.

444) 모리스 쿠랑은 "샹－드－마르스에 있는 한국관에 대한 설명을 한 글(Le Pavillon Coréen au Champ－de－Mars, Souvenir de Séoul, Corée)"을 싣고 있다. 국사편찬위원회 편, 『韓佛關係資料－駐佛公使·파리博覽會·洪鐘宇－』. 서울: 국사편찬위원회, 2001. pp.225－231.

2) 파리만국박람회 한국관 건립

1900년 당시 파리만국박람회에 참가한 한국관은 쿠랑과 앙리 비바레에 의하면 "수줍음과 겸양 때문에 샹-드-마르스(Champ-de-Mars)의 쉬프렌(Suffren) 길에 접한 한 모퉁이에 자리 잡고 있어 관객들로부터 커다란 호응을 불러일으키지 못할 것으로 예상했지만 기대 이상으로 성공을 했다."[445) 라고 했다. 이는 한국의 우아한 작품들을 발견하러 오는 극동의 방문자들과 신생제국의 관객들이 많았기 때문이라고 설명하고 있다. 한국관 개설은 플랑시 초대 전권공사와 프랑스어 교사 샤를 알레베끄(Charles Aleveque, 晏禮白),[446) 서지학자 쿠랑의 적극적인 협조로 이루어졌으며 그 기회를 열어 준 것은 2대 프랑스 공사를 지낸 프랑뎅이었다.

(사진 29) 1900년 파리만국박람회 한국관을 그린 삽화.

쿠랑은 한국관을 설명하면서 한국의 옛 인쇄문화에 대해 다음과 같이 설명하고[447) 있다. "나에게 한국에 관한 책들에 대해 이야기할 것이 남아 있다. 여러 개의 진열장은 고서를 전시할 수

---

445) ① Maurice Courant, "Le Pavillon Coréen au Champ-de-Mars, Souvenir de Séoul, Corée(샹드마르의 한국관, 서울의 추억 한국)". Paris, Exposition universelle(만국박람회), Imp. de la Photo-Couleur(s.d), 1900, in-fol(21×30㎝). Ⅷ p. et pl.
Le plus ancien connu est exposé, sous les yeux du visiteur, dans la vitrine de M. Collin de Plancy. C'est un livre intitulé; Traits édifiants des Patriarches rassemblés par le bonze Pack-Qun, un volume in-8°, portant á la derniere page l'indication suivante: En 1377, 7° année de Sinan-Hoang, á la Bonzerie de Heung-Tek, hors du chef-lieu du district de Tchyeng-Tijou. Imprime en caracteres fondus. ② Henry Vivarez, "Mémoires et Communications-Vieux Papiers de Corée-", 『Le Vieux Papier』, Come Premier, 1900-1902, Archéologique, Historique & Artistiquee, 1903 pp.76, 80.

446) 알레베끄는 한국과 중국에 겸임 주재하는 프랑스 무관이면서 파리박람회 한국지부의 파리위원회 위원이었던 비달(Vidal) 소령의 사임으로 그를 대신해 만국박람회 한국위원회 대표로 임명되어 파리만국박람회 사무에 관한 일을 수행했다. 국사편찬위원회 편, 『韓佛關係資料-駐佛公使 · 파리博覽會 · 洪鐘宇-』. 서울: 국사편찬위원회, 2001. p.224.

447) 국사편찬위원회 편, 『韓佛關係資料-駐佛公使 · 파리博覽會 · 洪鐘宇-』. 서울: 국사편찬위원회, 2001. pp.230-231.

있도록 배당되어 있고 그것은 당연하다. 한국의 고서는 한지를 사용하는 데 두껍고, 질기고, 보푸라기가 일어나는 조직으로 되어 있고, 때로는 광택이 없고, 때로는 윤이 나는, 상아색을 띠고 있는 종이의 아름다움을 느낄 수 있다. 그리고 책의 크기(판)가 크고, 세련되고, 수수하고, 눈을 즐겁게 하며 정말로 이야기하고 있는 듯한 글자들로 가득 찬 전체적 모습(판짜기 형식)이다. 또한 노골적이고 장중하지만(의궤?), 종종 아주 단순하고 우아한 삽화들이 들어 있는 책들이 있다. 나는 이러한 고서의 진열품들이 몇몇 애서가들에게 좋은 정보를 제공하는 것이라고 거듭 말하고 싶다. 대중(세계인)은 결국 지금까지 한국에 인쇄소가 있고 문학이 번창하고 존재했다는 것을 모르고 있었다. 그러나 여기는 내가 다른 곳에서 말한(모리스 쿠랑, 『한국에 관한 참고문헌－한국 문학에 관한 일람표』. 파리, 에르네 르루, 1891－1896. 3권 8절판) 이 주제에 관하여 반복할 장소가 아니다. 나는 단지 한국인들이 10세기 이전에 목판인쇄(Planches graves)를 했다는 것과, 조선시대 최초의 금속활자인 태종 3년(1403, 계미자)과 아마 이보다 더 일찍이 움직일 수 있는 형태(활자, Types mobiles)를 발명했다는 것이다. 그리고 예를 들어 대부분 콜랭 드 플랑시에 의한 동양어학교의 것들과 같은 유럽인들의 수집품들에는 한국의 수많은 재미있는 작품들을 포함하고 있다."라고 말하고 있다.

3) 파리만국박람와 『직지』 전시

쿠랑은 한국관 설명문에서 당시 프랑스인들 다수가 한국의 고서를 상당히 많이 수집하였고, 자신 또한 한국서지학에 밝아 10세기 이전의 목판인쇄술과 1403년 계미자 이전의 금속활자 인쇄술에 관해서는 조심스럽게 언급하면서 금속활자본 『직지』의 출품에 대해서는[448] 일체 언급이 없다. 그런

448) 1903년 조선을 여행한 러시아 민속학자 바슬라프 세로세프스키도 한국은 이미 1403년에 중국이나 유럽보다 훨씬 앞서 금속활자를 사용한 만큼, 금속활자의 발명은 한국의 몫으로 돌려 마땅하다 하면서도 1901년도에 『한국서지』 부록에서 『직지』가 금속활자본으로 이미 소개되었음에도

데 『직지』가 파리만국박람회 한국관에 전시된 사실은 앙리 비바레의 "한국의 고문서"[449]에 명확하게 그 사실이 기록되어 있지만 그 이외의 자료에서는 전혀 언급이 없어 다소 의문의 여지가 있다. 그렇지만 앙리 비바레는 파리만국박람회 한국관에 전시된 『직지』와 쿠랑의 『한국서지』를 참조하여 『직지』가 금속활자임을 인정했지만 그의 논문만으로는 사실 입증이 불충분하다.

쿠랑은 『한국서지』 보유판 서문에서[450] "이 보유판의 출판은 다음과 같은 상황에서 이루어졌다. 현 주한 프랑스 전권공사인 콜랭 드 플랑시 씨는 1881년-1891년 사이에 이루었던 장서를 완성시키기 위해 그의 최근 체류시 새로운 일련의 한국도서를 모았다. 이 첫 번째 장서 중 가장 중요한 부분은 파리의 동양어학교에 기증되었으며 여러 수집을 통해 더욱 풍부해졌다. 지난해(1900년을 말함) 프랑스에 도착한 도서 중에 한국인쇄사에 대한 가장 흥미 있는 것들은 조선관에서의 파리만국박람회에 모습을 나타냈던 것들로, 이 일련의 도서들이 거의 전부, 그리고 그 이외의 것들이 박람회를 전후하여 동양어학교에 기증되었으며 이는 현존하는 한국 장서로는 가장 많은 양의 것이다. 콜랭 드 플랑시 씨는 그가 가지고 온 이 책들에 대해 내게 검토할 것을 부탁하고, 내가 작성한 해제들을 동양어학교 출판물 총서에 출간시키는 것이 좋을 것이라는 결론을 내린 학사원 회원이자 동양어학교의 이사인 바르비에 드 메이나르(Barbier de Meynard) 씨와 합의했다. 『한국서지』의 보유판은 무엇보다도 한학자들이 자유로이 사용할 수 있는 파리에 존재하는 도서들을 포함했다. 그러나 이 신간은 두 가지 측면의 자료들을 삽입하지 않았다면 오늘날 완성할 수 없었을 것이다. 그 한 가지는 이 『한

이에 대해서는 전혀 모르고 있다. *바슬라프 세로셰프스키 원저, 김진영 외 역. 『코레야 1903년 가을』. 서울: 개마고원, 2006. p.78.

449) Henry Vivarez, "*Mémoires et Communications - Vieux Papiers de Corée -* ", 『*Le Vieux Papier*』, Come Premier, 1900 - 1902, Archéologique, Historique & Artistiquee, 1903 pp.79 - 80.
Le plus ancien connu est exposé, sous les yeux du visiteur, dans la vitrine de M. Collin de Plancy. C'est un livre intitule; Traits édifiants des Patriarches rassemblés par le bonze Pack - Qun un, volume in - 8°, portant á la derniere page l'indication suivante: En 1377, 7° année de Sinan - Hoang, á la Bonzerie de Heung - Tek, hors du chef - lieu du district de Tchyeng - Tijou. Imprime en caracteres fondus.

450) 모리스 쿠랑 원저, 李姬載 譯, 『韓國書誌 - 修訂飜譯版 - 』. 서울: 一潮閣, 1994. p.765. 補遺版 머리말 참조.

국서지』를 마친 이후 내가 직접 보거나 그에 대한 언급을 발견한 다양한 도서의 해제이며, 두 번째로는 이미 나온 『한국서지』에서건 이 보유판에서건 기록된 저술들 중의 일부와 관계되는 유럽의 출판물의 참고자료들이다." 라고 하여 파리만국박람회 때 금속활자본 『직지』를 전시했다고는 분명하게 제시하지 못하며, 동양어학교에도 기증하지 않고 플랑시 개인문고로 가지고 있다가 파리만국박람회가 끝난 직후 보유판이 출간되기 바로 직전에 『직지』가 쿠랑에게 넘겨져 해제를 하지 않았나 한다.

그러나 쿠랑은 이 보유판 서문에서는 『직지』에 대해[451] "네가 이미 간략한 검토 후에 기록했던(n. 162 眞言集), (n. 3735 眞言集)는 한국 승려들이 범어(梵語)에 대해 아는 바를 요약한 것이다. 몇몇 불교서적은 매우 오래전에 조판(雕板: 冊板: 목판)된 것으로 보인다(n. s 3730 『六祖大師法寶壇經』, 3740 『僧家日用默言作法』. 『心經』). n. 3738 『白雲和尙抄錄佛祖直指心體要節』)는 호기심 끄는 문제를 제기하고 있다. 태종(太宗)은 1403년의 칙령(n. 1673 鑄字事實)에서 그 이래로 자주 사용된 동활자(銅活字: 구리할 자)의 발명을 자부하고 있다. 그런데 문제 책은 1377년에 만들어졌다는 것이다. 그렇다면 태종이 그의 재위 20여 년 전에 적용되었던 개념을 자신의 공으로 돌리려 했던 것일까? 이 상반되는 사실을 어떻게 조정할 것인가? 차후의 의외의 발견에서 이를 해결할 수 있을 것이다."라고 말하고 있다.

여기에서 쿠랑은 『직지』가 1377년에 금속활자로 우리나라에서 가장 먼저 금속활자로 찍은 책이라는 사실을 인정하면서도 조선시대 들어 처음으로 동활자를 만든 계미자를 처음 발명한 것으로 태종이 자신의 업적을 남기려는 것으로 착각하는 오류를 남기고[452] 있다. 이는 『한국서지』의 서문에서는 "1403년 조선조 3대 임금인 태종은 동으로 활자를 주조할 것을 명했다. ……이 왕명의 시행을 위해 『詩經』·『書經』·『春秋』에서 가장 자주 쓰이

451) 모리스 쿠랑 원저, 李姬載 譯, 『韓國書誌－修訂飜譯版－』. 서울: 一潮閣, 1994. pp.766－767.

452) 모리스 쿠랑 원저, 李姬載 譯, 『韓國書誌－修訂飜譯版－』. 서울: 一潮閣, 1994. 서론 125 주)22에서는 쿠랑이 계미자를 활자의 발명으로 표기한 것은 현재 기록에 입각한 13세기 초까지 거슬러 올라가는 사실을 모르는 것일 뿐 아니라 쿠랑 스스로 1377년의 백운화상초록불조직심체요절(n. 3738)의 간기를 인정한 것과도 상반되는 오류이다.

는 글자를 택해 10만 자의 구리활자를 주조했다, 태종의 뒤를 이은 왕들도 이 발명에 큰 관심을 가져 1544년까지 활자주조에 관한 것이거나 활자로 인쇄된 저술에 관한 왕명만도 열한 차례에 이르렀다…….”고 하여 『직지』가 수록되지 않아서인지 전혀 언급하지 않고 1403년 태종 때 활자가 처음 발명되었다고 기록했다고 보유판 서문에서는 다시 『직지』를 거론하면서 우리나라에서의 금속활자 발명 사실에 대해 의문점을 가지고 확실한 자료가 발견되기를 기대하고 있는 듯하다.

이는 쿠랑이 『한국서지』 보유판을 작성하기 전에는 『직지』를 보지 못하여 자세한 검토가 이루어지 않은 데서 연유된 것이고 보유판에서의 어정쩡한 해설은 당시 세계적으로 「구텐베르크 성서」가 세계 최고의 금속활자본이라는 인식에서 그들에 보기에 아직도 미개화된 우리나라에서 처음 금속활자를 발명했다는 실존물을 쉽게 인정하기가 어려웠던 것으로 보인다.

위의 쿠랑이 쓴 『한국서지』 서론과 보유편 서문, 그리고 파리박람회 한국관에 관한 글을 종합하여 보건데 쿠랑은 『한국서지』 보유판이 출판될 무렵에야 『직지』의 존재에 대해서 알았던 것으로 보인다. 이는 박람회 때에 쓴 글에는 전혀 『직지』에 대한 구체적인 언급이 없고 “1403년과 아마도 더 일찍이 활자(types mobiles)를 발명했다는 것”이라는 애매모호하게 표현한 것으로 볼 때 소장자 플랑시는 『직지』의 존재를 쿠랑에게 얼핏 말했다가 박람회가 끝난 직후에 플랑시가 쿠랑에게 해제를 하도록 하여 쿠랑은 그때 그 사실을 알았지 않나 한다. 한편 샤를 바라는 활자에 대해서는 잘 알지 못했으나 활자가 새겨진 주철(鑄鐵)로 된 비석들을 보고 조선의 금속공법의 우수성을 프랑스 에펠탑 건립보다 더 오랜 역사를 기지고 있다고[453] 보았으며, 조선의 한지는 유연성이나 강도 면에서 단연 세계 제일이라 과거 지망생들의 답안지로 쓰였고 지금은 글자가 가득한 한지로 된 책들이 촌부들의 우산으로 쓰이기도[454] 한다고 했다. 또한 샤를 바라는 조선의 모든 사람들이 글을 쓸 줄 아는 것으로 보아 교육이 중요시되고 있으며 유럽의 새로

---

453) 샤를 바라 지음, 성귀수 옮김, 『조선 종단기』. 서울: 눈빛, 2001. p.160.

454) 샤를 바라 지음, 성귀수 옮김, 『조선 종단기』. 서울: 눈빛, 2001. pp.89, 178.

운 문물이 제대로 들어오면 조선인들은 급속하게 발전할 것으로[455] 보기도 했다.

이에 대해 필자가 의아해하는 것은 쿠랑이 한국관 설명에서 "파리만국박람회 전시품에 계미자로 찍은 금속활자본을 전시한 것만 말하고 『직지』에 대해서 일절 언급이 없는 것은 쿠랑 씨 자신도 『한국서지』 부록에 실리기 전까지만 하여도 『직지』에 대한 존재는 잘 모르고 고려시대 금속활자에 대해서는 『증도가』나 『상정예문』의 기록에 따라 설명문을 쓴 것"이 아닌가 한다. 정확히 확인을 할 사안이지만 앙리 비바레는 쿠랑의 글만 인용하여 썼을 가능성과 『직지』가 실제로 파리만국박람회에 전시되지 않았을 수 있다고 보인다.

박병선 박사는 『직지』가 1900년 파리만국박람회 때 플랑시가 이 책을 수집하여 박람회의 한국관에 전시했다고[456] 부셰 교수와 같이[457] 주장하나 그 품목만 있을 뿐 실제 어떠한 책이 한국관에 전시되었는지 전시회 주최 측이나 참가자 측 전시도서목록이 확인되지 않고[458] 있다. 그러나 1903년

---

455) 샤를 바라 지음, 성귀수 옮김, 『조선 종단기』. 서울: 눈빛, 2001. pp.154-155.

456) 국사편찬위원회 편, 『韓佛關係資料-駐佛公使·파리博覽會·洪鐘宇-』. 서울: 국사편찬위원회, 2001. 해제 p.4.

457) 다니엘 부셰, "모리스 쿠랑-한불수교 120주년 기념-" 프랑스 국립극동연구원, 『서울의 추억-한/불 1886-1905-』 한불수교 120주년 기념전시 심포지엄 논문집, 2006. p.26.

458) ① Daniel Bouchz, "韓國學의 先驅者 모리스 쿠랑(上)", 『東方學志』 第51輯(1986). pp.156-157 주8)에서 부셰(Daniel Bouchez) 교수는 1900년 파리만국박람회 당시 다른 저서들과 함께 한국관에 전시된 바 있다고 『조선의 고서-역사·예술부문의 고서목록-』을 쓴 Henri Vivarez, "Vieux Papiers de corée" dans le Bulletin de la Société archéologigue, historique et aetistique, 1-3, Paris, Octobre 1900, pp.76-80에서 인용하였으나 그 자세한 목록은 실지 않았다. ② L'Exposition de Paris de 1900 (Paris, Librarie Illustree) Paul Gers, En 1900, Crete, Imprimeur, (Paris, 1901) 하버드대학교 소장 도서에서 책에 한국 전시품 중 인쇄물에 대한 언급은 있으나 구체적으로 어떤 것인지에 대해서는 나와 있지 않음. ③ 미의회도서관(http://memory.loc.gov/pp/anedubquery.html)은 AFRICAN AMERICAN PHOTOS FOR PARIS EXPOSITION 1900년도 파리만국박람회 전시목록 등을 디지털화하여 인터넷을 통해 공개하고 있다. Searching all text in the catalog records, Prints & Photographs Online Catalog-African American Photographs Assembled for the Paris. ③ 1900년 파리만국박람회 전시도록으로 『Dessir Ayant Servi de Menu au Barquet officiels a' l'Exposition de 1900』와 같은 것이 있는 것으로 보아 한국관 전시도록도 프랑스국립도서관 등에 있을 것으로 보인다. ④ 현재 프랑스국립도서관의 한국관에는 『직지(直指)』 외에 『조선전도(朝鮮全圖)』·『삼강행실도(三綱行實圖)』·『왕오천축국전(往五天竺國傳)』 등이 소장되어 있는 것으로 알고 있으나 이 또한 그 자세한 목록이 없는 실정이다. 특히 혜초(慧超, 704-787)의 『往五天竺國傳』은 프랑스 동양학자 폴 펠리오(Paul Pelliot: 1878-1945)가 1907-1908년 중국 감숙성 돈황 명사산 천불동의 석실에서 발굴하여 파리로 가져와 BNF 동양문헌실(BN Ms.,

앙리 비바레의 글에서 『직지』가 전시되었다는 것과 최근 1900년 파리만국박람회 때 기증한 국악기가 발견된[459] 것으로 본다면 당시에 전시되었던 책들이 파리대학의 동양어학교(東洋語學校)[460]나 다른 어느 기관에 있을 가능성이 높다고 하겠다. 비록 앙리 비바레의 글에서 『직지』가 파리만국박람회에 전시되었다고 하지만 실물이 발견되지 않는 한 당시 만국박람회에 전시된 목록들에 대한 정확한 설명이 없어 실제로 어떤 전시품이 있었는지는 정확하게 알아낼 수 없는 것이 안타깝다.

『직지』 다큐멘터리를 제작한 MBC 청주문화방송 남윤성 PD는 현지 취재를 통한 결과 플랑시가 모교인 동양어학교에 많은 책을 기증했어도 『직지』만을 귀중하게 여겨 내놓지 않고 1900년 파리만국박람회에 출품하고 "직지

Pelliot chinois 3532번)에 보존되었다. ⑤ 박병선, "직지와 나", 『프린팅코리아』 2005년 10월호. pp.63－68.

459) 동아일보 2005년 9월 27일 A2면. 100년 만에 다시 찾은 '한국의 소리' 1900년 프랑스 파리에서 열린 만국박람회 때 전시됐던 한국의 국악기가 발견됐다. 파리 음악박물관이 소장하고 있는 이들 악기는 가야금·거문고·해금·대금 등 모두 13점이다. 당시 박람회에 참가했던 한국 사절단은 모두 17점을 프랑스에 기증했으며, 이 가운데 분실된 4점을 제외한 나머지를 음악박물관이 보관하고 있는 것. 학계에 따르면 국내외를 통틀어 나무나 가죽으로 만들어진 고악기 가운데 100년이 넘은 악기가 보관돼 있는 사례는 매우 드물다. 이들 악기는 그동안 파리의 여러 박물관을 거치며 줄곧 수장고(收藏庫)에만 보관돼 있어 존재조차 알려지지 않았다. 그러다가 음악박물관에서 비(非)유럽권 악기 전시를 담당하고 있는 학예연구원 필리프 브뤼귀에르 씨의 노력으로 마침내 세상의 빛을 보게 됐다. 브뤼귀에르 씨는 수소문 끝에 파리 인류박물관에 보관돼 있던 한국 악기를 찾아내 지난해 음악박물관으로 옮겨 왔다. 음악박물관은 2007년까지 비유럽권 악기 전시실을 두 배로 늘려 한국 악기 7점가량을 전시할 계획이다. 악기의 보존 상태는 비교적 양호한 편. 하지만 거문고와 해금의 현을 받치는 괘(과·환) 일부가 파손되고 장구는 좌우 가죽만 남았다. 박물관 측은 전문가를 동원해 악기 복원작업을 진행 중이다. 송혜진 숙명여대 전통문화예술대학원 교수는 "100년 전 파리만국박람회 때 국악기가 전시되고 연주까지 됐다면 매우 흥미로운 사실"이라면서 "17점이나 기증됐다면 이를 통해 당시 국악 연주단의 악기 편성도 살펴볼 수 있는 귀중한 자료"라고 설명했다. 1900년 에펠탑이 위치한 샹 드 마르스(Champs－de－Mars)에서 열린 파리만국박람회에 한국은 명성황후의 조카인 민영찬(閔泳瓚) 법부협판(法部協辦: 법무차관 격)을 대표로 한 사절단을 보냈다. 사절단은 도자기·책·악기·황제의상·농기구·무기·유리제품·금은제품·농산물 등 수백 점을 전시했으며 박람회가 끝난 뒤 이들 악기를 프랑스 국립음악박물관(Musée du conservatoire national de musique)에 기증했다. 국립음악박물관 측은 수장품 목록에 이를 "민룽수 왕자(prince Min Lung Chou)가 선물한 대한제국(l'empire de Corée)의 악기"라고 기록해 두었다. 그 뒤 1931년 인류박물관으로 옮겨졌던 이 악기들은 다시 1997년 개관한 음악박물관(Musée de la musique)으로 지난해 옮겨졌다. 현재 비유럽권 악기 전시실에는 일본·중국·인도의 악기들은 있지만 한국 악기는 없다. 파리＝금동근 특파원 gold@donga.com

460) 1977년에 모리스 쿠랑이 1900년 파리만국박람회에 관한 글을 쓴 문서가 동양어학교에서 발견되었다. 이는 파리대학에서 동양사 박사학위를 받은 이진명(李鎭明)이 찾아낸 것으로 미루어 보아 상당수의 한국관련 자료들이 이곳에 있을 가능성이 높다고 하겠다. 플랑시가 이 학교에 기증을 한 것은 그가 바로 이 대학의 중국어과를 졸업한 모리스 쿠랑의 제의에 의했던 것으로 추정된다.

는 세계에서 가장 앞선 금속활자 인쇄물이고, 금속활자 발명은 독일보다 먼저 한국에서 있었다는 기록을 남겼으나 큰 주목을 받지 못했다."고[461] 밝혀 전시목록에는 자세하게 나와 있지 않으나 파리만국박람회에 실제로 출품되었을 여러 자료를 제시하는 등 진일보적인 노력을 했다.

우리나라가 금속활자로 찍은『직지』가 소량인데 그 기술전수가 되지 않은 데 대해 한국인들조차도 "과학과 예술 분야 장인의 창조력과 진취성이 자취를 감추게 된 것은 양반과 관리들의 강탈 행위에 있었다고 한다. 이들은 장인을 집으로 불러들여 감금된 상태에서 다른 사람들이 모르게 작품을 만들게 했다. 작품에 대한 보수는 물론 완성도가 떨어지면 죄를 주어 장인들은 자신의 기술을 혐오하며 자기 자식이나 제자들에게 전수를 하지 않았다."[462]며 이와 같은 장인들의 푸대접으로 모두 사라지거나 다른 나라로 갔다. 또한『직지』와 같은 불교서적은 조선시대가 유교를 중시하여 일부 군왕을 제외하고는 부활시키지 못한 것도 그 한 예이다. 유교는 왕실과 학자, 관료 등 지배계급의 종교이자 철학의 영향으로 그 이후에도 재간행을 하지 않은 것 같다. 일본은 박람회 참가 때마다 책자를 발간하였으나[463] 1900년 파리만국박람회 참가자 측인 우리나라에서 자세하게 작성한 전시도록이 아직까지 발견되지 않고[464] 있다. 만일 파리만국박람회에『직지』가 실제로 출

---

461) MBC 청주문화방송 창사 36주년 다큐멘터리 2006년 7월 31일. "직지의 최초 발견자 콜랭 드 플랑시" 참조.

462) 바슬라프 세로셰프스키 원저, 김진영 외 역.『코레야 1903년 가을』. 서울: 개마고원, 2006. p.308.

463) 일본은 박람회 참가에 앞서 준비 보고서 형태의 책자를 발간했다. ① 新世界新聞社 編,『巴奈馬太平洋萬國博覽會: 大正4年開設豫定』. 桑港, 大正元年[1911]. ② 1925년 파리만국박람회 참가에 앞서 1924년에는『萬國博覽會參加50年記念博覽會誌』를 발간하였는데 이 책에서는 박람회의 연혁, 박람회의 성립, 조직, 규모, 회장진열, 참가물품 목록, 참가지역출품목록 개황, 관람 및 입장, 여가 및 야간회장, 출품물가격 상황, 일반개요 등 자국의 박람회 참가에 관한 모든 정보가 수록되어 있다. ③ 1900년 파리만국박람회에 맞춰 일본은 프랑스어로『일본미술사(Histoire de l'Art du Japon)』를 콜로타입으로 인쇄하여 일본미술의 진가를 드높이는 데 사용했다. 이 책에서 요코야마와 오가와의 사진조사 작업은 이후 문화재 사진의 기초를 이루었으며, 문화재 보호를 목적으로 한 사진복제 뿐만 아니라 사진에 의한 다양한 문화재 기록의 전범(典範)이 되었다. 우리나라의 경우는 사진도입이 일본에 비해 상대적으로 뒤늦게 이루어졌기 때문에, 문화재에 대한 사진복제도 늦춰졌다. ④ 吉田光邦 編,『圖說萬國博覽會史』. 京都: 思文閣出版, 1985.

464) 박병선 박사는 1900년 프랑스 파리에서 개최된 만국박람회 출품목록서를 참조하여 이 당시『직지』가 출품되어 한국관에 전시되었다고 하나 그 정확한 목록의 내용이나 출품목록서를 제시하

품되지 않았음에도, 1901년에 쿠랑이 펴낸 『한국서지』 부록에 처음 『직지』가 실린 것은 전시출품 당시에는 『직지』를 선정하지 않았거나 아니면 수집되지 않았을 것으로 보이며 플랑시나 쿠랑의 서지학적 지식으로 볼 때 고의로 누락시킨 것으로 보이지는 않는다.

4) 파리만국박람회 참가 성과

파리만국박람회에 전시할 물품 모두를 프랑스인들이 출품한 것은 결코 아니며 한국인들도 118명이나[465] 전시에 참가했다. 전시물품들의 수집 및 발송은 농상공부의 예산에 의해서 임시 관계사무처에 의해 수행되었다. 다만 당시 서울에 체류하던 일부 프랑스 상인들은 우리 정부의 묵인 내지 권

지 못하고 있다. *박병선, "『直指』와 나", 『興德寺址 發掘의 回顧와 展望』. 흥덕사지 발굴 20주년 기념학술회의. 2005년 9월 4일 청주고인쇄박물관 세미나실. p.53 주,1) 2) 참조.

465) ① 『獨立新聞』 光武 3年(1899) 6月 3日字에는 파리만국박람회에 출품할 사람을 모집하는 박람회 파리위원회 총무보좌원 트레물레(Trémoulet) 씨가 낸 광고가 실렸다. 황실의 자문관(전 황실 광산업무 검찰관 겸임 광학국 감독)이었던 프랑스인 엔지니어 트레물레 씨는 고종황제가 을사늑약의 부당함을 알리고 지원을 요청하기 위해 독일 빌헬름 2세에게 보낸 밀서를 1906년 5월 27일(밀서는 1월에 작성되었음)에 독일 외교부에 문서를 보내 전달했지만 독일 외교부 담당관리들은 고종의 친서를 독일 황제에게 보고하지 않았다. 이 밀서는 고종이 1907년 6월 이준 열사 등을 통해 네덜란드 헤이그에 보냈던 밀사보다 1년 1개월 가량 빠른 것이다. 구한말 독일 빌헬름 황제의 친동생 하인리히 왕자(1862 - 1929)는 동아시아함대 사령관으로 대한제국을 국빈 방문한 바 있다. 그는 1899년 6월 8일 제물포에 도착하여 이튿날인 9일에 궁궐을 방문하여 고종과 황태자 순종을 만나고 1899년 6월 29일 일본 요코하마에서 보고서를 작성하여 친형인 황제에게 보고했는데 이 보고서에 고종과 순종의 인물평을 한 내용이 있다. 하인리히는 고종에 대해 "키가 작고 나이가 48세로 매우 친밀감이 있으며 재능이 없지 않았다. 존경심보다는 연민을 불러일으키는 사람……내부 분열과 궁정 내 당파 싸움, 암살시도, 불확실한 정치적 상황 등이 가엾은 왕을 의지할 곳 없는 처지로 몰아넣고 있다."라 평하고, 황태자에 대해서는 "바보 같은 인상이고 언어능력과 논리적 사고력이 거의 없다. ……최근 독살 시도를 당해(1898년 역관 김홍륙의 암살시도 사건) 체력이 완전히 소실돼 시종이 부축해야만 서 있을 수 있다."라고 썼다. 고종의 평가에 대해서는 영국군 장교였던 알프레드 에드워드 존 캐번디시(Alfred Edward John Cavendish)가 1891년 백두산을 등정하고 쓴 여행기 『백두산으로 가는 길(Korea and the sacred white mountain, 1894)』에서도 잘 나타나 있다. 그는 고종에 대해 "허약한 신체와 정신을 타고났으며 이 때문에 강한 정신의 소유자인 왕비의 손에 놀아나는 꼭두각시에 불과했다."고 비판적 시선을 나타내었다. *『중앙일보』 2008년 2월 20일 A1, 6면. "고종 을사늑약 원천 무효 밀서 1906년 독일 황제에게도 보냈다" *『서울신문』 2008년 3월 28일 27면. "고종은 존경심보다 연민 일으켜" ② 엘리자베트 샤바놀, "1900년 파리만국박람회 한국관", 프랑스 국립극동연구원, 『서울의 추억 - 한/불 1886 - 1905 - 』 한불수교 120주년 기념전시 심포지엄 논문집, 2006. p.130 주 68) 국가별 전시자 통계에 의하면 중국은 141명인 데 비해 일본은 무려 2128명이나 참가했다고 되어 있다.

장으로 개인적으로 한국의 토산품을 수집하여 파리만국박람회 한국관으로 가져간 후 행사가 끝나자 판매를 도모했다. 그러나 당시 우리나라 전시품은 현지 책임자 민영찬의 보고에 의하면 "너무나도 정교하고 화려하지 못해 값을 부를 수가 없어 팔리지 않았다(不甚精麗 無足求價 不得售放)." 그리하여 도로 가져오자니 운반비가 많이 들어 서책·목기·악기·유기·의복·군기(軍器)·곡종(穀種)·사기(沙器)·지촉(紙燭) 같은 것들은 파리의 여러 상설 박물관에 기증하여 오래도록 홍보하도록[466] 했다고 한다.

(사진 30) 파리만국박람회 카탈로그
Dessir Ayant Servi de Menu au Barquet Officiels A' L' Expositionde 1900.
1900년. 먹 수채화

민영찬은 파리에 가서 직접 목격한 서구문화의 놀라운 양상과 감명을 함축하고 있어 우리 문화의 낙후성과 7년 전 미국 시카고만국박람회 참가 때보다도[467] 결과가 좋지 않은 것에 대한 새로운 깨달음을 얻었다. 그러나 쿠랑과 앙리 비바레는 한국의 독특하고 고유한 역사문화에 대한 그의 학문적 인연과 각별한 애정에 입각하여 깊은 이해와 찬미 일변도로 가고 있어 우리와 의식문화가 다름을 보여 주었다.

우리는 파리만국박람회에 기증된 물건들의 소재 파악과 수증기록, 그리고 사진의 조사 입수 등이 시급한 안건이다. 프랑스 소장 외규장각 도서의 실사와[468] 같이 전문가들로 구성된 실사단이 이

466) 『황성신문』 1901년 2월 4일 기사 참조.

467) 조선에서는 1892년 3월 13일(음력 2월 15일)에 미국 시카코만국박람회에 참석하기 위해 악인(樂人) 이창업(李昌業) 등 10명을 미국으로 출국시켰으며, 1893년에는 1천만 달러 상당의 수공예품을 출품시켰다.

468) 정부에서는 2002년 2월에 1866년 병인양요 때 약탈당한 프랑스국립도서관 소장본 외규장각 도서에 대한 실사작업을 벌여 의궤 296권을 찾아냈다.

러한 문서들을 추적 조사한다면 당시의 내막을 알 수 있음을 물론 『직지』의 또 다른 발견도 있을 수 있다. 1900년 파리만국박람회에는 세계 각국에서 대략 5천만 명의 관람객이 모여들었다고 한다. 2005년 10월 19일부터 23일까지 5일간 독일 프랑크푸르트(Frankfurt)의 메세에서 세계 110개국 12,000개 출판사들의 책의 잔치인 '2005 프랑크프르트도서전'에 우리나라는 업저버로 초대받아 참여했다. 1961년부터 참가해 온 이 도서전에서 우리나라는 처음으로 주빈국으로 참여했다. 우리나라는 758평에 달하는 주빈국관과 한국관 303평, 그리고 두 곳을 잇는 광장을 중심으로 150억 원을 들여 5개 분야 9개 행사를 진행했다. 이 주빈국관에는 한국출판의 역사 공간을 마련하여 『직지』·『훈민정음』·『팔만대장경』 등 한국 출판의 역사를 보여 주는 책들을 전시했다.

한반도를 둘러싼 열강의 각축전으로 외세에 의한 근대화란 그들이 철도와 백화점,[469] 금광, 박람회를 열렸던 것은 다름 아닌 시장의 확대, 곧 새로운 수요 창출을 의미했다. 그리하여 개화기 당시의 박람회는 열강국들이 식민지적 근대표상의 기획일환으로 조선을 새로운 소비지역으로 겨냥한 유혹이었다. 일제시대 1930년 무렵 30만이었던 서울 인구가 근대 소비자들의 갑작스런 증가로 2백만까지 늘어나기도[470] 했다. 그러나 조선을 변화시키기 위해 서구 열강을 따라잡고자 주목했지만 우리나라의 워낙 빈약한 소비구조와 외국인들이 주최가 되었던 박람회는 새로운 수요창출에는 그다지 좋은 결과를 낳지 못했다. 19세기 말 20세기 초 프랑스 파리의 시대상은 구경거리가 일상의 삶으로 도시 오락적인 기능을 했다. 그리하여 파리에 볼거리를 만들어 사람들에게 제공하곤 하였는데 세계인을 대상으로 한 박람회 또한 그러한 문화 현상이 아니었나 한다.

파리만국박람회 한국관 행사 준비과정에 플랑시와 쿠랑이 함께 관여하여 플랑시는 행사의 발기인으로, 쿠랑은 한국에 관한 전문가이자 한국관 내 전

469) 세계 최초의 백화점은 1852년 프랑스 파리에서 아리스티드 부시코 부부가 세운 봉마르세(Bon March)였다. 백화점의 출현은 자본주의 시스템 전환의 상징으로 소비를 넘어 문화를 주도하였으며, 일시적이나마 신분 상승의 사교장이기도 했다.

470) 신명직 지음, 『모던뽀이 京城을 거닐다』. 서울: 현실문화연구, 2003. p.288.

시 사진에 들어가는 글들의 집필자로 참여했다. 그런데 조선 정부로부터 1901년 6월 플랑시와, 프랑스어 교사인 샤를 알레베크(Charles Alévêque)를 포함한 프랑스인 8명에게 1900년 파리만국박람회에서 훌륭히 역할을 수행한 공로로 팔괘장을 수여했지만 "서울의 추억"의 집필과 파리만국박람회에도 적극 참여했던 쿠랑은 그 어떤 포상도 받지 못했다. 파리만국박람회에 한국의 참여는 표면적으로는 한불우호관계를 증진시킨다는 명분이었지만 서로의 입장은 다른 데 있었다. 조선은 신생독립국가로서의 대한제국의 존재를 만국에 알리고 정치적 급변 속에서 프랑스의 지지를 얻어내기 위한 외교전략적 차원에서 이루어졌다. 한불수호통상조약 이후에도 정치적 중립을 지켰던 프랑스는 청일전쟁 후 러시아·독일과 함께 삼국간섭의 일원이 되어 이권쟁탈에 참여하면서 경제적 이권 유지를 위해 한국 정부와의 긴밀한 접촉을 요구하는 시대 상황이었다. 이러한 국제적 시점에서 박람회는 한불관계를 다시 재기시킬 수 있는 계기였다. 그리하여 박람회 추진과정 속에서 경의선 철도부설권(1986)과 광산채굴권(1901)의 획득, 한국 정부에 대한 차관공여, 우표 주문이나 소총 주문[471] 등의 가시적인 성과를 얻게 되었다.

반면 한국 정부는 박람회가 열린 그해 1887년부터 추진해 온 프랑스공사관과 공관을 설치하는 등 외교전략을 강화해 나가는 계기가[472] 되었다. 박람회 성과는 한·불 간의 관계를 다시 지필 수 있는 좋은 계기와 한국이 공식적으로 유럽에 소개되고 그 존재를 확인하는 자리였다는 점에서는 의미 있는 사건이었다. 하지만 한국관에 대한 프랑스 대중들의 반응은 그다지 좋지 않았다고 한다. 이경민은 이러한 이유로 우선 한국관의 위치가 박람회장 외곽인 쉬프랑 거리에 세워진 장소문제와, 서구의 가치척도인 문명화·산업화·공업화의 대척점에 위치한 비교 대상일 뿐이며, 그래서 서구의 정체성을 선명하게 그리는 데 유용한 지표였으므로 플랑시와, 알레베끄, 그리

471) 샤를 알레베끄(Charles Aleveque, 晏禮白)는 1897년 프랑스 상인으로 서울에 도착해 1874년형 소총 1만 자루와 탄피 1백만 개를 조선 정부로부터 주문받았다. *장 끌로드 알랭, 『고종재위 기간의 북한관계(1864 - 1907)』. p.97.

472) 이경민, "프랑뎅(Frandin)의 사진 컬렉션을 통해 본 프랑스인의 한국적 표상". 경기도박물관, 『먼 나라 꼬레(Corée) - 이포리트 프랑뎅의 기억속으로』. 서울: 景仁文化社, 2003. p.243.

고 쿠랑의 애정 어린 노력에도 불구하고 프랑스인들에게 얼마나 공감을 주었을지 미지수였다며[473] 결과적으로는 이들 또한 조선 정부의 박람회 참여 목적과는 다르게 그들 조국의 제국주의 정책에 일조했다고 보았다.

해외 박람회에 여러 차례 참가한 적이 있는 우리나라도 1907년 9월 1일에서 11월 15일까지 서울(예전 내무부 자리)에서 최초로 경성박람회를 개최했다. 이 박람회는 당시 통감부의 일방적인 계획으로 열린 것인 만큼 일본 물건 전시장, 요정이 있었고 기생들이 술을 따르는 등 애교로 손님을 끌었다. 술은 「덕맥(德麥)」(독일맥주)과 일본 약주(정종), 그리고 안주는 고치안주, 13세 소년 김화진은 국수와 떡을 얻어먹었고, 초밥을 보고는 주먹밥이라고 불렀다. 일본 기생들은 삼미선(三味線: 사미센)을 뜯으며 관객을 유인했고, 여자 관객을 위해 '부인의 날'을 따로 두어 부녀자만 입장케 했다. 남녀유별, 여인들은 쓰개치마와 장옷을 쓰고 입장했는데 그런 식으로나마 구경할 수 있었던 것은 당시로서는 상당한 관용과 개화였다. 주된 진열품은 여자 화장품, 그릇, 견직물, 완기 등 7만 6천여 점에 달했고 관람자 수는 20만 8천여 명에 달했다.[474] 그러나 그 이후 대한제국의 해외 박람회 참가는 일제의 강점하에 놓이면서 더 이상 참여하지 못하게 되었다.

2. 세계 책의 해(L'Année Intrenationale du Livre)

도서전시회(Messen)란 신간서에 대한 간단한 정보로부터 출판사 및 서적상 목록으로 발전하여 오늘날 판매목록의 성격을 갖는 것으로 독일에서 1560년에 프랑크프르트(Frankfurt)[475]와 라이프찌히(Leipzig)에서 개최되었으

473) 이경민, "프랑뎅(Frandin)의 사진 컬렉션을 통해 본 프랑스인의 한국적 표상". 경기도박물관, 『먼 나라 꼬레(Corée) - 이포리트 프랑뎅의 기억속으로』. 서울: 景仁文化社, 2003. p.245.

474) 『선데이 서울』 1968년 9월 29일 제1권 제2호 기사. 예나 이제나 박람회엔 복권 「덕맥(德麥)」과 고치안주로 진탕 일녀(日女)의 교태 - 경성박람회

475) ① 한때 『직지』가 처음 소개가 된 곳이 독일 프랑크프르트로 잘못 알려지기도 했으나 이후 프랑스 파리로 바로 고쳐졌다. 이를 확인하기 위해 필자는 초대 청주고인쇄박물관 김광식 관장과

며[476] 이때 전시회 목록을 만들었다. 그 후 인쇄문화를 이끌었던 독일에서 주도적으로 출판문화에 대한 서지작업 및 홍보도 이끌었다. 도서전시회는 책을 진열해 보여 주는 것으로 책 장터(Book fair)의 서적상 성격이 강해 주로 국제적인 저작권이 거래된다. 그리하여 도서전시회를 통해 세계적인 베스트셀러(Best seller)가 고액으로 거래되고 새로운 화제를 낳기도 하며 전시회가 끝난 이후 판매되거나 『직지』처럼 수년이 지나 전시된 도서가 경매에 붙여 팔리는 경우도 있다.

『직지』는 모리스 쿠랑이 『한국서지』 보유판에 수록하면서 그 후 극소수 학자들에게만 알려졌을 뿐 전 세계적으로 공개되기는 유네스코(UNESCO: 국제연합교육과학문화위원회)가 '제1회 세계 책의 해(L'Année Intrenationale du Livre)'로 지정한 1972년 5월 17일부터 10월 31일까지 5개월 반 동안 전시되면서 부터이다. 이때 프랑스국립도서관에서는 이 전시회에서 'LE LIVER(도서/책)'라는 카탈로그를 제작했는데 이 책 속에 『직지』가 소개되어 있다. 이 도서전시회에 『직지』를 출품한 이는 프랑스국립도서관에 사서로 근무하던 재불교포 박병선 박사였으며, 이때 『직지』는 『직지심경(Jik ji sim kyong)』[477]으로 소개되었는데 프랑스는 물론 유럽 사람들에게 커다란 충격을[478] 주었다. 그 당시까지만 해도 유럽인들은 독일의 구텐베르크가 금속활자를 가장 먼저 만든 것으로 알고 있었다. 그런데 『직지』 간기에 『구텐베

프랑크프르트 전시도서목록을 조사한 결과 독일에서 개최된 전시회에서는 『직지』가 전시된 바 없음을 확인했다. ② 천혜봉 저, 『韓國典籍印刷史』. 서울: 汎友社, 1990. 209 주6)에는 다음과 같이 독일 프랑크프르트로 인용문헌이 실려 있다. Book about Books;An International Exhibition on the Occasion of the International Book Year 1972, Proclaimed by UNESCO. Frankfurt, The Book Fair, 1972.

476) 정필모, 오동근 공저, 『도서관 문화사』. 서울: 구미무역, 1991. p.87.

477) 1972년 프랑스국립도서관에서 『직지』를 처음 찾아 처음 공개하였던 박병선 박사에 의하면 "프랑스 사람들을 비롯한 유럽인들은 책의 긴 이름을 싫어하여 이름을 줄여 『직지심체요절』로 하고자 하였으나 제목을 줄여서 부를 경우 책의 내용을 제대로 표현하지 못할 경우도 있어 고민 중, 책의 중간쯤에 백지로 '직지심경'이라 써서 붙여져 있음을 발견하고 이를 부제(副題)라 여겨 원제목 대신 사용했다."고 했다.

478) 1972년 6월 1일 프랑스 제1TV에서는 "구텐베르크는 금속활자 발명가가 아닙니다. 그 증거가 여기 있습니다. 금속활자로 찍어낸 이 책 『직지』는 구텐베르크 이전에 만들어졌습니다. 우리는 금속활자의 영광을 이제 동양의 한 나라에 돌려줘야 할 것입니다."라고 보도를 했다. (MBC 청주문화방송 2005년 10월 26일 9시 30분 뉴스에서 인용하였음)

르크 성서』보다 70여 년이나 앞선 인쇄시기, 장소, 방법 등이 정확하게 기록된 사실이 금속활자 책임을 입증했기 때문이다. 그렇지만 『직지』는 간기에 적힌 대로 현존 세계 최고의 금속활자본임에는 틀림없으나 그 당시는 물론 금속활자 인쇄술이 더욱 발전한 조선시대에 들어와서도 인쇄기술 자체는 목판인쇄술보다 혁신적이지 못했다. 또한 대량 생산이 가능하도록 기계화되지 못하여 모든 독자를 대상으로 한 보급에는 구텐베르크 인쇄술에 비해 그 실용성이[479] 미흡했다.

한편 『직지』는 2005년 10월 19일부터 23일까지 5일간 독일 프랑크푸르트(Frankfurt)의 메세에서 세계 110개국 12,000개 출판사들의 책 잔치인 '2005 프랑크프르트도서전'에 참가한 한국 방문단을 위해 프랑스 측에서 깜짝 전시를 한 바 있다. 프랑스는 『직지』 원본이 소장되어 있는 프랑스국립도서관이 아닌 한국 방문단을 위해 특별히 장소가 넓고 관람하기 좋은 프랑스와 미테랑도서관에서 공개를 하고[480] 이례적으로 촬영하도록 배려했다. 『직지』 원본의 공개는 그동안 까다로운 절차로 인해 청주고인쇄박물관 관계자들 외에 한국의 여러 사람들에게 공개하기는 이번이 처음이다.

프랑스 파리에서는 1972년에 이어 이듬해인 1973년 다시 제29회[481] '동양학국제학술대회'가 열렸는데 이를 기념하기 위해 프랑스국립도서관에서 6월 14일부터 10월 31일까지 4개월 반 기간 동안 'TRESORS D'0RIENT(동방의 보물)'이라는 주제로 이집트에서 극동에 이르는 여러 나라의 귀중한 책은 물론 1972년에 이어 유럽 각국 언론의 주목을 받으며[482] 두 번씩이나

---

479) 이세열, 『직지 디제라티』. 청주: 도서출판 직지, 2000. pp.38 – 45.

480) ① CJB 청주방송 2005년 10월 26일 오후 8시 30분 뉴스보도 ② MBC 청주문화방송 2005년 10월 26일 오후 9시 30분 뉴스보도 ③ 『충청리뷰』 2005년 10월 29일 15면. "직지 원본 바로 여기 있었네"

481) 31회로 오기된 자료가 다수 있다.

482) ① 1972년 6월 1일 프랑스 제1TV에서는 약 30초간에 걸쳐 "구텐베르크는 금속활자 발명가가 아닙니다. 그 증거가 여기 있습니다. 금속활자로 찍어 낸 이 책 『직지』는 구텐베르크 이전에 만들어졌습니다. 우리는 금속활자의 영광을 이제 동양의 한 나라(한국)에 돌려줘야 할 것입니다." 라고 보도한 바 있다. (MBC 청주문화방송 2005년 10월 26일 오후 9시 30분 뉴스 "직지원본 청주 전시추진" 보도 내용 인용). ② 1972년 7월 19일자 르몽드지(Le Monde)에서는 "구텐베르크의 혁명"이라는 제목 아래에 "국립도서관의 방대한 장서 가운데에서 나온 금속활자로 인쇄된 한국 책들 중 한 권은 그 연대가 1377년이다. 그런데 유럽 최초의 위대한 책은 구텐베르크의

『직지』가 전시되기도 했다. 그런데 이 두 전시회 기간에 외규장각 도서는 한 권도 전시되지 않았으며 이후 현재까지 동양의 고서는 다시 전시된 바 없다는 사실이다.

『직지』가 세상에 알려진 후 프랑스에서 책이름을 표기한 것을 보면, 1972년 227쪽 분량의 안내 책자인 『圖書 / 책(LE LIVRE)』 제3장 '극동의 인쇄술'에 실린 것과, 1973년에 실린 『동방의 보물(TRESORS D'0RIENT)』에서는 『직지심경(Jik ji sim kyộng)』으로, 그리고 1901년도에 처음 소개된 『한국서지 부록(Supplément a La Bibliographie Coréenne)』에서는 정식 명칭인 『白雲和尙抄錄佛祖直指心體要節(Păik oun hoa syang tchyo rok poul tjo tjik tji sim htyei yo tjyel)』로 각각 다르게 책이름이 표기되었다.

1) 『圖書/책(LE LIVRE)』 Paris, Paris Bibliotheque Nationale, 1972

L'imprimerie en Extreme－Orient

3

L'imprimerie
en Extrême-Orient

La Chine a découvert l'imprimerie avant tout autre pays. Cette invention aurait trouvé sa source principalement dans la technique du sceau gravé en creux ou en relief, les caractères étant toujours inversés. Au début de notre ère, ces sceaux sont fréquents en Chine, et dès le 4e siècle, on trouve trace de certains sceaux comportant une cinquantaine de caractères. Des images pieuses, également gravées sur de petits cubes de bois, servaient à confectionner des rouleaux aux «mille buddha» formés par l'impression indéfiniment juxtaposée du même petit bois (nos 38-39).

Bien que l'histoire de l'estampage ne se confonde pas avec celle de l'imprimerie, il est intéressant de rappeler que la technique de l'estampage chinois consiste à appliquer sur la pierre un papier très mince et mouillé qu'on fait pénétrer dans les traits gravés en creux, ce papier est ensuite encré extérieurement et les caractères apparaissent sur la face externe du papier en blanc sur fond noir et dans le même sens que ceux gravés sur la pierre (no 40) ; en effet, les caractères sont gravés en sens direct et non inversés comme dans l'imprimerie proprement dite. Au 11e siècle, des dalles étaient gravées expressément en vue de l'estampage et servaient à reproduire les textes.

Le plus ancien texte connu imprimé xylographiquement est un sûtra bouddhique qui se termine par un colophon portant la date 868. Parmi les textes de Touen-houang, un court rouleau non daté, mais remontant vraisemblablement à la fin du 9e siècle (no 41), porte un dhârani du Canon bouddhique chinois. Longtemps la technique xylographique fut réservée aux livres bouddhiques, aux almanachs, aux traités de divination.

C'est sous les Song (10-13e siècle), mais plus spécialement au début de cette dynastie, que l'art d'imprimer atteignit en Chine sa perfection : ce fut l'âge d'or du livre. Dès le début du 11e siècle, avec la modification de la forme du livre, apparait l'impression à l'aide de caractères mobiles : les plus anciennes éditions chinoises existantes datent de la fin du 15e siècle et sont donc plus tardives que les éditions coréennes où le premier emploi des caractères mobiles métalliques date du 13e siècle et celui des caractères mobiles en bois du 14e siècle. Cependant l'impression au moyen de caractères mobiles ne se généralisa ni en Chine, ni en Corée, et l'impression xylographique resta le procédé employé couramment pour les livres de choix.

12

Jik ji sim kyông. Corée. 1377. 1 volume 38 ff., 246 × 170 mm.
B.N., Mss., coréen 109

Traits édifiants des patriarches bouddhiques, rassemblés par le moine Pack-Un (14e siècle). Gravé en caractères mobiles métalliques au monastère de Hung-dok en 1377

13

(사진 31)
『극동의 인쇄술』 원문

La Chine(中國) a découvert l'imprimerie avant tout autre pays. Cette invention aurait trouvé sa source principalement dans la technique du sceau gravé en creux ou en relief, les caractéres étant toujours inversés. Au début de notre ére, ces sceaux sont fréquents en Chine, et dés le 4e siécle, on trouve trace de certains sceaux comportant une cinquantaine de caractéres. Des images pieuses, également gravées sur de petits cubes de bois, servaient á confectionner des rouleaux(卷子本) aux mille buddha formés par l'impression indéfiniment juxtaposée du même petit

---

라틴어 성경으로 그 연대는 1455년이다. …….”라는 기사를 싣기도 했다.

bois(n° 38 – 39).

Bien que l'histoire de l'estampage ne se confonde pas avec celle de l'imprimerie, il est intéressant de rappeler que la technique de l'estampage chinois consiste á appliquer sur la pierre un papier tres mince et mouillé qu'on fait pénétrer dans les traits gravés en creux; ce papier est ensuite encré extérieurement et les caractéres apparaissent sur la face externe du papier en blanc sur fond noir et dans le même sens que ceux gravés sur la pierre(n° 40): en effet, les caractéres sont gravés en sens direct et non inversés comme dans l'imprimerie proprement dite. Au 11e siécle, des dalles étaient gravées expressément en vue de l'estampage et servaient á reproduire les textes.

Le plus ancien texte connu imprimé xylographiquement(木板印刷術) est un 『sotra bouddhique qui se termine(金剛般若波羅蜜經)』 par un colophon portant la date 868. Parmi les textes de Touen – houang(敦煌), un court rouleau non daté, mais remontant vraisemblablement á la fin du 9e siécle (n° 41), porte un 『dharani(陀羅尼)』 du Canon bouddhique chinois. Longtemps la technique xylographique fut réservée aux livres bouddhiques, aux almanachs, aux traités de divination.

C'est sous les Song (10e – 13e siécle), mais plus spécialement au debut de cette dynastie, que l'art d'imprimer atteignit en Chine sa perfection: ce fut l'age d'or du livre. Dés le début du 11e siécle, avec la modification de la forme du livre, apparait l'impression á l'aide de caractéres mobiles: les plus anciennes éditions chinoises existantes datent de la fin du 15e siécle et sont donc plus tardives que les éditions coréennes oú le premier emploi des caractéres mobiles métalliques date du 13e siécle et celui des caractéres mobiles(金屬活字) en bois du 14e siécle. Cependant l'impression au moyen de caracteres mobiles ne se généralisa ni en Chine, ni en Corée(韓國), et l'impression xylographique(木板印刷術) resta le procéde employé couramment pour les livres de choix.

『책(도서)』, 파리, 파리국립도서관, 1972.

극동의 인쇄술

중국에서 최초로 인쇄술이 발명되었다. 이 인쇄기술은 주로 글자를 거꾸로 하여 음각 또는 양각으로 발전했다. 세기가 시작되면서부터 이러한 인장(印章)들이 중국에서 사용되기 시작하였고, 4세기경에는 약 50여 가지 활자들의 인장 흔적을 발견할 수 있다. 작은 입방체 나무 위에 정성스럽게 새겨진 활자들은 선조들의 신성한 불교사상이 담긴 1,000명의 부처님 말씀을 두루마리본으로 만드는 데 사용되었다. 인장의 역사가 인쇄술의 역사와 혼동되지 않는데도 불구하고, 매우 얇고 축축한 한지로 돌에다 탁본하는 것과 움푹하게 새겨진 곳으로 스며들게 한 중국의 인장기술을 되새겨 보면 재미있다. 그러므로 이 종이 표면에는 먹이 묻어 있으며, 이 활자들은 짙은 검은색으로 한지의 겉에 찍히게 되며, 돌 위에 새겨진 글자들은 같은 방향으로 나타난다.

결과적으로 글자들은 이른바 판짜기 할 때처럼 거꾸로 찍히는 것이 아니라 바른 방향으로 찍히게 된다. 11세기에 판들은 인장을 새기는 것과 활자를 만드는 데 사용되었다. 목판인쇄술로 알려진 가장 오래된 문헌은『금강반야바라밀경』인데, 이 책의 간기에 함통(咸通) 9년(868)이라는 간행시기가 새겨져 있다. 돈황(敦煌)지역 옛 책의 소형 두루마리본은 간행시기는 기록되어 있지 않지만, 9세기 말까지 거슬러 올라가 보면, 중국의 불경인『다라니경』에 실려 있다. 오랫동안 목판인쇄술은 예언과 선견지명이 주된 내용으로 된 책과 불교 서적을 간행했다.

인쇄술이 중국에서 완성단계에 이른 것은 송나라 초기(10－13세기)이다. 그러므로 이때가 중국에 있어서 책의 황금시대였다. 11세기 초부터 책 형태의 변화와 더불어 활자를 통한 인쇄가 출현했다. 즉 현존하는 중국의 가장 오래된 판본은 15세기 말로 거슬러 올라간다. 따라서 최초의 금속활자를 사용한 것이 13세기이고 목활자를 사용한 것이 14세기인 한국의 출판보다 더 늦은 것이다. 그러나 주조활자의 인쇄술은 중국에서도 한국에서도 일반화되지는 못했다. 목판인쇄술은 흔히 전집류를 인쇄하는 데 사용했다. *<한글 번역: 이세열>

42 Jik ji sim kyộng. Corée. 1377. 1 volume 38ff., 246 x 170㎜.

B.N., Mss., coréen 109

Traits édifiants des patriarches bouddhiques, rassemblés par le moine Paek－Un (14e siécle). Gravé en caractéres mobiles métalliques au monastére de Hung－dok en 1377.

NO.42 직지심경, 한국. 1377년 1권 38장., 246 x 170㎜. 도서번호 한국 109. 백운(14세기)이라는 수도승(고승)에 의해 편찬된 '선(禪)'의 사상을 바탕으로 쓴 불교승려용 교과서. 1377년 대한민국 서울 남쪽지역 청주지방의 흥덕사에서(대부분) 금속활자로 인쇄됨.

이 전시회는 당시 프랑스에서 있었던 책 전시회 중에서 가장 큰 행사였다. 이 전시회를 소개하기 위한 도록을 발간했는데[483] 한국 자료는 『직지(直指)』[484]와 『경국대전(經國大典)』,[485] 『여지도(輿地圖)』[486] 등 모두 3점이 전시되었다. 에티엔느 덴느리(Etienne Dennery) 당시 국립도서관장은 이 도록의 서문에서 전시된 책을 다음과 같이 소개했다.

"기원전 2000년에 파피루스에 쓴 세계에서 가장 오래된 책으로부터 시작하여 흑해에서 발견된 성서의 편(片), 마야의 텍스트, 그다음은 동양에서는 중국에서 인쇄술이 한국에

483) BNF에서 1972년 5월 15일에 발간한 도록(총 227쪽)에는 총 718점의 자료를 소개하고 있다. Bibliotheque Nitionale, *LE LIVRE,* Paris, 1972.

484) 도록 번호 42. Jik ji sim kyộng. Bibliotheque Nitionale, *LE LIVRE,* Paris, 1972. p.13.

485) 도록 번호 43. Kyong kuk dae jon. 『경국대전』은 설명과 함께 사진도 수록했다. 아마도 도록 간행 시 『직지』의 가치를 정확히 모르는 상황에서 오히려 이 책을 더 중요시하여 사진까지 수록한 것이 아닌가 생각된다. Bibliotheque Nitionale, *LE LIVRE,* Paris, 1972. p.13.

486) 도록 번호 51. Yo ji do. Bibliotheque Nitionale, *LE LIVRE,* Paris, 1972. p.16.

전달되어 3세기 동안 발전을 거듭하였고, 구텐베르크(Johannes Gutenberg: 1400-1468)보다 수십 년 앞서 금속활자를 다룰 줄 아는 놀라운 기술에 도달했다."[487]

또한, 당시 프랑스 국영 제1TV에서는 다음과 같이 방송했다.

> "교과서에 나오는 것처럼 구텐베르크는 금속활자 인쇄술의 발명가가 아닙니다. 자 여기 그 증거가 있습니다. 이것은(『직지』) 한국의 흥덕사라는 절에서 1377년에 금속활자로 인쇄한 책입니다. 구텐베르크 발명보다 78년 앞섭니다. 우리는 금속활자의 영광을 이제 동양의 한 나라(한국)에 돌려줘야 할 것입니다."[488]

그리고 7월 19일자 르몽드(Le Monde)지에는 "구텐베르크의 혁명"이란 제목으로

> "국립도서관의 방대한 장서 가운데 나온 금속활자로 인쇄된 한국 책들 가운데 한 권은 그 연대가 1377년이다. 그런데 유럽 최초의 위대한 책은 구텐베르크의 라틴어 성경으로 연대는 1455년이다. 구텐베르크의 책 중 한 권이 전시되어 방문객들의 경탄을 자아내는데 고딕체 글씨의 우아함, 새것 같은 흰 종이가 놀랍다. 요한 구텐베르크가 완벽에 도달했음을 첫눈에 알 수 있다. …….."[489]

라고 기술했다.

그런데 위의 내용을 자세히 분석해 보면 1972년 BNF에서 개최한 제1회 '세계 책의 해' 전시에서 『직지(Reserve 1517 F-Ⅲ)』에 대하여 학계와 언론에서 높이 평가하였음에도 오히려 도록에는 오히려 『직지』의 경우 내용이 간단하게 소개되었다. 그러나 『경국대전』은 사진까지 게재한 것으로 보아 『직지』보다 『경국대전』에 가치를 더 편중시킨 것은 당시 전시 담당자가 1972년까지만 해도 금속활자본 『직지』에 대해 정확히 몰랐던 것이 아닌가 한다.

---

487) ① Bibliotheque Nitionale, *LE LIVRE,* Paris, 1972. Préface 참조. ② Le Monde 1972년 5월 19일자. ③ 이진명, "프랑스 국립도서관 및 동양어대학 도서관 소장 한국학 자료의 현황과 연구동향", 『국학연구』 제2집(2003). pp.197-198에서 재인용함.

488) 프랑스 제1방송(TF1, 1972. 6. 1) 루이 두셰 기자 리포트. 남윤성, 『창사 36주년 다큐멘터리-직지의 최초 발견자 콜랭 드 플랑시-』, 청주문화방송, 2006년 7월 31일 오후 11시-12시 방송.

489) ① *Le Monde* 1972년 7월 19일자. ② 이진명, "프랑스 국립도서관 및 동양어대학 도서관 소장 한국학 자료의 현황과 연구동향", 『국학연구』제2집(2003). pp.198-199에서 재인용함.

2) 『동방의 보물(TRESORS D'0RIENT)』

TRESORS D'ORIENT. Paris, Paris Bibliotheque Nationale, 1973(196쪽)

CORÉE(韓國)

(사진 32) 『동방의 보물』 표지

Dés l'aube de son entrée dans l'histoire, la Corée (韓國), du fait de sa situation géographique sur les marches Nord – Ouest de la Chine(中國) et de la proximité des tribus barbares des régions de l'Asie nord – orientale(東北亞細亞), a subi l'emprise des civilisations voisines: l'assimilation des apports étrangers a cree l'originalite complexe de sa civilisation.

Les ambassades, puis les voyageurs, les réfugiés et les pélerins bouddhistes ont, dés les premiers siécles de notre ére, contribué á introduire la culture chinoise en Corée. A la même époque, les tribus indigénes se groupant, constituérent les ≪trois pays≫: ce fut la période dite des Trois Royaumes (1er av. J. – C. – 7e siécle) constitués par le Baek – je(百濟)) au Sud, le Ko – ku – ryộ(高句麗) au Nord et le Sil – la(新羅) au Sud – Est. L'histoire de cette période est relatée dans le 『Sam guk yu – sa(三國遺事)』. Avant l'introduction du bouddhisme dans le royaume de Ko – ku – ryộ les croyances coréennes autochtones, de caractére chamanique, étaient caractérisées par la vénération du Seigneur du Ciel. On retrouve des vestiges de ces croyances dans les piéces masquées du théâtre de Ha – hoe(河回演劇).

Lorsque le Grand Sil – la (668 – 935), avec l'appui de la dynastie chinoise des T'ang(唐, 7e – 10e siécle) réalisa l'unification de la Corée, [á l'exception toutefois du royaume de Po-hai(扶餘)], l'influence des moines bouddhistes se fit de plus en plus forte; certains d'entre eux allérent même en pélerinage jusqu'en Inde(印度), tel le célébre Hae-tch'o(慧超) (8e siécle) qui nous a 『transmis son journal de voyage(往五天竺國傳)』. A parttir du 8e siécle, la diffusion du bouddhisme s'intensifie et bénéficie des faveurs de la cour. Les édifices religieux se multiplient, préparant l'épanouissement du génie coréen qui devait atteindre son âge d'or sous la dynastie Ko-ryộ(高麗, 918-1392). Durant cette période, le bouddhisme conserva sa place et son rộle s'accrût, notamment parmi les masses populaires, oú le sộn [(tch'an en chinois, zen en japonais(日本)] connut une grande faveur. Les premiers souverains de cette dynastie furent des bouddhistes fervents; dés le début du 11e siécle, l'impression du 『Tripitaka(大藏經)』 est entreprise; malheureusement les planches de bois furent brûlées lors de l'invasion mongole(蒙古) de 1231. En 16 ans, de nouvelles planches furent gravées et, en 1251, on pouvait disposer de 81,258 planches xylographiées(木板本). Elles furent conservées au Haein-sa (海印寺), dans la banlieue de Tae-gu(大邱). Mais, pour éviter á l'avenir la perte des ouvrages, le gouvernement donna l'ordre de publier obligatoirement quatre exemplaires dont l'un devait être déposé á la capitale et les trois autres en province.

Au 13e siécle, une nouvelle technique pénétra en Corée: l'impression á l'aide de caractéres mobiles, découverte en Chine au 11e siécle. Pour l'art de l'imprimerie, la Corée a dépassé la Chine et devancé l'Europe. L'edition fut la préoccupation majeure des souverains. Avec

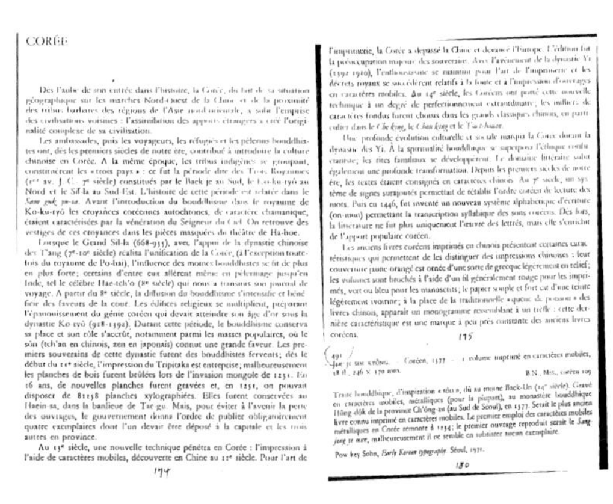

CORÉE

Dès l'aube de son entrée dans l'histoire, la Corée, du fait de sa situation géographique sur les marches Nord-Ouest de la Chine et de la proximité des tribus barbares des régions de l'Asie nord-orientale, a subi l'emprise des civilisations voisines : l'assimilation des apports étrangers a créé l'originalité complexe de sa civilisation.

Les ambassades, puis les voyageurs, les réfugiés et les pèlerins bouddhistes ont, dès les premiers siècles de notre ère, contribué à introduire la culture chinoise en Corée. A la même époque, les tribus indigènes se groupant, constituèrent les « trois pays » : ce fut la période dite des Trois Royaumes (1er av. J.-C. - 7e siècle) constitués par le Baek-je au Sud, le Ko-ku-ryö au Nord et le Sil-la au Sud-Est. L'histoire de cette période est relatée dans le *Sam guk yu-sa*. Avant l'introduction du bouddhisme dans le royaume de Ko-ku-ryö les croyances coréennes autochtones, de caractère chamanique, étaient caractérisées par la vénération du Seigneur du Ciel. On retrouve des vestiges de ces croyances dans les pièces masquées du théâtre de Ha-hoe.

Lorsque le Grand Sil-la (668-935), avec l'appui de la dynastie chinoise des T'ang (7e-10e siècle) réalisa l'unification de la Corée, (à l'exception toutefois du royaume de Po-hai), l'influence des moines bouddhistes se fit de plus en plus forte; certains d'entre eux allèrent même en pèlerinage jusqu'en Inde, tel le célèbre Hae-tch'o (8e siècle) qui nous a transmis son journal de voyage. A partir du 8e siècle, la diffusion du bouddhisme s'intensifie et bénéficie des faveurs de la cour. Les édifices religieux se multiplient, préparant l'épanouissement du génie coréen qui devait atteindre son âge d'or sous la dynastie Ko-ryö (918-1392). Durant cette période, le bouddhisme conserva sa place et son rôle s'accrût, notamment parmi les masses populaires, où le sön (tch'an en chinois, zen en japonais) connut une grande faveur. Les premiers souverains de cette dynastie furent des bouddhistes fervents; dès le début du 11e siècle, l'impression du Tripitaka est entreprise; malheureusement les planches de bois furent brûlées lors de l'invasion mongole de 1231. En 16 ans, de nouvelles planches furent gravées et, en 1251, on pouvait disposer de 81258 planches xylographiées. Elles furent conservées au Haein-sa, dans la banlieue de Tae-gu. Mais, pour éviter à l'avenir la perte des ouvrages, le gouvernement donna l'ordre de publier obligatoirement quatre exemplaires dont l'un devait être déposé à la capitale et les trois autres en province.

Au 13e siècle, une nouvelle technique pénétra en Corée : l'impression à l'aide de caractères mobiles, découverte en Chine au 11e siècle. Pour l'art de

174

l'imprimerie, la Corée a dépassé la Chine et devancé l'Europe. L'édition fut la préoccupation majeure des souverains. Avec l'avènement de la dynastie Yi (1392-1910), l'enthousiasme se maintint pour l'art de l'imprimerie et les décrets royaux se succédèrent relatifs à la fonte et à l'impression d'ouvrages en caractères mobiles. Au 14e siècle, les Coréens ont porté cette nouvelle technique à un degré de perfectionnement extraordinaire; les milliers de caractères fondus furent choisis dans les grands classiques chinois, en particulier dans le *Che king*, le *Chou king* et le *Tso tchouan*.

Une profonde évolution culturelle et sociale marqua la Corée durant la dynastie des Yi. À la spiritualité bouddhique se superposa l'éthique confucianiste; les rites familiaux se développèrent. Le domaine littéraire subit également une profonde transformation. Depuis les premiers siècles de notre ère, les textes étaient consignés en caractères chinois. Au 7e siècle, un système de signes surajoutés permettait de rétablir l'ordre coréen de lecture des mots. Puis en 1446, fut inventé un nouveau système alphabétique d'écriture (on-mun) permettant la transcription syllabique des sons coréens. Dès lors, la littérature ne fut plus uniquement l'œuvre des lettrés, mais elle s'enrichit de l'apport populaire coréen.

Les anciens livres coréens imprimés en chinois présentent certaines caractéristiques qui permettent de les distinguer des impressions chinoises : leur couverture jaune orangé est ornée d'une sorte de grecque légèrement en relief; les volumes sont brochés à l'aide d'un fil généralement rouge pour les imprimés, vert ou bleu pour les manuscrits; le papier souple et fort est d'une teinte légèrement ivoirine; à la place de la traditionnelle « queue de poisson » des livres chinois, apparaît un monogramme ressemblant à un trèfle : cette dernière caractéristique est une marque à peu près constante des anciens livres coréens.

175

491 - JIK JI SIM KYÖNG. - Coréen, 1377. - 1 volume imprimé en caractères mobiles, 38 ff., 246 × 170 mm.

B.N., Mss., coréen 109

Traité bouddhique, d'inspiration « sön », dû au moine Baek-Un (14e siècle). Gravé en caractères mobiles, métalliques (pour la plupart), au monastère bouddhique Hüng-dök de la province Ch'öng-zu (au Sud de Séoul), en 1377. Serait le plus ancien livre connu imprimé en caractères mobiles. Le premier emploi des caractères mobiles métalliques en Corée remonte à 1234; le premier ouvrage reproduit serait le *Sang jong ye mun*, malheureusement il ne semble en subsister aucun exemplaire.

Pow key Sohn, *Early Korean typography*. Séoul, 1971.

180

(사진 33) 『동방의 보물』 "한국" 원문

l'avenement de la dynastie Yi(朝鮮時代, 1392－1910), l'enthousiasme se maintint pour l'art de l'imprimerie et les décrets royaux se succédérent relatifs á la fonte et á l'impression d'ouvrages en caractéres mobiles. Au 14e siécle, les Coréens ont porté cette nouvelle technique á un degré de perfectionnement extraordinaire; les milliers de caractéres fondus furent choisis dans les grands classiques chinois, en particulier dans le『Che king(書經)』, le『Chou king(周易)』et le『Tso tchonan(春秋左氏傳)』.

Une profonde évolution culturelle et sociale marcua la Corée durant la dynastie des Yi. À la spiritualité bouddhique se superposa l'éthique confucianiste; les rites familiaux se développérent. Le domaine littéraire subit également une profonde transformation. Depuis les premiers siécles de notre ére, les textes étaient consignés en caractéres chinois. Au 7e siécle, un systéme de signes surajoutés permettait de rétablir l'ordre coréen de lecture des mots. Puis en 1446, fut inventé un nouveau systéme alphabétique d'écriture [(on－mun(諺文)] permettant la transcription syllabique des sons coréens. Dés lors, la littérature ne fut plus uniquement l'oeuvre des lettrés, mais elle s'enrichit de l'apport populaire coréen.

Les anciens livres coréens imprimés en chinois présentent certaines caractéristiques qui permettent de les distinguer des impressions chinoises: leur couverture jaune－orangé est ornée d'une sorte de grecque légérement en relief; les volumes sont brochés á l'aide d'un fil(魚尾) généralement rouge pour les imprimés, vert ou bleu pour les manuscrits; le papier souple et fort est d'une teinte légérement ivoirine; á la place de la traditionnelle ≪queue de poisson≫ des livres chinois, apparait un monogramme ressemblant á un tréfle: cette derniére caractéristique est une marque á peu prés constante des anciens livres coréens.

『동방의 보물』. 파리, 파리국립도서관, 1973

한 국

한국은 역사 이래 지리적으로는 중국 북서쪽의 국경지역에 인접해 있으며, 동북아시아 지역의 미개한 민족들 사이에 자리 잡고 있어 인근 나라 지배를 많이 받았다. 따라서 인근 국가에 동화되어 한국의 문화는 복잡하면서도 독창적으로 형성되었다. 여기에는 사신단, 그리고 여행자, 망명자, 불교 순례자들이 한국의 불교문화 도입에 커다란 공헌을 했다. 같은 시대의 토착민들은 부족을 결성하여 3국을 건국하였는데 이들 나라는 남쪽의 백제, 북쪽의 고구려, 남서쪽의 신라이다. 이 삼국시대에 대한 역사는 『삼국유사』에 자세하게 수록되어 있다.

고구려 때 불교가 도입되기 전에 샤머니즘 성격을 가지고 있던 원주민들은 하느님의 숭배라는 특징을 가지고 있었다. 하회연극(河回演劇)의 숨겨진 작품 속에서 신앙에 대한 믿음의 흔적을 찾아볼 수 있다. 신라는 당나라의 도움으로 삼국을 통일하였고(부여는 제외) 승려들에 의한 불교의 영향은 점점 더 강세를 띠었다. 이러한 인물 중에 혜초 스님은 인도까지 순례한 내용을 여행일기로 쓴 『왕오천축국전』을 남겼다. 8세기 초에 불교가 전파됨으로써 왕실의 평판은 좋아졌다. 한국인들의 타고난 재능은 고려 왕조하에서 다양한 불교 구조물들을 통해 고려 왕조를 황금의 시대로 만들었다. 이 기간 동안 불교는 대중 속에 자리잡게 되었고 중국의 참선과 일본의 선(禪)과 같은 선종이 크게 유행했다.

고려 초창기의 왕들은 열렬한 불교 신자들이었다. 11세기 초부터 『대장경(Tripitaka)』의 인쇄가 시도되었다. 그러나 불행하게도 목판본들은 1231년에 몽고의 침입 시 불타서 없어졌다. 다시 16년 동안 새로운 목판들을 판각하기 시작하여 1251년에 81,258판의 경판을 완성했다. 이 경판은 경남 합천 해인사에 보관되어 있다. 그러나 이 대장경판들의 분실을 막기 위하여 고려 정부는 의무적으로 4부를 찍어내어 그중 하나는 서울(당시 개성)에 그리고 나머지 셋은 지방에 보관하도록 명령을 내렸다. 13세기부터 새로운 기술이 고려에 도입된다. 즉 11세기에 중국에서 발명된 활자들을 이용하여 발전시킨 인쇄가 바로 그것이다.

인쇄술은 한국이 중국을 능가하였으며 유럽(독일)을 앞서갔다. 출판은 군주들의 주요 시책이었다. 조선시대(1392-1910)가 시작되면서 이러한 인쇄술은 더욱 발전했다. 그리고 주조와 활자로 서적들을 인쇄하도록 역대 임금들의 지시가 있었다. 14세기에 한국인들은 이 새로운 기술을 놀라울 만큼 완벽한 경지에 이르게 했다. 즉 주조된 수천 개의 활자들로 『Che king(書經)』·『Chou king(周易)』·『Tso tchouan(春秋左氏傳)』 등 중국의 경서들을 찍는 데 사용되었다. 문화적으로나 사회적으로 이런 깊이 있는 발전은 조선시대에도 나타났다. 불교의 정신력이 유교의 윤리와 겹쳐지면서 가족윤리는 발전되었다. 문학의 영역은 또한 깊은 변화를 받아들여 첫 세기부터 한자로 기록된 문서들이 보관되었다.

7세기에 들어온 한자는 한글을 창제하기에 이르렀다. 1446년에 새로운 문자체계(언문)가 발명되었는데 한글은 표음문자로 구성되었다. 그때부터 저작은 이제 더 이상 문인들만의 전유물이 아니었다. 한문으로 간행된 한국의 고서에서는 중국고서와 구별할 수 있는 몇 가지 특징들이 있다. 표지는 황색에 능화무늬로 되어 있다. 책의 본문은 청색이나 초록색 또는 붉은색 실로 꿰맨 오침안정법으로 제본되었다. 한지로 된 두터운 표지색은 상아색(누르스름한 색)이다. 중국본에서 볼 수 있는 전통적인 어미(魚尾)도 나타난다. 이러한 특징들은 한국의 고서에서 거의 확실하게 나타나고 있다. *<한글 번역: 이세열>

491

JIK JI SIM KYỘNG. - Coréen, 1377. - 1 volume imprimé en caractéres mobiles,

38ff., 246 x 170mm.

B.N., Mss., coréen 109

Traité bouddhique, d'inspiration <sộn(禪)>, dû au moine Baek－Un(白雲)(14e siécle). Gravé en caractéres mobiles, métalliques (pour la plupart), au monastére bouddhique Hûng－dộk(興德寺) de la province Ch'ộng－zu(淸州)(au Sud de Séoul), en 1377. Serait le plus ancien livre connu imprimé en caractéres mobiles. Le premier emploi des caractéres mobiles métalliques en Corée(韓國) remonte á 1234; le premier ouvrage reproduit serait le『Sang－jong ye mun(詳定禮文)』, malheureusement il ne semble en subsister aucun exemplaire.

Pow－key Sohn, Early Korean typography. Séoul, 1971.

NO.491. 직지심경－한국, 1377년. 활자본 1책. 38장., 246 x 170mm. 도서번호 한국 109

백운(14세기)이라는 수도승(고승)에 의하여 편찬된 '(禪)'의 사상을 바탕으로 쓴 불교승려용 교과서.

1377년 대한민국 서울 남쪽지역 청주 지방의 흥덕사에서(대부분) 금속활자로 인쇄됨. 이 책은 활자로 인쇄된 현존하는 가장 오래된 책일 것이다. 한국에서 최초로 금속활자를 사용한 것은 1234년으로 거슬러 올라간다. 최초의 금속활자 인쇄본은『상정예문』으로 추정되나 아깝게도 어떤 인쇄본도 전해지고 있지 않다.

*손보기,『한국고활자』. 서울, 1971. *<한글 번역: 이희재>

1973년에는 제29회 동양학 국제 학술대회가 프랑스 파리에서 개최되었다. 이에 BNF에서는 1973년 6월 14일부터 10월 31일까지 약 4개월 반 동안 '동양의 보물'이라는 전시회를 개최했다. BNF에서 1973년 6월 12일에 간행한 도록을 보면, 총 521점이 수록되어 있다. 그중에 한국의 자료는『여지도』를 비롯하여 21점이 수록되었다. 이 전시회에는 이집트에서부터 한국까지, 즉 중동에서 극동에 이르는 여러 나라의 귀중한 책들이 전시되었다. 1973년 전시에는 한국자료에 대해 양과 질적인 면에서 풍부해진 것으로 보인다. 전시자료 472번 『여지도』부터 492번 『생생자보』까지 20점이었다. 이 중에는 혜초의 『왕오천축국전』과 『직지』도 포함되어 있었고, 『직지』의 마지막 장 간기 부분 사진이 게재되어 있다. 이는 아마도 BNF에서 1972년에 전시회가 개최된 이후 『직지』의 흑백사진 자료가 국내에 입수되어 학계에서 많은 연구가 이루어졌기 때문으로 보인다.

3) 『한국서지 부록(Supplément a La Bibliographie Coréenne)』

3738 『白雲和尙抄錄佛祖直指心體要節』

Păik oun hoa syang tchyo rok poul tjo tjik tji sim htyei yo tjyel. －Traits édifiants des patriarches rassemblés par le bonze Păik－oun.

1 vol. grand in－8e (2e livre seul). (C. P.)

B.N. Coreen, 109.

Ce volume porte á la fin l'indication suivante: En 1377, á la bonzerie de Heung－tek興德, hors {du chef－lieu} du district de Tchyeng－tjyou 淸州, imprimé á l'aide de caractéres fondus. Si cette indication est exacte, les caracteres fondus, c'est－á－dire mobiles, auraient été en usage vingt－six ans avant le décret du roi Htai－tjong(n°. 1673),[490] qui se fait gloire de l'invention des types mobiles.

---

490) 이 책은 조선 시대의 주자 연혁을 기술한 1帖(8折 8面) 拓本 43×23.7㎝로 된 『주자사실(鑄字事實)』이다. 철종 9년(1858) 이조판서 윤정현(尹定鉉, 1793～1874)이 글을 짓고 호조판서 김병국(金炳國, 1825～1904)이 글씨를 써서 음각으로 새긴 것의 탑본(榻本)이다. 내용은 조선 태종(太宗) 때 비로소 인서법(印書法)이 시작된 일로부터 1858년 정리대자(整理大字)를 주조(鑄造)한 탑일(榻日)까지를 기록한 것인데 구체적인 내용은 다음과 같다. (1) 태종 계미에 계미자(癸未字)를 만든 일. (2) 세종 때 경자자(庚子字)를 만든 일. (3) 세종 때 갑인자(甲寅字)를 만든 일. (4) 영조 때 임진자(壬辰字)를 만든 일. (5) 정조 때 갑인자(甲寅字)를 개주(改鑄)한 일. (6) 정조 임인에 한구자(韓構字)를 만든 일. (7) 정조 임자에 생생자(生生字)를 만든 일. (8) 정조 갑인에 주자소(鑄字所)를 설치한 일. (9) 정조 병자(丙子)에 정리자(整理字)를 만든 일. (10) 철종 정사에 주자소(鑄字所) 실화(失火), 무오에 각 활자를 정리한 일. 이와 같이 활자의 연혁과 내용 및 그 당시의 사정이 간략히 서술되어 있으나 소략(疏略)해서 구체적으로 파악하기는 어렵다. 부록의 「주자감동제신제명록(鑄字監董諸臣題名錄)」은 각 활자 주조 당시의 사무분장 상황을 열거해 놓은 것으로 태종 이후 철종 9년까지의 사실이다. 본 첩은 아마도 주자소에 게판(揭板)돼 있던 것을 탑본한 것으로 보인다. (규장각 해제)

Il faut en outre remarquer la date; elle est écrite: 7e année de SIEUN-KOANG 宣光 七年; ce nom de régne l'ut adopté en 1371 par TCHAO-TSONG 昭宗, prétendant de la famille des YUEN.

모리스 쿠랑, 한국서지 보유판(韓國書誌 補遺版)
3738『백운화상초록불조직지심체요절』
白雲和尙抄錄佛祖直指心體要節

3738. 白雲和尙抄錄佛祖直指心體要節

Păik oun hoa syang tchyo rok poul tjo tjik tji sim htyei yo tjyel. — Traits édifiants des patriarches rassemblés par le bonze *Păik-oun.*

1 vol. grand in-8° (2e livre seul). (C. P.)

Ce volume porte à la fin l'indication suivante : En 1377, à la bonzerie de *Heung-tek* 興德, hors [du chef-lieu] du district de *Tchyeng-tjyou* 清州, imprimé à l'aide de caractères fondus. Si cette indication est exacte, les caractères fondus, c'est-à-dire mobiles, auraient été en usage vingt-six ans avant le décret du roi *Htai-tjong* (n° 1673), qui se fait gloire de l'invention des types mobiles.

Il faut en outre remarquer la date; elle est écrite : 7e année de *Sieun-koang* 宣光 七年; ce nom de règne fut adopté en 1371 par *Tchao-tsong* 昭宗, prétendant de la famille des *Yuen.*

(사진 34)『한국서지』 부록에 수록된
『백운화상불조직지심체요절』

1책. 큰 8절판(제2권만 있음). C.P.: 빅토르 콜랭 드 플랑시(Victor Collin de Plancy, 1853-1922) 소장인.

B.N. Coreen, 109: B.N(파리 국립도서관 Bibl Nat의 약자). 한국 책 도서분류 및 소장번호

이 책 마지막에는 다음과 같은 서명을 적고 있다. "1377년 청주목외 흥덕사에서 주조된 활자로 인쇄됨."이 내용이 정확하다면, 주자(鑄字), 즉 활자는 활자의 발명을 공적으로 삼는 조선시대 태종(太宗)의 命(1403년의 계미자)보다 26년 가량 앞선 것이다. 그 외에도 선광 칠년이라고 쓴 연대를 주목할 필요가 있다. 이 선광(宣光)이라는 통치연대의 명칭은 1371년 원조(元祖)의 왕위계승을 요구하는 소종(昭宗)에 의해 채택된 것이다. *<한글 번역: 이희재>

4)『한국의 고문서(*Mémoires et Communications - Vieux Papiers de Corée -*)』

L'EXPOSITION universelle offre, en maints endroits de son immense étendue, des objets dignes de fixer l'attention et d'exciter la curiosité des amateurs de

BULLETIN
de la Société
Archéologique Historique & Artistique.
LE VIEUX PAPIER
Paraissant tous les deux mois.
TOME PREMIER
1900-1902
LILLE
IMPRIMERIE LEFEBVRE-DUCROCQ
1903

(사진 35) 『고문서』표지

vicux papiers. Il n'est pas une classe qui, dans sa partie rétrospective, ne présente des documents du plus vit intéret. D'autres sont disseminés en divers points; et il faut un vrai flair de chasseur ou de collectionneur pour les découvrir.

Avec des guides experimentés comme ceux qui ont dirigé nos derniéres promenades collectives, il n'est besoin que de se laisser conduire par la main. Il est d'autres circonstances, au contraire, oú il faut entreprendre seul un voyage d'exploration. La satisfaction n'est que plus grande losque dans quelque coin presque ignoré, on se trouve en présence d'une collection inattendue, qui par aventure, peut être un vrai tresor.

C'est le sentiment exquis que j'ai éprouve, il y a quelques jours, lorsque perdu, pour ainsi dire, dans la triste et longue rue qui borde l'avenue de Suffren, refuge des exposants déshérités et des visiteurs égares, le hasard me fit entrer dans le pavillon de la Corée.

Comment ce pavillon se trouve – t – il lá, loin de toute expositio similaire, noyé dans une succession de bâtiments héterogenes qui semblent n'avoir été places en ce lieu peu fréquenté que parce qu'on n'a pu les placer ailleurs, c'est un mystere que je n'essajerai pas d'approfondir.

Quoi qu'il en soit, á penine y avais – je pénétré que j'avais tout – á – fait oublié son isolement ét l'espéce d'ostracisme qui semble l'avoir frappé.

La Corée est, on le sait, une presqu'île lointaine voisine du Japon et de la Chine, dont la civilisation est aussi vieille que celle de ces deux contrées et dont le génie national participe, en une large mesure, de cclui de l'une ou l'autre de ces nations.

Flisée Reclus, le maitre géographe que l'on consulte toujours avec frurt, nous apprend que dans les premiers siécles de l'ere vulgaire, les Coréens furent les maitres des Japonais pour la plupart des industries. De nos jours, ajoute－t－i, ils sont fort au－dessous de leurs éléves, Ils n'ont guére de superiorite que pour la fabrication de certaines armes et pour celle du papier.

J'avoue n'avoir pas songé á chercher les armes exposées dans le pavillon de Corée, car mon attention s'est immediatement portée, comme guidée dans un sentiment de profonde admiration.

Cette vitrine est celle oú M. Collin de Plancy, minstre de France en Corée, a réuni collection, d'úne inestimable valeur, de venérables livres, dont les plus anciens remontent á une trés haute antiquite.

L'industrie du papier, rappelions－nous tout á l'heure est tres florissante en Corée. De nos jours encore, elle reste une des rares supériorités que ce pays conserve sur le Japon. si rapidement conquis par la civilisation européenne.

C'est que le papier y est d'un emploi preque universel. Il sert á tous les usages de la vie. On en fait des vêtements, des chapeaux, des chaus sures. des carquors, des éveails, des ombrelles et des parayents; aussi bien que des lanternes, des vases des boites, des portefeuilles et des jouets d'enfants d'un goût exquis.

L'écrivain, le dessinateur et le peintre l'utilisent directement ou bien accole á une trame de soie d'une extreme finesse.

Enfin, on l'emploie pour l'impression, et les caracteres et les dessins ainsi tirés sont d'une rare venue typographique.

Le papier coréen dépasse de beaucoup tout ce que la Chine et le Japon ont produit de mieux dans ce genre. Il se présente, suivant le travail qu'on lui fait subir, sous les aspects les plus divers, comme couleur, granulation et finesse.

Sa solidite n'a d'égale que sa souplesse.

C'est le premier papier du monde.

Ces lignes sont empruntées au livre que M. Ch. Varat a consacré á la Corée, aprés unc mission qu'il a faite en ce pays en 1888 – 1889.

Ce papier merveilleux, tour á tour ferme comme un parchemin ou soyeux comme une étoffe, nous avons pu l'admirer á l'Office National du Commerce extérieur oú. M. Collin de Plancy en a fait déposer des échantillons variés accompagnés d'une notice succincte sur sa fabrication.

D'apres cette notice, qui nous a été obligeamment communiquée, il est fabriqué avec l'écorce d'un arbre ou plutôt d'un arbuste dit mûrier á paper, assez analogue au coudrier, et dont le nom technique est broussonetra papyrifera.

Cet arbre pousse dans le sud de la Corée, dans un sol léger, trés rocailleux, et peu propre á toute aute autre culture.

A l'automne, on en coupe les tiges, on les assemble en bottes et on les place dans une fosse de rouissage ou de décorticage. On les soumet ensuite á l'action de la vapeur d'eau produite en arrosant de grosses pierres incandescentes placées dans le devant de la fosse.

Sous l'action de la vapeur, le bois se gonfle et l'écorce se détache. On la recueille et elle est livrée en cet état aux fabriques de papiers.

Celles – ci sont établies au bord de cours d'eau rapides. L'écorce, d'abord mise á macérer dans une lessive, est ensuite battute et brisée de facon á séparer les fibres et transformée en une pâte qu'on lave par un courant d'eau abondant et qu'on délaie ensuite en l'additionnant du suc d'une plante spéciale qui Jone le rôle déliant et donne du brillant au papier.

Celui – ci est enfin obtenu en feuilles en feuilles en trempant dans la pate des claies en bambou tres fines qui se recouvrent d'une mince couche qu'on solidifie par le séchage.

Telle est, en principle, le procédé de fabrication du papier coréen. le même, sans aucun doute, qui a été employe pour la préparation des ouvrages anciens et modernes qui remplissent les belles collections de M. Collin de Plancy.

L'esprit s'arrete étonné devant ces in-folios couverts de gravures pittoresques et de ces caractéres idéographiques, chinois ou dérivés du chinois, qui sont pour nous des hiéroglyphes inintelligibles.

Si, comme le fait observer Reclus l'écriture coréenne, qu'on dit avoir plus de vingt siécles d'existence, comprend á la fois des caractéres pour chaque lettre et pour chaque syllabe, soit plus de 200 signes, on comprend que la lecture de ces ouvrages ne soit accessible qu'aux lettres.

En tout cas, la littérature coréeme est des plus anciennes. Une notice manuscrite, placée dans la vitrine, nous enseigne que, des le IXe siécle, les livres étaient fort répandus dans le pays, oú il existait des bibliothéques.

En 1056, le roi Mam-Tjong fit imprimer, au moyen de planches de bois gravées. les neuf livres canoniqués des histoires des Han, des Tsin, et des Thang ainsi que des ouvrages de philosophes, histoirens littérateurs, médecins, astrologues, géographes, calculateurs et juristes.

Un exemplaire de chaque ouvrage fut donne á chacune des principales écoles du royaume.

Aucun de ces ouvrages n'est parvenu jusqu'á nous. Toutefois les planches qui avaient été gravées au XIe siécle, pour l'impression du "Tripitaka" ou grande collection des Sutra(livres sacres du Bounddhisme) ont été conservés et ont permis de réimprimer, au XVe siécle, l'exemplaire de cet ouvrage actuellement conservé á Tokio. Il est formé de 6589 fascicules.

Presque deux siécles avant que Gutenberg eut inventé l'imprimerie en Europe, les Coréens imprimaient déja á l'aide de caractéres mobiles. L'usage de ceux-ci remonterait, parait-il, á l'an 1317. Mais il n'existe pas d'ouvrages de cette époque.

Le plus ancien connu est exposé, sous les yeux du visiteur, dans la vitrine de M. Collin de Plancy. C'est un livre intitulé: Traits édifiants des Patriarches rassemblés par le bonze Pack－Qun, un volume in－8°, portamt a la derniere page l'indication suivante: En 1377, 7° année de Sinan－Hoang, á la Bonzerie de Heong－Tek, hors du chef－lieu du district de Tchyeng－Tijou.－Imprime en caractéres fondus.

Au XVe siécle, l'impression avec caractéres mobiles prit un grand développement.－En 1403, un décret du roi Ktay－Tijong, 3me souverain de la dynastie régnante, ordonna de fondre cent mille types de cuivre. Tous ses successeurs s'intéresserent á cette invention et, jusqu'en 1544, on trouve mention de Il décrets royaux relatitg la fonderie de caractéres ou á l'impression d'ouvrages á l'aide de caractéres mobiles. Aprés cette époque et jusqu'en 1770, le silence se fait sur ce genre d'imprimerie auquel on semble préferer la gravure sur bois.

En 1770, le rol Yeng－Tjong lui donne une nouvelle impulsion en prescrivant la fonte de trois cent mille caractéres qui servirent jusqu'en 1797 á l'impression de nouveaux ouvrages. Usite encore au XIXe siécle ce procede a été remplace, dans ces dernieres annees par l'emploi de caractéres en plomb.

Ces détails empruntes aux notices succinctes qui sont placées dans les vitrines, donnent á grands traits l'histoire de l'imprimerie en Corée. En cet art, si capital dans l'histoire de la civilisation, l'Extrême Orient a été un précurseur pour l'Europe.

Un certain nombre d'ouvrages de la premiere période sont venus jusqu'a nous.

Ce sont en particulier: 1° Les entretiens domestiques de Confuncius avec commentaires.－Ouvrage gravé de 1317 á 1321 dont un exemplaire est conservé au British Museum: 2° Le livre sacre des litanies de Bouddha gravé par ordre royal par les soins du Conseil du Bouddhisme du Royaume de

Corée en 1302: 3° Les traits édifiants des Patriarches déja cités.

4° Les Statuts fondamentaux du gouvernement, 4 vol, in – 4° imprimés en caractéres mobiles á l'imprimerie royale en 1481.

5° Les planches fignrant les belles actions dues á l'observation des deux relations sociales, un vol. grave par ordre du gouverneur Ri – Hyeng – Tjoú en 1550.

Ces trois derniers ouvrages sont exposés par M. Collin de Plancy. – On ne connait que deux exemplaires du dernier. L'autre est au British Museum.

Nous ne pouvons malheuresement, en raison de notre incompétence, aecompagner d'aucun commentire detaille la mention de ces reliques et des nombreux documents plus récents qui leur font cortége.

Mais nous voudrions faire partager aux lecteurs de ce Bullétin, l'impression quasi – religieuse qu'on éprouve en contemplant ces témoins d'une civilisation qui a précedé la nôtre et lui a montre la voie.

C'est pourquoi nous conseillons á tous nos collegues de faire et de renouveler, comme nous, au pavillion de Corée, ce que nous pourrions appeler le pélerinage du vieux papier, ce qui sera, en tour cas, un hommage rendu á celui qui a reuni ces merveilleux souvénirs et qui nous permet de ressentir la joie pure de contempler, quoique sans les compredre, ces respectables souvénirs d'une civillisation bien anterieure á celle dontt les peuples de l'Europe tirent une vanité parfois insuffisamment justifiée.

HENRY VIVAREZ

1. M. Collin de Plancy a bien voulu me donner queiques indications que. je reproduis, ci – aprés, et qui permettront á ceux de nos collégues, que ce sujet intéressera, de l'étudier dans ses détails.

Ils trouveront á la librairie Ernest Leroux, l'ouvrage édite par elle, intitulé: Bibliographic carénne, par M. Collin de Plancy. Il contient également des informations sur la librairie (introd., tome Ⅰ, p. Ⅰ á XXVⅠ, et tome Ⅲ, n° 3150 bis) et sur l'imprimerie(introd., tome Ⅰ, p. ⅩLⅢ, et tome Ⅱ, n° 1673).

Les plus intéressants volumes exposés an Champ - de - Mars portent dans la Bibliographie coréenne les n°2 96 - 102 - 138 - 198 - 253 - 275 - 1455 - 1456 - 1457 - 1673 - 1674 - 2674: Achetés pendant le premier séjour de M. Collin de Plancy en Corée, ils ont pn étre décrits par M. Courant. Il n'en est pas de même pour le plus ancian: Paik oun hoa Syang tchyo rok poul tjo tjik tji sim htyei yo tytel, ou Traits des Patriarches, dont nous avons parle plus haut.

On peut consulter également sur les papiers de Chine et du Japon l'Essai sur l'histoire du papier et sa fabrication, qui a été publié par M. Augustin Blanchet(Leroux, éditeur), en vue de l'Exposition Universelle.

* Henry Vivarez, *"Mémoires et Communications - Vieux Papiers de Corée - "*, 『*Le Vieux Papier*』, Come Premier, 1900 - 1902, Archéologique, Historique & Artistiquee, 1903.

『고문서』. 1903.

프랑스 고고학 · 역사학 · 예술 · 사회학회지(Bulletin de la Société)에서는 1902년 '고문서(Le Vieux Papier)'라는 주제에 " - 한국의 고문서(Vieux Papiers de Corée) - "란 논문을 다음과 같이 실었다.

파리만국박람회에서는 여러 나라에서 출품한 고문서 애호가들의 호기심을 자극하는 훌륭하고 광범위한 전시품들이 주목을 받았다. 이 박람회에서 나를 흥분시켰던 것은 동양 전시관에서 현재의 종이보다 더 오래된 실물 종이와 또 다른 것은 각종의 인쇄본(板本)이었다. 그 사실을 확인하고자 조예가 깊은 수집가들이 동방을 방문했다. 최근 본국에서 박람회장 관람에 편의를 제공하기 위해 단체 관람객들에 대한 안내 홍보가 있었다. 나는 서울을 실제로 답사하지는 못했지만, 한국 전시관이 거의 대부분 잘 알려지지 않은 구석진 곳에 있었음에도 불구하고 보다 더 훌륭함에 만족했다. 우연히 전시에 참가한 뜻밖의 수집품들이 실제 전시물과 전시된다는 것은 일종의 모험이었다. 몇 명 사람들이 하루 종일 외진 곳에서 헤매었지만 신뢰할 수 있는 우아한 느낌을 받았다. 한국의 별관은 황량한 길 가장자리에 설치하고 참가하는 것으로 합의되어 방문객들이 헤매고 출품자들이 혜택을 받지 못 한다는 위험부담에도 모험을 걸고 예정대로 세워졌다. 별관은 왜 독창적으로 지어졌는가? 그 나라(한국) 전체 박람회 일정에 맞추어 추진되었다. 본 박람회장 근처 다른 곳 사람이 잘 찾지 않는 외진 지역에 동양의 신비와 감동을 줄 수 있는 외관상 이질적인 아이디어로 설계된 건축물을 지었다. 한국관은 결국 아주 격리되었음에도 그 전시유치 노력에는 감동했지만 소유에는 소홀하여 소유권을 주장하는 경우에는 추방을 당한다.

한국은 반도국가로서 먼 이웃나라에 일본과 중국이 있으며 현재 그 나라의 특성을 잘 몰라 오랫동안 개화가 늦어졌다. 현재는 또 다른 강대국들에 의해 보다 더 자국의 특성이 사라지고 있다. 프랑스의 유명한 지리학자인 엘리세 레크루스(Elisée Reclus: 1830 – 1907)에게 늘 자문을 받았다. 우리는 처음으로 한국의 일반적인 시대적 상황을 늘 알고자 했다. 대부분의 산업이 일본의 지배에 들어갈 예정이다. 현재 그들의 확실한 수단으로 삼는 고도로 우수한 산업은 거의 종이 제조업 정도이다. 그것은 한국관에서 전시되어 그 품질을 인정받아 활로를 찾고 있다. 왜냐하면 동쪽의 조용한 나라의 전시품을 가까이서 관람하고 숭배하지 않을 수 없는 대단한 감탄을 받아 주목을 끌었기 때문이다. 콜랭 드 플랑시 컬렉션 전시품에서 주한 프랑스 공사 재직 시 수집한 희소하며 값을 매길 수 없을 정도의 책은 그 가치가 더 옛날로 거슬러 올라가기도 한다. 오늘날 일본이 개화 문명에 신속하게 매혹된 것과 같이 바로 위의 활자체들은 탁월한 인쇄기술이었다. 종이는 세계 여러 나라에서 사용되고 있다. 실제 모든 분야에서 결코 이용되지 않는 부분이 없으니 화살전통・의상・모자・신・부채・양산・병풍・등・꽃병・상자・지폐・어린이 장남감 등이다. 삽화가나 화가들은 모두 극동의 박엽지를 이용하며, 마침내 문자 디자인에도 사용하여 인쇄로 재탄생하기도 한다.

한국의 종이 생산물은 중국이나 일본 것보다도 훨씬 더 월등하게 앞선다. 종이가 만들어지는 과정을 기록한 문헌을 보면 엷은 색에 더 고운 모습이다. 견고성과 내구성 또한 강한 세계 제일의 종이이다. 프랑스 지리학자 샤를 바라(Charles Louis Varat, 1842－1893)는 세계 각 지역을 답사하는 여행 일정에 따라 1888년－1889년에 조선에 파견되어 여행기를 남겼다. 상품(上品)의 종이는 비단같이 부드러운 직물처럼 문서로 사용하기에 견고하다. 우리는 외무부에서 해임된 콜랭 드 플랑시가 수집한 견본과 제조법에 대해 다양하게 기술한 것에 감탄했다.

닥나무 제조법을 기술한 고서에는[491] 닥나무 껍질이나 소관목인 뽕나무를 이용한 제조법이 자세하게 약술되어 발표되었다. 유사한 개암나무에 대해서도 기술되었다. 한국의 남부지방에서 생육하는 닥나무는 돌투성이의 거친 토양(砂質土壤)에서 재배되는 공예작물이다. 가을에 줄기를 잘라[492] 다발로 모은 다음 나무껍질을 벗겨 웅덩이를 파고 물을 붓고 삶는다. 여기에 다시 흙을 덮고 불을 때면 뜨거운 돌멩이에 물이 닿아 뜨거운 수증기가 발생하게 되고 닥나무가 쪄져 흐물흐물해진다. 삶기 작용으로 나무의 부풀어 오른 껍질을 벗긴(白皮) 다음 종이 제조를 위해 한곳에 모은다. 그것들은 개천의 흐름이 빠른 냇물에 담가 두어 불린 다음 두드려 섬유를 분리한다. 잿물[493]을 넣고 쇠죽 끓이듯이 삶는다. 잘 삶아진 원료를 하룻밤 동안 솥에 그대로 놓고 뜸을 들인 다음 철분기가 없는 흐르는 물에 잿물을 씻어 내고[494] 흰색이 될 때까지 볕 쪼이기(일광표백)를 하면[495] 종이가 광택이 나

491) ① 李圭景, 『五洲衍文長箋散稿』卷19. 人事篇/器用類/文具/紙品辨證說. ② 徐有榘, 『林園十六志』百二怡雲志 卷第4. 文房雅製 下 倭紙品條. ③ 安宗洙, 『農政新編』, 1905年. ④ 洪萬選, 『山林經濟』卷之二. 種楮. *이상은 필자 주.

492) 닥나무는 가을철 11월경이 되면 리그닌(Lignin), 펜토신(Penthocine), 홀로 셀룰로오스(Holo－cellulose) 성분이 많이 함유되어 있어 수분도 적당하고 껍질을 벗기기가 편리한 때이다(필자 주).

493) 볏짚, 콩대, 고춧대, 메밀대, 목화대들을 태운 재로 알칼리성인 잿물을 만들어 닥 껍질인 백피를 삶으면 불순물이 제거되어 순수한 식물섬유가 추출된다. 잿물의 주성분은 산화칼륨(K2O)으로 이 성분의 양에 따라 잿물의 염기도가 증가하며, 이 밖에도 인(P2O5), 산화나트륨(Na2O) 및 산화칼륨(CaO)의 양이 많으면 약알칼리로 된다(필자 주).

494) 잿물을 씻어내는 과정을 통하여 섬유질 이외의 당분, 회분, 기름기 등을 제거해 준다(필자 주).

고 표백이[496] 된다. 이것들은 마침내 대나무를 끓이고 담금질에 의해 탈수와 응고 등의 과정을 거쳐 얇고 투명한 박엽지(아주 얇은 종이)가 얻어진다. 이처럼 한지 제조법의 주요 공정에 대해서는 콜랭 드 플랑시의 수집품에서 고대에서 근대에 이르는 장인들에 의해 제작된 작품으로 보아 조금도 의심스러운 바 없다.

중국에서 유래된 표의문자, 우리들은 이것을 난해한 상형문자로 부르는 문자[漢字]로 활자를 만들고 삽화를 넣어 조판하여 인쇄한 것에 놀라지 않을 수 없다. 200년이나 더 앞서 존재하였던 잘 알려지지 않은 한국의 활자를 잘 관찰하면 각각의 음절과 문자에 쓰이는 활자를 동시에 이해할 수 있다. 독자들은 어떤 책이든 간에 200여 개의 부수와 한자를 알면 쉽게 이해할 수 있다. 한국의 문자는 보다 더 고대부터 있었다. 그 증거로는 전시장에 전시된 9세기의 필사본은 국내에 알려진 고서로 도서관에 보관되어 있다. 고려 문종 10년(1056)에는 한나라, 진나라, 당나라의 철학·역사·문학·의학·천문학·지리학·수학·법률과 같은 책들을 새로운 목판으로 인쇄했다. 교훈이 되는 책은 대대로 학교의 주요한 교재로 채택되었다. 이러한 책들은 졸지에 우리들에게 유명해졌다. 그러나 11세기 목판본 전성기에는 『대장경』 출판에 영향을 받았고, 15세기까지 재조된 것이 현존한다. 훌륭한 『대장경』은 도쿄에 보관 중이다. 다시 말하면 6,589책이 완성된 것이다. 유럽의 구텐베르크 인쇄술은 한국에서 이미 고려 충숙왕 4년(1317)에 금속활자로 찍은 책(공자가어를 말함)보다 2세기 가량 뒤진 것이 확실하다.[497] 그러나 이 활자는 오래 사용하지 않았다. 이러한 사실은 콜랭 드 플랑시의 수집품 중 그 시대의 설명을 붙인 도서 동양전시회에 출품하면서 알려져 전시된 것을 관람할 수 있었다. 즉 다시 말하면 표제는 백운화상초록

495) 닥의 백피를 펼쳐놓고 표백하는 기간은 맑은 날은 5일, 흐린 날은 일주일 가량 한다(필자 주).

496) 닥은 흐르는 물속에서 햇빛의 작용을 받으면 과산화수소(Hydrogen peroxide)와 오존(Ozone)이 발생되어 표백된다(필자 주).

497) 이희재 번역, 『한국서지』에서는 1317년 금속활자설에 대해 일본의 샤토우 씨가 한국의 활자인쇄 성립을 잡은 것으로 229를 읽어 보면 1317년이란 연대가 활자인쇄와는 상관없음을 알 수 있다 했다(필자 주).

불조직지심체요절(Traits édifiants des Patriarches rassemblés par le bonze Pack – Qun), 하권(un volume), 8절판(in – 8°), 이 책 마지막 간기(portant á la derniere page l'indication suivante)에 선광 7년 1377년 7월(En 1377, 7° année de Sinan – Hoang) 청주목외(hors du chef – lieu du district de Tchyeng – Tijou) 흥덕사(á la Bonzerie de Heung – Tek)에서 금속활자로 주조된 인쇄본(Imprime en caracteres fondus)이다. 15세기에 주조된 금속활자는 대단한 발전을 했다.

태종 3년(1403) 왕명에 의해 주조된 1만 자 정도의 동활자는 모두 인쇄기술을 계승한 것으로 관심을 끈다. 중종 39년(1544)까지 왕명에 의해 주자소에서 금속활자로 책을 찍어 냈다고 할 수 있다. 그 후 영조 46년(1770)까지 목판인쇄술은 더 향상되었지만 그 인쇄기술은 비밀리에 전수되었다. 1770년 영조는 30만 자(본래는 임진자 15만 자)의 활자 주조를 지시하여 서적 출판이 촉진되어 정조 21년(1797)까지 인쇄된 최근의 서적까지 공급되었다. 아직 사용할 수 있는 활자체를 19세기까지 마지막 간지를 사용한 납활자도 그 기법을 이어받았다. 누군가가 빌려 온 전시물의 상세목록에 중요한 고금의 한국인쇄 역사가 간결하게 약술되어 있다. 그 기술은 역사적으로 극동에서 유럽으로 선구자적 역할을 수행했다. 어떤 많은 수의 서적들이 처음 기간부터 우리가 도착해 관람할 때까지 전시되어 있었는데 이 중 특별한 책이 있었다.

1. 공자가어(孔子家語): 공자가어(공자의 언행 및 공자와 문인(門人)과의 논의(論議)를 수록한 책)에 따른 성현들에 관한 이야기. 1317년에서 1321년에 금속활자를 주조하여 인쇄한 것으로 국립박물관에 보존되어 있다.

2. 불설불명경(佛說佛名經): 부처들의 명호(名呼: 부처님께서 갖추신 공덕을 10가지로 존칭한 이름)를 수지(受持: 경전이나 계율을 받아 항상 잊지 않고 머리에 새겨 가짐), 독송(讀誦)할 것과 그에 따른 공덕을 설한 책. 고려 공민왕 11년(1362) 간행.

3. 삼강행실도(三綱行實圖): 이미 인용된 가정에서 교훈적 말들을 가려 뽑아 편집한 책.

4. 경국대전(經國大典): 성종 12년(1481) 왕명으로 교서관에서 활자로 재인쇄함. 4책. 4절판.

5. 이륜행실도(二倫行實圖): 윤리 교육서. 1책. 명종 5년(1550)[498] 강원도 관찰사 이형좌(Ri－Hyeng－Tjoú, 李衡佐)의 명(命)에 따라 강원감영에서 조판(雕板: 목판본)됨. 그중 3번째 책은 최근 플랑시에 의해 전시된 바 있다. 두 번째 책은 희귀본으로 알려진 또 하나의 불교서적이다.

우리들은 불행하게도 최근에 세워진 한국관과 많은 서적과 같은 전시품의 상세한 평가에 대해서는 우리들이 잘 모르기 때문에 작은 논평이라도 신중을 기해야 한다. 그러나 독자들에게 배포할 회보에는 우리들보다 앞선 문명의 전시품을 구경했던 목격자로서 거의 확실하게 신뢰가 가도록 세심히 살펴 발간하였으면 하는 바람이다. 이로 인하여 우리들은 우리의 동료들에게 변화를 가져오도록 조언하여 한국관에 전시된 우리에게 잘 알려지지 않은 옛 종이코너를 관람하도록 초대하면 모두 좋다고 확실히 경의를 표할 것이다. 전시관에 도착하여 전시된 종이를 관람해 보면 훌륭하다는 느낌과 확신으로 순수하고 기쁜 마음으로 이를 인정하여야 한다. 그럼에도 불구하고 존경할 만한 이 훌륭한 문명인 전시물을 이해하지 못한다면 대중들은 앞서의 유럽 인쇄출판에 대해 가끔 충분하게 정당화되지 못한 자랑에 불과하다 할 것이다.

앙리 비바레(Henry Vivarez)

〈주　석〉

콜랭 드 플랑시는 나에게 참으로 좋은 자료를 제공했다. 그는 동료인 나에게 정보를 상세하고 흥미로운 주제의 어느 정도 아래와 같이 실을 것을 허락했다.

---

498) 이 책의 편찬은 모재(慕齋) 김안국(金安國)이 『삼강행실도』라는 책은 이미 반포되어 있으나 2륜에 관한 것이 없다고 경연(經筵)에서 시강(侍講)할 때 중종에게 건의해 1518년(중종 13)에 만들어졌다. 사역원정(司譯院正) 조신(曺伸)은 편찬 책임자로서 현인(賢人)의 교제 중 모범될 만한 것을 뽑고, 형제도(兄弟圖)에는 종족(宗族)을, 붕우도(朋友圖)에는 사생(師生)을 붙였다. 그런데 책 끝에 이형좌의 봉교간포(奉敎刊布)의 서와 간기가 있는 것으로 보아 영조 6년(1730)에 강원감영에서 중간한 것으로 이 논문에서는 간행연도가 잘못 기록되어 있다(필자 주).

Ernest Leroux출판사에서 다음의 표제로 출판된 저서를 구했다: 모리스 쿠랑의 『한국서지』 서론(1권 61페이지). 한국의 종이에 관한 참고자료가 있었다. 그 밖의 정보는 간행지 정보였다.

서론, 1권 26페이지
3권 n° 3150 고사촬요
인쇄술 설명부문(서론, 1권 62페이지)
2권 n° 1673 주자사실

전시된 책에서 가장 주목을 끄는 분야는 『한국서지』에 수록된 96 천자문, 102 八歲兒, 138 첩해몽어, 198 화전, 253 삼강행실도, 275 이륜행실도, 1455 경국대전, 1456 대전속록, 1457 대전후속록 등이다. 이 책들은 플랑시가 한국에 체류하는 동안 구입한 것을 모리스 쿠랑이 기술했다. 이 책들보다 더 오래된 시기의 중요한 책은 위에서 언급한 바와 같이 불조사들의 어록인 『백운화상불조직지심체요절』이다. 종이 제조에 관한 것은 중국과 일본의 종이 역사는 M. Augustin Blanchet에 의해 발표된 자료를 고르게 참조했다.(파리만국박람회에서 알리는 Lerouc출판사에서 발행된 책) *<한글 번역: 이세열>

3. 홍종우(洪鐘宇)와 기메박물관(Musée Guimet)

1) 홍종우의 가계(家系) 및 생애

홍종우는 갑신정변을 주도했던 한말의 선각자 김옥균을 암살한 테러리스트(Terrorist)인 동시에 황국협회(皇國協會)라는 이름 아래 보부상(褓負商) 조직을 지휘하여 독립협회와 싸우던 행동파 정객으로 엘리트(Elite) 정치인

(사진 36) 홍종우

이었다. 홍종우는 구한말 철종 원년(1850) 11월 17일에 경기도 안산에서 아버지 남양 홍씨(南陽洪氏) 홍재원(洪在源, 1827－1898)과 어머니 경주 김씨 사이에 외아들로 태어난 남양군파 32세손이다. 그의 직계가족은 5대 100년 동안 관직에 오른 이가 한 명도 없어 홍종우가 출세하자 그 부친에게 가선대부(嘉善大夫) 참찬(參贊)을 추증할[499] 정도로 기울었다. 홍종우의 어머니는 그가 파리로 유학을 떠나기 전인 1886년 3월에, 아버지는 1898년에 사망했다. 홍종우의 집안에서 굳이 내세울 만한 인물을 찾자면 남양군파의 벌족으로 흥선대원군이 권력을 장악했을 때 정치적으로 노론에 속한 영의정 홍순목(洪淳穆)과 그 아들이자 개화당의 핵심인사였던 홍영식(洪英植), 을사조약 때 자결한 홍만식(洪萬植)과 영동군수를 지낸 홍종소(洪鍾韶) 정도이다. 홍종우는 어린 시절을 전라남도 완도군 고금면 고금리에서 가난하게 보냈다. 젊은 시절은 어머니와 함께 제주도에 들어와 조천읍 교래리에서 살았으며 이때 김기휴(金沂休) 제주좌수(座首)로부터 많은 박해를 받은 것으로 알려져 있다.

성년이 된 홍종우는 6척 장신의 기골에 부리부리한 인상과 호방한 기질은 물론 문사(文士)의 자질을 갖추기도 했다. 그는 생애에 두 번 결혼을 했는데 첫 부인은 5세 연하의 전주 이씨로 딸을 하나 두었고 프랑스 유학을 마치고 귀국 직전인 1892년 11월에 세상을 뜨자, 얼마 후 26세 연하인 밀양 박씨와 재혼하여 2남 1녀를 두었다. 홍종우는 서구 선진 사상을 배우기 위해 1890년 12월 24일부터 1893년 12월 22일까지 우리나라 최초로 프랑스에서 유학을 한 엘리트(Elite)였다. 1894년 김옥균을 암살한 이후 7－8개월 동안 구금되어 있다가 풀려났으며, 1896년 8월 14일에 법부의 주사(主

---

499) 조재곤, 『그래서 나는 김옥균을 쏘았다』. 서울: 푸른역사, 2005. pp.31－34.

事)에 이어 2일 후에는 왕명으로 정5품 참서관(參書官)에 임명되는[500] 등 이후에도 중추원 부의장을 거처 승정원 승지에 이르기까지 대한제국 정부에서 황실관료로 주요 보직을 맡아 개화정치를 활발하게 편다.

그러나 대한제국 후반기에 이르러 일본의 정치적 압력이 강화되어 문명개화론자들의 세력에 밀려 황실 중심의 근대화를 추진하던 그의 일파는 중앙정계에서 도태되기 시작했다. 홍종우가 황실을 배경으로 한 정치적 권력을 잃자 1901년 부모와 부인의 묘가 도굴되는 황당한 일을 당하기도 한다. 이어 1902년 승정원 승지를 마지막으로 친일세력이 다시 대두되면서 중앙 고위 관직을 물러나 1903년 1월 제주목사로 좌천되어 황제측근의 위상이 완전히 사라지게 되자 부임지인 제주생활에 잘 적응하지 못한다. 그래서 그는 제주도 선교사들과 잘 지내려고 플랑시를 통해 프랑스 유학시절부터 알고 지내던[501] 뮈텔 주교와 친교를 원하기도[502] 했다.

또한 홍종우는 제주목사로 있으면서 나라가 기울어지는 현실을 보고 국내 정치자금보다는 외국으로 망명하고자 그가 부임하던 해 보리농사가 흉작이 되었음에도 기민(饑民)을 진휼(賑恤)하고 정사를 바로잡는 데는 별로 관심이 없고 자금을 만드는 데만 진력했다. 그리하여 망경루(望京樓) 증수를 빙자하여 산의 소나무를 벌채하여 거의 없어지게 하고 민재 1만 냥을 징수하는 등 탐욕에 사로잡히는 공공연히 수뢰(收賂) 행위를 일삼아[503] 주

500) 홍종우의 참서관 임명은 당시 여러 대신들의 간계와 러시아 전권공사 웨베르(Karl Waeber, 韋貝) 씨에 대한 미국공사의 불평으로 실현되지는 않았다.

501) ①『뮈텔주교 일기』 1894년 4월 3일 참조. ②『뮈텔주교 일기』 1896년 6월 4일. ……오전 중에 유명한 홍종우가 찾아왔는데, 그는 좀더 일찍 나를 보러 오지 못한 것을 죄송스러워 했다. 그는 일본인들로부터 불안이 없지 않다고 하며 위험이 닥칠 경우에 여기로 피신 오도록 청을 했다. 그는 그가 프랑스에 있을 때 받은 감사를 표하기 위해서라며 닭과 계란을 가지고 왔다. 저녁 때, 콜랭 드 플랑시 씨와 르페브르 씨의 내방, 후자는 휴가를 얻어 2주 후에 떠날 예정이라고 한다.

502) ①『뮈텔주교 일기』 1903년 2월 5일. ……제주목사로 임명된 홍종우가 찾아왔다. 소위 제주도 선교사들과 잘 지내고 싶다며 내게 추천서를 넣어 주도록 요청했다는 소식을 드 플랑시 공사로부터 들었다. 현재 홍은 병상에서 일어나긴 했으나, 아직도 몸이 매우 불편한 것 같다고 했다. ……. ②『뮈텔주교 일기』 1903년 2월 15일. 제주도의 신임목사 홍종우의 내방. 그는 어제 내게 최고의 우정을 맹세하며 선교사들에 대한 추천 편지를 부탁했다. 방문을 예고하였던 이세직(이일직)이 어제 은밀히 다녀갔다.

503)『濟州道誌』 제2권 역사, 2006년. p.573.

민들의 원성이 높았다.

홍종우는 1905년 4월에 제주목사직을 사임하고 목포[504]와 전라도 무안군 삼량면에 은거하는 수난을 겪는다. 이후 1909년 12월 중국 상하이와 시베리아(Siberia)를 거쳐 프랑스로 망명하여 1910년 일시 귀국을 했다고 하나 한일합방 후에는 신변의 위협을 느낄 정도로 세력을 완전히 잃는다. 홍종우의 말년 생활은 주민들의 잦은 소송과 탐관오리(貪官汚吏)로 찍혀 봉변을 당함은[505] 물론, 인천과 서울 필운동에서 걸인이다시피 불행한 삶을 유지하다 1913년 1월 2일 63세로 파란만장한 삶을 마친다.

2) 최초의 프랑스 유학생 홍종우

홍종우는 1886년 어머니가 세상을 뜨자 부인과 딸이 하나 있었음에도 불구하고 법학을 공부하기 위한 목적으로 프랑스 유학을 결심한 2년 후 고종 25년(1888) 김윤식이 발행한 여권을[506] 가지고 프랑스에서 대학 공부를 하는 최초의 한국 유학생이[507] 된다. 그러나 홍종우는 바로 프랑스로 유학을 가지 않고 일본의 나가사키(長崎)와 규슈, 오사카, 도쿄 등지에서 유학비 마

504) 『뮈텔주교 일기』 1905년 10월 18일. ……우리는 아침에 벌써 섬 입구에 들어섰으며 10시경에 목포에 도착했다. 드예 신부와 투르뇌 신부가 선상까지 마중 나왔다. 오후에 홍종우가 방문했다. 그는 가족을 이끌고 제주도를 떠나 이곳에 정착하러 왔다. …….

505) 홍종우가 사망하기 직전 목포에 숨어 지낼 때는 백성들에게 잡혀 이마에 먹물로 무상(無常)이란 글씨를 강제로 새겼다고 전하나 이는 불분명하다. *조재곤, 『그래서 나는 김옥균을 쏘았다』. 서울: 푸른역사, 2005. p.254. 참조.

506) 홍종우가 프랑스 유학을 위해 여권을 받는 것은 당시로서는 상당히 어려운 과정이었다. 그가 취득한 유럽 여권을 보면 아래와 같은 기록이 있다. "서울에서 태어나, 대프랑스국에서 법학을 공부할 홍종우에게 한국 정부의 교섭통상사무아문 독판은 문서를 발급하며, 그가 어떠한 잘못도 저지르지 않고 학업을 지속할 수 있도록 그의 품행을 관찰하기를 바란다." 정해년 서명: 김○○ 교섭통상사무아문 독판.

507) 구한말 당시 최초의 프랑스 대학 유학생은 홍종우였고, 고등학교 유학생은 이범진 공사의 아들 이위종이었다. 이범진 공사는 미국에 유학 중인 아들 위종을 파리에 오게 하여 1899년 파리의 장송 드 랄리(Janson de Lally) 고등학교에 입학시켰다. 이위종은 2년간 고등학교를 다닌 후 프랑스 생-시르(saint-Cyr) 육군사관학교에 입학하여 1903년에 졸업하면서 민영찬 공사 밑에서 서기로 외교관 생활을 시작, 1904년에는 주 러시아 서기관으로 승진해 모스크바로 갔다. 그는 거기서 러시아 여인과 결혼하여 딸 하나를 두었다고 한다. 그는 1907년 헤이그 밀사사건의 세 열사(이준·이상설·이위종) 중의 한 분이다.

련을 위해 2년 반 동안을 머물다가 프랑스 선교사인 링구의 도움으로 그와 함께 38세 되던 해인 1890년 12월 24일에 갓을 쓴 모습으로 프랑스 파리에 도착한다. 홍종우는 서울에서 어떤 프랑스 신부가 조선주교로 임명된 파리외방전교회 뮈텔 주교 앞으로 써 준 소개장을 가지고 프랑스로 왔지만 이때 이미 뮈텔은 한국으로 떠난 뒤여서 만나지 못하고 유학을 마치고 조선에 귀국해서 그를 만나게 된다.

프랑스에 유학 온 홍종우는 처음에는 기메박물관장인 레가미의 집에 식객으로 있다가 소르본느(Sorbonne) 대학 근처에 있는 세르빵드(Rue de Serpente) 거리 11번지에 숙소를 정하고 파리 유학생활을 시작한다. 그러나 얼마 되지 않아 보레(Bohrer) 신부의 추천서와 뮈텔 주교의 도움으로 파리외방전교회 신학교 기숙사에 들어가 1년 동안 프랑스 말을 배우게 된다. 이 일로 일본인들은 홍종우가 천주교 교우이며 파리외방전교회에 의해 양육되었다는 의심을 하게[508] 되지만, 그는 1896년 6월에 와서야 영세를 받고 신도가[509] 된다.

홍종우는 일본에 머무는 동안 그의 탁월한 서화솜씨와 강연으로 일본의 저명인사들과 교류를 통해 사교외교술을 발휘한다. 또한 오사카 아사히신문(大阪朝日新聞)사에 촉탁 식자공으로 근무하면서 일본어를 배우고 세계정세와 조선의 국제 상황을 객관적으로 인식하여 후에 그의 정치적 행보에 밑거름이 된다. 뿐만 아니라 일본의 정객들과도 교류를 넓혀 자유당 당수인 이다가키 다이스케(板垣)退助, 1837－1919)는 홍종우가 프랑스로 건너갈 때 죠르쥬 클레망소(Georges Clémenceau, 1841－1929)[510]에게 추천장을 써

508) 『뮈텔주교 일기』 1894년 4월 3일. ……일본인들은 그들의 신문을 통해 홍종우가 교우이며, 적어도 파리외방전교회에 의해 양육되었다는 소문을 퍼뜨렸다. 프랑스공사관 대리공사 르페브르(G. Leféyre) 씨는 그것이 사실이냐고 묻는다. 나는 나에게 보내온 보레(Bohrer) 신부의 추천서와 함께 1890년 12월 파리에서 홍종우에게 있었던 사실을 그한테 상세하게 설명해 주다. 내가 떠날 때에 신학교에서는 그를 받아들여 형제들의 기숙사에 있게 하며 그가 프랑스 말을 배울 수 있도록 1년 동안 그를 부양했다. 그리고 그 후에는 그를 내버려 두었는데…….

509) ① 『뮈텔주교 일기』 1896년 8월 18일. ……실제로는 박영효에 의해 다시 체포되었고 최근에야 풀려났다. 2개월 전에 영세를 받았고, ……. ② 『뮈텔주교 일기』 1897년 4월 3일. ……조금 뒤에 홍종우가 찾아왔는데, 그는 그 자신을 위해서 또 그의 친구들을 위해 『교리문답』을 청했다. …….

510) 프랑스의 정치가. 1906년에 수상에 취임하였고, 제1차세계대전 중에 다시 수상이 되어 전쟁을 승리로 이끌었으며, 대독(對獨) 강경책을 펴서 베르사유 평화회의를 주재했다.

줄 정도로 친분이 두터웠다. 클레망소는 1895년 11월 2일자 『르 피가로(Le Figaro)』 잡지에 홍종우가 맨발에 샌들을 신은 카르멜회 수도사의 유명한 가톨릭 선교사 야생트 뢰종(Hyacinthe Loyson, 1827 – 1912)과 친구 사이라고[511] 했다. 이러한 홍종우의 사교술은 프랑스 유학시절에는 클레망소(Clemenceau)나 외무대신 코고르당(Francois George Cogirden)과 같은 인물을 비롯하여 동양에 호기심과 관심이 많은 프랑스의 저명한 정치가와 인종학자 및 지리학자뿐만 아니라 신부, 왕족들과도 교분을 맺을 수 있었다.

홍종우는 법학을 배우러 프랑스에 왔지만 한국의 고전을 프랑스어로 번역하여 한국을 알리는 데 이바지하기도 했다. 그가 프랑스에 왔을 때는 프랑스어를 한 마디도 몰랐음에도 빠른 시일 내에 그 나라 말을 익혀 처음으로 한국의 대표적 고전작품인 『춘향전』을 프랑스 소설가 로니(J. H. Rosny)와 프랑스어로 공역을 냈으며 또한 스스로 번역을 하기도 했다. 홍종우에 의하여 번역된 한국의 고전소설 『고목생화(枯木生花)』가 기메박물관 연보 대중소설 총서 8권에 실려 있다. 이러한 공역은 그의 프랑스 친구인 동양학자 앙리 슈발리에(Henri Chevalier, 1855 – 1924)[512]와 공역한 한국인의 점성술을 다룬 『직성행년편람(直星行年便覽)』이 기메박물관 연보 26호에 실리는 등 홍종우의 파리 생활은 암살자와는 다른 삶으로 『춘향전』 공동 번역자인 로니(J. H. Rosny)는 그가 아주 총명함을 높이 평가했다.

구한말 세계 제국을 꿈꾸었던 프랑스인들은 거리가 멀고 외교가 없어 병인양요와 선교 외에 별다른 우리나라에 대한 정보가 없던 차에 조선 지식인의 프랑스 출현은 신선한 충격이었다. 이러한 시기에 홍종우가 유학생활을 하면서도 조선에 대한 정보가 전무한 프랑스에 조선의 문화를 알려 주는 데 상당한 기여를 했음을 프랑스인들은[513] 인정했다.

---

511) 프랑시스 마꾸엥의, "기메박물관, 한국, 그리고 모리스 쿠랑" 프랑스 국립극동연구원, 『서울의 추억 – 한/불 1886 – 1905 – 』 한불수교 120주년 기념전시 심포지엄 논문집, 2006. p.111 주19)에서 재인용함.

512) 1885년경에 출생한 공학도로 홍종우와 기메박물관에서 함께 일하며 한문을 배웠다. 후에 파리에 있는 일본 총영사직을 맡은 바 있다. 한국에 관한 글로는 『화성 공사 완공식』, 『한국의 머리 장식』을 비롯하여 조선 헌종의 장례식 의궤도 번역을 시도하였으나 필사본에 그쳤다. 일본이 조선을 합병한 이후로는 일본의 식민통치를 찬양하는 글을 쓰기도 했다.

3) 김옥균 암살범 홍종우

대한제국 시기를 전후한 우리나라는 문호개방이라는 일본·청국·러시아 등 한반도를 둘러싼 아시아 열강의 역학관계와, 내부적으로는 선진문명을 받아들여 근대국가를 건설하려는 개화정치 세력 간에 복잡하게 얽혀 있는 과도기였다. 이러한 국내외 정치 상황에서 고종 21년(1884년) 국내 혁신파인 개화당(開化黨)에 의해 갑신정변(甲申政變)이 일어났으나 3일 만에 실패로 돌아가자 그 대표인 김옥균(金玉均)은 10여 년을 일본 등지에서 망명생활을 해야만 했다. 한편 홍종우는 김옥균을 암살하던 해(1894년) 청나라의 이홍장(李鴻章)을 만나 우리나라에 관한 문제에 간섭하지 말 것을 요청할 목적으로 김옥균이 청나라의 지원으로 정치를 재기하고자 중국 상하이(上海)로 떠날 때에 여비를 부담하면서 함께 따라갔다. 이때까지 김옥균은 홍종우가 자신을 암살할 것이라는 것을 알아차리지 못했다. 당시 이 사건은 국제분쟁으로 비화되어 일본은 김옥균 암살 배경에 이홍장이 개입되었다 하여 배청반한(排淸反韓) 감정을 불러일으키며 사망 책임을 전가해 후일 청일전쟁의 명분을 삼게[514] 된다.

(사진 37) 김옥균

홍종우는 프랑스까지 유학을 했던 엘리트(Elite)로 한불수교 이후 개인 자격으로 한국의 문화를 프랑스에 알린 문학도이기도 했지만, 당시 정치보복을 하려는 민비정권의 황제주의자 앞잡이로 매수되어 암살범이[515] 된다. 고종 29년(1892) 4월 민씨 일파 중

513) 춘향전 번역에 참가하였던 보엑스(Boax)는 홍종우에 대해 "중국 동쪽에 위치한 한국 왕국의 정식명칭은 조선인데, 오랫동안 우리의 연구가 이루어질 수 없었던 폐쇄된 곳이었다. 특히 한국의 풍속에 대해서는 거의 알려진 것이 없다. 한국의 문인 홍종우는 유렵 땅에 발을 디딘 최초의 한국인으로서 우리에게 이러한 정보들을 기꺼이 제공했다."고 말했다. *조재곤, 『그래서 나는 김옥균을 쏘았다』. 서울: 푸른역사, 2005. p.74.

514) 조재곤, 『그래서 나는 김옥균을 쏘았다』. 서울: 푸른역사, 2005. pp.104 - 105.

515) 최근 김옥균 암살사건에 대해 개인적 원한 따위와 상관없이 대한제국 시기 역학적인 관계와 열강의 이해가 얽혀 있는 핵심사안으로 보는 견해가 있다. 당시 급진적 개혁안을 제시한 김옥균은 세계화주의자 · 코스모폴리탄으로, 암살범 홍종우는 황제주의자 · 현실적 국제주의자로 새롭게 평가하고 있다. (조재곤의 『그래서 나는 김옥균을 쏘았다』에서 참조).

에서도 가장 보수적인 민영소(閔泳韶)의 밀명을 받은 이일직(李逸稷)[516]은 무역상으로 가장해 일본으로 들어갔다. 1890년 12월 24일 파리 도착에서부터 1893년 12월 22일까지 만 3년간 프랑스 체류를 마감하고 일본으로 온 홍종우를 이일직이 만나 서로 공모하여 동지로 가장하고 김옥균과 박영효(朴泳孝)에게 의도적으로 접근하여 개화 망명객 우두머리를 암살하는 역할을 각각 분담하게 된다. 홍종우는 김옥균을 상하이로 유인하여 살해하고, 이일직은 권동수 형제와 일본에 남아 비슷한 시각에 박영효를 암살하기로 했으나 박영효 암살은 사전에 누설되어 실패했다. 특히 일본 내에서조차 홍종우의 행동이 수상하다는 소문에도 불구하고 김옥균이 그와 쉽게 의기투합(意氣投合)할 수 있었던 것은 홍종우가 프랑스에 가기 전 일본에 2년 동안 있으면서 급진적 자유주의로 인해 권력에서 배제된 전직 장관 이타가키(板垣退助)와 같은 일본 정치인들과 관계를 맺는 등 국제적 인적 네트워크(Network)가 강했기 때문이다. 홍종우가 이처럼 일본의 정치인은 물론 명사와 낭인(浪人)들에게까지 지기(知己)와 식견(識見), 그리고 뛰어난 프랑스요리 솜씨에다 서양 문명을 접한 개화인사라는 점에서 김옥균은 자신과 뜻을 같이할 줄로 믿게 되었던 것이다.

홍종우는 1894년 3월 28일 상하이의 일본 여관인 미 조계(美 租界) 동화양행(東和洋行)에서 김옥균을 살해하고[517] 청국 경찰에 체포되었으나 민씨 정권이 이홍장과 교섭하여 오히려 살임범은 청나라의 보호를 받게 된다. 이해 4월 7일 홍종우는 청국군함 위정호(威靖號)의 호송으로 김옥균의 시체

---

516) 본래 이름은 이세직(李世稙)으로 김옥균 암살사건 이후 홍종우와 같이 궁중의 신임을 얻어 황제의 측근세력으로 활약했다.

517) 김옥균의 살해되는 과정이 사반느(Chavannes)의 1894년 8월 15일 『파리평론 14(Le Rovue de Paris)』에 자세하게 실려 있다. 김옥균이 살해되기 하루 전인 1894년 3월 27일 화요일 기모노를 입은 4명의 승객이 상하이에 하선하여, 영국 거류지의 일본 호텔에 묵었다. 김옥균은 하인과, 홍종우는 도쿄주재 중국 공사관의 통역인 우빠오렌(吳葆仁)과 함께 있었다. 이홍장의 양자로 최근 일본주재 중국공사가 된 리징판(李經方)의 사실상 혹은 가상의 초대는 김옥균을 함정으로 유인했다. 다음 날 3월 28일 수요일 오후 3시경에 김옥균과 홍종우는 호텔 1층 한방에 단둘이 있게 되었다. 김옥균은 누워 있었고, 홍종우는 권총을 잡고 김옥균을 향해 두 발을 쐈다. 김옥균이 방 밖으로 달려 나가자 뒤따라가 계단 위에서 세 번째 총알이 김옥균의 등을 맞혀 절명했다. 또한 이날 도쿄에서는 김옥균의 동지인 박영효에게도 암살을 시도했으나 실패했다. *국사편찬위원회 편, 『韓佛關係資料－駐佛公使・파리博覽會・洪鐘宇－』. 서울: 국사편찬위원회, 2001. p.418.

를 가지고 인천에 상륙 귀국했다. 김옥균의 시신은 양화진에서 처참하게 여덟 부분으로 토막 내 반역자들에 대한 경고 차원에서 8도에 나누어 효시(梟示)했으며, 흉부는 교수대 아래의 먼지 속에, 나머지 부분은 나무 위에 못 박아 일반인에게 공개되는 참혹(慘酷)한 형벌을 받았다.

이처럼 당시 김옥균 암살사건은 국내의 왕실권력과 기회주의 관료는 물론 중국, 일본 등 세계 정세와 미묘한 흐름에서 발생한 사건이라 이에 대한 역사적 평가는 시각에 따른 객관적인 이해가 필요한 부분이라 할 수 있다. 홍종우가 김옥균을 극단적인 방법으로 암살한 목적은, 개인적으로는 갑신정변에 죽은 우정국(郵政局) 총판 홍영식의 친척으로 정치적인 명예회복과,[518] 각자가 지향하는 정치철학이 달랐기 때문이다. 홍종우는 조선이 근대국가로 진입하는 데 외국세력의 도전압력을 극복하면서 자주적 근대화를 추진함에 있어 황실의 군주권을 절대화하여 전통제도를 새롭게 변용 강화하려는 국가주의가 강했다. 그리하여 외국 문명을 적극적으로 받아들여 개화하려는 세계주의적인 김옥균과는 당시의 시대적 패러다임(Paradigm), 특히 조선을 겨냥하는 열강 제국주의에 대처하는 상반된 체제가 빚어낸 정치사건이라 할 수 있겠다.

4) 홍종우와 기메박물관

(사진 38) 기메박물관

서구의 선진 사상을 배우기 위해 프랑스로 유학 온 홍종우는 일본에 잠시 머물렀을 때처럼 이 나라의 저명한 정치가, 예술가, 학자들과도 쉽게 교류를 가지는 등 외국생활에 쉽게 적응했다.

홍종우는 1890년 12월 프랑스에

518) 샤반느(Chavanne), 『한국과 전쟁(La Guerre en Corée)』, 1894 참조.

유학을 온 후 1892년 6월부터 1893년 7월까지 프랑스를 떠날 때까지 1년 가량 기메박물관의 연구보조자로 있으면서 1달에 100프랑의 급료를 받으면서 일했다. 홍종우를 채용한 레가미(Félix Régamey)는 문호 빅토르 위고(Victor Hugo, 1802－1885)와 프랑스 공화정부 총리 등 유명인사들의 초상화를 그릴 정도로 명성을 떨친 기록화가이자 동양전문가로서 홍종우를 유학을 처음 온 그에게 식객으로 받아 주는 든든한 후원자이기도 했다. 레가미는 1876년에는 기메와 함께 일본을 여행하였으며 김옥균 살해사건 이후 동양학술지에 홍종우에 관한 글을 써서[519] 홍종우의 파리 생활이 자세하게 알려지기도 했다. 이때 한국에 와 있던 플랑시는 수집한 한국에 관련된 자료들을 도자기는 세브르박물관(Musée de Sévres)에 기타 수집품들은 기메박물관에 기증하였고 그중 일부가 1900년 파리만국박람회에 전시되기도 했다.

홍종우가 근무하였던 기메박물관은 115년의 역사를 지닌 네오 바로크(Neo Baroque) 양식의 아시아 전문 박물관으로 프랑스 파리 시내 16구 이에나(Iena) 지하철역 부근에 위치해 있으며 1945년에 국립박물관(Musee national d'arts asiatiques Guimet) 으로 지정되었다. 이 박물관은 1879년 리옹에서 쥘페리(Jules Ferry, 1832－1893) 미술 및 공교육 장관에 의해 처음 문을 열었다. 이후 프랑스 제2의 도시 리옹(Lyon) 출신의 사업가이자 대여행가, 미술애호가, 유물 수집가이기도 한 에밀 기메(Emile Guimet, 1836－1918)가 국가에 기증한 소장품을[520] 관리하기 위해 1889년에 파리에 완공하였으며, 1918년 기메가 사망할 때까지 이 박물관의 관장으로 있게 했다.

박물관 설립자 에밀 기메는 청색 인공 색소의 발명 후 이를 대량 생산하여 부를 축적한 화학자인 아버지의 뒤를 이어 화학분야의 혁신기업을 이끄는 사업가였다. 그는 1860년에는 알루미늄(Aluminium)을 생산하는 기업의 총수가 되기도 했다. 그러나 다양한 예술적 재능을 겸비한 그는 음악 작곡

519) Félix Régamey, "Un assassin politique", 『通報(TOUNG PAO)』 (1894. Mars). pp.260－271.

520) 에밀 기메는 1893년에 한국 관련 수집 소장품을 전시하였고, 1897년에는 민간소유였던 리옹의 박물관을 다른 소유주에게 넘기고 1912년 리옹시의 요청에 따라 다시 박물관이 들어섰다. *프랑시스 마꾸엥의, "기메박물관, 한국, 그리고 모리스 쿠랑" 프랑스 국립극동연구원, 『서울의 추억－한/불 1886－1905－』 한불수교 120주년 기념전시 심포지엄 논문집, 2006. p.109 주4)에서 재인용함.

은 물론 연극이나 시는 물론 종교에도 깊은 관심을 보여 특히 파라오의 이집트와 로마에 대한 이집트의 영향 등에 상당한 조예를 가졌다. 이러한 문예적 배경을 가진 그가 1876년부터는 자신의 연구 분야 안목을 넓히기 위해 세계일주를 하며, 일본과 중국 · 인도 등지에 발을 들여놓게 되었다.

기메박물관에는 한국 · 중국 · 일본 · 인도 · 파키스탄 · 캄보디아 · 베트남 등 14개국 유물 45,000점을 소장 전시하고 있으며, 유럽에서는 한국 유물을 가장 많이 보유하고 있다고 하나 지방의 여러 대도시의 박물관도 수백 점씩의 중국이나 일본 유물을 소장하고 있는 데 비하면 실로 미미한 수준이다. 홍종우는 처음에는 요인 암살자로서의 삶이라기보다 민족을 위하여 유럽 문명을 이해하기를 갈망하여 그 어려운 유학의 길을 선택하였던 것이다. 홍종우와 프랑스에서 교분이 있었던 프랑스 친구 동양학자 앙리 슈발리에도(Henri Chevalier) 그에 대해 '교양 있고 열정적인 사람으로 아주 관대한 사람처럼 보이지는 않지만 자국의 이익을 위해서라면 중요한 역할을 할 사람이라고' 할 정도로 홍종우가 극악 암살범으로 밝혀졌음에도 홍종우를 긍정적으로 평가했다.

기메박물관에서는 홍종우를 한국어 · 중국어 · 일본어 문장을 번역하기 위해 채용하였고 그는 한동안 생활비를 버는 수고를 덜게 됐다. 그리하여 홍종우는 기메박물관에서 동양권 주요 도서의 번역뿐만 아니라 샤를 바라(Charles Varat)가 1888년 조선에 한 달 이상 머물며 대구를 경유하여 한양에서 부산까지 여행하면서 수집해 온 민속자료를 분류하는 일을 도우며, 도서자료 분류도 하였을 것으로 추정된다. 이는 프랑스의 민속학자인 샤를 바라(Charles Varat)가 플랑시의 도움과 모리스 쿠랑과 함께 조선의 서적들을 수집하여 기메박물관에 입수되는 데 지대한 공헌을 했기 때문이다. 만일 홍종우가 기메박물관에서 도서자료 정리를 했다면 당연히 플랑시를 비롯한 쿠랑과 샤를 바라(Charles Varat)[521]의 수집품을 정리하였을 것이다. 또한 플랑시가 한

---

521) 샤를 바라(Charles Varat)가 기메박물관에 기증한 도서는 한불수호통상조약 체결 직후인 1888－1889년에 프랑스공사관의 지원으로 한국에 와서 인종학에 관한 자료를 집중적으로 조사 수집했다. 그가 기증한 도서는 내륙지방을 탐험하며 수집한 풍속화와 공예품 일부, 서적 50권이다.

국에 1차로 와 있었던 1887년 6월에서 1891년까지로 볼 때, 홍종우는 플랑시의 수집품을 1887년부터 홍종우가 프랑스를 떠난 시점인 1893년 7월까지 대략 6년간의 수집품을 정리했다는 것이다. 그런데 그 기간에 『직지』가 기메 박물관에 소장되었다는 기록이 없는 것으로 보면 그 당시에 『직지』가 발견되지 않고 1900년 파리만국박람회를 전후로 발견된 것으로 추정된다.

5) 홍종우의 역사관 및 정치관

홍종우는 당시 미묘한 국내·외 정치상황으로 암살범임에도 불구하고 민씨 정권과 일본, 중국정부 어느 곳으로부터도 처벌을 받지 않았고 국내에서는 고종의 절대적인 신임을 얻어 오히려 중앙정계에 진출하여 막강한 정치실세(實勢)로 힘을 발휘한다.

홍종우는 김옥균을 암살한 공로로 그해 고종 31년(1894) 4월 20일 특별히 마련된 전시(殿試)에 직부(直赴)케 하여 급제하였으며, 바로 5월 초임관리로는 파격적으로 홍문관교리(弘文館校理)와 경사(京師)의 사택까지 하사받아 세도를 누린다. 초임관리가 된 후 사간원 헌납, 경연원 시독, 궁내부 외사과장, 비서원승(秘書院丞) 등 승승장구 승진을 거듭했다. 광무 2년(1898)에는 황국협회(皇國協會) 조직에 가담, 이해 11월 길영수(吉永洙) 등과 보부상(褓負商)들을 동원하여 독립협회(獨立協會)의 만민공동회(萬民共同會)를 습격하고, 앞서 독립협회를 모함한 죄로 구금된 조병식(趙秉式) 등을 지지하는 가두연설을 하는 등 당시의 수구파(守舊派) 정권을 옹호(擁護)하는 데 활약했다.

홍종우는 대한제국이라는 현실사회를 국제질서 속에서 객관적으로 인식하고, 황제를 중심으로 한 군주권을 강화해 각종 정책에 한국의 옛 제도와 유럽의 새로운 사조를 조화롭게 절충한 개혁 방안을 추진하여 우리의 정체성을 살리면서 자주적인 근대국가를 세우고자 했다. 서세동점(西勢東漸)의 시대였던 이 시기에 조선의 지식층들은 이질적인 서양문화의 수용에 대해

동도서기(東道西器)[522]를 주장했다. 다시 말해 자기 나라의 정체성이 할 수 있는 혼(魂), 체(體), 도(道)를 지키면서 서양의 과학인 재(才), 용(用), 기(器)는 받아들여야 한다는 원칙을 지니고 있었다. 그리하여 성리학적 질서와 체제유지를 하고 전통적 가치를 부정하는 수구적 위정척사론자(衛正斥邪論者)들의 입장과 달리 자주 독립국의 선포와 대한제국 수립[523]과 황제의 즉위에 공헌하여 실추된 국왕과 왕실의 권위를 강화하려는 근왕주의적(勤王主義的)[524] 성향이 강했다.

그러나 이러한 홍종우의 정책은 갑오개혁 이후 국왕의 독주를 견제할 수 있는 제도적 장치가 상실된 상태에서, 정치적으로 불안한 시대적 상황에서 오로지 주권만을 지키기 위한 황제권의 방어와 고종 측근의 근왕세력만으로 이루어진 협소한 정치적 기반을 가져오게 했다. 홍종우는 또한 외국화폐 유통의 폐단을 막고자 광무화폐를 발행하여 국가재정을 강화하는 정책을 추진하기도 했다. 한편 홍종우는 자주적인 근대화를 추진하는 개화파이면서도 1899년 평리원 재판장으로 재직 시 대한민국 초대 대통령을 지낸 이승만 박사가 25세 때 국사범(國事犯)으로 사형위기에 직면하자 그를 적극 구원하는[525] 민권운동가의 태도를 보여 주기도 했다.

---

522) 동도서기론(東道西器論)은 우리의 전통적인 제도와 사상인 도(道)는 지키되, 근대 서구의 기술인 기(器)는 받아들이자는 이론. 조선 말 서구문물이 급격히 유입되는 시대적 상황 속에서 김윤식(金允植), 김홍집(金弘集), 어윤중(魚允中) 등 온건파는 서양의 우수한 기술을 수용하되 제도나 사상은 우리의 것이 우수하니 이를 지켜야 한다는 주장을 폈다. 이는 당시 중국에서 주창된 '중체서용론(中體西用論)'이나 일본의 '화혼양재론(和魂洋才論)'과 같은 의미를 가지는 것이었다. '중체서용'이란 중국의 정신을 근본으로 삼고 서구의 물질을 이용하자는 것이고, '화혼양재'란 일본 고유의 정신을 가지고 서양으로부터 전래된 기술을 활용하자는 주장이다.

523) 고종은 대한제국(大韓帝國)을 선포하면서 연호를 광무(光武)로 칭제건원을 정했다. 대한은 마한・진한・변한의 삼한을 아우르는 큰 한이란 의미이고, 광무는 외세의 간섭에서 벗어나 힘을 기르고 나라를 빛내자는 뜻이다. 그러나 광복 후의 대한민국의 대한은 대한제국 때의 뜻과는 전혀 다르다. 이때의 대한민국은 상하이 임시정부의 법통을 계승한 것으로 대한제국에 대한 단절의식을 함축하는 반어적 나라 이름이다. 대한민국이란 국호가 지어진 경위는 제헌국회에서 국명을 논의할 때 대한으로 망했으니 대한으로 흥해 보자며 대한민국을 처음 제기했던 신승우 의원의 제안과 이승만 대통령의 설득을 받아들인 것이 오늘에 이른 것이다. *허동현, "우리나라 공식국명은 대한민국이 아니다", 『서울신문』 2006년 9월 21일 30면 참조,

524) 홍종우는 서구의 군왕제를 없애고 공화정부의 수립은 반역을 하는 것이라 여겨 황제를 중심으로 한 새로운 나라인 제국을 세우려 했다.

525) 유영익, 『젊은 날의 이승만』. 서울: 연세대학교출판부, 2003. pp.17－20. 광무(光武) 3년(1899년) 7월 11일 판결선고서에 의하면 평리원 재판장 홍종우는 이승만의 황제폐위 음모 가담협의는 증거불충분이라는 이유로 불문에 부치고 탈옥미수죄만을 적용하되 그조차 종범(從犯)으로 처리하

홍종우는 우리나라의 문화와 역사가 전혀 알려지지 않았던 프랑스에 조선인으로서는 처음으로 우리의 역사에 자부심을 가지고 이국에 알리고자 노력했던 민간 외교관이기도 했다. 홍종우는 일본과 프랑스에 있을 때에도 거의 양복을 입지 않고 한복에 갓을 쓸[526] 정도로 조선의 전통을 지킴은 물론 당시로서는 황제국의 신하로서 고종과 흥선대원군의 초상화를 몸에 지니고 다닐 만큼 애국심이 강했다. 홍종우는 고학으로 주로 외래문화를 배우면서 18세기 프랑스의 대표적인 계몽사상가인 볼테르(Voltaire, 1694-1778)[527]의 영향을 많이 받게 된다. 그리하여 정치엘리트(Elite)로서 모범이 될 수 있는 틀을 외래문화와 조선의 현실을 적용한 전통적인 정체성을 살리면서 새로운 진로를 개척하려는 혁신적인 마인드(Mind)를 갖게 된다. 이는 홍종우가 서양문화를 벤치마킹(Benchmarking)하여 우리의 전통문화와 조화 절충하는 통섭인식을 갖는 등 그가 비록 극단적인 암살자이기는 하나 민족 주체성과 민족문화에 대한 자주적 입장이 뚜렷한 정치가이기도 한 면을 볼 수 있다.

4. 『직지』의 해외 유출 경위

우리나라의 문화재가 해외로 약탈 내지 반출 등 유출이 가장 많았던 시기는 서구 열강의 각축장이었던 구한말 시대였다. 19세기 말에서 20세기

여 태(笞) 100과 종신징역에 처했다.

526) 『춘향』의 역자 로니는 홍종우에 대해 "건강한 체구에 큰 키의 몽골인으로 보였고 황색이라기보다는 그을린 피부에 부드럽고 진지한 얼굴을 하고 있었다. 한국식 복장이 잘 어울렸는데 비스듬하게 맞물리는 통이 넓은 나팔모양의 저고리를 입고 있었고, 중국 청나라 건국 이후 이미 사라진 공자풍의 머리를 하고 있었다."라고 말했다. *프레데릭 불레스텍스 지음, 이향, 김정연 공역, 『착한 미개인 동양의 현자』. 서울: 청년사, 2001. p.135 참조.

527) 중국역사에 관심이 많았던 볼테르는 왕족의 계보가 아니라 인간 공동체의 모습을 보여 주려한 『풍속론(Essai sur les moeurs)』과 희곡 작품인 『중국의 고아(L'Orphelin de la Chine)』에서 한국에 관해 구체적인 언급은 없지만 미지의 먼 곳, 바닷가의 나라, 불모지와 동굴의 나라로 묘사된 자연의 이미지와, 야만적인 폭력의 상징인 칭기즈칸의 군대에 위협을 받고 있는 문명국의 구원자로서 강직하고 너그러운 덕을 지닌 현자(賢者)의 이미지로 그렸다.

초 서구에서는 고대시대 보물과 문화재가 산재(散在)한 아직 미개화된 동아시아 지역에 많은 탐험가들을 보냈다. 이들 나라는 탐험가들이 기행을 통해 학문을 연구한다는 대외적 명분과 학회에 소속된 학자라는 학문적 목표를 내세웠지만 그들은 지배국으로서의 국제사회의 위치를 공고히 하려는 야심이 있었다. 그리하여 탐험가들은 물론 외교관까지도 이들이 있었던 지역의 문화재를 사들이거나 수집하거나 또는 전쟁을 통해 전리품으로[528] 조국의 박물관 등에 기증하도록 하는 잘못된 부분이 있어 어떤 목적을 가지고 수집했든 간에 문화재를 약탈, 반출시킨 비난은 면치 못한다. 그리고 일부 사람들은 그러한 문화재를 바탕으로 부를 축적하기도 했다. 전문가에 의한 『한국서지』처럼 비교적 상세한 목록이 작성된 경우도 있지만, 거의 대다수가 비전문가여서 문화재를 입수한 제반 사항 등이 기록되어 있지 않은데 『직지』도 바로 그러한 예에 속한다고 볼 수 있다.

『직지』가 해외로 유출된 경위에 대하여는 다음의 두 가지 설이 있다. 첫째로, 고종 3년(1866) 병인양요 때 프랑스군이 강화도에 침입하여 강화에 있던 정족산본과 외규장각 도서를 탈취해 갈 때 그 책 속에 포함되었으리라는 설과, 둘째로 프랑스 대리공사였던 콜랭 드 플랑시가 가지고 간 책이 모리스 쿠랑에게 전해져서 나중에 프랑스국립도서관에 기증되었을 가능성이다. 전자의 병인양요 때 강화부 내에 있던 외규장각 도서를 약탈하여 갈 적에 『직지』가 프랑스로 건너간 것으로 추측하는 설은 정족산사고(鼎足山史庫)의 포쇄형지안(曝曬形止案)[529]과 외규장각 형지안(外奎章閣 形止

528) 프랑스의 12세기 말에 지어진 루브르박물관(Musée du Louvre)도 1789년 7월 프랑스혁명 직후 1791년 혁명정부는 루브르를 과학·예술의 모든 기념물을 모으는 장소로 지정하여 새롭게 거듭나는 계기를 마련했다. 1792년 루이 16세(Louis XVI, 1754－1793)가 루브르에서 처형되고 이 박물관은 혁명 세력의 차지가 되면서 1793년 11월 8일 루브르는 중앙예술박물관이란 이름 아래 대중을 위한 장소로 새롭게 문을 연다. 이후 혁명군은 각국과의 전투에서 획득한 전리품들을 루브르로 가져왔다. 특히 나폴레옹(Napoleon Bonaparte)이 유럽과 북아프리카에서 승리를 하면서 가져온 유물로 루브르는 한층 그 소장량이 늘었다. 현재 이 박물관이 소장하고 있는 유물은 고대 이집트(Egypt)에서 19세기까지의 오리엔트(Orient) 및 유럽 미술의 모든 분야를 망라하고 현대 미술에 이르기까지 35만여 점에 이르는 인류의 역사와 문화가 모여 있다. 프랑스인들에게 루브르는 문화대국으로서의 자존심을 대표한다. 이들은 모두 전리품 덕택이다. *http://www.louvre.fr

529) 『조선 왕조실록』의 벌레와 습기에 의한 오손을 막기 위하여 정기적으로 햇볕에 쬐어 말리는 포쇄(曝曬)를 한 다음 보관 상태와 이상 유무를 확인한 장서점검부를 말한다.

案)[530]에 목록이 없는 것으로 보아 이때는 아닌 것[531] 같다. 또한 모리스 쿠랑의 『한국서지』 제2권에 수록된 도서의 내용을 보면 대다수가 의궤본(儀軌本)이다. 그리하여 『직지』는 병인양요 때에 약탈해 가지고 간 것이 아니라 이후 1887년 주한 프랑스 대리공사로 근무했던 플랑시에 의하여 1888년－1891년 사이에 수집한 장서에 포함된 것으로 보인다.

우선 『직지』는 1900년에 프랑스 파리에서 열렸던 만국박람회 한국관에 전시되었거나, 플랑시가 책을 수집하여 귀국할 때 가지고 들어갔던 것으로 추정된다. 이후 『직지』는 파리 동양어학교도서관에 기증되었으나 무슨 사유인지 몰라도 다시 원소유자에게 되돌려진다. 그리고 1911년 『직지』 소유자가 경매에 내놓자 골동품상 앙리 베베르가 이를 180프랑에 사들였고 1943년에 그가 사망하기 전 손자에게 『직지』를 프랑스국립도서관에 기증하라는 유언에 따라 1950년 프랑스국립도서관에 기증되어(도서번호 109, 기증번호 9832－3738) 오늘에 이르게 된 것이다. 『직지』가 경매될 당시 플랑시의 고서 수집품들은 대다수 다시 프랑스 정부에서 경매입찰되어 프랑스국립도서관에서 구입하였는데 세계에서 가장 오래된 금속활자본 『직지』는 그 당시 진가를 몰랐는지 민간 골동품상에게 넘어갔던 것을 다시 프랑스국립도서관에서 소장하게 된 것이다.

프랑스가 세계에서 유일한 『직지』를 아주 소중하게 보관하면서 열람도 상당히 까다롭게 전문학자들에게만 공개한다고 한다. 인류역사상 가장 많은 책을 수장하고 있는 미국 워싱턴의 국회도서관도 메인로비(Main lobby) 넓은 공간에 오직 두 권의 책을 위해 온갖 경보장치와 함께 유리장 속에 전시해 놓고 있다. 한 책은 양피지(Parchment)에 손으로 필사한 성서와, 다른 한쪽에는 15세기 독일에서 인쇄한 48권 중 1권인 『구텐베르크 성서』이다. 이와 같이 외국에서는 자신들의 국가의 문화유산이 아님에도 상당히 소중하게 여기는데 『직지』는 원본이 없어서 그렇다 하더라도 현재 간송(澗松)미

530) 철종 8년(1857)에 작성된 외규장각 도서관리에 대한 보고서 『江華附外奎章閣奉安冊寶譜略誌狀御製御筆及藏置書籍形止案』이다.

531) 김기태, “재불한국전적의 보존경위”, 『국회도서관보』 1984년 5월. pp.43－53.

술관에 소장된 지구상에 단 한 권밖에 없는 세계문화유산인 『훈민정음』해례본 초판본조차도 제격에 맞는 공간에 보관되어 있지 못한 실정이다. 이는 일본 나라(奈良)의 호류사(法隆寺)가 백제관음상(百濟觀音像)을 따로 모시기 위해 성금을 모아 별채의 사당을 건립한 사례를 우리가 본받아야 할 자세라 하겠다.

『직지』의 재발견 및 연구

1. 박병선(朴炳善)과 『직지』

(사진 39) 박병선 박사

고려 말 1377년에 인쇄된 현존 세계 최고의 금속활자본 『직지』는 국사 교과서와 각종 시험에도 자주 나온다. 이 책은 프랑스에 가 있던 한국 여성 서지학자이자 사서인 박병선 박사의 피나는 노력으로 세상에 알려졌다. 고국을 떠나 외롭게 외국에서 홀로 공부하던 한 여린 여인의 집념과 애국심이 결국 한국의 위상을 뒤바꾸는 데 결정적 역할을 하게 되었다는 점에서 박병선 박사는 현대판 묘덕(妙德)으로 멋진 의녀(義女)이다. 박병선 박사는 1926년 서울 저동에서 출생하여 1950년 6·25 전란 중 서울대학교 사범대학 역사교육학과를 졸업했다. 1955년 8월 여성1호 국비유학생으로 선발되어 파리에 건너가 1959년에 소로본느대학(Université de Sorbonne) 역사철학과를 졸업한 해방 이후 최초의 프랑스 유학생이었다. 이후 1962년에는 벨기에의 루뱅대학(Catholic University of Louvain) 동양사학과를 졸업하였으며, 1971년 파리대학에서 "사적으로 본 한국의 민속학"이라는 논문으로 역사학 박사를 받았다.

박병선 박사가 『직지』에 처음 관심을 가지게 된 것은 그녀가 프랑스 유학을 떠나기 전 서울대학교 사학과 이병도 박사에게서 "병인양요 때 프랑스군이 약탈해 간 문화재가 무엇인지, 어디에 있는지 아직도 모르고 있는 상황이니 사학을 공부한 자네가 그걸 찾아보기 바라네."와 같은 당부를 들은 것이 『직지』와의 인연이 되었다고 한다. 박병선 박사는 1967년 프랑스 국립도서관에서는 책을 자주 대출하러 오는 동양 여학생에 주목, 그녀의 석사학위논문에 관심을 가지면서 1주일에 15시간 임시직으로 일할 것을 제안받아 사서로서 발을 들여놓게 된다. 박병선 박사는 당시 도서관에서 일하면 외규장각 도서 발굴을 이룰 수 있을 것 같아 그 제안을 수락했으며 이때 『직지』를 처음 보았다고[532] 했다. 이후 1972년 UNESCO(국제연합교육과학문화위원회)가 파리에서 주최한 '세계 책의 해' 전시회에서(5월 17일 - 10월 31일) 『직지』가 『구텐베르크 성서』보다 70여 년 앞선 물적 증거가 되는, 현존 세계 최고의 금속활자본으로 공인 받았다. 이처럼 『직지』가 전시되기까지에는 파리7대학 동양학부 한국학과 강사와 프랑스국립도서관의 한국관 전문위원(비정규직 특별보조원)으로 일하던 박병선 박사의 주선이 있었고 금속활자본으로 증명하는 데도[533] 그의 노고가 컸다. 당시 프랑스국립도서관 극동도서부에 봉직하고 있던 박병선 박사는 '세계 책의 해' 전시회가 끝나자 그해 12월 원본 크기의 흑백 사진판을 직접 가지고 국내에 들어와 서지학계에 공개하여 여러 서지학자들의 고증을 거쳐 판별하기에 이른 것이다.

그리고 문화재관리국에서는 1973년과 1977년 두 번에 걸쳐 원본크기로 영인하는 한편 서지학자 천혜봉 교수의 고증적인 해제를 한글 · 일본어 · 영어 · 독일어 · 프랑스어로 써서 별책으로[534] 국내외에 보급했다. 그러나 후에 프랑스 측에서 저작권 문제를 제기하여 더 이상 발간하지 못하고, 최근

532) 라경준, "해방이후 최초 유학생 박병선 박사", 『충청일보』 2007년 4월 17일 12면.

533) 다니엘 부셰, "모리스 쿠랑 - 한불수교 120주년 기념 -" 프랑스 국립극동연구원, 『서울의 추억 - 한/불 1886 - 1905 - 』 한불수교 120주년 기념전시 심포지엄 논문집, 2006. p.26에서 부셰 교수는 『직지』는 『한국서지』를 통해 이미 1901년도에 금속활자본으로 알려졌음에도 이때 마침 발견된 것처럼 공을 가로채는 것은 이해하기 힘든 일이라고 지적하고 있다.

534) 千惠鳳, 『佛祖直指心體要節解題』 文化公報部 文化財管理局, 1973, 1977.

에는 판매용이 아닌 비매품으로 프랑스 측의 허락을 받아 청주고인쇄박물관에서 그간 수차례 영인한 바 있다. 1973년도 초에 박병선 박사는 파리 극동학원(極東學院)이 계획하고 있는 『고려대장경』의 목차색인 작업과 고대 원시 종교의 이동관계 규명을 위한 자료수집을 위하여 한국을 다녀갔다. 그때 박병선 박사는 프랑스국립도서관에 조선 왕조 4대 사고의 하나인 강화도 사고에 소장하였던 귀중한 전적이 고스란히 남아 있는데도 우리 정부가 프랑스 정부에 반환 요구나 복사요청조차 하지 않는 것은 이해할 수 없다고 자료수집차 모국에 들렀을 때 하였는데 이 도서관에 소장하고 있는 한국고서의 대부분이 구한말기 혼란을 틈타 군함에 실려 간 사실이 확인되었다고 밝히고 반환을 요구하여야 한다고 말했다. 이제 와서 외규장각 도서의 반환운동이 시작된 것은 다소 늦은 감은 있으나 다행한 일이다. 이 박병선 박사야말로 우리의 민족문화를 발굴하여 세계학계에 알리는 데 있어서 그 공로가 지대하다고 할 수 있다.

1975년 박병선 박사가 프랑스국립도서관 촉탁직원으로 일하면서 약탈당한 조선조 도서들의 존재가 비로소 세상에 알려지고 반환논란이 일었다. 1977년 박병선 박사는 『직지』를 알리기 위해 일본 등지에서 강연을 하기도[535] 했다. 1979년 한국의 외규장각 도서가 프랑스 파리국립도서관에 소장돼 있음을 외부에 알려, 『직지』 반환운동을 촉발시키기도 했다. 그녀는 『직지』가 금속활자인지를 처음으로 고증해 냈으며 12년간의 작업 끝에 『직지』를 해독하여 프랑스어 요약본을 출간하기도 했다. 박병선 박사가 처음 『직지』를 발견했을 때는 중국도서(fonds Chinois)로 분류되어 있었다고 한다. 모리스 쿠랑의 『한국서지』에 병인양요 때 프랑스군이 가져온 외규장각 도서들이 모두 프랑스 파리국립도서관에 기증된 사실에 입각하여[536] 도서 찾기를 시작했다. 그러던 어느 날 이 도서관의 베르사유 시(Versailles City) 별관

535) Park Byeng-Sen, "The Printing by Metallic Movable Types in Korea", 『Proceedings of the third Asian cultural scholars convention』. Asian Parliamentarians' Union Tokyo, Japan. Tokyo, 28 November-1 December, 1977. pp.112-117.

536) 1929년 3월에 당시 프랑스주재 일본대사였던 아다찌 겐조(安達謙藏)는 프랑스 외무부에 외교 공문을 보내 프랑스국립도서관에 보관된 외규장각 도서의 소재를 문의한 바 있다. 이는 정확한 소재여부를 파악하지 못했을 뿐 어느 정도 그 존재여부는 인지하고 질의를 보냈던 것으로 보인다.

에 근무하는 동료로부터 파손도서 창고에서 발견했는데 그 당시에는 중국책(CHINOIS)으로 분류되어 있었던 점으로 미루어 보아 1867년에 로즈 제독과 주한 프랑스 외교관들이 기증한 도서들이 뒤섞여 중국도서로 분류한 것이다. 이를 박병선 박사가 이 도서의 중요성을 도서관에 보고하고 수리작업을 한 후 1978년에 현재의 위치에 옮겨져 열람을 할 수 있게 되었다. 이때에 도서번호는 CHINOIS에서 COREEN으로 바꾸고, 즉 나라 이름만 바꾸고 번호는 그대로[537] 두었다. 1978년에는 프랑스국립도서관 극동부의 책임자 동양자료부장 세기(Seguy) 여사의 협조로 베르사유국립도서관 별관 수장고인 베르사유 궁정 지하 수장고에서 외규장각 의궤(儀軌) 297권을 찾아냈으며, 1979년 박병선 박사는 한국학 자료정리 중 외규장각 도서반환을 한국 측 대사관에 알려 프랑스 정부와 교섭할 것을 제의했다. 그러나 한국대사관에선 "韓佛 관계가 거북한데 왜 껄끄럽게 만드느냐, 참으라."는 말을 들었고, 프랑스에선 국익을 해치는 배신자 취급을 받아 "비밀을 누설했다."는 죄목으로 해직되었다. 그 후 프랑스 최고의 학술기관인 콜레주 드 프랑스(College De France: 왕궁고문교수회관)의 동양학 전공 프랑크 교수의 연구원으로 활동한 바 있다.

1989년 12월 21일 대통령 비서실에 접수된 공문에 박병선 박사가 당시 노태우 대통령에게 보내는 편지에서 박 씨 자신이 프랑스국립도서관에 있는 외규장각 도서 중에서 의궤자료들에 대한 해제 연구 작업완료를 하였는데 프랑스에서는 상업성이 없어 출판 불가능하니 한국의 국내기관에서 출판이 가능한지를 타진하는 편지였다. 이는 노태우 씨가 1982년 8월에 내무부 장관 재직 시에 정부종합청사에서 외규장각 도서에 대하여 설명과 관심에 대한 것을 기억하고서 그가 대통령이 되자 도움을 청한[538] 사연이다. 1990년 8월 13일에 박병선 박사는 이태진 교수에게 도움을 주어 외규장각 도서 및 『직지』를 마이크로필름(Microfilm)으로 열람하게 했다. 1998년 박병선 박사는 『직지』의 발견과 병인양요 때 프랑스군에 약탈당한 외규장각 의

537) 이태진, 『왕조의 유산』. 서울: 지식산업사, 1994. pp.58－61.

538) 이태진, 『왕조의 유산』. 서울: 지식산업사, 1994. p.48.

궤(儀軌)도서를 찾아낸 공로를 인정받아 청주시로부터 명예시민증을 받았고, 1999년에는 우리 문화재 반환운동으로 인하여 불운을 당한 박병선 박사에게 위로와 『직지』를 발굴한 공로를 인정받아 김대중 대통령으로부터 대한민국 은관 문화훈장을, 2007년에는 정부로부터 국민훈장 동백장을 받았다. 박병선 박사는 2005년부터 파리의 『한국독립교포사』와 프랑스인의 눈에 비친 『한국독립운동사』를 펴낼 준비를 하고 있다. 한 · 프랑스 수교 120주년에 맞추어, 프랑스 내에서 한인(韓人)들이 벌였던 항일독립운동에 관련된 사료들을 정리하느라 분주하다. 현지 신문기사와 각종 외교문서를 꼼꼼히 분석하고 독립기념관과 협조해 구한 말 이후 프랑스에 건너가 독립운동을 벌인 김규식 선생 등의 행적을 연구하고 있다. 박병선 박사의 최근 저서로는 2002년도에 청주고인쇄박물관에서 국어 · 영어 · 프랑스어로 펴낸 『한국의 인쇄』[539]가 있다.

2. 『직지』의 금속활자 고증 경위

1972년 『직지』가 '세계도서전시회'에서 전시된 이후 박병선 박사가 가지고 들어온 『직지』의 사진판을 보고 국내 서지학자들의 고증 판별이 있었다. 당시 박정희 대통령 영부인 육영수 여사의 주선으로 문화공보부 문화재관리국에서는 1973년과 1977년 두 차례에 걸쳐 원본 크기로 영인하는 한편 고증적인 해제를 국문 · 일문 · 영문 · 독문 · 불문 등 5개 국어로 써서 별책으로 만들어 국내외에 보급 전파시켰다. 그러나 이 『직지』는 사찰이 주성(鑄成)한 사주활자(寺鑄活字)로 찍어 내어 그 주조와 조판(組版)의 기술이 사뭇 치졸(稚拙)하기 때문에 비록 극히 일부에서는 그 주자인쇄를 목판본 또는 목활자본으로 견해를 달리 보는 학자도[540] 있었다. 그러던 차에 흥덕

539) 박병선, 『한국의 인쇄』. 청주: 청주고인쇄박물관, 2002.

540) ① 안춘근, "<卷頭言> 「直指心經」活字의 資料考證 - 金屬活字와 本活字의 是非 -", 『출판학』제15호(1973. 3). pp.3 - 5. ② 姜周鎭, "直指心經을 보고와서", 『銀行界』 vol.8, no.1(1973.

사지(興德寺址)가 발견되어 주자인쇄의 흔적을 뚜렷하게 확인할 수 있게 되었으니 이는 커다란 수확이었다. 1972년 7월 1일 한국과학사학회에서 '한국의 금속활자'라는 주제의 학술발표회에서 금속활자임을 입증하면서 활자를 주조한 금속분석에 대한 제시를 했다. 이보다 앞서 『출판문화』 1972년 6월호 8－9면에 『직지』에 관한 것과 고려의 활자인쇄에 대한 것을 발표한 바 있다.

(사진 40) 흥덕사지에 세워진 청주고인쇄박물관

1972년 12월 27일 국내학자와 전문가들이 국회도서관장실에서 모여 박병선 박사가 사진으로 보내 온 실물 크기의 『직지』를 검토하게 되었으며, 이 모임에서 그 사진을 감정한 결과 금속활자임을 확인하게 되었다. 박병선 박사는 이미 사진으로 같은 자(字)의 자체를 비교하여 겹치는 것을 찾아내고 나무의 결을 찾을 수 있었다. 손보기 교수[541]는 이 활자를 50·30·20배의 확대경으로 관찰한 결과 금속활자이고 특히 청동활자(靑銅活字)로 보인다고 하였으며 일부에서는 철활자라고 했으나 어떤 분은 기술상 어렵다고 주장하기도 했다. 이러한 시점에 박병선 박사가 주도면밀하게 연구한 방법을 적용시켜 연구하여 왔으며 또한 그가 직접 원본의 사진을 가지고 와서 전문분야 서지학자들의 감정을 거쳐 의견을 종합한 결과 금속활자임을 결론 내렸다. 그 결론은 『직지』의 본바탕은 금속활자이며 목활자를 혼용하여 인행(印行)한 고려주자본이라는 결론이었다. 이 책은 1972년 유네스코에서 도서전시회 이전에는 일본의 학자들은 어렴풋이 알고 있었으나 국내학자들에게는 전혀 연구가 되지 않았으며, 이 자료가 프랑스에 있다는 사실조차도 몰랐다. 그 당시에는 『직지』의 소재에 대하여 확실하게 알고 있는 사람이 없었다.

1). pp.50－51. 1972년 9월 강주진은 국립중앙도서관에 소장된 취암사 목판본 『직지』의 마지막 2면의 사진을 찍어 프랑스국립도서관에 소장된 금속활자본 『직지』와 비교해 본 결과 파리에 있는 『직지』가 목판본 또는 목각본이라고 잘못 단정한 바 있다.

541) 손보기, "직지심경: 금속활자 고증의 경위와 그 의의", 『도협월보』1973. pp.67－68.

안춘근 씨는, 사실 이 책은 모리스 쿠랑의 『한국서지』 서설(序說)과 목록에도 있었으나 국내학자들이 소홀히 대하였기 때문이라면서 이처럼 세계적인 문화재가 도서목록에 자세하게 기록되어 고서목록의 조사가 매우 중요함을 일깨웠다. 안춘근 씨는 또한 이 고서는 반드시 금속활자라고는 할 수 없는 여러 가지 요인이 있지만, 일단 목활자가 섞인 금속활자본으로 알려졌으나 활자본으로는 아직까지 세계에서 가장 오래된 것[542]이라고 했다. 이후 학자들의 종합적인 의견에서 『직지』는 밀랍주조법(蜜蠟鑄造法)에 의한 금속활자본으로 결론지어졌으나, 최근 『직지』의 인쇄방법이 밀랍주조법이 아닌 주물사주조법(鑄物砂鑄造法)이라는 주장이 제기되고[543] 있다. 1996년 정부에서는 오국진 씨를 금속활자장(중요무형문화재 제101호)으로 지정하여 조선시대 이후 급속히 쇠퇴한 금속활자 인쇄술의 복원과 연구에 힘쓰고 있다. 오국진 씨는 1986년 『직지』 첫 장을 밀랍주조법에 의한 금속활자로 복원했으며, 1996년에는 『직지』 하권 원문 1만 3천3백5십7자 전체를 복원했고,[544] 2001년에는 『직지』 상권을[545] 복원했다.

3. 일본학자의 한국서지 연구

1) 구로다 료우(黑田亮)와 『직지』

일본인 서지학자 구로다 료우(黑田亮)는 한국의 고서에 조예(造詣)가 밝았다. 그는 1940년 도쿄 암파서점(岩波書店)에서 간행된 『조선구서고(朝鮮舊書考)』에서 "조선간본 개관", "불서의 간행으로 살펴 본 이조문화의 일면", "조선불서의 종합적 고찰", "조선유통 육조단경", "선문보장록 인용서

542) 安春根, 『韓國書誌學原論』. 서울: 범우사, 1990. p.79.

543) 황정하, 『고려시대 직지활자 주조법의 실험적 연구』. 박사학위논문. 중앙대학교대학원, 2008.

544) 吳國鎭 復元, 『直指活字 復元 報告書』. 淸州: 淸州古印刷博物館, 1996.

545) 吳國鎭 復元, 『白雲和尙抄錄佛祖直指心體要節 上卷 復元硏究 結果報告書』. 淸州市, 2001.

목", "선원제전집도서", "고봉선요", "선문염송집과 선림유취" 등 불교 관련 서지 자료집을 펴냈다.

특히 흑전량은 "불서의 간행으로 살펴본 이조문화의 일면(書籍特に佛書の刊行から見た李朝文化の一面)"에서 『직지』에 관해서도 언급하고 있어 그 내용을 소개하면[546] 다음과 같다.

한국인쇄술은 세계에 비교할 수 없을 정도로 독특함을 지녔다. 그중 활자 재료는 다종다양한 풍부함과 그 제판기술의 우수함 또한 놀랄 만한 가치가 있다. 1939년 구텐베르크 500년 축제가 독일에서 있을 때 일본 인쇄학회 및 국제진흥회에서 일본의 『백만탑다라니경』 등 고서를 기증하는 것이 언론에 보도된 바 있었다. 그러나 구텐베르크에 관해 누구를 막론하고 즉시 생각난 것은 활자판(금속활자)이었으며, 일본의 전문가 사이에도 조선 활자판(금속활자)의 존재가 한 편도 알려지지 않은 사실에 대해 일반 사람들의 조선 고인쇄문화에 대한 인식이 전혀 없다 하여도 지나친 말은 아니다. 물론 기증도서라 하여 선정된 위의 고판본이 일본의 대표적인 것에는 다른 의견이 없지만 활자판(금속활자)에 관한 한 조선 고활자판에 대하여 평가를 낮게 하는 것까지 못 하도록 역시 밝히지 않고 덮어 두어야 함은 우리 학자들의 양심이 의심스럽다. (본문 21페이지)

유교서적과 시문집의 출판에 대량 사용된 활자, 즉 이른바 주자(鑄字)에 의한 불교서적의 인쇄는 이조 전기에는 드물었다. 조선에서는 일찍부터 금속활자의 사용이 이루어져 문헌상에서는 이미 고려 말에 있었으며 늦어도 13세기 중엽에는 확실하게 사용하여 구텐베르크 활자인쇄보다 정확하게 200년이나 앞섰다. 오래된 인쇄문화의 발명은 이조에 들어서 더욱더 나아져 금속활자 외에 목활자와 도활자가 제작되어 그 독특한 기술과 많은 종별을 가지고 있다.(본문 25페이지)

불교서적의 활자인쇄는 그다지 많지 않다. 아마 고려시대에 『석원사림(釋苑詞林)』을 시작으로 『南明泉和尙頌證道歌(남명천화상송증도가)』와 쿠랑에

546) 黑田亮, 『朝鮮舊書考』. 東京, 岩波書店, 昭和 15年[1940]. pp.21, 25, 26, 31(한글 번역: 이세열).

의해 소개된 『백운화상초록불조직지심체요절』이 활자판(금속활자)으로 등장했고, 조선시대에 들어서도 『법화경(法華經)』·『지장보살본원경(地裝菩薩本願經)』·『천지명양수륙잡문(天地冥陽水陸雜文)』·『불조통재(佛祖通載)』 등이 주자로 인쇄되었다. (본문 26페이지)

조선불서년표(朝鮮佛書年表): 『白雲和尙語錄』『白雲和尙抄錄佛祖直指心體要節 卷二』(본문 31페이지)

위의 내용은 흑전량의 글 중에서 금속활자 인쇄와『직지』와 관련된 글만을 필자가 번역한 것이다. 이 글로 보면 흑전량은 이미 1939년 독일의 구텐베르크 500주년 행사 때 일본의 고서를 기증하면서도 우리나라의 인쇄기술이 독일보다 앞서 있음을 알고 있었다. 또한 그는 쿠랑의『한국서지』 부록에 『직지』가 금속활자로 간행되었다는 사실을 처음으로 밝힌 사람이다. 그런데 이때만 하여도『직지』에 대해 정확하게 금속활자본인지는 규명되지 않은 상황에서 흑전량도 쿠랑의 책을 인용하여 『직지』를 금속활자본으로 인정한 듯하다. 필자가 보기에 흑전량이 조선불서연표에 기재한『직지』 권2는 목판본이 아닌 현재 프랑스에 있는 금속활자본『직지』 하권으로 보이는데 그는 정식서명을 그대로 사용했다.

2) 마에마 교사쿠(前間恭作)의 한국서지 연구

마에마 교사쿠(前間恭作, 1868－1942)는 대한제국 때 일본의 한국어학자이며, 경성주답조선공사관(京城駐劄朝鮮公使館)과 조선총독부 통역관으로 1868년 쓰시마(對馬島) 이와하라(巖原)에서 출생했다. 이와하라 중학교에서 한국어를 전공하고 1891년 게이오대학(慶應義塾)을 졸업한 뒤 유학생으로 한국에 와서 1894년 인천의 일본영사관 서기생(書記生)으로 일했다. 1896년 10월 30일 목포항 개항 준비를 위해 방문하는 인천해관장 오스본과 동행하여 8일이나 목포를 관찰하고, 같은 해 11월 11일에는 인천의 일본영사관 서기생으로 목포항이 대규모 공사를 하지 않고 빠른 시일 내에 정주할 수 있는 방안의 자세한 보고서를 올리기도[547] 했다. 1900년에는 오스트레일리아 시드니(Sydney)로 전임되었으나 이듬해 한국으로 돌아와 공사관 2등 통역관이 되고 1910년 총독부 통역관이 되었다가 1911년 일본으로 귀국했다. 마에마 교사쿠(前間恭作)는 한국에 있는 동안 한국의 고서수집과 수천 권의 고서를 해제했다. 그는 1904년에서 1942년까지 근 40여 년간 한국·일본·만주 지방의 여러 장서의 각종 문헌을 조사하고 해제한 일대서목(書目)이라 할 수 있는 『고선책보(古鮮冊譜)』를 펴냈다.

이 책은 모두 3책으로 873부 2,475책이 수록되어 있는데[548] 제1책은 소화(昭和) 19년(1944)에, 2책은 1956년에, 제3책은 1957년에 일본의 동양문고(東洋文庫)[549]에서 출판하였으며 그가 수집한 수천 권의 고서는 그가 사망한 후 동양문고에 기증되었다. 전간공작은 이 책에서 목판·활자·필사본 등 여러 방면으로 세심한 관찰을 통해 고증했다. 특히 1944년에 간행된 『고선책보』에서 모리스 쿠랑의 『한국서지』를 가장 많이 인용하였으며[550] 특히 당시 『한국서지』 4책이 동양문고에 3질, 큐슈제국대학(九州帝國大學)에 소장되었음에도[551] 『직지』는 수록되어 있지 않다. 그 밖의 주요 저술로는 『고선책보』의 자매편이라 할 수 있는 16책으로 된 주제서목인 『선책명제(鮮冊名題)』, 고려어 및 조선 초기의 언어 연구에 큰 성과를 이룬 『계림유사여언고(鷄林類事麗言考)』, 『용비어천가』에 나타난 고유어 어휘해석 및 문법을 연구한 『용가고어전(龍歌古語箋)』, 한국어 학습서로서 음운과 문법으로 나누어 쓴 『한어통(韓語通)』 등이 있다. 이상 『고선책보』에 대해서는 서열기의 학위논문에[552] 자세하게 나와 있다.

---

547) ① 고석규, 『근대도시 목포의 역사·공간·문화』. 서울: 서울대학교출판부, 2005. p.54. ② 『주한일본공사관기록』 중 <出場員 前間恭作의 復命書(1896년 11월 11일)>

548) 前間恭作, 『古鮮冊譜』. 第1冊. 東京: 東洋文庫, 1944. 序.

549) 일제식민지 시대 동양학 연구의 메카인 동양문고는 유명한 학자나, 그분들의 소개장이 없으면 열람이 허용되지 않았다.

550) 前間恭作, 『古鮮冊譜』. 第1冊. 東京: 東洋文庫, 1944. 例言.

551) 『고선책보』가 쓰일 무렵 동양문고에는 『한국서지』 4책이 3질이나 있었는데 한 질은 열람실에, 두 질은 관장실에 희귀본으로 분류되어 일반인에게는 대출이 되지 않았다. *이근배, "내 생애의 한 단장(斷章)", 『책과 인생』. 1997(3,4). pp.66 - 67 참조.

552) 徐烈起, 『古鮮冊譜』(附·鮮冊命題)의 書誌的 研究』. 碩士學位論文. 漢陽大學校 教育大學院,

3) 기타 일본인의 한국서지 연구

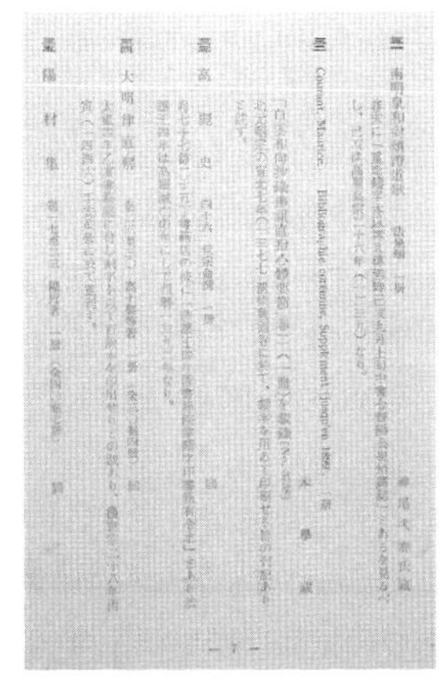

(사진 41)
『조선활자인쇄자료전관목록』

어문학자 가나자와 쇼사브로(金澤庄三郎, 1872－1967)는 1911년도에 사류·지지류·언어류·문집류·종교류·총서류·잡서류로 나누어 한국의 고서를 수록한 『조선서적목록』[553]을, 같은 해 조선잡지사 사장이었던 세키오(釋尾春芿)는 모리스 쿠랑의 『한국서지』를 주요 인용서목으로 한 『朝鮮古書目錄』[554]을 출판하였으나 이 책에서도 『직지』는 빠져 있다. 그리고 1년 뒤인 1912년에는 아사미(淺見倫太郎)가 『한국서지』를 일본어로 번역을 하여 『조선예문지』로 펴냈다. 한편 1931년에 편찬된 『朝鮮活字印刷資料展觀目錄』[555]에서도 『직지』가 중요자료로 발표되었지만 주목을 끌지 못했다. 일본의 언어학자 오구라 신페이(小倉進平)는 1920년에 『조선어학사(朝鮮語學史)』를 초판한 뒤, 1940년 증보판을 펴냈다. 이 책은 고문헌에 기록된 한국어와 연관이 있는 여러 언어, 일본어학·중국어학·만주어학·몽골어학·여진어학·거란어학 등을 연구하여 국어학의 역사적 변천과정을 고찰했다. 그 밖의 일본인들에 의한 한국서지 연구에 대해서는 이성춘의 학위논문에[556] 자세하게 나와 있다.

1995.

553) 金澤庄三郎, 『朝鮮書籍目錄』. 서울: 成進文化史, 1976. (影印本).

554) 釋尾春芿 編, 『朝鮮古書目錄』. 京城: 朝鮮古書刊行會, 明治 44[1911] 凡例.

555) 이 목록은 1931년에 京城帝國大學附屬圖書館에서 1책(44장)으로 펴냈으며 현재 규장각에 소장되어 있다. (奎 26793). p.7.

556) 李聖春, 『韓國 目錄學에 關한 硏究』. 碩士學位論文. 이화여자대학교대학원, 1971.

4. 북한의 『직지』 연구

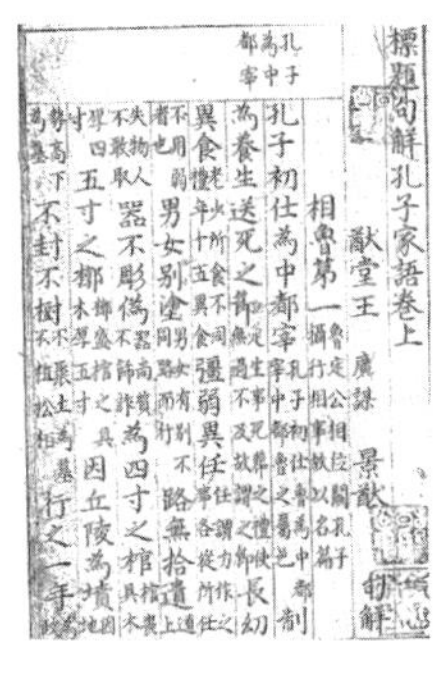

標題句解孔子家語卷上

獻堂王廣謀景獻句解

相魯第一

孔子初仕爲中都宰

爲養生送死之節 長幼

異食 彊弱異任

男女別塗 路無拾遺

器不彫僞 爲四寸之棺

五寸之槨 因丘陵爲墳

不封不樹 行之一年

(사진 42) 『공자가어』 금속활자본(乙亥字)

『직지』에 대한 연구는 북한에서도 1972년 이전에는 주자인쇄의 최초를 『고금상정예문(古今詳定禮文)』이라고 하였으며, 11세기 중국 송나라 때의 필승(畢昇)이 발명한 교니활자(膠泥活字)가 독일의 구텐베르크 금속활자보다 4세기 가량 앞섰다고 하면서[557] 1377년 흥덕사에서 간행된 금속활자본 『직지』에 대해서는 그 존재조차 모르고 있었다. 북한에서 『직지』가 언급된 것은 1972년 '세계 책의 해' 전시회에서 알려진 이후 일부 서적에서 세계 최초의 금속활자본을 『심요법문』으로[558] 잘못 알고 있다가 다시 『공자가어』로[559] 바뀌는 등 그다지 연구성과가 없었다. 참고로 사회과학원 역사연구소에서 펴낸 『조선문화사』의 내용을 그대로 실으면[560] 다음과 같다.

> "……이와 같이 인쇄기술 문화면에서 당시로서는 우수하였던 이 문화재는 그 후 미제국주의자들에 의하여 파괴 약탈되었다. 이 시기에 고려에서는 나무활자를 썼다고 생각된다. 그것은 금속활자를 만들기 전에 활자를 만들어 그것으로 주형을 만든 사실과 관련시켜 추측할 수 있다. 그리고 『석원사림』(250권)의 글자들을 대비 연구한 바에 의하면 그것이

---

557) ① 국립중앙도서관 서지학부 저, 『조선 서지학 개관』. 평양: 국립출판사, 1955. p.43. ② 김일성종합대학 조선사 강좌 편, 『조선사 개요』. 평양: 국립출판사, 1957. pp.383－385.

558) 사회과학원 역사연구소 편, 『조선문화사』. 평양: 사회과학원 역사연구소, 1977. pp.258－260.

559) 리철화 집필, 『조선출판문화사』. 평양: 사회과학출판사, 1995. pp.140－141. "……이 시기 금속활자로 인쇄한 책으로서 지금까지 남아 있는 것은 1317년－1324년에 인쇄된 『공자가어』와 1377년에 청주의 흥덕사에서 인쇄한 『백운화상초록불조직지심체요절』이 있다. 『공자가어』는 지금 영국의 런던 박물관에 보관되어 있으며 『백운화상초록불조직지심체요절』은 1972년 프랑스 빠리에서 '책의 력사' 종합전람회가 있었는데 이 전람회장에 이 책이 전시된 바 있다." *『중국인쇄술의 발명과 그의 서점』과 『로동신문』 1986년 1월 19일자 참조. "…… 『고려사』 백관지 2에 공양왕 4년(1392)에 서적원을 설치하고 주자를 관리하면서 서적을 인쇄하였는데 령과 승이 배치되어 있었다고 한 것이나 『백운화상초록불조직지심체요절』의 간기에 1377년에 청주 흥덕사에서 주자를 사용하여 이 도서를 간행했다는 사실들이 이를 잘 말하여 준다."(고려사 권 77 백관 2 제사, 도감과 각색 서적점) (『조선서지학』 참조)

560) 사회과학원 역사연구소 편, 『조선문화사』. 평양: 사회과학원 역사연구소, 1977. pp.259－260.

나무활자로 찍혔다고 볼 근거들이 있다. 이 책은 그 저자인 의천이 활동하고 있던 11세기 후반기 또는 그보다 좀 뒤인 12세기 초엽의 것으로 볼 수 있다. 나무활자의 광범한 이용은 금속활자의 발명을 가능케 한 직접적인 전제조건으로 되었다. 나무활자는 아무리 큰 나무를 이용한다 하더라도 여러 번 쓸 수 없었고 또 같은 글자를 수십 수백 개씩 새겨내야 하였으며 글자모양을 똑같이 만들 수도 없었다. 나무판 새김이나 나무활자의 부족점을 시정하기 위하여 고려의 활자기술자들은 온갖 창발적 지혜를 다하였는데 그 과정에서 창발된 것이 곧 금속활자이다. 고려에서 금속활자(주조)가 쓰였다는 것을 밝힌 글 가운데서 가장 오랜 기록은 『상정예문』(50권)에 대한 이규보의 발문이다. 이 발문은 1234－1241년간에 쓰였다는 것이 확증되고 있다. 그뿐만 아니라 1239년에 간행된 『남명증도가』라는 책은 주자로 인쇄된 것을 후세에 오래도록 전하기 위하여 다시 나무판에 새긴 것이었다. 이것은 금속활자의 사용이 13세기 1230년대에는 보통일로 되어 있었음을 보여 주고 있다. 따라서 금속활자 창안은 그보다 전의 일이므로 12세기로 올려 볼 수도 있는 것이다. 설사 금속활자가 발명된 연대가 1230년대였다고 하더라도 그것은 금속활자로서는 세계 최초의 것이며 유럽에서 금속활자를 쓴 시기보다 무려 200여 년이나 앞서고 있는 것이다. 그것은 1297－1298년에 간행된 활자본 인쇄물인 『심요법문』, 즉 『청량답순종심요법문』[561] 이 오늘까지 남아 있는 세계에서 가장 오랜 금속활자본이란 데서도 알 수 있다. 이 『심요법문』은 이전까지 세계에서 가장 오래된 활자본으로서 1377년에 간행된 고려의 『직지심경』보다 80년이나 앞선다. 1376년(1377년)에 청주 흥덕사에서 『백운화상초록불조직지심체요절』이 금속활자로 인쇄되었으며, 1392년에는 그 이전에 설치되었다가 폐지된 서적점의 일을 다시 하기 위하여 서적원이 설치되었다. 서적점과 서적원은 주자 즉 금속활자 인쇄를 관할했다. 이 사실은 고려 통치배들이 봉건사상 침투를 위한 주자인쇄에 큰 의의를 부여하고 그것을 국가적 규모에 널리 적용하기 위하여 힘을 돌리었다는 것을 보여 주고 있다."

필자는 1998년부터 2000년까지 지속적으로 북한과 공동으로 직지찾기운동을 벌일 것과 학술교류를 제안한 바 있었으나,[562] 그동안 침체되어 오다

561) 『직지』가 현존 세계 최고의 금속활자본으로 인정받기 이전에는 남한에서도 『청량답순종심요법문(淸凉答順宗心要法門)』이나 『古文眞寶大全』이 최초의 금속활자본이라는 주장이 제기된 바 있다. ① 1297－98년경에 간행된 것으로 보이는 『청량답순종심요법문(淸凉答順宗心要法門)』은 고려대학교 도서관에 소장되어 있다. 이 책은 한 면이 금속활자로 찍혀 있어 국내의 일부 학자들은 금속활자본으로 주장하기도 했다. 이 책은 원나라의 별불화(別不花)가 자금을 대어 찍었기 때문에 이 금속활자의 인쇄술이 원나라로 흘러들어간 것이 확실해졌는데, 그것은 원나라의 왕정(王幀)이 쓴 『농서(農書)』에, "1313년경 놋쇠로 활자를 만들었으나, 실용화하지 못해 다시 목활자를 썼다."라는 기록이 이를 뒷받침한다. 이로 미루어 원나라 때는 서양 사람들이 드나들고, 아라비아 사람들이 이를 본받아 카드를 활자로 찍었고, 그 후에 종이의 제조법과 더불어 서양으로 금속활자 인쇄술이 전해졌을 가능성이 큰 것으로 나타났다. ② 『중앙일보』 1973년 5월 25일 4면. "세계 최고의 금속활자본 청량답순종심요법문", 『조선일보』 1973년 5월 25일 7면. "고려대 소장 청량답순종심요법문 세계최고 금속활자본 추정 사진 40 孫寶基 教授－", 『조선일보』 1973년 10월 31일 7면. "歷代 새活字本 발견 직지심경보다 앞선 세계 최고 추정－古文眞寶大全 조병순 소장－"

562) ① 이세열, "새로운 직지찾기운동 방향에 대해(下)", 『중부매일』 1998년 8월 26일 4면. ② 이세

가 2004년부터 청주시와 서원대학교에서 본격적으로 북한과의 공조에 나서기 시작했다. 그리하여 2005년부터는 북한에서는 적극적으로 『직지』에 관심을 보여 직지찾기운동에 공동 참여를 희망하고 있다. 2005년 7월 20－27일 북한에서 열린 '광복 60주년 및 6·15 남북공동선언 5주년 기념국제학술회의'에 참석했던 한대수(韓大洙) 전 청주시장이 개성박물관장에게 청주고인쇄박물관과 전시교류를 제안하기도 했다. 또한 2005년 9월에는 청주의 서원대학교와 서울의 연세대학교가 각기 조선사회과학자협회의 초청을 평양인민문화궁전에서 직지학술모임을 갖기도 하는 등 북한에서도 『직지』에 관해 연구활동을 활발하게 전개할 것으로 보인다.

현재 북한에는 12세기 전반기 것으로 추정되는 금속활자 '顚' 자가 1958년 고려왕궁이 있던 개성시 만월대(滿月臺)의 신봉문터로부터 서쪽으로 약 300m 떨어진 곳[563]에서 발굴된 바 있다. 또한 북한은 금속활자 인쇄술에 대해서는 고려자기와 함께 개성시 고려박물관 본관 중앙 현판에 "고려 사람들은 세계에서 처음으로 금속활자를 발명하여 출판업을 크게 발전시키고 색과 문양, 모양에 특출하여 세상 사람들이 보물처럼 여기는 고려자기를 만들어 내어 우리 니라의 명성을 온 세상에 떨쳤습니다.－김일성－"라는 김일성의 교시가 내려질 정도로 중요시하고 있다.

북한에서의 『직지』 영인본은 개성 고려박물관,[564] 묘향산, 보현사는 물론 평양 역사박물관과 혁명박물관에 전시되어 있는데 이들은 마이크로필름(Microfilm)을 현상하였거나 처음 만든 책을 다시 복사한 책이다. 북한에서의 『직지』 영인본은 라경준 학예사에 의하면[565] 북한의 책은 우리의 전통한지로 영인을 하지 않고 모조지에 하여 다소 영인 상태가 좋지 않으나 상

열, "청주시민에게 있어서 『직지』의 의미와 현존 가능성", 『직지찾기운동의 성과와 과제』. 청주시의회 특별위원회실. 1999년 3월 9일. 6. ③ 이세열, "직지와 남북통일", 『중부매일』 2000년 10월 12일 4면. ④ 이세열, 『직지 디제라티』. 청주: 도서출판 직지, 2000. pp.62－65.

563) 조선유적유물도감 편찬위원회 편, 『북한의 문화재와 문화유적 Ⅳ』. 서울: 서울대학교출판부, 2000. p.228.

564) KBS 영상사업단, 『오늘의 평양(Ⅰ·Ⅱ)』. 서울: KBS 영상사업단, 2000. p.238. 『직지』 영인본이 전시되어 있는 곳은 개성시 고려박물관 내 성균관 대성전에 위치한 제2전시관이다.

565) 이 내용은 2005년 10월 26일 중국에서 열린 학술회의에 참석한 청주고인쇄박물관 라경준 학예사와 량택영 연구사와의 전화 대화 내용임.

호 공동연구 차원에서 필름(Film)을 청주고인쇄박물관에 제공하기로 했다고 한다. 한동안 북한이 보관 중인 『직지』의 영인본 소장에 대해 이전에 남한 학계에서는 프랑스에서 일본을 통해 흘러들어갔거나 우리나라에서 영인한 것이 일본을 통해 들어간 것으로 추측했었다. 그러나 북한은 1980년대 초반에 외교적 차원에서 당시 민족고전연구소장으로 재직 중이던 김승필 소장을 비롯해 3명의 학자들을 직접 프랑스로 파견하여 프랑스국립도서관에 보관되어 있는 『직지』를 비롯한 50여 종의 민족 고전 유산들을 마이크로필름(Microfilm)으로 현상하여 모처에 보관하고[566] 있다. 이처럼 북한이 『직지』를 영인해 왔다는 사실은 우리 민족의 소중한 문화유산의 가치를 인정하고 계승 발전시키자는 측면에서 이루어졌다고 볼 수 있다. 따라서 남북한 공동으로 『직지』 세계화 및 연구, 직지찾기를 위해 서로 활성화할 수 있는 계기가 되었으면 한다.

5. 『직지』 반환 대안

1) 문화재의 불법 해외 유출

현존 세계 최고의 금속활자본 『직지』는 현재 프랑스국립도서관에 유일하게 1권만이 소장되어 있는 세계적인 보물이다. 우리는 벌써 몇 년째 이 책을 돌려받기 위해 프랑스 측과 많은 접촉을 가졌다. 이 책이 전 세계에 소개되기는 이제 겨우 100년을 넘겼고 본격적으로 알려진 것은 30여 년에 불과하다. 『직지』보다 조금 이른 1866년 병인양요 때 프랑스군이 약탈해 간 외규장각 도서 297권은 현재 프랑스국립도서관에 소장되어 있으며 한국 정

566) 이와 같은 사실은 2005년 10월 20일－21일 이틀간에 걸쳐 중국 심양에서 서원대학교와 북한 사회과학자협회, 중국 연변대학 민족연구원이 공동으로 '광복60주년 남・북한과 중국 국제학술회의'가 열렸는데 이 학술회의에서 북한 사회과학원 민족고전연구소 양택영 연구사가 밝힌 것이다.

부는 이 도서의 반환을 위해 15년이 넘게 요구하고 있으나 관계 법령의 개정과 절차상 사유로 별다른 진전이 없다. 『직지』 뿐만 아니라 해외 반출 문화재의 대다수는 구한말 당시 나라가 어수선한 틈을 타서 유럽의 강대국들이 우리나라로 들어와서 약탈 또는 외교관·선교사들이 개인적 취미로 문화재를 잘 모르는 백성들에게서 헐값으로 사거나 수집해 갔다. 그러나 당시에는 이러한 유물들이 수만 점 널려 있는 상태라 우리나라 사람들은 그다지 중요하게 여기지도 않았으며, 제국주의 국가들은 문화재 약탈이 그들의 국력을 과시하는 중요한 성격이었던 비극적인 시대 상황이었다.

우리나라는 구한말의 혼란기, 일제침략시기, 미군정기 등을 거치면서 수많은 문화재가 국외로 빠져나갔다. 그 후 문화재에 눈을 뜬 도굴범들에 의해 국외로 유출된 것만도 수천 점에 이른다. 1962년 문화재보호법이 마련되기 전까지는 그야말로 무법천지라 해도 과언이 아닐 정도로 문화재에 대한 나라 밖 유출이나 인식이 한마디로 엉망이었다. 개화기나 제국주의 시절에 약탈한 해외 유출 문화재는 문화보편주의 관점에서 많은 사람들이 볼 수 있도록 반드시 귀환되어야 한다. 한 나라의 문화재는 민족의 얼과 역사 문화 등이 집약된 상징물이므로 그 소유권은 함부로 침탈할 수 없는 고유한 권리이다.

2005년 현재 문화재청과 국립문화재연구소에 의하면[567] 해외에 나가 있

567) ① 서울신문 2005년 10월 1일 9면. "해외반출 문화재 20개국 7 4,000여점", ② 세계일보 2006년 1월 1일 18면. "해외 떠도는 우리 유물 7만점", 2006년 현재 국외 소재 한국문화재는 74,434점으로 그 현황은 아래와 같다. 일본 도쿄국립박물관 등 3만 4331, 미국 스미스소니언프리어미술관 등 16,964, 영국 영국박물관 등 6,610, 독일 함브라크민속박물관 등 5,221, 러시아 동양예술박물관 등 1,603, 프랑스 국립기메동양박물관(Musée national d'arts asiatiques Guimet) 등 2,121, 중국 랴오닝성박물관 등 1,434, 덴마아크 국립박물관 등 1,240, 캐나다 로열온타리오박물관 등 1,080, 네덜란드 국립라이덴박물관 등 820, 스웨덴 동아시아박물관 등 804, 오스트리아 빈민속박물관 등 679, 바디칸 바디칸민족박물관 500, 스위스 스위스민족학박물관 457, 체코 체코국립박물관 등 250, 폴란드 바르샤바국립박물관 등 135, 벨기에 왕립미술역사박물관 82, 헝가리 페렌츠호프동양아시아미술박물관 58, 호주 뉴사우스웨일스박물관 등 28, 이탈리아 성천사의 성박물관 17점이 소장되어 있다. ③ 『중앙일보』 2006년 9월 5일 16면. "1,000만점 해외로 유출된 중국 문화재 164만점은 47개국 박물관에" 해외 열강의 중국 침략 신호탄인 아편전쟁(1840년) 이후 해외에 밀반출되거나 강탈된 중국의 문화재는 무려 1,000만 점이 넘는다. 유네스코와 중국문물학회에서 조사한 결과 전 세계 47개국 200여 박물관에 전시된 중국 문화재는 164만 점에 국보급 문화재만 100만 점 이상에 이른다고 했다. 국가별로는 영국은 대영박물관에만 23,000여 점을, 프랑스는 3만 점 이상을 소장하고 있다.

는 우리 문화재는 실제로 조사된 것만 20개국에 대략 74,000여 점이나 되며 미조사된 것만 해도 그 수를 헤아릴 수 없을 정도로 많다고 하며 특히 그중에서 일본에만 3만 4천여 점이 있다고 한다. 해외 유출 문화재 중에는 물론 『직지』도 포함되어 있다. 이렇게 빠져나간 문화재가 본국으로 되돌아오기는 국제법상 또는 정치적인 문제 등으로 반환, 기증 또는 경매를 통한 매입이 되고는 있지만 이는 약 5%에도 미치지 못한다고 한다. 2005년 현재까지 정부 간 협정과 박물관, 개인의 기증 등을 통해 8개국으로부터 모두 30여 건 4,824점을 회수하였는데[568] 이 중 일본에서 반환받은 것만 3,889점이다. 해외 유출 문화재의 반환을 위해서는 무엇보다도 현황 파악과 동시에 반출의 수용경위와 불법적이었는지에 대한 객관적인 자료를 입증해야 한다. 현황 파악을 위해서는 국가기관과 민간 연구자들의 참여가 적극 장려되어야 하며, 국적에 관계없이 한국문화재 연구자와 협상 전문가 양성에 대한 지원책이 강구되어야 한다. 문화재 반환은 상대국과의 역사적 관계만큼 복잡하고 미묘한 특성을 지녀 무조건 환수해야 한다는 감정적 대응은 오히려 반환을 어렵게 하는 요인이 된다. 그리하여 많은 시간과 끈기와 역량을 필요로 하는 고도의 체계적이며 외교적인 수완이 요구된다. 유네스코(UNESCO)에서는 강대국이 무력 침탈과 식민지 상태에서 약소국의 문화재를 반출하거나 헐값으로 사 간 것까지 유출 문화재 범주에 포함시키므로 플랑시가 수집해 간 『직지』 또한 확실한 유출 문화재이다.

2) 『직지』의 반환 협상

해외 유출 문화재 환수에는 무엇보다 국가 간의 협상이 중요하여 한때 『직지』도 그 대상에 오른 적이 있다. 그러나 국가 간 문화재 반환은 외교·경제적 변수(變數)가 많아 매우 어려운 문제이다. 외규장각 도서반환 문제는

568) 우리나라에 반환된 해외 유출 문화재 4,824점 중 정부 간 협상에 의한 것은 불과 1,600여 점이고 나머지는 모두 민간차원에서 이루어진 것으로 정부차원에서의 문화재 반환 대책은 상당히 미흡했다.

1994년 김영삼 정부 시절 고속전철사업 모델로 프랑스 테제베(TGV)를 선정하면서 외규장각 문서 반환에 구두 합의한 바 있으며, 2004년 12월 노무현 대통령과 자크 시라크(Jacques Chirac) 대통령과의 만남에서 외규장각 도서 문제를 다루기 위한 전문가 및 당국자 간 협의를 개시하기로 합의했었다. 이후 2006년 6월 한명숙 국무총리가 프랑스를 방문하여 자크 시라크(Jacques Chirac) 대통령과 도미니크 드 빌팽(Dominique de Villepin) 총리를 만난 자리에서도 프랑스 측은 도서의 한국 내 전시와 디지털(Digital)화는 제안하였으나[569] 반환 계획에 대한 구체적인 언급은 없었다.

2006년 9월 11일 핀란드(Finland)에서 열렸던 아시아유럽정상회의(ASEM)에 참석했던 시라크 대통령과 노무현 대통령 간의 국내전시 등에는 합의했으며, 1달 후인 10월에 한국은 방문한 르노 도느디유 바브르(Renaud Donnedieu de Vabres) 프랑스 문화장관도 "좋은 방향으로 해결될 수 있도록 노력하자."는 원론적인 말만 되풀이하는데 그쳤을 뿐 아직까지 뚜렷한 성과가 나타나지 않고[570] 있다. 프랑스 측은 외규장각 고문서에 대해서 등가(等價) 문화재 교환을 통한 반환을 고집하고, 우리는 여기에 난색을 표함으로써 협상은 원점을 맴돌고 있다. 물론 여기에 『직지』는 당연히 제외되어 있다. 어디 그뿐인가? 프랑스는 『직지』가 2001년도에 세계기록유산에 등재되었지만 비협조적으로 까다롭게[571] 대했다.

---

569) 2008년 4월부터 문화재청에서는 병인양요 때 프랑스로 유출되었던 외규장각 도서 조선 왕조 의궤 297책 중 국내에 없는 유일본 30권을 한·불 양측 합의에 의해 국가기록유산포털(www.memorykorea.go.kr) 사이트를 통하여 원문으로 제공하고 있다.

570) 외규장각 도서 반환 진행상황은 아래와 같다. 1991년 규장각을 관리하는 서울대에서 외무부에 반환요청서 제출. 1992년 7월, 주 프랑스대사관. 프랑스 정부에 반환 공식 요청. 1993년 9월, 양국 정상회담을 통해 반환이 아닌 상호교류와 대여 원칙에 합의. 2004년 12월, 양국 정상회담을 통해 양국 전문가 및 당국 간 협의 개시 합의. 2006년 2월, 한국 정부에서 외규장각 도서 반환 협상단 프랑스로 파견, 프랑스 측 반환은 절대 불가 원칙 고수. 2006년 6월, 양국 총리회담을 통해 전기적으로 외규장각 도서전시회 개최하기로 합의. 2006년 9월, 프랑스 시라크 대통령 두 나라가 모두 만족할 수 있는 합리적 방안 모색 제의. 2006년 10월 프랑스 문화장관이 한국을 방문하여 머지않아 해결책을 찾아낼 것으로 보인다고 말함. 2007년 6월, 파리 마티뇽 궁에서 한덕수 총리와 프랑수아 피용 총리와 외규장각 도서 반환 문제 회담.

571) 프랑스 측은 『직지』의 세계기록유산 등재는 물론 학자들의 실물 열람과 국내전시에도 상당히 까다롭게 대하고 있다. 그들은 약탈의 전시장이라 부르는 루브르박물관에 대해서도 문화재는 어느 한 국가의 소유가 아니라 인류 공동의 유산이기 때문에 어디에 있든 보존과 활용을 잘 하면 된다는 핑계를 대며 지금까지도 자기 합리화를 하고 있다.

(사진 43)『원행을묘정리의궤』 중의 야간군사훈련 그림

그렇다고 『직지』를 팔지도 살 수도 없는 상황 하에서는 국가 간에 원만한 협상으로 국내전시 유치와 프랑스국립도서관에 아예 독립된 전시실로 한국실을 설치하고 그곳에 『직지』를 보관하여 정체성을 알림과 동시에 자긍심을 키워 우리나라의 이미지를 높일 수 있는 방안도 모색하여 볼 필요가 있다고 본다. 또한 프랑스 이외 다른 외국의 박물관에 한국실 설치를 위한 해당 박물관 간의 관심과 의지를 확고하게 하는 외교전략, 국내외 모든 인쇄문화재 수집 및 전담 학예사의 채용, 관람객의 다양한 관심을 유도할 수 있는 프로그램(Program)의 개발 등 획기적인 대안이 강구되어야 한다. 한국실이 국제무대에서 활성화되기 위해서는 전시내용과 기법, 특별전시 등 차별성 있는 프로그램 운영과 우리 박물관의 문화재 대여와 자문 그리고 무엇보다도 정부의 강력한 외교행정력과 재정지원이 조화를 이루어야 한다. 정부는 국가적 차원에서 외국 박물관의 한국실 설치를 지속적으로 추진하면서 『직지』를 비롯하여 다른 금속활자본 찾기운동을 더욱 체계적으로 벌여 국내에서 찾을 수 있는 노력을 체계적으로 해야 한다. 현재도 불복장 유물이 다소 발견되는 것을 보면 분명히 어딘가에 금속활자본들은 잠에서 깨어나지 않았을 뿐이지 실제 있을 가능성이 높다고 보인다. 『직지』 반환은 외교적인 협상에 의해서 지속적으로 이루어져야 가능하다. 그러나 국제관계의 미묘함으로 반환이 어렵다면 현실적인 차선책을 세워야 한다. 우리는 다른 책을 찾는 방안을 검토하면서 프랑스에 있는 『직지』는 그대로 두어 세계인의 이목(耳目)을 집중시키자는 것이다.

1993년 9월 14일－16일 프랑스 국가 원수로는 최초로 한국을 공식 방문한 프랑스와 미테랑(Francois Mitterand, 1916－1996) 대통령이 9월 15일 『휘경원원소도감의궤(徽慶園園所都鑑儀軌, 1822년 순조의 어머니 현목 수빈의 묘소 건설에 관한 것을 기록한 책)』를 김영삼 대통령에게 전달했을 때 이를 빼앗기지 않으려고 몸으로 막아 문화재를 소중하게 생각했던 양심 있는(?) 여직원들은 지금 그 공을 인정받아 간부급으로 승진까지 했는데 우리나라에서 그랬다면 과연 어떻게 되었을까? 미테랑 대통령은 우리나라 대통령으로서는 최초인 전두환 대통령이 1986년 4월 14일-16일 방문했을 때 한국이 세계에서 가장 오래된 금속활자로 책자(직지)를 인쇄한 문화민족이라고 치켜세운 바 있었다.

그런데 1993년 『휘경원원소도감의궤(徽慶園園所都鑑儀軌』를 받고 그 이후에도 상당한 우여곡절이 있었다고 한다. 1993년 9월 20일 르몽드지(Le Monde)에 실린 기사에 의하면,[572]

> "원래부터 프랑스국립도서관(BNF)은 의궤도서를 한 권도 반환할 의사가 전혀 없었다. 미테랑 대통령의 방한을 1주일 앞두고 프랑스 문화부는 의궤 한 권을 BNF 측에 요청했다. BNF 측은 매우 논쟁적인 태도를 보이며 부정적인 답변을 주었다. 이렇게 되자 이번에는 직접 대통령실에서 대통령 전용기에 싣고 갈 의궤 2-3권을 인도할 것을 재차 요청했다. BNF 측은 이때에도 완강히 거절했다. 9월 14일 문화부에서 다시 요청하자 마지못해 엠마뉴엘 르 르와 라듀리(Emmanuel Le Roy Ladurie) 국립도서관장은 고문서실 동양필사본 문화보존관 여성 사서 2명을 대동하는 조건으로 의궤 1권의 반출을 허락했다. 이들 두 명의 사서는 9월 15일 도쿄를 거쳐 서울로 가는 비행기에 탑승했으며, 도착과 동시에 그들이 가지고 온 의궤를 한국 측에 전달하게 될 대사에게 넘겨야 함을 알게 되었다. 뒤늦게 알게 된 두 명의 프랑스 사서는 그들의 임무에 합치하지 않는 요구를 거절했으나, 자크 투봉(Jacque Toubon) 문화부 장관에 뒤이어 알렝 쥐페(Alain Juppé) 외교부 장관의 강권에 의해 눈물을 흘리며 의궤를 내놓을 수밖에 없었다. 파리로 돌아오자마자 두 명의 사서는 프랑스의 국익과 합법성 및 직업상의 본분에 반하는 행위를 할 수밖에 없었음을 밝히며 사표를 제출했다. 9월 17일 BNF의 부서장들과 사서들의 모임이 소집되었으며, 법에 의하면 공적인 수집물은 양도할 수 없으며, 새로운 법만이 이러한 규정을 변경할 수 있음을 지적하는 엄중한 항의 편지가 문화부 장관에게 전달되었다. 루브르박물관의 사서들도 이에 동조했으며, 사태가 악화되자 프랑스 문화부 당국자는 당황한 태도로 그와 같은 결정이 일방적인 행정절차를 거치지 않고 대통령실에서 직접 내려졌다고 답변했다. 서울을 떠나기 전 미테랑 대통령은 기자회견에서 세계의 대부분의 박물관들은 상세하게 말하지 않아도 될 조건하에 취득된 보물들로 가득 차 있기 때문에, 이와 같은 사태는 선례가 되지 않을 것이라고 여론을 안심시킨 바 있다."

1993년 사례에서 보듯이 『직지』를 포함한 프랑스 내에 있는 문화재 반환

---

572) 정상천, "파리 국립도서관 소장 외규장각 도서반환 협상결과, 쟁점 및 평가", 『프랑스사 연구』 제16호(2007. 2) 한국프랑스사학회. pp.196-197에서 재인용함. *Le Monde, 20 septembre 1993. p.12.

은 그들의 관련법을 개정해야 하는 점과 이를 실행하기 위해서는 프랑스 국내 여론을 설득해야 하는 문제가 있는데 이는 의회의 동의를 받아 법안을 통과해야 하는 등 실현 가능성이 그다지 밝지는 않다. 뿐만 아니라 만일 반환이 된다면 다른 문화재나 국가들의 선례로 남아 외교문제로 비화될 우려까지 있다. 그리하여 『직지』의 반환에는 양국 간 정부와 민간이 합심한 고도의 정치력과 외교력이 수반되거나 프랑스의 양보만이 그 유일한 해결책이라고 여겨진다.

3) 문화재 반환사례

해외소재 문화재는 유출경로가 밝혀지지 않아 재산권 침해 및 선의취득자(善意取得者) 보상문제, 지적소유권 등이 반환에 장애요소가 되어 불법유출이 확인되어도 반환청구를 할 수 있는 국제적 근거가 미흡하고 소급적용 근거가 없는 한계로 인해 정부 간 반환이 어려운 실정이다. 최근 민간이 주도하여 영구임대방식으로 일본과 독일에서 귀향한 문화재의 반환사례를 보자

(사진 44) 『북관대첩비』

첫 번째 사례는, 2005년 10월 임진왜란 때 함경도 최초의 의병들이 일본 대군을 격파한 기록이 담긴 『북관대첩비』가 러일전쟁 때 일본군이 전리품으로 왕실에 바친 것을 일본 왕실 직속 신사인 야스쿠니신사(靖國神社)에 보관한 것이 그대로 한쪽 구석에 방치되어 있었다. 이 비석은 야스쿠시에 방치된 지 100년, 그 사실이 밝혀진 지 실로 27년 만에 민간단체와 정부의 노력으로 반환된 것이다. 이 비석의 반환 시발은 『직지』를 찾기 위해 '직지찾기운동본부'가 설립되었듯이 2000년 한일불교복지협회 일본 측 가키누마 센신(杮沼洗心) 스님과 한국 측 초산(樵山) 스님이 처음 이 문제를 제기했다. 이어 시민단체들을 중심으로 한 '북관대첩비반환운동본부'가 설립되어 2003년부터 정부의 협조를 요청했다. 그러나 처음에는 일본

측의 무책임한 태도와 우리 정부 측의 소극적인 대응으로 진전이 없다가 북한 조선불교도연맹과 공동협력하여 남북이 함께 일본 측에 반환을 공식 요청한 결과 일본 정부로부터 반환 약속을 받아낸 것이다.

두 번째 사례는, 2005년 10월 22일 독일 남부 오틸리엔수도원(Sankt Ottilien)에 있는 조선시대 화가 겸재 정선(1676－1759)의 국보급 화첩형태의 그림 21점을 천주교 신부가 노력한 결과 민간차원의 영구임대 형식의 반환으로 돌려받았다. 이 그림은 1925년 한국에 가톨릭 교구를 시찰하러 온 성오틸리엔수도원 노르베르트 베버(Norbert Weber, 1870－1956) 원장이 금강산 여행길에[573] 지인들이 구입한 그림을 선물로 받았고 이후 오틸리엔수도원에 기증했다. 그런데 1974년 독일 유학생 유준영(전 이화여대 미대교수) 씨가 수도원 내 박물관 한편에서 발견하여 사진을 찍어 기록을 남긴 것을 토대로 1977년에 "독일에 있는 겸재의 회화, 오틸리엔수도원에 있는 수장화첩의 첫 공개"라는 글에서 그 존재를 알렸다. 이 그림들은 본래 분리되어 있었으나 독일에서 화첩 형태로 만들어 형태가 변모했다. 그 후 수도원 측은 보안상 이 화첩을 공개하지 않았으나 왜관 성베네딕도회(Ordinis Sancti Benedicti) 수도원 선지훈 신부가 오틸리엔수도원에서 7년간 수행생활을 하며 알게 된 동료 예레미야스 슈뢰더(Jeremias Schroeder)가 그 수도원의 원장이 되자 2009년이면 오틸리엔수도원이 한국에 진출한 지 100년이 되는 해임을 강조하여 특별행사로 이 문화재의 반환을 설득하여 이루어진 것이다. 이 해외에 반출된 선의취득(도굴된 사정을 모르고 취득)의 문화재[574]가 민간차원에서

573) 노르베르트 베버는 성베네딕도회 오틸리엔 연합회(Congregatio Ottiliensis Ordinis Sancti Benedicti)와 초대 수석을 지낸 인물로 1911년과 1925년 두 차례 한국을 방문하여 서울·공주·해주·신천·평양·금강산 등지를 여행하였으며, 정선의 그림은 두 번째 방문 때 명동주교자 성당 주변 골동품상에서 구입한 것으로 추정된다. *중앙일보 2006년 11월 23일 5면. "왜관 수도원 선지훈 신부 인터뷰" 참조.

574) 도굴 문화재의 선의취득(善意取得)이란 도난품 여부에 주의를 기울이고 확인한 뒤 구입하면 소유권을 인정받는 합법적으로 문화재를 취득하는 소유권을 말한다. 이러한 법의 영역 안에서 문화재가 거래되지만 비정상적인 방법으로 유출되는 사례가 심각하여 국가적 보호가 힘들어진다. 그렇다고 선의취득한 문화재를 무조건 몰수하는 법률이 시행되면 헌법상의 사유재산권 침해와, 문화재 소유권을 둘러싼 소유권 반대 소송 분쟁 등 법률적인 문제와 아울러 은밀한 거래 등으로 해외 유출가능성이 높아질 우려가 예상된다. 또한 문화재의 소유권 불인정으로 인한 박물관의 신규건립이나 활성화가 위축될 우려가 있다.

자발적으로 의미 있게 반환된 선례이며 독일 또한 "문화재는 그 나라 국민에게"라는 기본 원칙으로 한국인에게 중요한 의미를 지닌 문화재를 돌려주자는 공감대가 형성된 종교적 모범사례[575]이다. 프랑스 측이 외규장각 도서를 반환하겠다던 약속을 어긴 채 계속 무성의한 태도를 보인 것과는 대조적이어서 『직지』 반환의 대안은 민간 역할을 앞서는 보다 적극적인 국가적인 차원의 대책 마련이 모색하여야 한다.

세 번째 사례는, 2006년 7월 일본 도쿄대학에 있던 조선 왕조실록 오대산사고본 47책이 불교계의 끈질긴 노력으로 기증형식을[576] 빌려 돌아왔다. 또한 같은 해 7월 진주시민의 모금운동으로 일본에서 발견된 김시민 장군의 공신교서(功臣教書)[577]가 환수되기도 했다. 이 모금운동은 진주시민단체인 '진주문화사랑'에서 시작하여 '문화연대가' 가세한 전국적으로 1억 원이 넘는 모금으로 해외 반출 문화재가 국내로 반환된 첫 사례로[578] 『직지』찾기 보상금 모금운동에서도 정부에만 책임을 돌릴 것이 아니라 민간에서도 적극적으로 관심을 가질 때 목표를 이룰 수 있다는 교훈으로 받아들여야 할 것이다.

4) 『직지』 반환 대안

『직지』를 포함한 문화재 반환은 정부 간의 줄다리기에서 그칠 것이 아니라 정부차원에서의 환수 당위성을 내세울 역사적 근거를 수집해 제시하는 외교적인 교섭은 물론 불법취득일 경우 국제재판에 회부는 물론 문화재 대

575) 중앙일보 2006년 11월 22일 4면. "겸재 정선 국보급 그림 21점 돌아왔다".

576) 일본 도쿄대학은 조선 왕조실록 오대산사고본을 서울대에 반환하면서 기증이란 표현을 사용했다. 이는 외교상 중립적인 용어를 사용한 것으로 한국 측에서는 반환 이외에 대안이 없듯이 일본 측 또한 기증 이외에 대안이 없었기 때문이었다.

577) 이 공신교서는 1604년 선조가 임진왜란 3대 대첩의 하나인 진주성에서 1592년에 전투지휘 중 순절한 김시민 장군을 선무(宣武) 2등 공신으로 봉하고, 그 자손에게 상을 내린다는 내용의 공식문서이다.

578) 중앙일보 2006년 10월 13일 31면. "해외로 반출된 문화재 시민 힘으로 되찾았죠－김시민 장군 공신교서－".

여 거부운동 등의 적극적이고 강력한 대책마련이 있어야 한다. 특히 『직지』와 같이 약탈이 아닌 민간차원의 해외 유출 문화재는 소유권은 프랑스에 있지만 문화재 감상 연구는 한국에서 자유롭게 할 수 있는 민간차원의 자연스러운 영구임대 형식의 반환이 바람직하다. 이러한 방안이 실효성 없다면 국가적 차원의 구원전문기금이나 시민 모금차원의 반환운동을 조성하고 소장국을 설득하여 다시 구입하도록 하는 다각적인 지원이 절실하다. 또한 직지찾기운동의 국가적 차원의 조직적인 캠페인(Campaign)과 종교단체 및 민간교류를 통한 문화재 기증과 구입, 상호교류 전시회 등을 강화해 자연스러운 문화재 반환을 유도하는 것이 바람직하다. 아무리 정당한 권리일지라도 강력하게 주장하지 않으면 구제의 기회조차 오지 않는다. 그리하여 『직지』 반환 문제가 당대에 해결할 수 없는 미완의 과제로 남는다 해도 이를 지속적으로 요구해야 하는 것이 우리의 사명이며, 그 성과를 정리해 후세에 전할 책임도 우리에게 있다.

최근에는 한국과 프랑스가 갖고 있는 외규장각 도서들을 디지털화 자료로 만들어 CD나 인터넷(Internet)을 통해 활용하는 방안을 정부차원에서 추진 중인데[579] 프랑스 측의 반응이 시원찮다고 한다. 현재 프랑스에 있는 외규장각 도서들은 대다수가 병인양요 때 빼앗아간 도서들이다. 그런데 프랑스 측은 2001년 우리나라와 프랑스 간 두 나라 민간대표단이 합의한 '프랑스 측 보유 도서와 한국 측 고문서의 맞교환 방식'의 협상을 백지화하자는 주장에 대해 우리는 적극적으로 대응하여 외규장각 도서는 물론 『직지』의 반환을 지속적으로 요구해야 할 것이다. 외규장각 도서는 약탈문화재이기 때문에 반환 협상에 지지부진하다면 유네스코 산하의 정부 간위원회(ICPRCP)에 중재를 상정하여 프랑스 당국에서 협상에 성실하게 임하게 적극 대처해야 한다. 프랑스는 지난 20여 년간 독일과의 끈질긴 협상 끝에 약탈된 문화재인 모네(Claude Monet) · 고갱(Paul Gauguin) · 세잔(Paul Cezanne)의 그림을 되돌려 받은 처사에 비해 『직지』는 물론 전리품으로 약탈한 외

579) 동아일보 2006년 2월 25일 A11면. "외규장 도서 인터넷으로 본다".

규장각 도서 반환에 이중적 작태를 보이는 것은 국제적으로 비난받아 마땅하다. 현재 프랑스는 중국의 문화재도 3만 점 이상을 소장하고 있는 것으로 알려져 있으며 중국 당국은 2003년 7월부터 해외 문화재 되찾기 운동을 벌이고 있다.

『직지』와 같이 가격으로 따질 수 없는 부가가치가 높은 문화재는 국내에서 발견이 되면 다행이지만 만일 그렇지 않을 경우 상당히 높은 가격을 치르고서라도 사들일 수 있는 방안[580]도 강구해야 한다. 그러나 『직지』를 포함한 외규장각 도서의 반환문제는 부정적인 시각으로는 야만적 문화침탈이지만 프랑스의 눈으로 보면 문화의 메카(Mecca)로 발돋움하려는 그들 나름대로의 국가적 전략이었다. 그리하여 이러한 문제는 당장 국가 간 이해득실을 떠나 과거 불행했던 제국주의 시대를 실질적으로 종결짓는 공존과 항구적 평화를 구축하는 데 기여하고 새로운 인류 문명사의 전개란 차원에서 전 세계적 문화재 반환운동으로 접근해야 할 것이다. 문화재 반환운동이 거세게 일어나는 것은 문화의 다양화와 정체성 회복 운동과도 관련이 있지만 문화재는 발상지가 어디든 우수한 문화재는 미래에 전해야 할 인류의 공동자산이기 때문에 원 소유국에 돌려주어야 함이 마땅하다. 『직지』의 해외 유출과 반환의 어려움, 국내에서의 미발견 등으로 선조의 숨결을 느낄 수 없는 안타까움이 있지만 영구임대 방식과 같은 반환이 어렵다면 현재 소장된 곳, 보관된 곳에서 그 가치를 제대로 인정받도록 세계에 알려 우리의 문화유산임을 확실히 하여 우리 민족의 자부심을 알려야 한다. 그래서 BNF 동양필사본부(Départment des Manuscrits Orientaux, 일명 동양문헌실)에 보관되어 있는 『직지』를 별도의 한국관을 설치하여 이곳에 보관하는 방안을 프랑스 측과 지속적인 협상을 벌여야 할 것이다.

현재 동양필사본부에 소장된 한국고서는 1866년 강화도를 점령한 프랑스 해군이 약탈해 간 것[581]과, 1911년 플랑시 컬렉션 경매 때 구입한 것으로

580) 2005년 영국 정부는 에든버러의 스코틀랜드 국립도서관(National Scotland Library)이 '존 머리 아카이브' 고문서류를 사들이는 데 복권기금 3,350만 달러(한화 335억 원)를 분담한 바 있다. 본래 이 고문서들은 미국으로 팔려 가는 것을 막기 위해 스코틀랜드 국립도서관이 협상 끝에 590억 원에 사들이기로 했고 영국 정부는 그 일부를 지원한 것이다.

구성되어 있다. 『직지』 반환 문제는 정부 간의 협상에 의해서 이루어지는 것이 가장 합리적인 방안이다. 그러나 정부는 정부차원에서 물밑 지원이 어려운 경우 민간차원에서 추진하는 문화재 반환 또는 모금운동에 힘을 실어 줄 수 있는 예산을 적극적으로 지원해 주어야 한다. 또한 프랑스 주최 유물 전시회 등에 비협조는 물론 약탈문화재가 많은 다른 국가들과 연대하여 문화재 반환 요구에 나서는 국가 간 네트워크(Newwork)를 검토하여야 한다. 그리고 국제회의나 포럼(Forum)에서 우리의 문화재 상황을 알리는 홍보도 확대하여야 한다. 또한 한-프랑스 간 도서 관계전문가들 사이에 협력 관계를 활성화하여 자료의 보존이나 이용, 정보교환, 양국 간 전시, 인터넷 공개 등을 위한 인적, 물적, 기술적 교류를 통해 상호간에 긴장 완화, 우호와 신뢰회복을 위한 노력이 우선해야 하고 많은 시간이 걸릴 것을 염두에 두고 점차적으로 접근해야 한다.

문화재가 무사히 반환되었을 때 보관장소나 관리 주체의 수용문제도 야기될 수 있어 이에 대한 대안도 마련되어야 한다. 또한 그 문화재를 훼손 없이 보관할 특수시설이 완전한지도 관건이다. 『직지』의 경우 당연히 청주고인쇄박물관에 보관되고 관리가 되어야 하지만, 영구임대 형식에서 뜻하지 않는 국가소유 등 소유권 변경의 다른 분쟁 문제가 발생할 소지는 염두에

581) 1866년 10월 16일 강화부는 프랑스 해군 귀스타브 로즈(Gustave Rose) 준장이 지휘하는 해군의 극동함대에 의해 함락되었고, 프랑스군은 이곳에 20여 일을 주둔하면서 로즈의 지시에 따라 참모장 해군 중령 앙리 주앙(Henri Jouan)을 위원장으로 하는 한국에 관련된 자료를 수집하는 위원회가 구성된다. 그리하여 이 위원회는 외규장각에 있던 서적 340권과 다른 자료를 모아 1866년 10월 20일 약탈 도서목록을 작성한 후 프랑스 파리로 보냈다. 그 이듬해인 1867년 1월 이 책들은 기증형식으로 현재의 프랑스국립도서관에 넘겨지고 동양필사본부(Départment des Manuscrits Orientaux, Mss. Or)에 보존되고 있다. 로즈는 해군성 대신 샤스루 로바(Chasseloup Laubat)에게 보낸 보고서에서 고문서 약탈과 관련하여 "……이 상자들은 다음 기회에 각하에게 보내겠습니다. 우리는 또 국가 고문서를 수중에 넣었습니다. 호기심을 끄는 책들인데, 조선의 역사・종교・문학의 신비를 밝혀 줄 수 있을 것으로 봅니다. 정식 목록을 작성하도록 했으며, 이 귀중한 컬렉션을 각하께 보내겠사오니, 각하께서 이 고문서들을 황립도서관(Bibliotheque Imperiale. de Paris, 현재 프랑스국립도서관)에 전달하도록 하시면 좋겠습니다. 극동함대 내의 누구도, 이 자료 중 어떠한 것도 개인적으로 소유하지 않았습니다. 우리가 발견한 것도 모두 목록(description)을 작성한 후, 의사록에 기재했습니다. 본인은 세심한 주의를 기울여, 누구도 빼돌리지 못하게 하였으며, 본인의 이와 같은 생각에 본인 휘하의 모든 인원들이 동감했습니다."라고 하여 철저하게 중국어에 능통한 직원이 목록을 작성하였으므로 실제 고문서와는 다소 오차가 있더라도 『직지』는 확실히 이때 유출된 것이 아님을 알 수 있다. 이 황립도서관 도서 목록은 제목의 한자의 중국식 발음의 로마자 표기와 불어 번역 그리고 그 밑에 책 제작연대가 적혀 있어 1890년 이전에는 중국본(fonds Chinois)으로 분류되어 청구기호가 부여되어 있었다.

두어야 한다. 국내에서 『직지』를 찾기 위해서는 소장자에 대한 신분 보장은 물론 양도세 · 취득세 · 소득세 · 상속세 · 증여세의 감면 또는 면제 등의 세제 혜택을 주어 공개에 부담을 덜어 주어야 한다. 그러나 무엇보다도 『직지』 반환에 있어서 중요한 것은 우리 『직지』의 가치와 의미를 알고 사랑하고 아끼는 마음이 절실할 때 진정한 반환이 이루어질 것이라고 본다.

6. 『직지』와 고속전철사업

우리나라는 1989년 경부고속철도(KTX, Korea Train Express) 건설방침을 정하고 1990년 기본계획 및 노선을 확정했다. 이 고속철도사업은 처음 프랑스의 GEC－알스톰(Alstom)회사는 일본의 신간선(新幹線), 독일의 ICE-(Inter City Express) 고속철도와 치열한 경합을 벌였으나, 1993년 우리나라를 방문한 프랑스 미테랑(Francois Mitterrand 1916－1996) 대통령의 약탈문화재인 외규장각 도서를 비롯하여 『직지』를 영구 대여하는 형식으로 반환하겠다는[582] 외교공세에 현혹되어 1994년 6월 프랑스 TGV(Train a Grande Vitesse) 시스템을 선정 프랑스의 국영철도(SNCF)의 참여와 알스톰을 주축으로 약 20억 유로에 차량구입계약을 체결했다. 그리고 2003년 12월 서울－대전 간 고속철도가 개통되었고, 2004년 4월 경부(서울－부산)와 호남선(부산－목포)이 동시에 개통[583] 되었다. 그런데 지금까지 프랑스 측은 당초의 약속을 이행하지 않고 당사자였던 미테랑은 세상을 떠나 이를 책임질 만한 이가 없어 그 결정이 정말 우리의 실리를 우선한 것이었는가는 지금 명백하게 드러나고 있다. 뿐만 아니라 현재 그 외규장각 도서가 우리에게 돌아

582) ① 특히 당시 미테랑 대통령이 『직지』에 반환에 관한 논의는 처음부터 아예 단 한 마디도 언급이 없었음에도 언론이 지나치게 앞서 보도를 하여 국민들이 기정사실로 받아들이는 혼란을 일게 했다. ② 동양일보 1993년 9월 10일 "직지 돌아온다－佛 미테랑 대통령 기자회견" ③ 조선일보 1993년 9월 16일 "직지심체요절 돌려받자－佛 제시목록에 포함 안돼"

583) http://ktx.korail.go.kr/

왔는가? 정부에서 그 도서의 반환을 끊임없이 프랑스 측에 후속조처를 취하고 있는지 의심스럽다. 어찌되었던 TGV사업과 관련하여 『직지』가 반환되지 못하고 있는 실정에 대한 글이 수록된 한 부분을 소개하면 아래와[584] 같다.

"세계에서 가장 빨리 달리는 열차 중의 하나인 TGV가 지금 한국에 건설되고 있다. 그러나 이 새로운 열차를 프랑스의 TGV로 결정하게 된 데 대해 약간의 찜찜한 느낌이 남아 있는 것은 부인할 수 없는 사실이다. 당시 고속철도사업은 아시아 지역으로 진출하기 위한 발판을 마련하려는 대규모 사업으로 인식되어 프랑스와 독일의 로비전이 치열했다. 통독 이후 약화된 경제와 사회 문제 등 국내 문제로 고심 중이던 독일에 반해 프랑스는 훨씬 적극적이었다. 미테랑 전 대통령은 직접 한국을 방문하고 세계에서 가장 오래된 금속활자본 『직지』를 돌려주겠다는 약속을 하고 적극적 공세를 벌였다. 결국 수주는 프랑스에게 돌아갔다. 아시아나 아프리카 국가의 식민 과정에서 문화적 지배를 위한 연구를 계속해 왔던 프랑스는 한국인들에게 수주를 따내기 위한 방법을 정확히 파악했다. 자존심과 명예 그리고 문화를 중요시 여기는 한국인들에게 그들이 약탈해 간 세계에서 가장 오래된 인쇄물인 『직지』를 돌려주겠다는 약속을 했고 그 약속을 믿은 한국 정부는 미테랑 전 대통령과

---

584) 이 글은 김윤정, 조화섭 지음, 『외국인이 꼭 물어보는 우리문화 영어로 표현하기』. 서울: 홍익미디어플러스, 1999. pp.274－276에 영문과 번역문이 실린 글입니다.
TGV and 『JIKJI』
One of the fastest trains in the world, the TGV is undr construction in korea, but not all koreas are satisfied with the introduction of the TGV. Germany and France thought the korean high speed train project would be a good business to make astep into the Asian market. So there was a strong competition between German unification, Germany had severe economic and social problems while France was able to lobby aggressively for the project. Mitterrand, the late president of France, visited korean with a deal, the 『jikji』 the odest known korean book. He offered to give it back to korea. France won the project with this offer. France had studied and researehed Asian and African countries while colonizing them. So they knew how to beat the competition. They also knew that pride, honor and culture were very important to Koreans. That is why France used the 『Jikji』 book to beat Germany. President Mitterrand made a promise to return the 『Jikji』 and koreans believed him. So public opinion about France was good. But after France won the contract they changed thir minds and president Mitterrand died. Something we are sorry about now is that Korean diplomats and senior advisors to the president did not make any official contract about returning the books in case of such problems. France has a different diplomatic policy for each country. We don't know why the France Government is giving so many medals to rich korean businessmen and distinguished persons. probably, because the France intended to win over the korean people. The returning of the 『Jikji』 gyeong was not the promise of Mitterrand alone, but the promise of theFrance government. But after Mitterrand's death, the France government stepped back and changed its mind. The France government did everything for its own interests and then discarded its honor. Mitterrand keeps silent in the sky and it seems that the France government is saying, "Ask Mitterrand?"
* 위 글에서 역자는 「직지」를 「직지심경, Jikjishimgyeong」로 표기하고 「직지」를 목판인쇄물로 잘못 번역하여 필자가 이를 바로 고쳤다.

프랑스 정부에 호의를 표시했다. 그러나 프랑스 정부는 불분명한 태도를 취하기 시작했고 반환을 약속했던 미테랑 대통령은 세상을 떠났다. 아쉬운 것은 당시의 외교관들이나 대통령 보좌관들 중 누구도 그 약속을 문서화하여 만약의 경우 국제 사회에 문제를 제기할 수 있게 해 놓지 못했다는 점이다. 프랑스의 약소국에 대한 외교 정책은 유명하다. 도대체 무슨 의도에서 프랑스 정부는 한국의 기업가들에게 그렇게 많은 프랑스 훈장을 주고 있는지 참으로 알 수 없는 일이다. 그것은 프랑스에 우호적인 사람을 만들자는 의도된 문화 외교 정책이다. 『직지』의 반환은 미테랑 개인의 약속이 아니라 프랑스 정부의 약속이었다. 그러나 미테랑 대통령 사후 프랑스 정부는 모호한 자세로 『직지』 반환에 대해 발뺌을 하고 있다. 마치 수단과 방법을 가리지 않고 목적을 달성한 후 그 신의를 저버린 것과 다름없다. 미테랑은 말이 없고 프랑스 정부는 마치 이렇게 말하고 있는 것 같다. '하늘에 있는 미테랑에게 물어보시구려."

『직지』의 형태적 편성체제

1. 『직지』의 다른 판본들

『직지』는 원래 상·하 두 권으로 고려 우왕 3년(1377) 7월에 청주목 흥덕사에서 간행된 금속활자본으로서 현재 그 상권은 전하지 않고 하권만이 제일 첫 장이 떨어진 상태로 프랑스국립도서관에 소장되어 있다. 그리고 1378년 여주 취암사에서 간행된 목판본은 현재 국립중앙도서관과 한국학중앙연구원 장서각에 상·하 완질(完帙)이 각각 1질씩 소장되어 있는데 간행연대와 간행장소는 같지만 각각 다른 판본으로 추정되기도[585] 한다. 1998년에는 전남 영광 불갑사에서 다소 손상된 목판본이 발견되기도[586] 했다. 필사본으로는 소장자가 불분명한 금속활자본 『직지』 하권과,[587] 청주의 구명백 씨와 청주고인쇄박물관이 소장한[588] 목판본 필사본이 있다.

---

585) 李世烈 譯, 『直指 下卷』. 서울: 保景文化社, 1997. p.13.

586) 『靈光 母岳山 佛甲寺－地表 調査 報告書－』. 東國大學校博物館, 靈光郡, 2001. 254－255. 사진 NO.175, 176. 이 보고서에 의하면 1998년에 명부전(冥府殿)에서 발견된 불갑사 복장품 『직지』는 권수의 서문 부분과 권하의 뒷부분이 결장되었으나 지질이나 인쇄상태는 양호한 상태이다. 이 목판본은 2001년 전라남도 유형문화재 제233호로 지정 관리되고 있다.

587) 이 책은 수년 전 대구 고서점에서 발견된 자료로 현재까지 소장자와 소장처를 알 수 없다. 다만 경북대 남권희 교수가 당시 소장자의 양해를 얻어 복사한 것과, 필자가 용학 스님으로부터 복사본을 기증받은 것이 유일한 자료이다.

588) 이 필사본은 본래 청주 대성고등학교 강전섭 선생이 소장하던 것을 2004년 청주고인쇄박물관에

위에서 말한 바와 같이 지금까지 『직지』의 이판본들이 모두 상·하 2권 1책으로 발견된 점으로 볼 때 금속활자본도 2권 1책이었던 것을 다시 제책을 할 적에 분리되어 상권과 하권으로 나누어 2책처럼 된 것 같다. 지금까지 알려진 『직지』 이판본들의 구성체제는 아래 표와 같다.

『직지』의 간본, 필사본별 구성체제

소 장 처	판본종류	권 수	서 문	발 문	시 기	비 고
장서각본	목판본	상 하	이색, 성사달	있 음	1378	
국립중앙도서관	목판본	상 하	없 음	있 음	후쇄본	
불갑사본	목판본	상 하	없 음	없 음	1378	
흥덕사본	주자본	하	없 음	없 음	1378	
구명백소장	목판필사본	상 하	이색, 성사달	있 음	19세기 전	복주현사대사상당(4장) 추가
청주고인쇄박물관	목판필사본	상 하	이색, 성사달	있 음	조선 후기	강전섭 소장본 2004년 구입
국립중앙박물관?[589]	주자필사본	하	없 음	없 음	1613년	松老奄 필사본

한편 『직지』의 이판본들에는 처음 책을 찍을 때는 없었지만 후에 간기의 다음이나 마지막 부분에 게송(偈頌)이나 공안(公案) 또는 낙서를 덧붙인 예가 있다. 이는 소장자들이 수택본(手澤本: 소장자의 손때가 묻은 책)에다 자신의 생각을 시로서 표현하거나 또는 내용을 나름대로 보충하려고 초서나 행서 붓글씨로 기록을 남겨 이를 잘 고구하면 의외로 『직지』와 관련된 중요한 정보를 얻을 수도 있다.

금속활자본 『직지』 하권의 맨 마지막 장 간기에 이어 주서(朱書: 주사로 쓴 붉은 글씨)로 7언 4구의 게송이 다음과 같이 쓰여 있다.

信得家中如意寶(신득가중여의보)
집안에서 실로 여의주를 얻음에
雖然物物明明視(수연물물명명시)

서 구입했다.

589) 청주고인쇄박물관 편(2002년), 『直指와 金屬活字의 발자취』, p.189에는 이 필사본이 현재 국립중앙박물관에 소장되어 있다고 되어 있는데 실제 유물검색 결과 없는 것으로 확인되었다.

비록 모든 것이 밝아진 듯 보이나
生心世世用無窮(생심세세용무궁)
하려고 함에는 대대로 한이 없어
覓別辺求卽及起(멱별변구즉급기)
늘 모든 것을 구하려고만 하누나
人心看介大抻珠(인심간개대신주)
사사로운 마음이 보물을 굳게 지킴에
不信之人偵看眼(불신지인정간안)
사람 눈을 속여 믿지 못하게 하니
起坐分明常自隨(기좌분명상자수)
늘 스스로 하고자 함도 불안하여
如合言語是何誰(여합언어시하수)
언어가 꼭 맞은들 이 무엇하는 이던고
(한글 번역: 이세열)

흥덕사본 필사본 마지막 장에는 다음과 같이 노스님과 동자승이 문답한 게송이 실려 있다.

노문수게(老文殊偈)　　노스님의 시

一念淨心 是道場(일념정심 시도량)
한결같이 깨끗한 마음 이것이 바로 도량이니
七寶恒沙 勝造塔(칠보항사 승조탑)
일곱 가지 보물로 한량없이 모두 탑을 지어라

동자문수게(童子文殊揭)　동자승의 시

造塔畢竟 化爲塵(조탑필경 화위진)
탑 쌓기를 마치니 마침내 번뇌가 사라져
一念正心 成正覺(일념정심 성정각)
한결같은 바른 마음으로 올바르게 깨달았네
(한글 번역: 이세열)

또한 구명백 씨 소장 필사본 뒷면에는 『경덕전등록』 제18권에 있는 '복주현사대사상당(福州玄沙大師上堂)'이 4장 가량 실려 있는데 이 부분에 대해 남권희 교수[590]는 현사스님은 당나라 때 조사선의 중심인물인 마조도일(709－788) 문하의 제자이므로 선불교의 요추로서 본문을 쓴 필사자와 다른 사람이 흥덕사본을 필사하면서 관계된 자료를 더 추가한 것으로 보고 있다. 추가된 부분의 그 내용을 보면[591] 다음과 같다.

福州玄沙大師上堂 憐哉愍哉人之愚盲也
선덕[592]들이여 스스로 못났다 하지 마라

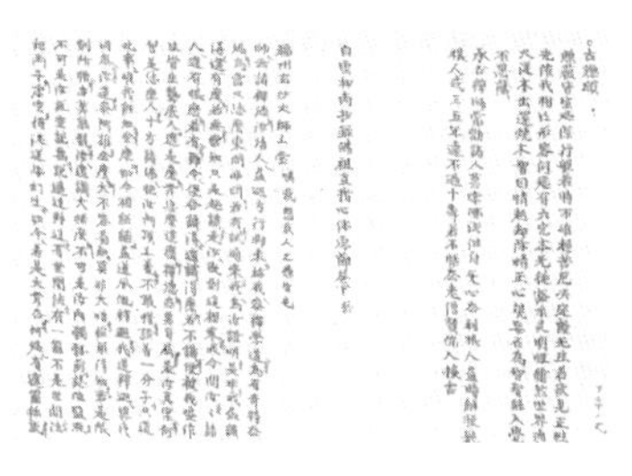
(사진 45) 『직지』 목판본 필사본 권말에 수록된 『현사사비선사어록』

대사께서 어느 때 이렇게 말씀하셨다. 여러분들은 모두 여러 곳을 두루 다니다 와서 "내가 참선하고 도를 배운다."라고 스스로 말들을 하는데 기특하게 나아간 곳이 있는가. 다만 이러함에 맞닥뜨려 동에서 묻고 서에서 묻는 것인가. 만약 시험 삼아 툭 털어놓는다면 내가 여러분들을 위하여 옳고 그름을 증명하겠다.

나는 다 알아보았으니, 있는가. 만약 없다면 이것은 그저 말장난을 보러 다니는 것일 뿐이다. 그대들이 이미 여기까지 왔으니 내가 이제 그대들에게 묻겠다. 그대들 모두는 눈이 있는가. 있다면 지금 곧 알 수 있으니, 알았는가. 만약 알지 못한다면 곧 나한테 눈뜬 봉사나 귀머거리라고 불릴 것이다. 그렇지 않은가. 이렇게 말하는 것을 인정하는가. 선덕들이여! 또한 그렇다고 스스로 못났다 하지 말라. 이것이 그대들의 진실인데 어찌 일찍이 그런 사람이 되었겠는가. 온 세상의 여러 부처님들이 그대를 잡아 정수리에 올려놓고 있으니, 조금이라도 잘못 알지 말라. 이 일은 자기 스스로만이 알 수 있다고

590) 南權熙, "筆寫本『直指心體要節』2種의 書誌的 考察", 『古印刷文化』 第5輯. (淸州古印刷博物館, 1988). p.51.

591) ① 『한글 대장경 전등록 2』. pp.288－293.
② 학담 평석, 『현사사비선사어록』. 서울: 큰수레, 2002. pp.24－45의 번역문을 그대로 옮겼으며, 각주는 필자가 주기하였음(해설 46－59).

592) 선덕(禪德): 참선한 기간이 길고, 지혜와 덕을 갖춘 선승(禪僧)에 대한 존칭.

말해 줄 뿐이니 알겠는가.

오늘까지 서로 이어 오면서 모두 다 저 석가모니의 법을 이었다고 말하지만, 나는 석가모니와 내가 함께한다고 말한다. 그대들은 누구와 함께한다고 말하는가. 알겠는가.

아주 쉽게 알 수는 없으니 크게 깨치지 않고서는 알 수가 없는 것이다. 만약 깨친 바를 한정해 버리면 또한 볼 수 없으니, 그대들은 크게 깨침을 알겠는가. 그대들은 해골 앞에 대놓고 속에 품고 있는 뜻을 살펴 비추는 것을 인정해서도 안 되고, 공(空)함을 말하고 없음[無]을 말해도 안 되며, 이쪽일까 저쪽일까를 말하거나 세간의 법이 있으니 하나의 세간법(世間法) 아닌 것이 있다고 말해서도 안 된다.

화상자(和尙者)[593]들이여! 허공도 오히려 미혹함과 허망을 좇아 허깨비로 생긴 것인데, 지금 만약 크게 그렇다고 해 버리면 어디에 그런 말이 있는 것인가. 허공의 소식도 오히려 없는데, 어느 곳에 삼계의 업의 차제(次第: 순서)와 부모의 인연으로 그대들을 낳아 주어 앞뒤로 모습 세워짐이 있겠는가.

만약 지금 없다고 말한다면 오히려 이것도 속이는 말인데 어찌 하물며 이것이 있겠는가. 알겠는가. 그대들 이 오래도록 행각한 화상(和尙)들은 깨친 일이 있다고 말들을 하는데 내가 이제 그대들이 아는가 묻겠다.

산꼭대기 낭떠러지에 사람의 자취가 끊긴 곳에도 불법이 있는가. 도리어 가려 따질 수 있는가. 만약 따질 수 없다면 끝내 있지 않은 것이다. 나는 평소 이렇게 말했다.

"죽은 승려의 얼굴 앞 바로 눈에 닿은 모든 것이 보리요, 만 리의 신기로운 빛은 정수리 뒤의 모습이다." 만약 어떤 사람이 볼 수 있다면 5음 · 18계를 벗어나는 데 거리낌이 없는 것이다.

해골 앞의 뜻과 생각 벗어 버리고 온다면 다만 이것이 그대들의 진실한 사람 몸인데 어느 곳에서 다시 한 법이 있어 그대들 덮개를 풀어 줄 것인가.

아는가. 그리고 다시 믿는가. 알아서 인정하는가. 반드시 크게 힘써야 할

---

593) 화상(和尙): 선덕(禪德)과 같은 뜻.

것이다.

師有時云 諸禪德 汝諸人盡巡方行脚來 稱我參禪學道 爲有奇特去處 爲當只恁麽東問西問 若有 試通來 我爲汝證明是非 我盡識得 還有麽 若無當知只是趁 是汝旣到遮裏來 我今問汝 汝諸人還有眼麽 若有 卽今便合識得 還識得麽 若不識 便被我喚作生盲生聾底人 還是麽 肯恁麽道麽 禪德亦莫自屈 是汝眞實何僧是恁麽人 十方諸佛把汝向頂上著 不敢錯誤 著一分子 只道此事唯我能知 會麽 如今相紹繼盡道承他釋迦 我道釋迦與我同參 汝道參阿誰 會麽 大不容易知 莫非大悟始解得知 若是限劑所悟 亦莫能觀 汝還識大悟麽 不可是汝向髑髏前認他鑒照 不可是汝說空說無 說遮邊那邊有世間法有一箇不是世間法 和尙子 虛空猶從迷妄幻生 如今若是大肯去 何處有遮箇稱說 尙無虛空消息 何處有三界業次父母緣生與 汝椿立前後 汝今道無 尙是誑語 豈況是有 知麽 是汝多時行脚和尙子稱道 有覺悟底事 我今問汝 只知巓山巖崖迴絶人處還有佛法麽 還裁辨得麽 若辨不得 卒未在 我尋常道 亡僧面前正是觸目菩提 萬里神光頂後相 若人觀得不妨出得陰界 脫汝髑髏前意想都來 只是汝眞實人體 何處更別有一法 解蓋覆汝 知麽 還信得麽 解承當得麽 大須勞力.

서 있는 곳에서 바로 살피라

대사께서 또 말씀하셨다.

"내가 지금 여러분들에게 묻겠다. 또 어떤 일을 이어받았으며, 어느 세계에 몸을 두고 목숨을 보전하는가. 도리어 가려 알 수[分別] 있겠는가. 만일 가려 알 수 없다면 마치 눈을 비벼 꽃을 내는 것과 같으니, 보는 일마다 곧 어긋날 것이다. 알겠는가.

지금 바로 눈앞에 드러난 산과 내 · 큰 땅 · 물질과 허공 · 밝음과 어두움 따위 갖가지 모든 것이 있음을 보는데, 이는 모두 허공 꽃의 모습을 미친 듯이 부릅떠서 생기는 모습이니, 뒤바뀐 지견(知見)이라 부른다.

무릇 출가한 사람은 마음을 알고 근본을 통달하기 때문에 사문(중)이라 하는데, 그대들은 지금 머리를 깎고 가사를 걸치고 사문(중)의 모습이 되었으니, 곧 으레 자리이타(自利利他: 자신을 위할 뿐 아니라 남을 위하여 불도를 닦는 일)에 힘써야 한다.

그런데도 지금 마치 먹물처럼 질펀하게 온통 검은 것만을 보게 되니, 스스로도 오히려 구하지 못하거니 어찌 다른 사람을 구할 줄 알겠는가.

여러분! 불법의 인연의 일은 큰 것이니, 함부로 소홀히 해 서로 머리 모으고 쓸데없는 말들을 어지러이 지껄이며 부질없는 말을 좇아 세월을 보내지 말라. 지나간 세월은 다시 얻을 수 없으니, 서글프도다. 대장부들이 어찌 스스로 돌이켜 이것이 무엇인가를 살피지 않는가.

다만 위로부터 종풍(宗風)이라 함은 이 여러 부처님의 이마 위를 밟는 부류[佛頂族]인데, 그대들이 받아들여 알지 못하므로 내가 방편으로 권해 다만 가섭의 문을 좇아 단박 뛰어가라고 하는 것이다. 이 한 문은 그대들의 범부와 성인의 인과를 뛰어나고 저 비로자나의 묘하게 장엄된 세계[莊嚴世界] 바다를 뛰어나고, 저 석가모니의 방편문을 뛰어나서 곧 바로 영원한 미래[永劫]에 한 물건도 그대들에게 눈으로 볼 수 있게[眼見] 하지 않으니, 그대들은 어찌하여 급히 사무쳐 취하지 않는가.

내 스스로 3생이나 2생을 기다려 깨끗한 업을 오래도록 쌓도록 하라고 꼭 말할 것은 없다.

여러분. 그대들이 종승(宗乘)은 이 무슨 일인가. 그대들의 몸과 마음으로 말미암아 힘을 써서 장엄함으로 얻어가도 안 될 것이며, 남의 마음[他心]을 알고[通] 목숨[宿命]을 아는 것으로 얻어가도 안 될 것이다.

아는가. 다만 석가가 세상에 나타나서 여러 가지로 변화와 재주를 지어 12분교를 말하는 것을 병의 물을 붓는 것처럼 하여 크게 한바탕 불사를 이룬다 해도 그대들의 이 문 가운데를 향해서는 하나도 쓸 수 없고 한 터럭의 재주도 쓸 수 없는 것이다. 아는가. 꿈속 일과 같고, 잠꼬대와 같은 것이니, 사문(중)은 마땅히 얻으려 할 것이 없다.

머리를 내밀어 오기만 하면[出頭來] 다 알아 얻으니, 아는가. 알아 얻으면 그것이 곧 크게 벗어남이고 크게 자기를 일으킴[出頭]이다. 그러므로 범부를 넘고 성인(聖人)을 벗어나며 태어남을 벗어나며 죽음을 떠나며, 원인[因]을 여의고 결과[果]를 여의며, 비로자나를 뛰어넘고 석가모니를 넘어서 범부와 성인, 인과의 속인 바를 입지 않는다고 말하는 것인데, 어느 곳에도 아는 이가 없다. 그대들은 아는가. 다만 길이 나고 죽음 속 애욕의 그물을 그리워하여 선악업에 얽매여 가서 자유로운 모습이 없도록 하지 말라.

설사 그대들이 정미롭게 밝음[一精明]이 밝아 흔들리지 않는 곳에 이르렀다 해도 저 식음(識陰)을 벗어나지 못한 것이다. 옛 사람은 이를 "빨리 흐르는 물과 같다"고 말했는데, 빠른 흐름을 깨닫지 못하고 허망되게 밝음을 삼으니, 이렇게 닦아 행하면[修行] 모두 저 윤회의 때를 벗어나지 못하는 것이고, 앞과 같이 헤매게 될 것이다. 그러므로 "온갖 행은 덧없다[無常]."고 말하는 것이니, 바로 이것은 3승의 공덕의 과보[功果]도 이와 같이 두려운 것임을 보인 것이다. 만약 도의 눈이 없으면 또한 구경이 되지 못하는데, 어찌 오늘날 맨 밑바닥 범부[博地凡夫]들이 한 터럭 끝의 공덕도 들이지 않고 단박 벗어 나갈 수 있겠는가.

마음의 힘을 덜어 갈 줄 아는가. 도리어 즐기는 마음을 원하는가. 그대들에게 권하나니, 나는 지금 서 있는 곳에서 그대들이 바로 살펴 가는 것을 기다리지 그대들이 공(功)을 더해 행을 연마하도록 하지 않는다. 지금 바로 이렇게 하지 않으면 다시 어느 때를 기다리겠는가.

드디어 인정하는가. 인정하는가.

師又云 我今問汝諸人且承得箇什麽事 在何世界安身立命 還辨得麽 若辨不得 恰似捏目生花 見事便差 知麽 如今現前見有山河大地色空明闇種種諸物 皆是狂勞花相 喚作顚倒知見 夫出家人識心達本 故號沙門 汝今旣已剃髮披衣爲沙門相 卽合有自利利他分 如今看著盡黑漫漫地 如黑汗相似 自救尙不得 爭解爲得他人 仁者 佛法因緣事大 莫作等閑相聚頭亂說雜話 趁言貫過時 光陰難得 可惜許 大丈夫兒何不自省察 看是什麽事 只如從上宗風是諸佛頂族 汝旣承當不得 所以我方便勸汝 但從迦葉門接續頓超去

此一門超汝凡聖因果 超他毘盧妙莊嚴世界海 超他釋迦方便門 直下永劫不敎有一物與汝作眼見 何不急急究取 未必道我且待三生兩生久積淨業仁者 汝宗乘是什麽事 不可由汝身心用工莊嚴便得去 不可他心宿命便得去會麽 只如釋迦出頭來作如許多變弄 說十二分敎 如甁灌水 大作一場佛事向汝此門中用一點不得 用一毛頭伎倆不得 知麽 如同夢事 亦如寐語 沙門不應得 出頭來蓋爲識得 知麽 識得 卽是大出脫大出頭 所以道超凡越聖出生離死 離因離果 超毘盧 越釋迦 不被凡聖因果所謾 一切處無人識得汝知麽 莫只長戀生死愛網被善惡業拘將去 無自由分 饒汝鍊得身心同空去饒汝得到精明湛不搖處 不出他識陰 古人喚作如急流水 流急不覺 妄爲澹淨 恁麽修行 盡不出他輪廻際 依前被輪轉去 所以道諸行無常 直是三乘功果如是可畏 若無道眼亦不爲究竟 何如從今日博地 凡夫不用一毫功夫 便頓超去 解省心力麽 還願樂麽 勸汝 我如今立地待汝觀去 不用汝加功鍊行如今不恁麽 更待何時 還肯麽 還肯麽.

산 달마를 보는가

대사가 어느 때 당에 올라 대중들에게 말씀하셨다. “그대들의 진실이 이와 같다.”

또 가끔 이렇게도 말씀하셨다. “달마가 아직 살아 있는데 여러분들은 보는가?”

師有時上堂謂衆曰 是汝眞實如是 又有時云 達磨如今現在 汝諸人還見麽.

사문의 눈 세계를 바로잡아 정하니

대사께서 말씀하셨다.

여러 사람들이 험악한 것을 보기도 하고, 호랑이나 칼과 같은 여러 가지 일이 그대들의 목숨을 내모는 것을 보아 곧 한없는 두려움을 내는 것은 무엇과 같은가.

마치 세간의 화가들이 한 가지로 스스로 지옥의 모습[變相]을 그리면서 호랑이나 칼 들을 그리고서는 그것들을 자세히 보고 도리어 스스로가 두려움을 내는 것과 같다.

그대들도 지금 여러 사람들도 또한 이와 같아 백 가지로 보는 것[所見]이 바로 그대들이 허깨비[虛荒]처럼 내어서 스스로 두려움을 내는 것이며, 또한 다른 사람이 그대들에게 허물을 주는 것이 아니다.

그대들이 지금 이 허깨비[虛荒]의 미혹하게 함을 깨닫고 싶은가. 다만 그대들의 금강 같은 눈동자를 알도록 하라. 만약 알면 일찍이 그대들로 하여금 가는 티끌도 드러나게 할 것이 없는데, 어느 곳에 다시 호랑이나 늑대, 칼 등이 있어 그대들을 두렵게 함을 알겠는가.

바로 석가모니와 같은 재주에도 이른다 해도 또 머리 내밀 곳(빠져나갈 곳)을 찾을 수 없는 것이다. 그러므로 내가 그대들에게 말하겠다.

사문(중)의 눈 세계[眼目]를 잡아 정하니　　沙門眼把定世界
뚜껑 맞듯 하늘땅이 하나로 맞아　　函蓋乾坤
실오라기 머리털도 새지 않도다　　不漏絲髮

이와 같으니 어느 곳에 다시 한 물건이 있어 그대들의 지견이 되겠는가. 알겠는가. 이와 같이 벗어나면 이와 같이 기특하니 왜 참구를 하지 않는가.

師云 是諸人見有險惡見 有大蟲刀劍諸事 逼汝身命 便生無限怕怖 如似什麽 恰如世間畵師一般 自畵作地獄變相作大蟲刀劍了 好好地看了却自生怕怖 汝今諸人亦復如是 百般見有 是汝自幻出自生怕怖 亦不是別人與汝爲過 汝今欲覺此幻惑麽 但識取汝金剛眼睛 若識得 不會敎汝有纖塵可得露現 何處更有虎狼刀劍解憎嚇得汝 直至釋迦如是伎倆 亦覓出頭處不得 所以我向汝道 沙門眼把定世界 函蓋乾坤不漏絲髮 何處更有一物爲汝 知見 知麽 如是出脫 如是奇特 何不空取.

뼈를 깎듯 진실하게 참구하면

대사께서 말씀하셨다.

여러분들은 마치 큰 바다 속에 앉아 머리까지 온통 물에 빠졌는데도 다시 손을 펼쳐 남에게 물을 달라고 해서 먹는 것과 같다. 알겠는가. 저 반야를 배우는 보살은 바로 큰 근기(根機)[594]라 크나큰 지혜가 있어서 얻게 된다. 만약 지혜가 있으면 지금 당장에 벗어날 수[解脫] 있지만 만일 근기가 더디고 무디다면 바로 부지런히 괴롭게 참으면서 밤낮으로 피로도 잊어버리고 밥 먹는 것도 잊고서 부모의 초상을 치르는 것처럼 해야 한다.

그렇게 급하고 간절하게[急切] 한생을 다해 가고 다시 옆에서 도와 붙들어 줌을 얻어 뼈를 깎듯 진실하게 참구하면 또한 바로 살펴 감을 얻어 가는 데 막을 것이 없을 것이다. 그런데 하물며 지금 누가 견디어 배움을 받을 수 있는 사람인가.

여러분. 말만 기억하는 것을 마치 다라니를 외우는 모습처럼 하고, 걸음을 뒤뚱거리며 앞으로 나오면서 입 속에서 무슨 말을 웅얼거리듯 하다가 사람들이 붙잡아 따져 물으면 어디로 갈 곳이 없어서 '화상이 나를 위해 대답해 주지 않았다.'고 화내면서 말하니 이렇게 해서는 안 된다. 이렇게 배우면 일이 매우 괴로운 것이다. 알겠는가.

師云 汝諸人如似在大海裏坐 沒頭水浸却了 更展手問人乞水喫 還會麽 夫學般若菩薩 是大根器有大智慧始得 若有智慧 卽今便得出脫 若是根機遲鈍 直須勤苦忍耐 日夜忘疲失食 如喪考妣相似 恁麽急切盡一生去 更得人荷挾 剋骨究實 不妨亦得覰去 且況如今誰是堪任受學底人 仁者 莫只是記言記語恰似念陀羅尼相似 蹋步向前來 口裏哆哆口和 口和 地 被人把住詰問 著沒去處 便嗔道和尙不爲我答話 恁麽學 事大苦 知麽.

594) 근기(根機): 부처의 가르침을 받아들일 수 있는 중생의 소질이나 근성.

세상을 속이는 선지식의 병통(허물)[595]

한 가지로 선상(禪牀)[596]에 앉아 있는 어떤 화상은 선지식이라고 말하다가 누가 물으면 곧 손과 몸을 흔들거나 눈을 껌벅이거나 혀를 내밀거나 눈을 부릅뜬다.

有一般坐繩牀和尙稱爲善知識 問著便動身動手點眼吐舌瞪視.

밝고 밝아 신령함으로 주인공을 삼으면

다시 한 가지로 밝고 신령하여[昭昭靈靈] 신령이 아는 바탕인 지혜의 성품을 보고 들을 수 있다고 하여 오온의 몸바탕 속을 향해 주재하는 자를 짓기도 하니, 이렇게 선지식이 되면 크게 속이는 사람이다. 알겠는가.

내가 이제 그대들에게 묻는다.

만약 밝고 밝아[昭昭靈靈] 함이 너의 진실이라 인정한다면 왜 잠을 잘 때는 밝고 밝아 신령[昭昭靈靈]함을 이루지 못하는가. 만약 잠 잘 때에 밝고 밝아 신령함이 이루어지지 않는다면 왜 밝고 밝을 때가 있는가.

그대들은 알겠는가. 이것은 도적(밝고 밝아 신령한 것)을 잘못 알아서 아들이라 여긴 것이니, 이는 나고 죽음의 근본이요. 허망한 생각이 낸 인연의 기운[妄想緣氣]이다. 그대들은 이 까닭을 알고자 하는가.

내가 그대들에게 말하겠다. "그대들의 밝고 밝아 신령[昭昭靈靈]함은 다만 앞의 경계인 빛깔 · 소리 · 냄새 등의 법으로 인해 분별함이 있어서 이것을 밝고 밝아 신령[昭昭靈靈]함이라 곧 말할 것이다. 그러므로 만약 앞의 경계가 없으면 그대들의 이 밝고 밝아 신령[昭昭靈靈]함은 거북의 털이나 토끼의 뿔과 같을 것이다.

여러분, 진실은 어느 곳에 있는가.

---

595) 병통: ① 깊이 뿌리박힌 결점. ② 탈의 원인. ③ 공부를 잘못 지어 가는 것을 말함(불교). ④ 허물.
596) 선상(禪牀): 좌선하는 곳. 좌선할 때 앉는 의자.

그대들이 지금 저 오온으로 된 몸바탕의 주인에게서 벗어나고자 하면 다만 그대들의 비밀한 금강의 몸[金剛體]을 알도록 하라. 옛 사람이 그대들에게 말하기를 "이미 뚜렷이 이룬 깨달음이 바르고 두루 하여 티끌[恒河沙] 세계에 두루 한다." 하였으니, 나는 조금 그대들을 위해 보여 주겠으니, 지혜 있는 이는 비유로 곧 알아차릴 것이다.

그대들은 이 남섬부주(南瞻部洲)[597]의 해를 보았는가. 세간 사람들이 짓는바 사업[經營]과 몸을 기르고[修養] 목숨을 살리는 등 갖가지 마음씨나 짓는 업[作業]이 저 햇빛을 받지 않고 이루어지지 않음이 없다. 저 해의 바탕에 위의 여러 가지와 마음씨가 있는가. 두루 하지 않은 곳이 있는가. 이 금강의 몸[金剛體]을 알고자 하는 것도 이와 같다.

지금의 산과 내, 큰 땅과 온 세상[十方]의 국토와 물질과 허공, 밝음과 어두움과 그대들의 몸과 마음이 모두가 그대들이 뚜렷이 이루어진 위덕(威德: 위엄과 덕망)의 빛[光明]을 받아 이루어지지 않은 것이 없다. 바로 이렇게 하늘과 사람, 뭇 삶의 무리[生靈]가 짓는 업으로 다음 태어나는 과보를 받는 일과 성품 있고 뜻이 없는 것[無情物]들이 그대들의 위덕의 빛을 받지 않음이 없다. 나아가 여러 부처님이 도를 이루시고 과덕을 이루시어 여러 사물을 접해 중생을 이롭게 함이 그대들의 위덕의 빛을 받지 않은 것이 없다. 다만 저 금강의 몸[金剛體]에 도리어 범부와 여러 부처님이 있는가. 그대들의 행함이 있는가. 없다고 말해서도 곧 마땅히 얻을 수 없으니, 알겠는가.

그대들에겐 이미 이와 같이 기특하고 환하게 밝은 몸을 드러내는 곳[出身悽]이 있는데도, 어찌 밝혀내지 않고서 곧 저(도적)를 따라 오온의 몸바탕 가운데 귀신의 길 속에서 살림살이를 하는 스스로를 속이는가. 갑자기 덧없음과 죽음[無常殺鬼]의 경계가 닥쳐와서 눈을 부릅떠서 보이거나 몸이 실로 있다는 견해, 목숨에 집착하는 견해란 이러한 때 크게 버티어 짊어질

---

597) 남섬부주(南瞻部洲): 수미산 사방에 있다는 네 대륙인 사주(四州)의 하나. 수미산 남쪽에 있는 대륙으로, 우리 인간들이 사는 곳이라 함. 여러 부처가 나타나는 곳은 사주 가운데 이곳 뿐이라고 한다.

수 없음이 거북의 껍질을 산 채로 벗기는 것 같아서 몸이 몹시 괴로운 것이다.

여러분!. 잠들어 있으면서도 밝고 신령하다는 견해로 곧 옳다고 하지 말라. 이는 덮인 뚜껑을 풀지 못하고 털끝을 얻음인 것이다. 그대들은 아는가. 삼계가 편안치 못함이 불난 집과 같고, 또 그대들은 아직 안락을 얻지 못한 사람들이다.

다만 크게 무리 지어서 다른 사람 사는 데를 이쪽저쪽 들사슴처럼 날뛰어 다니면서 그저 옷 구하고 먹을 줄만 아니, 만약 이렇게 하면 어찌 나라의 바른 도[王道]를 행할 수 있겠는가.

알겠는가. 나라와 관료들이 그대들을 얽매지[拘束] 않고 부모가 출가하도록 놓아 주었으며, 온 세상[十方]의 시주[檀越]들이 그대들에게 옷과 먹을거리를 공급하고, 토지신과 용신이 그대들을 보살펴주니, 반드시 부끄러운 마음을 갖추어 은혜를 알아야 될 것이니, 남의 좋은 은혜를 저버리지 말라.

길게 늘어놓은 평상 위에서 아무것도 하지 않고 뒹굴며 세월을 보내면 이것은 안락이 없다고 말하는 것이니, 모두 다 죽과 밥으로 그대들을 기르다가 썩은 겨울 오이처럼 변해서 땅 속에 묻힘이라 업식(業識)[598]이 아득해서 의거할 근본이 없는 것이다.

사문(중)이 무엇 때문에서 이런 곳에 이르렀는가.

다만 큰 땅 위에 꿈틀거리는 것들을 나는 지옥의 시간이 머묾이라 말하는데, 만약 지금에 밝히지 못하면 내일 아침이나 다음날 변해 나귀 태와 말 뱃속으로 들어가서 보습을 끌고 쟁기를 잡으며 말굽을 박고, 안장을 짊어지며, 방아를 찧고, 물을 품으며 불 속에 구워질 것이다. 아주 쉽게 받아들일 수 없는 일이니 반드시 크게 두려워해야 할 것이다.

이 모든 것은 그대들 스스로의 허물이니 알겠는가.

만약 이것을 깨닫는다면 곧바로 영원한 겁[永劫]에 그대들에게 이 소식이 있다고 일찍이 가르치지 않아도 되지만, 만약 이를 깨닫지 못하면 번뇌

598) 업식(業識): ① 과거에 저지른 미혹(흐린 마음)한 행위와 말과 생각의 과보로 현재에 일으키는 미혹한 마음작용. ② 오의(五意)의 하나. 무명(無明)에 의해 일어나는 그릇된 마음작용.

와 악업의 인연을 한 겁이나 두 겁에 쉬지 못할 것이다.

바로 그대들에게 금강 같은 목숨을 주었으니 알았는가.

更有一般便說昭昭靈靈靈臺智性能見能聞 向五蘊身田裏作主宰 善知識大賺人 知麽 我今問汝 汝若認昭昭靈靈是汝眞實 爲什麽瞌睡時 又不成昭昭靈靈 若瞌睡時不是 爲什麽有昭昭時 汝還會麽 遮箇喚作認賊爲子 是生死根本 妄想緣氣 汝欲識此根由麽 我向汝道 汝昭昭靈靈 只因前塵色聲香等法而有分別 便道此是昭昭靈靈 若無前塵 汝此昭昭靈靈 同於龜毛兎角仁者 眞實存什麽處 汝今欲得出他五蘊身田主宰 但識取汝秘密金剛體 古人向汝道 圓成正徧徧周沙界 我今少分爲汝 智者可以譬喩得解 汝見此南閻浮提日麽 世間人所作興營養身活命 種種心行作業 莫非承他日光成立只如日體還有多般及心行麽 還有不周徧處麽 欲識此金剛體亦如是 只如今山河大地 十方國土色空明闇及汝身心 莫非盡承汝圓成威光所現 直是天人群生類所作業 次受生果報有性無情 莫非承汝威光 乃至諸佛成道成果接物利生 莫非盡承汝威光 只如金剛體 還有凡夫諸佛麽 有汝心行麽 不可道無便當得去也 知麽 汝旣有如是奇特當陽出身處 何不發明取 便隨他向五蘊身田中鬼趣裏作活計 直下自謾却去 忽然無常殺境到來 眼目譸張身見命見恁麽時大難支荷 如生脫龜筒相似 大若 仁者 莫把瞌睡見解便當却去 未解蓋覆得毛頭許 汝還知麽 三界無安 猶如火宅 且汝未是得安樂底人 只大作群隊 於他人世遮邊那邊飛走野鹿相似 但知求依爲食 若恁麽爭行他王道知麽 國王大臣不拘汝 父母放汝出家 十方施主供汝衣食 土地龍神護汝 也須具慙愧知恩始得 莫孤負人好 長連牀上排行著地銷將去 道是安樂未在皆是粥飯將養得汝爛冬瓜相似 變將去土裏埋將去 業識茫茫無本可據 沙門因什麽到恁麽地 只如大地上蠢蠢者 我還作地獄劫住 如今若不了 明朝後日看變 入驢胎馬肚裏 牽犁拽杷銜鐵負鞍 碓擣磨磨水 火裏燒煮去 大不容易受 大須恐懼好 是汝自累 知麽 若是了去 直下永劫不曾敎 汝有遮箇消息 若不了此 煩惱惡業因緣未是一劫得休 直與汝金剛齊壽 知麽.

2. 『직지』의 외형적 체제(프랑스국립도서관 소장본)

1) 겉표지

『직지』의 서지적 특성에서 판본학적(板本學的)인 면은 아직도 논란의 대상이 되고 있으며, 또한 이미 서지학자들에 의하여 연구된 바 있어 이 부분은 생략을 하고 현재 상태인 『직지』의 형태서지학적인 면만 살펴보면 다음과 같다.

『직지』의 크기는 24.6×17㎝로서 초간본의 크기라고 보기에는 다소 작아진 것인데 이는 이 책이 전래되어 오면서 중간에 책 자체를 해체하여 다시 제책(製冊: 책 꿰매기)할 때에 크기가 줄어든 것[599]으로 보인다. 이는 처음 책을 만들어 제책하였을 때와 후에 다시 제책을 하여 절단을 할 적에 크기를 잘못 맞춘 탓인지 광곽(匡郭) 밖의 윗부분에 붉은 글씨(朱書)로 써놓은 8장 뒷면, 17장 앞면, 22장 뒷면, 25장 앞면, 26장 앞면, 29장 앞면 부분과 38장 앞면과 같이 광곽 아랫부분에 쓰인 먹으로 쓴 글씨가 절단 시에 잘려나간 것으로 짐작할 수 있는데 요즈음 쓰던 책을 해체하여 다시 묶어 절단하려고 하면 종이의 네 모퉁이가 잘 맞지 않은 것과도 같은 현상이라고 보인다.

배접(褙接: 종이를 여러 겹 포개어 붙이는 것)상태는 책 전부가 아주 얇은 종이로 각 장마다 배접을 하고 다시 꿰맨 것으로 어느 때 배접을 했는지 잘 모르겠으나 배접기술은 상당한 기술수준이며, 맨 마지막 장의 일부 배접부분은 없어진 상태이다. 이 배접부분에 대해 필자는 직접 실물을 보지 못하여 잘 알 수 없으며 학자들에 따라 약간씩 견해가 다르다. 박병선 박사는[600] 책이 손상되는 것을 방지하기 위한 보존처리 과정에서 각 장의 안쪽

---

599) 최근 남권희 교수 외 3인이 『직지』원본을 실측한 결과, 세로는 24.5㎝이고, 가로는 書首(頭) 부분은 16.9㎝, 書根 부분은 17.1㎝로 나타났다. 이는 후대에 장정을 하면서 나타난 것으로 보았다. *남권희 외, 「프랑스국립도서관 소장 『직지』원본 조사 연구」, 『書誌學硏究』第35輯(2006).

600) 黃正夏, "『白雲直指心體』의 刊行考", 『松谷 孫弘烈博士華甲紀念 史學論叢』. 서울: 修書院,

에 한지를 끼워 넣었다고 보는 반면 황정하 학예사는[601] 한지를 끼워 넣은 것이 아니라 배접을 하고 글씨가 결락된 부분을 가는 세필로 써넣었다며 그 한 예로 2장 앞면 11줄 11번째 '說' 자와 39장 뒷면 3째줄 '璨' 자의 경우가 그러하다고 주장하기도 한다.

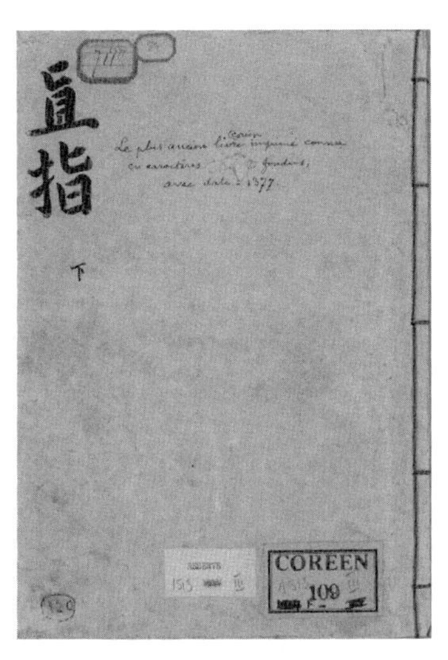

(사진 46) 프랑스국립도서관 소장 『직지』겉표지

책의 표지는 한지로 본문의 것과는 전혀 다르며 배접 시 문살무늬 속에 만(卍) 자 무늬를 연속적으로 이어 빗각 마름모꼴로 된 문양 중앙 안에 연꽃무늬를 넣은 능화판[602]인 사격자만자문연화문(斜格子卍字紋蓮花紋)으로 되어 있다. 이러한 책판 문양은 우리나라 18세기 후기에 유행되었던 책판으로 현재의 『직지』 표지는 고려시대 때 처음 만들어진 본래의 표지가 아니라 조선시대에 새롭게 장정되었고 이때 첫 장이 떨어져 나간 것으로 추측된다.

제책(製冊: 책 꿰매기)은 우리나라의 전통 방식인 한 가닥으로 된 붉은색 오침안정법(五針眼訂法)으로 다시 제책을 한 것으로 비교적 깨끗한 상태이다. 본문 종이의 재질은 닥나무 종이로 퇴색이 그다지 많이 되지 않은 상태로서 흰색이며 얇다. 이에 대하여 남권희 교수[603]에 의하면 『직지』의 본문과 표지의 종이는 후에 소장자가 제책을 다시 하면서 서로 다르게 되었다며 불복장(佛腹藏)일 경우 목불(木佛: 나무 불상)의 송진(松脂)이 책에 스며든 것으로 17세기 초에 개금불사(改金佛事) 때 노출되고 당시 지금의 금속활자본 『직지』

1988. p.178.

601) 황정하, "『白雲直指心體』의 刊行 背景", 『古印刷文化』. 第7輯(2000).

602) 능화판이란 책 겉장에 마름모 모양으로 된 기하학적인 무늬를 도드라지게 박아내는 데 사용하는 책판의 판목을 말한다. 마름이란 네 변의 길이가 모두 같으나 직각이 아닌 사각형으로 능형이라고도 한다. 마름꽃이란 바늘꽃과의 일년생 초로서 연못 등에 나는데 잎은 물 위에 뜨고 여름에 흰 꽃이 핀다. 마름형으로 과실은 식용으로 쓰인다.

603) 南權熙 "筆寫本 『直指心體要節』 2種의 書誌的 고찰", 『古印刷文化』 第5輯(1988). p.42.

를 송노엄(松老奄)이 필사한 것으로 보고 있으나 여기에 대해서는 견해를 달리 보는 학자들도 있다.

겉표지에는 가로 3.5 세로 7㎝ 크기로 『직지』라고 붓글씨로 두 글자의 책이름이 제첨(題籤: 종이 또는 비단과 같은 쪽지에 책이름을 써서 붙인 것) 없이 직접 겉표지에 쓰여 있는데 이는 첫 장이 없어진 것으로 추측하건데 초간 당시의 표지는 아닌 것 같으며, 붓글씨 또한 고려시대의 서체가 아닌 서체에 기교(技巧)를 쓰기 시작한 조선시대의 서체로[604] 당시 이 책의 소장자가 책을 다시 나누어 만들 때 다시 쓴 것으로 보인다. 그리고 책이름 바로 밑으로 작은 글씨로 권수 표시인 '下'라고 되어 있어 언뜻 보기에 2권 2책으로 보이나 위 글에서 말한 바와 같이 지금까지 목판본 필사본 등이 모두 2권 1책으로 되어 있는 것으로 볼 때 금속활자본도 2권 1책이었을 가능성이 높다고 보인다. 그러나 아직까지 『직지』의 소장자가 누구였는지에 대해서는 밝혀지지 않고 있는데 『직지』 하권 간기 부분에 주서(朱書: 주사로 쓴 붉은 글씨)로 쓰여 있는 7언 4구의 게송(偈頌: 부처의 공덕이나 가르침을 찬탄하는 노래)으로 보이는 부분을 해독하면 그 실마리가 풀릴 수도 있겠다.

(사진 47)「直指」書根題

『직지』의 책이름으로는 금속활자본의 경우 겉표지에 『直指』, 판심제(版心題: 판심 속에 표기된 책이름)에는 『直指 下』,[605] 권수제(卷首題: 책의 제1권 첫 장에 표기된 책이름)는 첫 장이 떨어져 나가고 없어 확실하지는 않지만 목판본의 권수제가 『白雲和尙抄錄佛祖直指心體要節』[606]로 되어 있고 금속활자본 하권 권말제도 이와 같이 쓰여 금속활

604) 李世烈 譯, 『直指 下卷』. 서울: 保景文化社, 1997. pp.14－15.

605) 금속활자본 『직지』의 판심제의 경우 맨 마지막 39장 앞면에는 '直下'만 있고 '指' 자가 빠져 있다.

606) 취암사 목판본 상권 권말제는 "白雲和尙抄錄佛祖直指心體節要"로 끝부분의 '要節'과 '節要'로 바뀌어 있다.

자본 권수제도 목판본과 같이 쓰였을 것으로 보인다.

또한 현재 프랑스국립도서관에 있는 『직지』의 경우 서근(書根: 책 아래 밑 부분) 1/3 우측에 오른쪽에서 왼쪽으로 쓰인 책이름은 '下 直指心經'으로 되어 있어 이를 근거로 한때 잘못 쓰이기도 했으나 오늘날은 거의 사용하지 않고 있다.

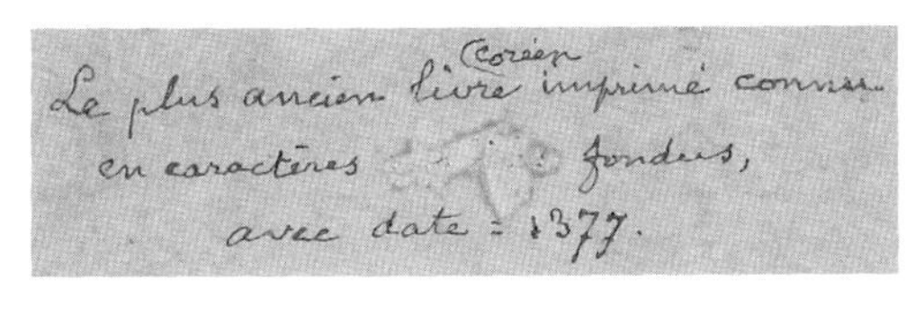

(사진 48) 직지 겉표지에 쓰인 글

현재 프랑스국립도서관(La Bibliothèque Nationale de France) 동양필사본부(Départment des Manuscrits Orientaux, 일명 동양문헌실)에 보관 중인 금속활자본『직지』 하권의 겉표지 상단 중간쯤 원제목 오른쪽에 플랑시의 펜(Pen) 글씨로 추정되는[607] "Le plus ancien livre coréen imprimé connu en caractéres fondus, avec date = 1377"라고 프랑스어로 쓰여 있는데 이 글을 우리 글로 번역하면 "1377년에 금속활자로 찍은 가장 오래된 한국 인쇄본이다."라는[608] 뜻으로 『직지』가 이미 100년 전부터 세계에서 가장 오래되었다는 사실을 말해 준다. 동양필사본부에서는 『직지』를 디지털(Numéridé)화하여 2006년 8월까지만 해도 저자(Auteur) 경한(Kyonghan)이나 서명(Titre)에서 불조직지심체요절(Pulcho chikchi simch'e yojol)을 입력하면 사진으로 실물(Bibliothéque vituelle Gallica) 스캔 사진(Scan photo) 43매 86면을 제공하였었는데 2007년 12월 현재는 겉표지와, 속표지, 간기부분, 그리고 본문 몇 장 등 10면만 제공하고[609] 있다.

607) http://www.euro－coree.net: 이진명 교수, "프랑스국립도서관(BNF) 도서전시".

608) Le plus ancien livre coréen imprimé connu en caractéres fondus, avec date = 1377
Le 정관사, plus최상급, ancien오래된, livre책, coréen한국, imprimé인쇄, connu잘 알려진, en관사, caractéres활자, fondus주조, avec전치사, date날짜
이를 직역하면 "주조된 활자(글자)로 인쇄된 책으로, 알려진 것 중 가장 오래된 책, 연대 1377년"이라 하여, "1377년에 금속활자로 인쇄된 가장 오래된 한국 인쇄본이다."라 할 수 있다.

609) http://images.bnf.fr/jsp/index.jsp?destination = afficherListeCliches.jsp&origine = rechercherListeCliches.jsp&contexte = resultatRechercheSimple

이 글을 자세히 보면 "Le plus ancien livre"와 "imprimé connu en caractéres" 사이에 한국명인 'coréen'을 첨자(添字)로 다시 썼는데 이는 플랑시가 수집 당시에는 한국본인지 중국본인지 잘 모르고 있다가[610] 1911년 이후 플랑시나 다른 소장자에 의해 추가된 것이 아닌가 한다.

또한 "imprimé connu en caractéres"와 "fondus, avec date=1377" 사이에는 글자를 썼다가 지운 듯한 흔적이 남아 있는데, 이 또한 1911년 플랑시의 경매 카탈로그(Catalogue de vente)를 작성한 쿠랑 자신도 『직지』를 1377년에 주조된 활자로 찍은 책이라고 하면서도 약간 회의적으로 생각하고 한국의 금속활자 발명은 조선 태종 3년(1403)으로 알고 있었으므로 그 이후 'coréen' 첨자를 하면서 의도적으로 삭제한 것이 아닌가 생각된다. 필자가 추정하건데 지워진 글자는 『직지』의 간기에 적힌 활자인 'mobiles'를 썼을 가능성이 제일 높다. 이는 글자 수가 7자로 바로 위의 'imprimé'자와 같아 실제로 『직지』 겉표지 위에 글자 길이(2㎝)를 비교해 보아도 거의 일치한다. 인쇄나 활자를 의미하는 'imprimé'는 의미가 겹치기 때문에 쓰지 못하며, 'd'imprimerie'는 글자 길이가 맞지 않으며, 'imprimé' 자는 금속활자란 의미로 'caractéres'의 바로 뒤에 많이[611] 쓰인다.

그렇다면 이 글이 쓰인 경위에 대하여 자세하지는 않지만 모리스 쿠랑이 『한국서지』를 편찬할 당시에 『직지』를 보고 프랑스어로 쓴 것으로 추정하고 있는 이들이 많다. 그런데 필자가 보기에는 모리스 쿠랑(Maurice Courant, 1865-1935)이 1901년도에 펴낸 『한국서지(Bibliographie coréenne)』의 부록(Supplément)[612]에 처음 『직지』가 실렸는데 1911년도에 경매에 입찰되어

---

610) 박병선 박사가 1967년 처음 『직지』를 발견했을 당시에도 중국책으로 분류되어 청구번호가 'CHINOIS 109'로 되어 있었다.

611) Henry Vivarez, *Mémoires et Communications-Vieux Papiers de Corée- Le Vieux Papier,* Come Premier, 1900-1902, Archéologique, Historique & Artistique, 1903. pp.76-80.
"Presque deux siécles avant que Gutenberg eut inventé l'imprimerie en Europe, les Coréens imprimaient déja á l'aide de caractéres mobiles. ……Au XVe siécle, l'impression avec caractéres mobiles prit un grand développement.-En 1403, un décret du roi Ktay-Tijong, 3me souverain de la dynastie régnante, ordonna de fondre cent mille types de cuivre."

612) 모리스 쿠랑(Maurice Courant)은 『한국서지(韓國書誌)』 보유판(Supplément a La Bibliographie Coréenne)에서 『직지』를 다음과 같이 소개하고 있다
3738 『白雲和尙抄錄佛祖直指心體要節』

(사진 49) 『직지』 경매기록부(파리시립 고문서실 소장)

앙리 베베르(H, Vever 1854 - 1943)에게 넘어갔을 때의 낙찰 가격이 180프랑이었고 당시 『삼강행실도』가 수집가 비녜(Vigné)에게 3,000프랑에 경매된 것으로 본다면 이 때까지 『직지』는 금속활자본이었음을 모르고 있었던 것 같다. 만약 그렇지 않다면 금속활자본으로 인정을 하지 않았다는 이야기가 된다. 그리하여 필자의 생각으로는 이 글씨는 모리스 쿠랑의 글씨가 아니라 『직지』를 처음 손에 넣었을 플랑시[613] 또는 경매 입찰 후 소장자인 앙리

Păik oun hoa syang tchyo rok poul tjo tjik tji sim htyei yo tjyel. - Traits edifiants des patriarches rassembles par le bonze Paik - oun.

1 vol. grand in - 8^{e} (2^{e} livre seul). (C. P.)

B. N. Coreen, 109.

Ce volume porte a la fin l'indication suivante: En 1377, a la bonzerie de Heung - tek興德, hors [du chef - lieu] du district de Tchyeng - tjyou 淸州, imprime a l'aide de caracteres fondus. Si cette indication est exacte, les caracteres fondus, c'est - a - dire mobiles, auraient ete en usage vingt - six ans avant le decret du roi Htai - tjong(n^{0}. 1673), qui se fait gloire de l'invention des types mobiles.

Il faut en outre remarquer la date; elle est ecrite: 7^{e} annee de SIEUN - KOANG 宣光 七年; ce nom de regne l'ut adopte en 1371 par TCHAO - TSONG 昭宗, pretendant de la famille des YUEN.

<번역>

白雲和尙抄錄佛祖直指心體要節 - 백운선사가 불조사들의 교훈적인 말씀을 간추려 모은 책

1책. 큰 8절판(제2권만 있음). C.P.: 빅토르 콜랭 드 플랑시(Victor Collin de Plancy, 1853 - 1922) 소장인.

B.N. Coreen, 109: 파리국립도서관. 한국책 도서분류 및 소장번호

이 책 마지막에는 다음과 같은 서명을 적고 있다. "1377년 청주목외 흥덕사에서 주조된 활자로 인쇄됨." 이 내용이 정확하다면, 주자(鑄字), 즉 활자는 활자의 발명을 공적으로 삼는 조선시대 태종(太宗)의 命(1403년의 계미자)보다 26년 가량 앞선 것이다. 그 외에도 선광칠년이라고 쓴 연대를 주목할 필요가 있다. 이 선광(宣光)이라는 통치연대의 명칭은 1371년 원조(元祖)의 왕위 계승을 요구하는 소종(昭宗)에 의해 채택된 것이다.

*① Maurice Courant, 『Supplément a La Bibliographie Coréenne』. Paris: Imprimerie Nationale, MDCCCCI(1901). pp.70 - 71.

② 모리스 쿠랑 原著, 李姬載 飜譯, 『韓國書誌 - 修訂飜譯版 - 』. 서울: 一潮閣, 1994. p.847에서 재인용함.

*B.N.은 프랑스 파리국립도서관 Bibl Nat의 약자.

613) ① 플랑시가 『직지』를 만난 것은 1896 - 1899년 조선에 두 번째로 부임해 와서, 그는 『직지』를 손에 넣고 책 표지에 "서기 1377년 한국의 청주 흥덕사에서 인쇄한 이 책은 세계에서 가장 오

베베르나, 프랑스국립도서관으로 기증되었을 때 그곳의 누군가에 의해 쓰였을 가능성이 높아[614] 정확한 필체감정으로 밝혀져야 한다고 생각된다.

그리고 겉표지에는 직사각형의 스탬프(Stamp)로 찍은 것 3개와 직사각형의 종이에 써서 붙인 라벨(Label) 1개와 그리고 펜(Pen)으로 원을 그리고 그 안에 숫자를 쓴 분류 또는 소장번호가 5개나 있다. '直指' 글자 중 直(字)과 3㎜ 정도 거의 맞물리다시피 되어 있는 가로 2.5㎝ 세로 2.3㎝의 직사각형 스탬프(Stamp) 안에 3단으로 줄이 있는데 맨 위 줄에는 '1377년이라는 주조연대가 새겨진' 뜻인 프랑스어로 'millsim en1377'이라는 『직지』의 간행연도와 함께 그 후에 펜(Pen)으로 1911년 『직지』가 경매에 붙여졌을 때의 목록 번호인 711[615]이 쓰여 있다.

바로 그 옆에 붙여진 가로 1.8㎝ 세로 1.2㎝ 직사각형의 스탬프(Stamp)에는 붉은 펜(Pen) 글씨로 59라고 쓰여 있는데 무슨 번호인지는 미처 조사하지 못하여 잘 알 수 없다. 또 맨 아래쪽 왼쪽에 직경 1.8㎝ 타원형으로 그린 원 안에 120이라고 쓰여 있다. 바로 옆 가운데 부분에 가로 3.8 세로 2㎝ 직사각형 흰 종이에다 보관도서 1517 'RESERVE 1517'이라고 써서 오려 붙인 분류 라벨(Label)이 있는데 1987년도에 영인된 책에는 1517이 지워지고 연필로 1513 Ⅲ으로 다시 쓰였는데 이는 그동안 프랑스국립도서관에서 다시 분류번호(Classification number)를 정한 것 같다.

또한 그 오른쪽에 가로 4.7㎝ 세로 2.7㎝ 직사각형 스탬프(Stamp) 안에 프랑스어 고딕체로 청구번호(Call number) 'COREEN 109 1517－Ⅲ'이라[616]

래된 금속활자본이다."라고 써 넣었다. 이 글귀는 지금도 선명하게 남아 있다. 동양어대학 중국어과를 졸업해서 한자에 능통한 그는 선광칠년이 1377년이라는 것과 주자(鑄字)가 금속활자라는 사실을 간파해 내고 이런 글을 적은 것으로 짐작된다. *MBC 청주문화방송 창사 36주년 다큐멘터리 2006년 7월 31일. "직지의 최초 발견자 콜랭 드 플랑시" 참조)

② http://www.euro－coree.net: 이진명 교수, "프랑스 국립도서관(BNF) 도서전시".

614) 이세열, "『직지(直指)』의 어원 및 책이름에 관한 연구", 『古印刷文化』. 第7輯(2000). p.202.

615) 경매기록부(Archives de Paris, D. 60E3 83): 프랑스 파리시 문서보관소에 보관되어 있는 문서로 『직지』가 경매에 팔렸음을 입증하는 문서이다. 이 기록부 "Collection d'un amateur(Mr. Collin). Objets d'art de la Coree, de la Chine et du Japon, Me Andre Desvouges, Commissaire－priseur, Paris, Ernest Leroux Editeur, 1911."에서 『직지』는 이 목록의 711번에 수록되어 있으며 Henri Vever라는 이에게 180프랑에 팔렸다는 매도 매수인과 거래가격이 기록되어 있다. *Daniel. Bouchez, "韓國學의 先驅者 모리스 쿠랑", 『東方學志』 第51輯, 延世大學校國學硏究院, 1986. pp.156－157에서 재인용함.

고 쓰였는데 1987년도에 영인된 책에는 1972년 제1회 세계 책의 해 전시까지 프랑스국립도서관 서고의 귀중본보존실 분류번호였던 1517 F－Ⅲ이 지워지고 연필로 1513 F－Ⅲ으로 다시 바뀌어 쓰였다. 그리고 안쪽에 검은 테두리가 보이는 것은 책의 표지와 테두리의 색깔이 같은 것으로 볼 때 스탬프(Stamp) 위에 라벨키퍼(Label keeper: 책 보호용 필름)를 붙였던 자리 같다. 그리고 표지 안쪽 중간쯤에 겉표지에서처럼 'COREEN 109'라고 스탬프(Stamp)를 노랑 종이 위에 찍어 붙였는데 1517 F－Ⅲ이나 1513 F－Ⅲ와 같은 후에 쓴 번호가 없어 안쪽 표지는 겉표지에 후에 쓴 것으로 보이는 아라비아 숫자(Arabic numerals)와 영어(English letter)·로마자(Roman alphabet)를 쓰기 이전에 같이 붙여진 것으로 보인다. 청구번호 'COREEN 109'는 박병선 박사가 처음 프랑스국립도서관 창고에서 『직지』를 발견했을 당시에는 중국책으로 분류되어[617] 청구번호가 'CHINOIS 109'로 되어 있었다가 후에 한국 책임을 알고 'COREEN 109'로 나라 이름만 바꾸고 번호는 그대로 두었다고 한다. 이와 같이 분류번호가 붙여진 것으로 보아 현재 프랑스국립도

---

616) ① 황정하, "옛 인쇄문화와 청주의 세계화", 『21세기 충북·청주의 지역문화와 민족문화』. 제3회 충북·청주 민족예술제. 1996년 10월 25일. 청주예술의전당 세미나실. pp.76－82쪽.
② 『직지』가 현재 프랑스로 가게 된 경위를 보면 조선조 말기인 고종 때 우리나라에 프랑스 대리공사로 서울에 와서 근무한 적이 있는 콜랭 드 플랑시가 수집해 간 장서에 들어 있었던 것이 1911년 골동품 수집가였던 앙리 베베르가 드루오 경매장에서 180프랑에 구입하여 소장하다가 그가 1943년에 사망하자 유언에 따라 손자가 1950년에 프랑스국립도서관에 기증하여 현재까지 보관되고 있다. 그런데 콜랭 드 플랑시는 당시 서기관으로 서울에 부임해 온 모리스 쿠랑에게 책의 목록을 만들도록 지시하여 그가 1901년에 지은 『한국서지』 부록에 수록되었을 때의 번호가 바로 B.N. Coreen, 109이다.
③ 조선은 외래어에서 고려왕조에서 유래한 고려의 표기를 사용하여 'Coree', 'Core', 'Coray', 'Corea', 'Chausien', 'Cauly', 'Cauli', 'Korea' 등 저마다 발음대로 표기한 것과, 일제식민시대에 사용했던 'Chosen' 등 다양한 로마자 국호들이 난립했다. 프랑스어는 'Corée'로, 16세기부터 유럽에서 사용된 포르투갈어는 '코리아 Coria'로, 또 러시아어로는 '코레야 KopeЯ'로, 영어는 미국 정부에서 1882년 조선과 조약을 체결한 이후 'Corea'로 표기하다가 1884년부터는 'Korea'로 쓰였다.
우리나라 국호를 연구한 오인동 박사에 의하면 1590년께 출판된 것으로 추정되는 가스탈디－작자 불명의 세계지도에서 '코레아(Corea)'라고 표기된 최초의 기록을 시작으로, 17－18세기부터 'Corea'가 주된 표기로 떠오르고, 19세기에 이르러서는 'Corea'로 통일됐다가, 19세기 말부터 'Korea'로 굳어졌다고 한다.
④ 서양인들이 우리나라를 표기하기 위하여 사용한 로마자에는 각 나라와 각 시대의 정치, 국제관계, 언어 등 복잡한 요소들이 투영되어 있다. 우리나라를 로마자로 표기한 이들은 서양의 선교사, 탐험가, 정치가, 외교관, 군인들이었다.

617) 『직지』가 프랑스국립도서관에서 중국책으로 분류된 것은 도서 분류 규정상 언어별로 분류하면서 한문을 중국의 문자로 구분했기 때문이라고 여겨진다.

(사진 50)『직지』 BNF 도서번호(한국 109)

서관에 있는『직지』가 최소 5번 정도 소장처가 바뀌었을 것으로[618] 추측된다.

현재 청주고인쇄박물관에서 영인된『직지』의 영인본 중에는 겉표지 안쪽에 겉표지에 프랑스어로 쓴 펜(Pen) 글씨의 글을 숙명여자대학교 이희재 교수가 "1377년이라는 연대와 함께 주조된 활자로 인쇄되었다고 알려진 가장 오래된 한국 인쇄본이다"라고 번역한 것을 청주고인쇄박물관 초대 김광식 관장이 연필로 기재하였던 것이 그대로 영인된 것이다.

오늘날 프랑스국립도서관에서는 직지의 표지 서지사항을 아래와 같이 표기하고[619] 있다.

cote cliché	RC - A - 50835
titre de l'image	Pulcho chikchi simch'e yojol (couverture)
département	Manuscrits orientaux
cote du document	COREEN 109
collection ou fonds	Collin de Plancy (Victor); Vever (Henri)
date du document	ou du recueil: 1377
partie de	Pulcho chikchi simch'e yojol. - Hungdok' sa
folio, pagination	Plat supérieur
auteur(s)	Kyonghan (1298 - 1375) (Auteur)
catégorie	Reliures

618)『직지』를 비롯하여 1890년대에 프랑스로 유출된 외규장각 도서는 그 당시 중국본(Fonds Chinois)으로 분류하면서 도서번호가 부여되어 쿠랑이『한국서지』를 작성하면서 그대로 사용했다. 이후 한국본(Fonds Coréen)으로 생성국이 바뀌고 일부 서적의 경우 소장자나 소장처의 변동으로 약간의 번호가 달라지기도 했다.

619) http://images.bnf.fr/jsp/index.jsp?destination=afficherListeCliches.jsp&origine=rechercherListeCliches.jsp&contexte=resultatRechercheSimple *2007년까지는 이 사이트에 이미지와 목록사항이 올려져 있었으나 2008년부터 다시 보이지 않고 있다.

2) 속표지

(사진 51) 인터넷에 올려 있는 『직지』 겉표지

본래 『직지』 영인본은 1972년 프랑스에서 열린 '세계 책의 해(L'Année Intrenationale du Livre)' 기념 국제도서전시회 기간 중에 박병선 박사에 의해 출품된 그 이듬해와, 1987년 두 차례에 걸쳐 우리나라 문화재관리국에서 사진을 촬영하여 영인하였으며 그 후 이 촬영본을 바탕으로 수차례에 걸쳐 영인되었다. 그러나 그 때마다 관심 부족으로 대수롭지 않게 여겼던지 속표지의 자료는 촬영하지 않았었다. 현재의 이 속표지 필름(Film)에 대하여 청주고인쇄박물관 황정하 학예사에 의하면 2000년도에 청주인쇄출판박람회 기념으로 『직지』를 영인하려고 박병선 박사가 슬라이드필름(Slidefilm)을 가져왔으나 책을 해책(解冊)하지 않은 상태로 촬영하여 본문의 가장자리가 덜 찍혀 영인하기에 부적합하여 사용하지 않았다고 필자와의 전화 인터뷰(Interview)에서 말했다. 이 슬라이드필름(Slidefilm)에는 겉표지와 본문 사이에 속표지가 한 장 있는데 이는 프랑스국립도서관에 있는 금속활자본 『직지』 하권의 가장 최근의 정확한 자료라고 할 수 있다.

이 간지(間紙: 속표지)는 우리나라 고서에서 속표지가 없는 형태상 특징으로 볼 때 겉표지와 본문 사이에 덧붙여진 것은 후대에 제책을 다시 할 때 같이 제책된 것으로 보인다. 그렇다면 본래의 『직지』는 우리나라에서 조선 후기에 제책하여 프랑스로 건너간 이후 다시 제책되는 과정에서 하권의 첫 장이 떨어져 나간 것이 아닌가 생각된다.

이 속표지 앞면에는 백운선사가 지은 불교책이라는 것과 1377년 한국의 청주 흥덕사에서 금속활자로 찍은 책이며 이 책은 한국에서 알려진 가장 오래된 책이라는 겉표지의 내용과 유사한 연필로 다음과 같은

Traits difiants des patriarches

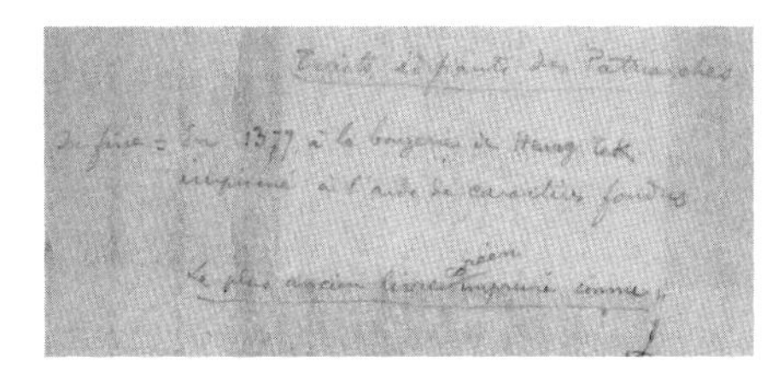

(사진 52) 직지 속표지의 앞면 기록

(사진 53) 직지 속표지 뒷면의 C. Plancy 藏書票

imprim en 1377, la bonzerie de Heung Tek
rassembls a' l'aide de caractres fondus
Le plus ancien livre coréen imprim connu

"불조사들의 교훈적인 말씀을 간추려 1377년에 흥덕사에서 금속활자로 인쇄된 옛 책으로 한국에서 유명한 가장 오래된 책이다(번역: 이세열)."라는 글을 네 줄에 걸쳐 적고 있다. 이 글씨도 아직까지는 누가 썼는지 불확실하나 앞의 겉표지와 내용과 필체가 거의 비슷하여 한 사람이 쓴 것 같으나 이는 정확한 필체의 감정을 요하는 부분이라 자세하게 알 수가 없다.

뒷면에는 펜(Pen)으로 Collin de Plancy(1853 – 1922)로 쓰여 있고 한문으로 콜랭 드 플랑시의 한자 이름인 갈림덕(葛林德)[620]에서 그가 모교인 동양어학교에 많은 고서를 기증할 때 그 책들에 기증자의 표시인 '葛' 자를 기록한 것과 같이 이 『직지』의 간지에도 큰 글씨로 '葛'의 첫 자를 중앙에 표기하고 바로 밑에 반원형으로 "EX, LIBRIS COLLIN DE PLANCY"라고 콜랭 드 플랑시의 장서인(Ex libris)[621]이 찍혀 있다. 이 장서표는 1911년 플

620) Collin de Plancy는 조선에 초대 대리공사로 부임하면서 이후 외교문서에 프랑스는 법국(法國)으로 자신의 이름은 갈림덕(葛林德)으로 한자 이름을 썼다.

621) ① Ex libris(엑스 리브시스)는 장서표 book plate로서 소유자를 표시하기 위해 도서의 표지나 면지에 붙인 작은 종이조각이다. 여기에는 소유자의 이름 이외에 문장이나 도안, 격언 등을 인쇄한 것이 많고, 일반적으로 표지 뒷면에 붙이는데 『직지』에서는 앞면에 붙어 있다. ex libris는 라틴어로서 아무개 소유의 장서 중에서, 아무개 소유의 장서 중의 것이란 의미이다. 이 장서표는 15세기 후반부터 서구에서 애서가들 사이에 유행되었다.
② Titre de l'image: page de garde avec ex – libris de Collin de Plancy et mention de la collection Vever.
http://images.bnf.fr/jsp/index.jsp?destination=afficherListeCliches.jsp&origine=rechercherListeCliches.jsp&contexte=resultatRechercheSimple

랑시 컬렉션(Collection)에서 경매에 내놓았던 책들의 표지에도 동일하게 붙어 있어 『직지』가 동양어학교를 거쳐 경매에 거래되었음을 알 수 있게 한다.

그리고 그 스탬프(Stamp) 바로 아래 B. NO.3788이라[622]고 모리스 쿠랑이 지은 『한국서지』 보유판에 적혀 있는 『직지』의 번호를 적고 있다.

또한 갈림덕의 기증도서인 위에 흐린 글씨로

> Le plus ancien livre imprimé 711
> coréen caractéres daté 1377
> "가장 오래된 인쇄본 711
> 1377년 한국활자본"

이라고 표시하고 있으며, 상단 오른쪽에는 'H, VEVER'라 쓰고 바로 그 밑에 자신의 사인(Sign: 서명)을 했다.

(사진 54) 직지 속표지 뒷면의 Henri. Vever 藏書票

또한 이 속표지의 중간쯤에 앙리 베베르(1854－1943)의 수집장서라는 'COLLECTION H, VEVER' 장서표 스탬프(Stamp)가 찍혀 있고 바로 그 밑에 파란 펜(Pen) 글씨로 'PARIS 1911－1943'이라고 하여 『직지』를 구입한 1911년부터 그가 사망한 해인 1943년까지 소장하고 있었음을 알려주고 있는데 윗부분의 콜랭 드 플랑시와 아랫부분의 앙리 베베르의 글씨가 서로 달라 이들이 소장하였을 때 직접 소장표시를 한 것인지 『직지』가 발견된 이후 프랑스국립도서관에서 쓴 것인지는 잘 알 수 없다.

위의 내용으로 보아 현재 프랑스 도서관에 소장된 『직지』는 콜랭 드 플랑시가 처음 수집하여 모교인 지금은 파리3대학에 소속된 동양어학교 등에 기증하였고 1890년 5월에 서기관으로 부임해 온 모리스 쿠랑이 1894년에서 1896년에 간행한 전3권에 달하는 『한국서지』를 편찬할 때는 목록에 누

---

622) B.C. 3788이란 모리스 쿠랑의 『한국서지』 보유판 (Supplément a La Bibliographie Coréenne)에 소개된 『직지』의 도서번호이다.

락되었다가 1901년에 제4권 보유판에 『직지』가 수록된[623] 것으로 본다면 이는 플랑시가 한국에 근무하다 일본으로 잠시 떠났으나 다시 서울에 와서 근무한 때가 1896년부터 1906년이니까 『직지』는 1896에서 1901년 사이에 수집된 것으로 보인다.

그리하여 표지에는 콜랭 드 플랑시의 장서표와 모리스 쿠랑의 『한국서지』에 실려 있는 도서번호가 함께 들어 있는 것이라 보인다. 그리고 그 이후 플랑시가 극동(중국과 일본)에 체류하는 동안 그가 수집한 소장품 883점이 1911년 3월 27일과 30일에 걸쳐 파리의 드루오 경매장(Hôtel Drouot)에서 경매에 붙여져 700여 점이 팔렸으며 이때 고서는 『직지』를 포함하여 77권이었는데 『직지』는 앙리 베베르가 180프랑에 구입했다고 경매기록부에 손으로 쓴 기록이 남아 있다. 그리하여 『직지』는 앙리 베베르의 소장인과 함께 그가 1943년에 사망하자 유언에 따라 손자가 프랑스국립도서관에 기증하여 또다시 프랑스국립도서관 장서인이 찍히게 된다.

그러나 박병선 박사에 의하면 책 중간쯤에 백지로 '직지심경'이라고 쓴 백지가 있었는데 1999년 12월 3일 청주고인쇄박물관 라경준 학예사가 프랑스국립도서관을 방문하여 원본을 열람하였을 때는 이 백지는 없어지고 서근(書根)에 오른쪽에서 왼쪽으로 '下 直指心經'이라고 쓰여 있다[624]는 최근의 정보와 1970년대 이 책이 세상에 알려져 초기연구 때에만 하여도 현존 유일의 금속활자본임을 몰랐다는 것은 다소 의아함을 남겨 준다. 그것은 박병선 박사나 프랑스국립도서관 사서는 물론 프랑스의 서지학자들이 표지와 본문 사이에 있는 속표지의 내용만 확인했어도 가능한 일이었는데 그것을 몰랐다면 겉표지는 미처 연구를 하지 못했다 하더라도 자기네 나라 언어로 쓰인 글을 판독하지 못했다는 것은 이 책이 알려진 이후에 프랑스 측에서 그럼 속표지를 콜랭 드 플랑시의 장서표와 앙리 베베르의 사인(Sign)만 있

623) 콜랭 드 플랑시는 그가 수집한 고서를 1911년 경매에 붙여지기 이전 동양어학교도서관에 2회에 걸쳐 기증했다. 그 첫 번째는 1887년에서 1891년 사이에 수집한 것이고 두 번째는 1895년에서 1899년에 수집한 것이다. 이렇게 볼 때 모리스 쿠랑이 간행한 『한국서지』 1-3권까지는 첫 번째 기증도서일 것이고 『직지』가 수록된 보유판은 두 번째 기증한 도서가 아닌가 한다.

624) 박병선, "『직지심경』의 명명사유", 『直指와 한국고인쇄문화』. 제5회 청주인쇄출판축제 학술회의. 1999년 12월 17일. 청주예술의전당 대회의실. pp.3-6,

었고 펜(Pen)으로 쓴 글씨는 1970년대를 전후하여 누군가에 의해서 쓰였다는 것을 시사(示唆)해 준다.

그러나 어찌되었던 『직지』의 겉표지와 속표지의 기록 사실로 보아 『직지』가 금속활자였다는 사실을 우리나라 학자들보다도 이미 19세기 말에서 20세기 초에 이 책을 처음 수집했거나 서지로 펴낸이, 그리고 경매로 사들인 프랑스인들에 의해 정확하게 서지학적으로 규명이 되었는지는 확실하게 잘 알 수는 없으나 위의 기록들이 쓰인 시점에 외국인들에 의해서 이 『직지』가 금속활자본으로 인정되었다는 사실이다.

3) 본 문

본문의 첫 장이 떨어져 나간 두 번째 장과 맨 마지막 장의 밑쪽 광곽(匡郭: 테두리) 1/3부분에 테두리에 걸쳐 지름 2㎝ 원 스탬프(Stamp) 안에 R · F라는 프랑스 공화국(République Francaise)을 뜻하는 약자와 함께 원 주위로 프랑스국립도서관(La Bibliotheque Nationale de France)을 나타내는 글자가 새겨진 프랑스국립도서관 장서인이 찍혀[625] 있다.

본문의 글자체는 자획(字畵)이 굵고 길이가 좀 길쭉한 모양으로 글자의 어깨가 올라가는 특징인 구양순체(歐陽詢體)를 많이 닮았으며, 글씨의 인쇄상태는 생각보다 아주 좋은 상태이다. 그리고 먹의 색깔 또한 아주 진하지 않고 책장마다 찍힌 먹 색깔의 옅고 진함 정도가 거의 같은 상태이다. 그러나 무엇보다도 현존본이 우리나라에 없어 실물을 직접 확인하지 못하는 점이 가장 아쉽다.

본문 중 오른쪽 계선(界線: 행간)에 필묵(筆墨)으로 일본어나 이두 문자와

---

625) 외국에 소장된 우리나라 고서의 장서인은 일반적으로 표제지 뒷면에 날인되어 있는데 일정한 위치가 정해져 있지 않고 적당한 여백에 날인되어 있다. 고서의 특성상 측인(側印)과 비인(秘印: 隱印) 등은 가급적이면 찍지 않고, 청구기호의 레이블링(Labeling) 역시 일정한 위치가 정해져 있지 않고, 스파인(spine: 책등)이나 표지, 뒷면 등 책에 대한 중요정보가 있는 곳을 피하여 여백이 있는 적당한 위치에 부착되어 있다. 최근에는 청구기호와 같이 도서에 직접 기입이 불가피한 것 이외에는 어떠한 기입이나 부착을 자제하여 원본 보존에 상당한 심혈을 기울이고 있다.

같이 약호를 쓴 것을 볼 수 있는데 이는 구결(口訣)이라 하여 한문을 해석하기 쉽게 토씨를 붙인 것이다. 영인본에는 검게만 나타나고 프랑스국립도서관에 소장된 금속활자본과 1973년에 문화재관리국에서 천연색으로 영인한 책에 나타나 있는 구결은 이 책이 간행될 때의 구결이 아니고 그 후에 쓰였다. 남풍현 교수[626]에 의하면 주서(朱書)의 구두점(句讀點)과 구결로 독서의 구결토가 있는데 이 구결은 『직지』가 간행된 직후인 15세기 초에 기입된 것으로 보고 있다. 또한 남 교수는 구결을 기입한 사실의 판명은 이 구결이 지어진 연대를 정확히 알려주는 것이라며, 주목되는 문법 현상의 토를 검토하여 형태와 그 문법적 기능을 분류한 후 토 전반에 나타나는 현상에 대해 학자들은[627] 고려시대 말부터 15세기 초 국어에 나타나는 문법을 보여 준다고 주장하고 있다. 구두점은 처음부터 끝까지 매 어록마다 내용을 파악해 가면서 필요한 곳에는 거의 빠짐없이 각 글자의 하단에 좌·우와 중간에 기입되어 있다.

(사진 55) 『직지』의 백원표시 부분

『직지』에는 새로이 문장이 시작되는 부분을 식별하기 위하여 광곽의 윗부분에 붓 뚜껑으로 원모양으로 찍은 백원(白圓: 白圈)을 표시하고 다른 단락이 시작될 때는 행간에 글자를 모두 채우지 않고 다른 행간부터 시작되고 있다. 그러나 이 표시도 일정하지 않고 어떤 경우는 행간의 안이나 다른 행간에 표시한 경우도 있다. 흥덕사본 첫 장이 떨어져 나간 두 번째 장의 '아호대의화상좌선명'의 경우도 시구(詩句)의 단락이 나누어지지 않는 2장 첫째 줄과 세 번째 줄에는 단락

626) 南豊鉉, "直指心體要節의 口訣에 대한 考察", 第2回 湖西文化 學術大會 發表 論文集 別刷本. 西原大學校 湖西文化研究所. 1998년 2월. pp.1－10.

627) ① 南豊鉉, "直指心體要節의 口訣에 대한 考察", 第2回 湖西文化 學術大會 發表 論文集 別刷本. 西原大學校 湖西文化研究所. 1998년 2월. p.1.
② 金斗燦, "直指心體要節의 口訣에 대하여", 『國語學 心岳 李崇寧 先生 八旬紀念號』. vol.16. 국어학회, 1987. p.125.
③ 南豊鉉, 『國語史를 위한 口訣研究』. 서울: 太學社, 2002. "直指心體要節의 口訣", pp.433－646.

이 나누어지는 부분에 붓 뚜껑 표시를 한 것으로 보아 앞의 첫 장은 시구의 단락을 표시하였던 것으로 보인다. 이러한 예는 그다음 '대주선사'편에서도 다음 줄 광곽 위에 표시한 것에 비해 취암사 목판본에서 단락부분을 구분하기 위해 중국선사 전체에 걸쳐 해당되는 광곽 위에 정확하게 붓글씨로 공안(公案)이 시작되는 선사를 세로로 법호(法號)를 쓴 것과는 대조를 이룬다.

〈표〉『직지』의 백원표시 예

백원 표시 방법	단락 부분
다음 줄 또는 앞줄에 쓴 예	대주선사, 조산본적, 수산성념, 고령선사
구분하지 않은 예	석양기선사, 용담화상, 승자방, 분양무덕, 설봉선사, 장로화상, 보수화상, 신안국사, 경조미호, 덕산선감, 천복승고, 동산수초, 청활선사, 덕산밀선사, 향엄선사, 원오근화상, 현소화상
	동산양개화상 사친서

그리고 38장 '규봉종밀선사송'편 광곽 상단과 하단에 묵서(墨書)로 쓰여 있는 글이 있다. 상・하단 똑같이 "각각의 종파(천태종・화엄종・율종・법상종)에서 선정에 들 때는 정신과 마음의 바탕을 맑게 하는 방법으로 옛날에는 삼관(三觀: 마음을 관찰하는 3가지 방법)[628]으로 도를 수행했다." <入定各派 相澄神 舊覺三觀(입정각파 상징신 구각삼관)>라고 되어 있어 이 부분을 후에 소장자가 보충설명을 한 것이 아닌가 한다.

판심(版心)에 찍힌 '直指 下'의 경우는 맨 마지막 장에는 '指' 자가 빠진 '直 下'로 되어 있으며 인쇄를 할 적에 두 판을 번갈아 사용했기 때문에

628) 삼관(三觀)이란 마음을 관찰하는 관법(觀法)의 내용을 3종으로 나눈 것으로 종파마다 아래와 같이 다르다.
① 천태종(天台宗)의 천태삼관(天台三觀): 밝은 지혜로 공관(空觀)・가관(假觀)・중관(中觀)의 이치를 관하는 법
② 화엄종(華嚴宗)의 법계삼관(法界三觀): 진공관(眞空觀)・이사무애관(理事無礙觀)・주변함용관(周遍含容觀)
③ 율종(律宗)의 남산삼관(南山三觀): 성공관(性空觀)・상공관(相空觀)・유식관(唯識觀)
④ 종경록(宗鏡錄)의 삼종삼관(三種三觀): 별상삼관(別相三觀)・통상삼관(通相三觀)・일심삼관(一心三觀)
⑤ 자은(慈恩)이 세운 법상종(法相宗)의 자은삼관(慈恩三觀): 유관(有觀)・공관(空觀)・중관(中觀)

두 판 모두 글자의 모양이 다르고 금속활자의 특성상 활자를 식자(植字)해야 하는 과정에서 장마다 그 위치가 조금씩 다르다. 이는 장차 표시에 있어서도 마찬가지로 나타나고 있다. 그런데 취암사 목판본에서는 불규칙적으로 단락의 위에 한문으로 단락의 번호를 매기고 있다.

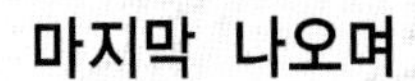

마지막 나오며

우리나라는 구한말 개화기(開化期)를 전후하여 천주교 박해(迫害)와 병인양요(丙寅洋擾) 등으로 프랑스와 외교가 순조롭지 못하다가 고종 23년(1886)에 이르러 한불수호통상조약을 맺음으로써 첫 국교를 열고 문호를 개방하게 된다. 그리고 바로 이듬해 양국 간에 비준서(批准書)가 교환되는데 이때 콜랭 드 플랑시(Collin De Plancy)라는 프랑스 외교관이 주한 프랑스 초대 공사로 오게 된다. 그는 이를 계기로 우리나라에 정식으로 주한 프랑스공사관 대리공사로 부임하며 『직지』와도 인연을 맺게 된다.

콜랭 드 플랑시는 동양학을 전공한 언어학자면서 서울에 주재한 최초의 프랑스 외교관이었다. 또한 같은 대학 후배이며 공사관의 업무를 보좌하는 모리스 쿠랑(Maurice Courant)과 함께 한국에 머물면서 엄청난 양의 도서를 수집하고 이를 체계적으로 정리하여 『한국서지』 3권과 1901년에 『직지』가 수록된 부록 1권을 펴낸다.

특히 플랑시는 1886년 한불수호통상조약에 관한 상호인증 절차를 밟기 위해 1887년 5월에 조선에 처음 들어왔고, 이어 서울주재(駐在) 초대 프랑스 공사로 부임하여 1888년에서 1891년까지 정부의원과 영사의 자격으로 조선에 머물렀다. 그 후 1895년에서 1901년까지는 총영사 겸 대리공사로서, 1906년까지는 전권공사로서 13년을 조선에서 근무하면서 한불외교는 물론 한국학 연구에도 이바지했다.

콜랭 드 플랑시는 외교관으로 잘 알려져 있으나 동양학자들은 그가 극동 체류 중 수집한 예술품과 고서적을 더욱 중시한 만큼 많은 예술품을 소장했던 것으로 알려져 있다. 그는 중국과 일본을 비롯하여 아시아에서만 다양한 직책을 두루 역임하면서 온갖 수집품과 『직지』를 포함한 조선의 고문서들을 프랑스 국내로 가지고 들어왔다. 특히 「직지」는 소장자가 여러 번 바뀌는 등 우여곡절을 거쳐 현재 프랑스국립도서관에 소장되어 있으며, 두 차례에 걸쳐 동양어학교도서관에 기증한 서적은 오늘날까지 유럽에서 가장 풍부한 한국 고전적 장서를 이루고 있어 연구자들에게 마르지 않는 정보원이 되고 있다. 그러나 나머지 고문서들은 1911년에 파리의 드루오(Drout) 경매에 내놓아 뿔뿔이 흩어졌다. 플랑시가 서울에서 수집한 전적들은 『한국서지』 편찬의 중요자료가 되었음은 말할 나위 없겠다.

플랑시는 서양인으로 조선 책을 가장 많이 수집한 서지학자이자 외교관으로서 뿐만 아니라, 대한제국이 처음으로 1900년에 파리만국박람회에 참가하도록 적극적으로 지원한 인물이라 하겠다.

쿠랑은 주한 프랑스공사관에서 1등 서기관이자 통역관으로 있었던 최초의 프랑스인 한국학자로 당시 19세기 말 동양학자들의 기존 연구 관행과는 거리가 먼 동양 및 한국학의 다양한 영역에 걸쳐 귀국을 해서도 왕성한 연구활동을 전개했다. 플랑시는 프랑스공사관 소속 통역관 이인영 씨와 그가 프랑스어를 가르치고 있는 조선인 비서들을 포함하여 많은 한국인들의 적극적인 도움으로 한국에서 도서를 선택하여 수집할 수 있었다. 특히 이인영 씨는 쿠랑과 1900년 파리만국박람회에 전시할 물품을 준비하기도 했다.

쿠랑이 2년이 조금 안 되는 한국체류 기간에 고대부터 19세기 말엽까지 놀라울 정도로 방대한 정보를 수집할 수 있었던 것은 자신의 신속한 판단과 정확한 정보원의 파악, 열성적인 노력 뿐만 아니라 한국인 선비들의 조언과 뮈텔(Mutel, 閔德孝) 주교의 도움으로 『한국서지』를 완성할 수 있었다.

우리나라 고서는 프랑스에 두 경로를 통해 유출되었다. 하나는 1866년 병인양요 때 프랑스 해군에 의해 외규장각 도서가 프랑스국립도서관에 넘겨졌고, 또 다른 하나는 프랑스 초대공사 플랑시에 의해 수집된 도서가 프랑스국립도서관과 동양어대학에 기증되었다.

『직지』는 콜랭 드 플랑시가 수집해 간 장서에 들어 있으며. 그의 모교인 동양어학교에 기증되었으나 어떤 사적인 연유(?)로 다시 소유자에게 돌아와 경매에 붙여져 골동품 수집가였던 앙리 베베르(H. Vever)에게 180프랑(Franc)에 넘어갔고, 그가 1943년 사망하고 난 뒤 유언에 따라 유산 상속인들이 1950년에 프랑스국립도서관에 기증하여 현재까지 보관되고 있다. 앞으로 이 책은 국가적 차원에서 다시 되돌려 받아야 할 우리의 문화유산이자 세계적인 문화유산이다. 『직지』가 1911년에 경매에 팔린 당시 180프랑(Franc)을 현재의 경제가치로 산출하면 환율변동률 등을 고려했을 때 대략 7억 1천9백만 원 정도의 가격으로 산출되지만, 총 경제적 자산가치는 이 세상에서 가장 유일한 것으로 최소 1천1백8십8억 원에서 최대 9천4백억 원 등 거의 1조 원에 이른다고 할 수 있다. 『직지』가 세상에 처음 선을 보인 것은 1900년 프랑스 파리에서 열린 만국박람회 때 전시되었다는 것인데 이번 연구에서도 필자의 사정으로 문건(文件)이나 그 전시목록을 확인하지는 못했다. 이에 대해서는 부셰(Daniel Bouchez) 교수가 인용한 자료를 찾아 확인하는 일은 후일로 미루고자 한다.

『직지』가 1900년 파리만국박람회와 1901년 『한국서지』의 부록을 출판한 보유판에 수록됨으로써 알려지게 되었으나 그 실물과 내용을 확인하지 못하고 있었다. 그러던 중 1972년도에 '세계 책의 해'를 기념하기 위하여 국제전시회에 출품되어 외국의 도서에 수록됨으로써 더욱 널리 알려지게 되었다. 당시 프랑스국립도서관 사서였던 박병선 박사가 실물사진을 국내에 가지고 들어와 국내 학자들의 고증을 거쳐 금속활자임을 입증하게 되었다.

또한 『직지』에 대하여 우리나라에서는 존재조차 모를 때인 1912년에 일본에서는 아사미 린타로[淺見倫太郎]가 쿠랑의 『한국서지』를 일역(日譯)하여 『조선예문지』로 펴냈으며, 1940년에는 구로다 료우[黑田亮]가 자신의 저서에서 언급했다. 또한 미국인 맷시 로이즈(Massy Royds)는 1936년에 『한국서지』를 영역(英譯)했고, 이를 일본인 오구라 치카오[小倉親雄]가 1940년에 다시 일역하여 『조선』이란 잡지에 실었다.

국내에서 『한국서지』가 처음 알려진 것은 1946년에 국어학자 김수경이 『조선문화사서설』에서 보유판을 수록하여 『직지』를 처음 알렸으나 그다지 관심을 끌지 못했다. 이후 서론부분만 3편 정도 나왔으며 원문 전체에 대한 번역은 1994년에 이르러 이희재 교수에 의해 완역되었다.

최근 들어 북한에서도 『직지』 찾기 및 연구에 공조할 뜻을 보이고 있다. 이러한 『직지』 열풍과 아울러 『직지』의 반환 대안과 그것이 이루어지지 못할 경우 국내외에서 『직지』를 비롯하여 우리나라 고인쇄 자료를 찾는 데 정부와 민간단체, 그리고 학자들이 합심하여 새로운 방안을 찾아야 함이 절실하다.

현재 프랑스국립도서관에 소장되어 있는 『직지』의 겉표지는 고려시대 당시의 것이 아니고 조선시대 후기에 누군가에 의해 다시 제책(製冊) 되었으며, 겉표지의 프랑스어로 된 글씨는 "1377년에 금속활자로 찍은 가장 오래된 한국 인쇄본이다."라고 되어 있다. 속표지에는 플랑시의 장서인(Ex libris)이 있어 본인의 소장본임을 입증해 준다.

이번 연구에서도 플랑시가 언제 『직지』를 구입한 것인지 기증받은 것인지 입수시기와 방법에 대해서는 명확하게 밝히지 못했다. 또한 1900년 파리에서 개최된 만국박람회에 『직지』가 한국관에 전시되었다고 하나 이에 대한 자세한 문건을 발견하지 못한 점과 플랑시가 『직지』를 동양어학교에 기증했다가 플랑시가 다시 찾아 개인소장을 한 후 왜 경매에 넘겼는지 등에 대한 의문점은 후일 다른 박식(博識)한 연구자들이 속 시원하게 풀어 주길 희망한다. 또한 국가 간의 비밀문서로 분류되어 미공개된 자료는 개인이 입수하기에 어려운 상황이어서 이와 같은 자료는 국가적 차원에서 외교적 채널(Channel)을 통해 확보하도록 지원하여야 할 것이다.

우리나라는 2005년 10월 19일부터 23일까지 독일의 고도(古都) 프랑크푸르트(Frankfurt)에서 열리는 도서전에 주빈국(主賓國)으로 참여하여 『직지』를 비롯하여 우리나라의 옛 인쇄문화에서 최첨단 도서매체까지 전시한 바 있다. 이 독일 전시회에서는 1972년 '세계 책의 해' 전시회 때 전 세계인들이 『직지』가 세계에서 가장 오래된 금속활자본임을 알고 놀랐듯이 한국이 구텐베르크보다 앞서 금속활자를 만들어 냈다는 사실에 전 세계인들이 문화적 충격을 받았다고 한다. 1900년 파리만국박람회를 통해 한국의 문화가 서양에 알려진 지 105년이 흐른 지금에 다시 외국에서 우리의 우수한 『직

(사진 56) 구텐베르크 초상

(사진 57) 세종대왕 초상

지』가 알려짐은 매우 의미 있는 일이다.

구텐베르크(Johannes Gutenberg 1397－1468)는 한글을 창제한 조선 제4대 임금인 세종(재위 1418－1450)과 1397년(태조 6년) 같은 해에 태어나, 세종은 한 나라의 혁신적인 계몽군주(啓蒙君主)이자 지식경영의 CEO(Chief Executive Officer(최고 경영 책임자)로서 중국의 사대주의(事大主義)에서 벗어나 자주적이고 주체적인 문화를 개발하고자 하는 의지를 가진 분이었다. 반면에 구텐베르크는 조폐공이라는 일반 서민으로 대박벤처(Succes venture)의 꿈을 실현코자 활판기술을 다국적으로 대량 보급시켰다.

그러나 오늘날 세계 각국의 대부분이 세종보다도 구텐베르크의 혁명적인 성과를 더 높이 사고 있다. IT(정보기술, Information Technology)[629] 시대에도 구텐베르크가 찍은 성서는 당시 지식인들의 독점적인 언어였던 라틴어(Latin language)로부터 민중의 언어로 전환되어 시민권리의 탄생을 알리는 계기가 된 데 비해 한글은 그렇지 못했다. 금속활자로 『직지』를 찍었다고는 하나 한글로 된 『직지』를 금속활자로 보급시키지 못했다.

우리는 『직지』의 경제적 가치가 중요한 것이 아니라 문화창출과 역사성을 회복하는 무형적 자산으로 남아야 한다. 또한 흥덕사 복원이나 창건과 같은 유형자산은 경제적 파급 효과를 고려하여 투자대비를 해야 한다. 이에 『직지』에 지나치게 얽매이지 말고 또 다른 『직지』나 이보다 더 앞선 인쇄본을 찾는 데 직지디제라티(Jikji Digerati)[630]들이 혁신적으로 나서야 할 것이다.

---

629) IT(Information Technology): 컴퓨터 하드웨어, 소프트웨어, 통신장비 관련 서비스와 부품을 생산하는 정보산업을 통칭한다.

630) 직지디제라티(Jikji Digerati)는 현존 세계 최고의 금속활자본인 직지(Jikji)와 디지털(Digital)과 리터라티(Literati)를 합성한 신조어이다. 직지디제라티란 금속활자의 선두가 된 직지를 소재로 하여 그 정신으로 하여 사이버 버전(Cyber version)에서 디지털 변혁에 앞장선 창조자들을 말한다. 디지털 시대의 지식인은 과거의 지식인(정치인 · 대학교수)과는 달리 사회적 영향력을 행사하는

(사진 58) 직지드라마 묘덕 역 탤런트 한민

『직지』 세계화를 위해서는 직지상품화 및 이벤트(Event)성 행사도 중요하지만 가장 기초적인 학술연구가 우선시되어야만 이를 바탕으로 각종 정보 미디어(Media) 개발, 출판산업 활성화는 물론 문화 컨텐츠(Contents)가 생성되어[631] 부가가치를 높일 수 있는 문화브랜드(Culture brand)로 자리잡으며 자랑스러운 우리나라의 위상을 높일 수 있을 것이다. 또한 청주고인쇄박물관은 전문인쇄박물관으로 우리나라 뿐만 아니라 세계 각국의 인쇄문화의 초기 형태부터 첨단기술(IT)까지 체계적으로 수집하여 인쇄술의 발달 전 과정을 한자리에서 관람할 수 있도록 차별화해야[632] 한다. 그리고 무엇보다도 『직지』를 낳은 흥덕사를 복원 내지 중창하여 박제화된 박물관에서 살아있는 사찰 기능을 가진 체험학습장이자 박물관으로 거듭나야 한다.

『직지』와 플랑시를 소재로 한 소설이 이미 출간되었고 영화가 제작 중이다. 플랑시의 아내였던 이진에 관한 소재영화는 한국과 프랑스인에게 흥미와 감동을 줄 수 있어 세계시장을 한류화(韓流化)하는데 손색이 없을 것으로 보여 영화가 성공적으로 제작되어 전 세계에 보급된다면 『직지』를 알리는 데 많은 기여를 할 것이다.

직지인심 견성성불(直指人心 見性成佛), 즉 "참선하여 도를 깨치면 마음 밖에 부처가 있는 것이 아니라 자기 마음이 바로 부처가 된다."는 직지 본래 의미대로 「직지」의 원본소장 여부보다는 인류 지식문명의 상징적 의미가 더 중요하다고 하겠다.

동시에 스스로 권력을 갖게 되어 디지털 시대의 파워엘리트 집단(Power elite group)을 이룰 것으로 전망된다(이세열, 『직지 디제라티』, 2000년 중에서).

631) 필자가 1997년도에 『직지』를 간행하는 데 출판비용을 시주한 비구니 묘덕(妙德) 스님을 발굴한 이후 이를 소재로 하여 '직지오페라', '직지노래', '직지무용'을 비롯하여 지금은 제작이 중단되었지만 '직지영화'가 이루어진 바 있다. 또한 필자가 자문한 묘덕 스님을 소재로 한 MBC 창사 특집드라마가 2005년 12월 3일에 방영되었으며, 2006년도에는 KBS에서 50회 분량의 드라마가 제작될 예정이었으나 현재 중단된 상태이다.

632) 이세열, "직지세계화 추진방향", 『직지연구자 토론회』. 2006년 12월 21일 한국공예관 4층. 직지 포럼. p.17.

도움을 준 자료

가시마 시게루[鹿島茂] 지음, 장석봉 옮김,『백화점의 탄생』. 서울: 뿌리와이파리, 2006.

강명관,『조선의 뒷골목 풍경』. 서울: 푸른역사, 2003.

강상규,『19세기 동아시아의 패러다임 변환과 한반도』. 서울: 논형, 2008.

강소연,『잃어버린 문화유산을 찾아서』. 서울: 부엔리브로, 2007.

姜周鎭, "直指心經을 보고와서",『銀行界』vol.8, no.1(1973. 1). pp.50 – 51.

"Maurice Courant, Bibliographie Coréenne",『韓國學』第2輯. 永信아카데미 韓國學硏究所 編, 1974. pp.14 – 18.

경기도박물관,『먼 나라 꼬레(Corée) – 이포리트 프랑뎅의 기억속으로』. 서울: 景仁文化社, 2003.

고석규,『근대도시 목포의 역사・공간・문화』. 서울: 서울대학교출판부, 2005.

『高麗史』. (영인본). 서울: 亞細亞文化社, 1990.

『高麗史節要』. (영인본). 서울: 東國文化社, 1960.

「高宗實錄」卷23 – 26,「高宗實錄」28卷,「高宗實錄」32卷,「高宗實錄」34卷,「高宗實錄」36卷,「高宗實錄」41卷.

곽철환 편저,『불교사전』. 서울: 시공사, 2003.

舊韓國『官報』. 第2卷(上.) 開國 504년[1895]. 서울: 亞細亞文化社, 1973. (영인본).

舊韓國『官報』. 第9卷. 光武 6年[1902]. 서울: 亞細亞文化社, 1974. (영인본).

국립중앙도서관 서지학부 저,『조선 서지학 개관』. 평양: 국립출판사, 1955.

국립중앙도서관 편,『고서목록 Ⅴ.1』. 서울: 국립중앙도서관, 1970.

국립중앙도서관 편,『海外韓國關係資料目錄 – 프랑스 유출 한국자료 및 프랑스・독일・소련 발간자료』. 서울: 국립중앙도서관, 1983.

국사편찬위원회 편,『프랑스 외무부 문서 1(1854 – 1889)』. 서울: 국사편찬위원회, 2002.

국사편찬위원회 편,『프랑스 외무부 문서 2(조선Ⅰ 1888)』. 서울: 국사편찬위원회, 2003.
국사편찬위원회 편, 『프랑스 외무부 문서 3(조선Ⅱ 1889)』. 서울: 국사편찬위원회, 2004.
국사편찬위원회 편, 『韓佛關係資料－駐佛公使・파리博覽會・洪鐘宇－』. 서울: 국사편찬위원회, 2001.
국사편찬위원회 편, 『高宗時代史 4』. 서울: 探求堂, 1960. 『국회도서관 소식』. 2003년 8월호.
國會圖書館 編, 『在佛韓國關係文獻目錄』. 서울: 國會圖書館, 1969. 『基督敎大百科事典』 전 16권. 서울: 기독교문사, 1991.
김건우, 『근대 공문서의 탄생』. 서울: 소와당, 2008.
김경임, 『클레오파트라의 바늘(세계 문화유산 약탈사)』. 서울: 홍익출판사, 2009.
김광우, 『프랑스 미술 500년』. 서울: 미술문화, 2006.
金基泰, "高麗 直指心經의 存續經緯", 『국회도서관보』 第15卷 第8號(1973). pp.38－43.
金基泰, "韓國書誌(Bibliographie)와 모리스 쿠랑(Maurice Courant)에 對한 硏究", 『도서관』第34卷 第4號(1979) pp.49－54.
金基泰, "直指心經의 保存經緯에 대한 考察", 『奎章閣』第6輯(1982). pp.63－89.
金基泰, "在佛韓國典籍의 保存經緯－특히 直指心經을 中心으로", 『국회도서관보』第22卷 第3號(1984). pp.40－53.
金基泰, "프랑스所藏의 우리 典籍들의 淵源에 관한 考察", 『畿甸文化硏究』18(1989. 8) pp.317－344. 仁川敎 育大學畿甸文化硏究所.
金斗鍾, "近世朝鮮의 醫女制度에 關한 硏究", 『아세아여성연구』. 숙명여자대학교. vol.1. 1962. pp.1－16.
金斗燦, "直指心體要節의 口訣에 대하여", 『國語學 心岳 李崇寧 先生 八旬紀念號』. vol.16. 국어학회, 1987.
金鳳姬, "모리스 쿠랑의 韓國書誌 중 (天主敎類) 硏究", 『書誌學硏究』第5, 6合輯(1990). pp.87－125.
金壽卿, 『朝鮮文化史序說』. 서울: 凡章閣, 1946.
김영나, "박람회라는 전시공간: 1893년 시카코 만국박람회와 조선관 전시", 『서양미술사학회논문집』 제13집(2000. 상반기). pp.75－104.
김영식, "대한제국의 對佛 외교관계", 『韓佛外交史』. 서울: 평민사, 1987.
金源模, 『開化期 韓美交涉關係史』. 서울 단국대학교출판부, 2003.
김윤정, 조화섭, 『외국인이 꼭 물어보는 우리문화 영어로 표현하기』. 서울: 홍익미디어플러스, 1999.
김일성종합대학 조선사 강좌 편, 『조선사 개요』. 평양: 국립출판사, 1957.

김종서, 『서양인의 한국종교 연구』. 서울: 서울대학교출판부, 2007.
김준권, "이포리트 프랑뎅의 조선행력", 『먼 나라 꼬레 Corée - 이포리트 프랑뎅의 기억속으로』. 2003년 2월 14일 경기도박물관.
김진송, 『서울에 딴스홀을 許하라』. 서울: 현실문화연구, 2004.
김탁환, 『(파리의 조선궁녀) 리심』. 上·中·下. 서울: 민음사, 2006.
김탁환, "김탁환의 팩션기행 - 조선궁녀 & 프랑스 외교관 러브스토리를 찾아서 -", 중앙일보 2006년 8월 18일 W4면 1. 유럽의 조선 궁녀 - 파리.
김태웅, "한국 근대 개혁기 정부의 프랑스 정책과 천주교 - 왕실과 뮈텔의 관계를 중심으로 -", 『역사연구』11, 2002.
김희보 지음, 『(한권으로 보는) 세계사 101장면』. 서울: 가람기획, 2002.
金澤庄三郎, 『朝鮮書籍目錄』. 서울: 成進文化史, 1976. (影印本).
끌라르 보티에 · 이포리트 프랑뎅 원저, 김상희 · 김상언 옮김, 『프랑스 외교관이 본 개화기 조선』. 서울: 태학사, 2002.
南權熙, "筆寫本 『直指心體要節』 2種의 書誌的 考察", 『古印刷文化』 第5輯. (淸州古印刷博物館, 1988). pp.39 - 58.
남권희, "고려시대 불교자료의 서지학적 개관", 『한국사 시민강좌』제37집. 서울: 일조각, 2005. pp.49 - 74.
남권희 외, 「프랑스국립도서관 소장 『직지』원본 조사 연구」, 『書誌學硏究』第35輯(2006) pp.59 - 81.
남윤성, 『창사 36주년 다큐멘터리 - 직지의 최초 발견자 콜랭 드 플랑시 - 』, 청주문화방송, 2006. 7. 31 오후 11시 - 12시 방송.
南豊鉉, "直指心體要節의 口訣에 대한 考察", 第2回 湖西文化 學術大會 發表論文集 別刷本. 西原大學校 湖西文化硏究所. 1998년 2월.
南豊鉉, 『國語史를 위한 口訣硏究』. 서울: 太學社, 2002.
다니엘 부셰 著, 金晶淑 譯, "모리스 쿠랑과 韓國學", 『제1회 한국학국제학술회의논문집』. 한국정신문화연구원, 1980. pp.150 - 160.
다니엘 부셰, "모리스 쿠랑과 뮈뗄 主教", 『崔奭祐神父華甲紀念 한국교회사논총』. 서울: 한국교회사연구소, 1982. pp.341 - 352.
Daniel Bouchz, "韓國學의 先驅者 모리스 쿠랑(上, 下)", 『東方學志』 第51輯(1986). pp.153 - 194./第52輯(1986). pp.83 - 121.
다니엘 부셰, "모리스 쿠랑 - 한불수교 120주년 기념 -", 프랑스 국립극동연구원, 『서울의 추억 - 한/불 1886 - 1905 - 』, 한불수교 120주년 기념전시 심포지엄 논문집, 2006. pp.22 - 28(불문 29 - 34).
대한적십자사 100년사편찬위원회 편, 『한국적십자운동 100년』. 서울: 대한적십자사, 2006년.

데이비드 하비 저, 김병하 옮김,『모더니티의 수도 파리』. 서울: 생각의 나무, 2005.
東光社 編, "經濟學士 崔英淑 女士와 印度靑年과의 戀愛關係의 眞相",『東光』. 1932년 34(32,6). pp.33 – 37.
동서문화사 편,『파스칼 세계대백과사전』. 서울: 동서문화사, 1996.
동아일보사,『開港100年』年表・資料集』. 서울: 동아일보사, 1976. (新東亞 1976年 1月號 別冊附錄).
딘 맥켄널 지음, 오상훈 옮김,『관광객』. 서울: 일신사, 1994.
량택영, "민족문화유산을 올바로 계승 발전시킬 때 우리 당 정책의 정당성",『1930 – 1940년대 동북지구 항일투쟁과 민족문화』. 광복 60주년 기념 남북한과 중국 국제학술회의. 중국 심양시 삼융중천호텔. 2005년 10월 21일 – 22일(발표는 20일). pp.147 – 156(pp.151 – 152).
류홍렬,『한국의 천주교』. 서울, 세종대왕기념사업회, 1976.
이진호 지음,『한국 성서 백년史 I, II』. 서울: 대한기독교서회, 1996.
Ridel. F; 최석우 편,『리델(F. Ridel 李福明문서 1』. 서울: 한국교회사연구소, 1992.
마르크 오랑주, "콜랭 드 플랑시와 프랑스 자문관들", 프랑스 국립극동연구원,『서울의 추억 – 한/불 1886 – 1905 –』 한불수교 120주년 기념전시 심포지엄 논문집, 2006. pp.92 – 99(불문 100 – 107).
막스 폰 브란트 지음, 김종수 옮김,『격동의 동아시아를 걷다』. 서울: 살림, 2008.
모리스 쿠랑 지음, 김수경 옮김.『조선문화사서설』. 서울: 범우사, 1995. (범우문고 127).
모리스 쿠랑 원저, 李姬載 譯,『韓國書誌 – 修訂飜譯版 –』. 서울: –潮閣, 1994.
미야시타 시로 지음, 오정환 옮김,『책의 도시 리옹』. 서울: 파주, 2004.
閔大植 編述,『新撰地文學』. 光武 11年[1907]), 徽文館.
민경현, "19세기 후반 한불관계 – 한불수호조약을 중심으로 –", 프랑스 국립극동연구원,『서울의 추억 – 한/불 1886 – 1905 –』, 한불수교 120주년 기념전시 심포지엄 논문집, 2006. pp.80 – 85(불문 86 – 91).
민영환 지음, 조재곤 편역,『海天秋帆』. 서울: 책과 함께, 2007.
바네사 R. 슈바르츠 지음, 노명우, 박성일 공역,『구경꾼의 탄생: 세기말 파리, 시각문화의 폭발』. 서울: 마티, 2006.
바슬라프 세로셰프스키 원저, 김진영 외 역.『코레야 1903년 가을』. 서울 개마고원, 2006.
博覽會出版協會 編,『萬國博覽會參加五十年記念博覽會誌』. 大正13年[1924].
Park Byeng – Sen(박병선), "The Printing by Metallic Movable Types in Korea",『Proceedings of the third Asian cultural scholars convention』. Asian

Parliamentarians' Union Tokyo, Japan. Tokyo, 28 November – 1 December, 1977. pp.112 – 117.
박병선, "『직지심경』의 명명사유", 『直指와 한국고인쇄문화』. 제5회 청주인쇄출판축제 학술회의. 1999년 12월 17일. 청주예술의전당 대회의실. pp.3 – 8.
박병선, "直指』와 나", 『興德寺址 發掘의 回顧와 展望』. 흥덕사지 발굴 20주년 기념학술회의. 2005년 9월 4일 청주고인쇄박물관 세미나실. pp.53 – 55.
박병선, 『한국의 인쇄』. 청주: 청주고인쇄박물관, 2002.
朴相奎 譯, 『韓國의 書誌와 文化』. 서울: 신구문화사, 1974
백성현 · 이한우, "파리 만국박람회", 『파란 눈에 비친 하얀 조선』. 서울: 새날, 1999.
白雲和尙, 『白雲和尙抄錄佛祖直指心體要節』 BNF, Coreen 109.
白雲和尙, 『白雲和尙抄錄佛祖直指心體要節』 國立中央圖書館 所藏本.
白雲和尙, 『白雲和尙抄錄佛祖直指心體要節』 藏書閣 所藏本.
白雲和尙, 『白雲和尙抄錄佛祖直指心體要節』 金屬活字 筆寫本.
『브리테니커 세계 대백과사전』 22권. 서울: 한국브리태니커회사, 1994.
사회과학원 역사연구소 편, 『조선문화사』. 평양: 사화과학원 역사연구소, 1977.
샤를 바라 지음, 성귀수 옮김, 『조선기행』. 서울: 눈빛, 2001.
샤를 달레 原著, 安應烈, 崔奭祐 共譯註, 『韓國天主教會史』上 · 中 · 下. 서울: 한국교회사연구소, 2000.
샬트르 성 바오로 수녀회, 『(조선에 온 첫 선교 수녀) 자카리의 여행일기』. 서울: 기쁜소식, 2008.
서길수 지음, 『한말 유럽학자의 고구려연구』. 서울: 여유당, 2007.
徐烈起, 『古鮮冊譜』(附 · 鮮冊命題)의 書誌的 硏究』. 碩士學位論文. 漢陽大學校 教育大學院, 1995.
서영희, 『대한제국 정치사 연구』. 서울: 서울대학교출판부, 2005.
서정민, 『제중원과 초기 한국기독교』. 서울: 연세대학교출판부, 2005.
釋尾春芿 編, 『朝鮮古書目錄』. 京城: 朝鮮古書刊行會, 明治 44年[1911].
釋璨 錄, 『白雲和尙語錄』, 『세계의 문학』, 2006년 6월 여름호, 8월 가을호.
小倉親雄 譯註, 『(モーリスクーラン)朝鮮書誌序論』, 『讀書』 第2卷 第3號. 昭和 13年[1938].
松永五作 著, 申海永 譯, 徐丙肅 校閱, 『蠶桑實驗說』. 光武 5年[1901], 廣文社.
신경숙, 『리진』1, 2. 서울: 문학동네, 2007.
신명직 지음, 『모던뽀이 京城을 거닐다』. 서울: 현실문화연구, 2003.
신명호, 『궁녀』. 서울: 시공사, 2004.
신봉승 극본, 『이심의 비련기』 3부작. MBC창사 20주년 기념특집극. 1981년 12

월 3일. 비디오테이프.
愼兌範 著, 『『開港後』의 仁川風景』. 인천: 인천향토사연구회, 2000.
심세중, "모두 그녀의 사랑에 빠져 버렸네", 『Maison(마리끌레오 메종)』 2005년 2월호, 256-261.
아세아문화연구소, 『舊韓國外交文書』, 제19, 20권(法案 1, 2), 1969.
Isabella Bird Bishop, 신복룡 역주, 『조선과 그 이웃 나라들』. 서울: 집문당, 2006.
安龍根 著, 『韓國人과 개고기』. 서울: 도서출판 효일, 2000.
안춘근 편역, 『눈으로 보는 책의 역사』. 서울: 범우사, 1997.
安春根, 『韓國書誌學原論』. 서울: 범우사, 1990.
알프레드 에드워드 존 캐번디시 저, 조행복 역, 『백두산으로 가는 길』. 서울: 살림, 2008.
嚴淑瓊, 『19세기말 在韓 프랑스 외교관 모리스 쿠랑의 韓國書誌에 대한 고찰』. 석사학위논문. 경성대학교 대학원, 1999.
에바 디 스테파노, 김현주 역, 『구스타프 클림트』. 서울: 예담, 2006.
엘리자베스 샤바놀, "1900년 파리만국박람회 한국관", 프랑스 국립극동연구원, 『서울의 추억-한/불 1886-1905-』, 한불수교 120주년 기념전시 심포지엄 논문집, 2006. pp.121-132(불문 133-145).
앨러스테어 덩컨 지음, 고영란 옮김, 『아르누보』. 서울: 시공사, 2001. 『靈光 母岳山 佛甲寺-地表 調査 報告書-』. 東國大學校博物館, 靈光郡, 2001.
吳國鎭 復元, 『直指活字 復元 報告書』. 淸州古印刷博物館, 1996.
吳國鎭 復元, 『白雲和尙抄錄佛祖直指心體要節 上卷 復元硏究 結果報告書』. 淸州市, 2001.
오세영, 『구텐베르크의 조선』. 3권. 서울: 예담, 2008.
오인동, 『코레아, 코리아(서양인이 부른 우리나라 국호의 역사)』. 서울: 책과 함께, 2008.
왕현종, 『한국 근대국가의 형성과 갑오개혁』. 서울: 역사비평사, 2005.
요시미 순야 지음, 이태문 옮김, 『박람회-근대의 시선-』. 서울: 논형, 2004.
유길준 저, 허경진 옮김, 『서유견문』. 서울: 서해문집, 2004.
유영렬, 윤정란 지음, 『19세기말 서양 선교사와 한국사회』. 서울: 景仁文化社, 2004.
유영익, 『젊은 날의 이승만』. 서울: 연세대학교출판부, 2003.
윤병훈, 『프랑스 파리외방전교회가 한국 근대교육기관의 발전에 미친 영향 연구』. 博士學位論文. 한국교원대학교대학원, 2008.
윌리엄 엘리엇 그리피스(Griffis) 지음, 신복룡 역주, 『은자의 나라 한국』. 서울: 집문당, 1999.

W. F. 샌즈 지음, 신복룡 역주, 『조선비망록』. 서울: 집문당, 1999
이강칠 지음, 『대한제국시대 훈장제도』. 서울: 白山出版社, 1999. p.116.
이광주 지음, 『아름다운 지상의 책 한권』. 서울: 한길아트, 2001.
이광표 지음, 『국보이야기』. 서울: 작은박물관, 2005.
이근배, "내 생애의 한 단장(斷章)", 『책과 인생』 1997(3,4). pp.64 – 69.
이귀원, "한국에서의 모리스 쿠랑 연구", 프랑스 국립극동연구원, 『서울의 추억 – 한/불 1886 – 1905 – 』 한불 수교 120주년 기념전시 심포지엄 논문집, 2006. pp.63 – 71(불문 73 – 79).
이구열 지음, 『한국문화재수난사』. 서울: 돌베개, 2006.
李龜烈, "1900년 파리 萬博의 韓國館", 『近代 韓國美術史의 硏究』. 서울: 미진사, 1992. pp.153 – 161.
이규태, 『개화는 싫어 개국은 더욱 싫어』. 서울: 조선일보사, 2001. (이규태의 개화백경 5).
이기백 편, 『한국사 시민강좌(제34집)』. 서울: 일조각, 2004. "특집 한국을 사랑한 서양인".
李能雨, "稀罕 木板本(이야기책 고대소설 梗概 및 反譯: 모리스 쿠랑의 韓國書誌 所得分", 『국어국문학』. 第39, 40號. 서울대학교국어국문학회, 1968. pp.157 – 164.
李能和, 『朝鮮佛敎通史(上・中・下)』. 서울: 보련각, 1972.
이덕일, 『조선 최대 갑부 역관』. 서울: 김영사, 2006.
이민식, 『콜럼비아 세계박람회와 한국』. 서울: 백산자료원, 2006.
이블린 케이 지음, 류재선 옮김, 『이사벨라 버드』. 서울: 비움, 2008.
이선주, "불 외교관과 조선 궁중무희의 비극적 사랑", 『주간조선』 제1365호 (1995. 8. 3). pp.52 – 53.
李聖春, 『韓國 目錄學에 關한 硏究』. 碩士學位論文. 이화여자대학교대학원, 1971.
李世烈 譯, 『直指』. 서울: 保景文化社, 1997.
이세열 "직지의 역사적 성격", 『충북의 민족문화와 직지 고인쇄문화』. 제2회 문화예술 정책 세미나. 청주예술의전당 대회의실. 1997년 10월 6일. pp.30 – 136(pp.41 – 43).
이세열, "청주시민에게 있어서 『직지』의 의미와 현존 가능성", 『직지찾기운동의 성과와 과제』. 청주시의회특별위원회실. 1999년 3월 9일. pp.1 – 18.
이세열, "새로운 직지찾기운동 방향에 대해(下)", 중부매일 1998년 8월 26일 4면.
이세열, 『직지 디제라티』. 청주: 도서출판 직지, 2000.
이세열, "직지와 남북통일", 중부매일 2000년 10월 12일 4면.

이세열, “『직지(直指)』의 어원 및 책이름에 관한 연구”, 『古印刷文化』 第7輯 (2000). pp.201 – 287.
이세열, “直指와 비구니 妙德에 관한 연구”, 『中原文化論叢』. 충북대학교 중원문화연구소, 2000. pp.67 – 95.
이세열, “직지의 성립 및 편성체제에 관한 연구”, 『서원대학교 교양특강자료』. 2001년 5월 9일. pp.1 – 31.
이세열, “직지문화 상품화 및 세계화 방안”, 『직지와 자본』. 서원대학교 호서문화연구소, 2004년 11월 10일. pp.3 – 109.
이세열, “직지세계화 추진방향”, 『직지연구자 토론회』. 2006년 12월 21일 한국공예관 4층. 직지포럼. pp.13 – 28.
이영훈 편, 『수량경제사로 본 조선후기』. 서울: 서울대학교출판부, 2004.
이자벨 라캉, 김윤진 옮김, 『꽃들의 질투』. 서울: 예담, 2008.
이중연, 『고서점의 문화사』. 서울: 혜안, 2007.
李重華 撰, 『京城記略』. 京城: 新文館, 大正 7年[1981].
이진명, “프랑스에 있는 한국의 고문화재”, 『신동아』1993년 11월호. pp.590 – 603.
이진명, “프랑스의 한국학, 그 현황과 전망”, 『제3회 동아시아 국제학술심포지엄 학술논문집』. 경기대학교, 1996. pp.27 – 58.
이진명, “프랑스 국립도서관 및 동양어대학 도서관 소장 한국학 자료의 현황과 연구동향”, 『국학연구』 제2집(2003, 봄・여름). pp.183 – 221.
이진명, “쿠랑 – 유럽 한국학의 선구자 – ”, 『한국사 시민강좌』 제34집. 서울: 일조각, 2004. pp.42 – 53.
이진명, 『독도 지리상의 재발견』. 서울: 도서출판 삼인, 2005.
李喆珪, “Maurice Courant과 韓國書誌”, 『도협월보』 第11卷 第1號(1970. 1). pp.7 – 11.
리철화 집필, 『조선출판문화사』. 평양: 사회과학출판사, 1995.
이태진, 『왕조의 유산』. 서울: 지식산업사, 1994.
이효진, 『한국영화역사강의 1』. 서울, 이론과 실천, 1992.
李姬載, “모리스 쿠랑과 韓國書誌에 관한 考察”, 『淑明女大論文集』第28輯(1988). pp.325 – 364.
李姬載, “모리스 쿠랑(Maurice Courant; 1865 – 1935)의 韓國學 研究”, 『李載龍博士還曆紀念韓國史論叢』. 1990. pp.957 – 981.
李姬載, “프랑스 빠리 東洋語學校 圖書館 所藏本의 主題別 特性과 意義”, 『書誌學研究』第10輯(1994)..
이희재, “모리스 쿠랑과 한국서지”, 프랑스 국립극동연구원, 『서울의 추억 – 한/불 1886 – 1905 – 』 한불수교 120주년 기념전시 심포지엄 논문집, 2006.

pp.35－49(불문 50－62).
이희재, “백운화상초록불조직지심체요절과 조선 초기 활자 인쇄문화”, 『서지학연구』 第28輯(2004). pp.99－136.
이희재, 『韓國書誌 CD판』. 서울: 누리미디어, 2005.
임정의 편저, 『명동성당 100년』. 서울: 코리언북스, 1998.
Ernst J. 오페르트, 신복룡・장우영 역주, 『금단의 나라 조선』. 서울 집문당, 2004.
장동하, 『개항기 한국사회와 천주교회』. 서울: 가톨릭출판사, 2006.
前間恭作 編, 『古鮮冊譜』. 東京: 東洋文庫, 1943－1957.
전봉관, “조선 최초의 스웨덴 경제학사 최영숙 애사(哀史)”, 『新東亞』 통권 560호(2006. 5). pp.542－555.
전창훈, 『작은 프랑스 큰 미국』. 서울: 영미디어, 2001.
鄭喬 著, 趙珖 編, 변주승 譯, 『大韓季年史』. 서울: 소명출판, 2004.
정상천, “1886－1910년 한・불 통상 관계가 미약했던 원인에 대한 역사적 고찰: 프랑스 외무부 사료를 중심으로”, 『프랑스사 연구』 제10호(2004, 2). 한국프랑스사학회. pp.87－135.
정상천, “파리 국립도서관 소장 외규장각 도서반환 협상결과, 쟁점 및 평가”, 『프랑스사 연구』 제16호(2007. 2) 한국프랑스사학회. pp.193－224.
정연정, 조택희, 『직지의 가치 측정 및 활용방안』. 충북개발연구원, 2004. 2. pp.1－59.
鄭寅琥 纂輯, 張世基 校閱, 『初等 大韓歷史』. 隆熙 2年[1908], 玉虎書林.
정진석, 『언론유사』. 서울: 커뮤니테이션북스, 1999.
정필모, 오동근 공저, 『도서관 문화사』. 서울: 구미무역, 1991.
제이콥 로버트 무스 지음, 문무홍 외 옮김, 『1900, 조선에 살다』. 서울: 푸른역사, 2008.
제주도지편찬위원회 편, 『濟州道誌』.
조경희, 『천년의 사랑 직지』. 서울: 대교출판, 2008.
조르주 뒤크로 지음, 최미경 옮김, 『가련하고 정다운 나라 조선』. 서울: 눈빛, 2001.
朝鮮王朝實錄. 太祖實錄 卷3, 조선유적유물도감 편찬위원회 편, 『북한의 문화재와 문화유적 Ⅳ』. 서울: 서울대학교출판부, 2000. p.228.
조완선, 『외규장각 도서의 비밀 1, 2』. 서울: 휴먼&북스, 2008.
趙胤修, 『모리스 쿠랑의 한국서지에 대한 서지학적 고찰』. 석사학위논문. 이화여자대학교대학원, 1989.
조재곤 지음, 『그래서 나는 김옥균을 쏘았다』. 서울: 푸른역사, 2005.

조현범, 『문명과 야만－타자의 시선으로 본 19세기 조선－』. 서울: 책세상, 2002.
지그프리트 겐테 지음, 권영경 옮김, 『독일인 겐테가 본 신선한 나라 조선, 1901』. 서울: 책과함께, 2007.
淺見倫太郎 譯, 『朝鮮藝文誌』. 京城: 朝鮮總督府, 1912.
千惠鳳, "高麗鑄字本 白雲和尙抄錄佛祖直指心體要節", 『도협월보』 vol.14, no.3(1973. 3) pp.6－11.
千惠鳳, 『佛祖直指心體要節解題』 文化公報部 文化財管理局, 1973, 1977.
千惠鳳, 「白雲直指心體의 刊行 背景」, 『古印刷文化』第7輯, 淸州古印刷博物館, 2000.
淸州古印刷博物館 편, 『直指와 金屬活字의 발자취』. 청주: 淸州古印刷博物館, 2002.
청주고인쇄박물관 편, 『직지(白雲和尙抄錄佛祖直指心體要節)』. 파주: 태학사, 2008.
최문형, 『한국을 둘러싼 제국주의 열강의 각축』. 서울: 지식산업사, 2002.
崔奭祐, "韓佛條約체결과 그 후의 양국관계", 『韓佛修交 100년사』. 한국사연구협의회, 1986.
春秋館, 『朝鮮王朝實錄－高宗, 純宗實錄－』. 영인본. 서울: 探求堂, 1986.
忠淸北道知事官房 編纂, 鄭三哲 編譯, 『1928年度 忠淸北道要覽』. 淸州: 忠北開發硏究院, 1996.
W. R. Carles, 신복룡 역주, 『조선풍물지』. 서울: 집문당, 1999.
KBS 영상사업단, 『오늘의 평양(Ⅰ·Ⅱ)』. 서울: KBS 영상사업단, 2000.
KBS 한국사傳제작팀, 『한국사傳』. 서울: 한겨레출판사, 2008.
콜린 플린트 지음, 한국지정학연구회 옮김, 『지정학이란 무엇인가』. 서울: 도서출판 길, 2007.
클라이브 크리스티 편저, 노영순 옮김, 『20세기 동남아시아의 역사』. 서울: 심산, 2005.
클레어 필립스 지음, 김숙 옮김, 『장신구의 역사－고대에서 현대까지－』. 서울: 시공사, 2000.
퍼시벌 로웰, 조경철 옮김, 『내 기억 속의 조선, 조선 사람들』. 서울: 예담, 2001.
페르난도 바에스 원저, 조구호 옮김, 「책 파괴의 세계사」, 서울: 북스페인, 2009.
펠릭스 클레르 리델 원저, 한국교회사연구소 번역위원회 역주. 서울: 한국교회사연구소, 1994, V.1. 병인양요와 선교사 활동의 좌절(1857－1875).
펠릭스 클레르 리델 지음, 유소연 옮김, 「나의 서울 감옥생활 1878」, 서울: 살림, 2009.
프랑스 국립극동연구원, 『서울의 추억－한/불 1886－1905－』, 한불수교 120주년 기념전시 심포지엄 논문집, 2006.

프랑시스 마꾸엥의, “기메박물관, 한국, 그리고 모리스 쿠랑”, 프랑스 국립극동연구원, 『서울의 추억 – 한/불 1886 – 1905 – 』, 한불수교 120주년 기념전시 심포지엄 논문집, 2006. pp.108 – 114(불문 115 – 120).
Francis Macouin, “Le temple de Hungdok et le Chikji shimche yojol(흥덕사와 직지심체요절)”, 『Arts asiatiques(동양의 예술)』, T. ⅩLⅣ(44). 1989. pp.128 – 130.
Francis Macouin, “Des livres Corée anciens á Paris(파리에 있는 한국고서)”, 『Culture Coréenne(한국문화)』. no.26. juillet 1991(주불 한국문화원). pp.11 – 18.
프레데릭 불레스텍스 지음, 이향, 김정연 공역, 『착한 미개인 동양의 현자』. 서울: 청년사, 2001. 『프린팅코리아』. 2005년 10월호.
피에르 로티, 이진명 옮김, “새벽을 깨우는 王宮의 나팔소리”, 『新東亞』1992년 6월호, pp.514 – 525.
하원호 등저, 「개항기의 재한 외국공관 연구」, 서울: 동북아역사재단, 2009.
학담 평석, 『현사사비선사어록』. 서울: 큰수레, 2002.
한국교열기자협회 편, 『세계지명사전』. 서울: 한국교열기자협회, 2000.
한국교회사연구소, 『뮈텔주교일기 1 – 6』. 서울: 한국교회사연구소, 1986.
韓國圖書館協會 韓國書誌事業會 編輯, 『舊韓末古文書解題目錄』. 서울: 韓國圖書館協會, 1970.
韓國史硏究協議會 편, 『韓佛修交100年史』. 서울: 韓國史硏究協議會, 1986.
韓國政治外交史學會 편, 『韓佛外交史』. 서울: 평민사, 1987. 『한글 대장경 전등록 2』.
韓榮達 著, 『韓國의 古錢』. 서울: 도서출판 善, 2002.
한중일3국공동역사편찬위원회 지음, 『미래를 여는 역사』. 서울: 한겨레출판, 2005.
헨드릭 하멜 지음, 유동익 옮김. 『하멜보고서』. 서울: 중앙M&B, 2003.
Horace N. Allen 지음, 신복룡 역주, 『조선견문기』. 서울: 집문당, 1999.
혼마 규스케(本間九介) 지음, 최혜주 역주. 『(일본인의 조선 정탐록) 조선잡기』. 서울: 김영사, 2008.
황정하, “『白雲直指心體』의 刊行 背景”, 『古印刷文化』. 第7輯(2000).黃正夏, “『白雲直指心體』의 刊行考”, 『松谷 孫弘烈博士華甲紀念 史學論叢』. 서울: 修書院, 1988. pp.175 – 188.
황정하, “옛 인쇄문화와 청주의 세계화”, 『21세기 충북 청주의 지역문화와 민족문화』. 충북민예총, 1996년 10월 25일. pp.76 – 82.
황정하, “高麗時代 金屬活字本「直指」의 傳存 經緯 – 프랑스 국립도서관(BNF) 所藏을 중심으로 – ”, 『고인쇄문화』제13집, 2007. pp.231 – 273.
황정하, 『고려시대 직지활자 주조법의 실험적 연구』. 박사학위논문. 중앙대학교대학원, 2008.
黃玹,『梅泉野錄』. 서울: 國史編纂委員會, 檀紀 4288年[1955].
후루카와 아키라(古川昭) 著, 李成鈺 역,『구한말 근대학교의 형성』. 서울: 景仁文化社, 2006.
徽文義塾編輯部 編纂,『大東文粹』. 光武 11年[1907], 徽文館.
黑田亮,『朝鮮舊書考』. 東京, 岩波書店, 昭和 15年[1940] 서울: 아세아문화사, 1973. (영인본).
선데이 서울 1968년 9월 29일 제1권 제2호.
조선일보 1977년 10월 18일 5면 "19세기 韓國學의 巨星 [모리스 쿠랑] 硏究 활발 – 저서『조선서지』전4권 프랑스서 재평가 – ".
한국일보 1979년 6월 6일 5면. "파리의 첫 韓國女人은 宮中舞姬였다 – 19世紀末 駐韓公使의 기행문『한국』에서 판명".
MBC 문화방송 1981년 12월 3일 오후 8시 30분 – 11시 30분. MBC 창사20주년 기념 특집극. "梨心의 悲戀記".
법보신문 1997년 2월 26일 15면 "금속활자본『직지』경매가는 얼마".
중부매일 1997년 2월 28일 12면 "직지가격 4억8백만원? – 주성전문대 이세열씨 – ".
중부매일 2001년 6월 22일 1면 "직지 새기록 발견 관심 상・하권 간지에 인쇄시점・소장자 기록".
연합뉴스 2001년 6월 22일 "19세기 초 직지 세계 최고로 인정자료 있다".
경향신문 2001년 6월 22일 "19세기 초 직지 세계 최고로 인정자료 있다".
노동일보 2001년 6월 22일 "직지 최고로 인정받았다 프랑스에 기록있다 주장 나와".
국민일보 2001년 6월 22일 "직지심체 最古활자 佛학자가 인정".
한겨레신문 2001년 6월 22일 "19세기 초 직지 세계 최고로 인정 자료 있다".
동양일보 2001년 6월 23일 "직지 프랑스인이 먼저 승인 주성대 이세열씨 1900년께 금속활자본 인정 주장".
CJB 청주방송 2001년 6월 23일 오후 8시 30분 뉴스 "직지 프랑스 유출과정 확인"(임해훈 기자).
중부매일 2001년 6월 28일 6면 "『임병무의 역사산책』직지 밑그림 찾기".
현대불교 2001년 7월 4일 16면 "직지심체요절 最古 금속활자본 1900년 전후 프랑스인들 인정".
만불신문 2001년 7월 11일 15면 "최고 금속활자본 직지 20세기 초 이미 인정 – 이세열 씨 – ".
법보신문 2001년 7월 25일 "『김형규 기자의 문화재 바로보기』백운직지에 대한 4가지 오해 – 하".
인쇄신문 2001년 8월 24일 6면 "프랑스, 19세기 초 직지 세계 최고 활자본 인정

직지연구가 이세열 씨 주장".
매일경제 2001년 11월 20일 면. "매경춘추 리진(영혼의 꽃)".
『프린팅코리아』 2004년 8월호, "<차한잔> 직지홍보대사 정지영 감독" pp.60－64.
한빛일보 2004년 11월 2일 4면 "최창호 청주고인쇄박물관장 유럽출장기－직지 원본 열람－".
중앙일보2006년 11월 21일. "미국 UC버클리대학 도서관 내 한국관컬렉션".
중부매일 2005년 8월 30일 2면. "직지소재 신고자에 보상금 지급".
충청투데이 2005년 8월 30일 1면. "직지 신고자에 100억 내 보상 추진".
동아일보 2005년 9월 27일 A2면 "100년 만에 다시 찾은 한국의 소리".
서울신문 2005년 10월 1일 9면. "해외반출 문화재 20개국 74,000여점".
CJB 청주방송 2005년 10월 26일 오후 8시 30분 뉴스.
MBC 청주문화방송 2005년 10월 26일 오후 9시 30분 뉴스 "직지원본 청주전시 추진".
충청리뷰 2005년 10월 29일 15면. "직지 원본 바로 여기 있었네".
조선일보 2005년 10월 30일 A9면 "가장 오래된 광개토왕碑 사진".
조선일보 2005년 11월 1일 A22면. "서구학계 일찍부터 고구려 韓國史로 인식".
한겨레신문 2005년 12월 9일 22면. "월급생활 끝내는 김명곤 국립극장장".
중부매일 2006년 1월 20일 9면. "불교 미술품 경매시장 살아난다".
조선일보 2006년 2월 1일 A8면. "조선 교구장 브뤼기에르 주교 묘비 찾았다".
동아일보 2006년 2월 25일 A11면. "외규장 도서 인터넷으로 본다".
동아일보 2006년 3월 14일 A19면. "홍길동전 등 한국 고전소설 1889년 발간 첫 영역본 발견".
조선일보 2006년 5월 15일 A19면. "파리에 간 왕의 여자 리진, 그녀의 슬픈 사랑 이야기".
중앙일보 2006년 5월 18일 21면. "한 여인 소재로 두 작가가……누가 먼저일까".
연합뉴스 2006년 5월 18일. "구한말 실존 궁중무희 영화와 소설로 부활".
TVONE 2006년 5월 18일. "궁중무희 '리심' 다양하게 환생".
조선일보 2006년 5월 22일 A22면. "신경숙 본지연재 역사소설. 문화계 돌풍으로".
조선일보 2006년 11월 1일 A30면. "리진 푸른 눈물(121회) 3장 3 구경꾼들".
경향신문 2006년 11월 4일 7면. "1천 313억원 세계 최고가 그림".
충청일보 2007년 4월 17일 12면. 직지의 재발견 ④ "우리의 문화유산 직지를 다시 찾다".
중부매일 2007년 4월 28일 8면. "황정하 학예사 연구문" .
국민일보 2007년 7월 11일 29면. "신앙의 향기를 찾아－시공 초월한 희귀본 성서 가득".

동아일보 2007년 9월 5일 A25면. "약탈문화재 멀고 먼 귀향".
서울신문 2007년 9월 27일 27면. "마그나카르타 소더비 경매 나온다 낙찰가 276억원 예상".
경향신문 2007년 10월 25일 8면. "13세기 코란 필사본……21억원에 낙찰".
동아일보 2007년 11월 20일 A16면. "국내 최초 주불외교관 기록 발견".
동아일보 2008년 1월 9일 A14면. "1900년 파리만국박람회 한국관 내부사진 발견".
중앙일보 2008년 2월 20일 A1, 6면. "고종 을사늑약 원천 무효 밀서 1906년 독일 황제에게도 보냈다".
서울신문 2008년 3월 28일 27면. "고종은 존경심보다 연민 일으켜".
연합뉴스 2008년 4월 16일. "美 대학도서관서 한국고서 유일본 대거 발견".
연합뉴스 2008년 5월 30일. "신경숙 소설 '리진' 연극으로".
MBC 청주문화방송 2006년 7월 31일 오후 11시 5분－12시. 창사 36주년 다큐멘터리. "직지의 최초 발견자콜랭 드 플랑시".
KBS1 한국방송공사 2007년 6월 23일 오후 8시 10분－9시. 한국사傳 제2회. "조선의 무희, 파리의 연인이 되다－리진－".

http://www.nl.go.kr/(국립중앙도서관)
http://www.bnf.fr/default.htm(프랑스국립도서관)
http://memory.loc.gov/pp/anedubquery.html(미의회도서관)
http://blog.naver.com/operman0.do?Redirect＝Log&logNo＝140017842095
http://blog.naver.com/nitko/16444122
http://sillok.history.go.kr/(조선 왕조실록)
http://ktx.koral.go.kr(철도청)
http://www.mbcpro.co.kr
http://www.euro－coree.net(이진명 교수)
http://seoul600.visitseoul.net/(서울육백년사)
http://k5000.nurimedia.co.kr/intro.asp?Book＝한국서지
http://www.oldbooks.co.kr/(고서점)
http://www.mediatheque－agglo－troyes.fr/bmtroyes/(트루아시립미디어테크)
http://www.amazon.com/(아마존)
http://search.half.ebay.com/.
http://www.museeguimet.fr/(기메박물관)
http://www.nurimedia.co.kr/(누리미디어)
http://nomadbook.co.kr/(노마북)
www.memorykorea.go.kr(국가기록유산포털)

http://www.kdatabase.com/SchRstBook.aspx?schKeyword=2338(한국학전자도서관)

특별전: 한국 프랑스 수교 120주년 기념 특별전. 2006년 10월 19일-11월 30일. 고려대학교박물관 기획전시실.

BIBLIOTHEQUE NATIONALE, LE LIVRE, PARIS, 1972.

BIBLIOTHÈQUE NATIONALE, TRÉSORS D'ORIENT, PARIS, 1973.

Daniel Kane, "Display at Empire's End: Korea's Participation in the 1900 Paris Universal Exposition", 『Sungkyun Journal of East Asian Studies』. Vol.4 No.2. 2004. pp.41-66.

Henry Vivarez, "Mémoires et Communications-Vieux Papiers de Corée-", 『Le Vieux Papier』, Come Premier, 1900-1902, Archéologique, Historique & Artistiquee, 1903.

H. Richard, FORT COMME PLANCY ENTOURÉ.

DE ROSEAUX, De Plancus à Plancy-L'Abbaye, 2004.

Maurice Courant, Bibliographie Coréenne, Paris, Ernest Leroux, 1894-1896.

Maurice Courant, Bibliographie Coréenne Supplément, Paris, Ernest Leroux, 1901.

Maurice Courant, 『Bibliographie Coreen』(영인본). 서울: 景仁文化社, 2000. 近世東亞細亞 西洋書 資料叢書 1-3).

Rémy Tcissier du Cros(레미 테시에 뒤 크로), "Victor Collin de Plancy á Séoul", 1888-1906(빅토르 콜랭 드 플랑시의 서울 체류, 1888-1906). 『Culture Coréenne(한국문화)』. no.52. juillet 1999(주불 한국문화원). pp.16-22.

백운화상불조직지심체요절-깨달음의 이야기 직지-, CD-ROM. 청주: 직지문화연구소, 1999.

『직지』. MBC 창사특집드라마. 2005년 12월 3일(11시 40분-1시 10분). 필자 자문.

자문: 청주고인쇄박물관 라경준 학예사
청주고인쇄박물관 황정하 학예연구실장
MBC 청주문화방송국 남윤성 프로듀서

약력

1960년 경북 봉화 출생

1급정사서 · 사서교사 · 서지학자 · 향토사학자 · 작사가
청주대학교 문헌정보학과 및 동대학원 졸업(서지학 전공)
보은공공도서관 사서
대전보건대학 박물관과 강사
서원대학교 교양과정 및 평생교육원 강사
청주시민회 직지찾기운동본부 교육연구팀장
2000청주인쇄출판박람회 실행위원(번역자문)
직지오페라 제작 자문위원
흥덕사복원추진위원회 학술분과위원장
직지와 토론 직지분과위원장
직지포럼 회원
세종대왕과 초정약수축제 어가행차 고증자문
주성대학 문헌정보과장
주성웹진 논설위원

현재
직지디제라티연구소장(JIKJI DIGERATI INSTITUTE DIRECTOR)
한국고서연구회 회원
서지학회 회원

주요논문 및 저서

『직지 디제라티』, 도서출판 직지, 2000년.
『다가선－베스트셀러 벗겨보기－』, 도서출판 직지, 2001년.
『北二面誌』(공저), 충북 청원군 북이면지편찬위원회, 2002년.
『주성대학도서관 10년의 星霜』, 주성대학중앙도서관, 2004년.
『韓國佛教學術叢書 129 佛經: 金屬活字 直指』(공저), 佛咸文化社, 2004년.
『직지 600년 비밀의 문을 열다』, 도서출판 직지, 2004년.
『內秀邑誌』(공저), 충북 청원군 내수읍지편찬위원회, 2007년.
『English Conversation For Librarians』, 주성대학중앙도서관, 2008년.

역서 · 편역서
『한서예문지』, 자유문고, 1995년.
『직지』(하권), 보경문화사, 1997년.
『초정약수의 세종 · 세조 행차자료집』, 청원군, 1999년.
『역사 속의 초정약수』, 산과 들, 1999년.
『규장각지』, 자유문고, 2009년 출간 예정.

작사
<나의 사랑 직지>(동요), 2002년.
<그리운 직지심체요절>(가곡), 2002년.
<직지>(박정현 노래), 세원음반, 2002년.

감수 및 학술자문

백운화상불조직지심체요절 - 깨달음의 이야기 직지 - , CD - ROM, 청주: 직지문화연구소, 1999년.

사라진 금속활자를 찾아서(KBS 수요기획 다큐멘터리), 1999년.

직지는 있는가(KBS 네트워크기획), 1999년.

신비의 약수(KBS 춘천방송총국), 2002년.

제1회 세종대왕과 초정약수 축제 어가행차, 청원군, 2003년.

직지 동판 제작, (주)다우산업, 2004년.

<직지>(MBC 창사특집드라마), 2005년 12월 3일.

작품 · 공연 · 전시

Jikji Mini Concert, 2002년 3월 23일.

직지여성정장, 2004년.

직지홍보사진, 2005년.

주성대학 교직원 저작물 전시회, 2009년.

학술논문

충청지역 전적문화에 관한 고찰(1989), 청주대학교대학원, 석사학위논문

충청지역 관판고(1993), 청주대학교대학원 10주년 기념논문집

직지의 역사적 성격(1997), 충북민예총

직지와 구텐베르크 금속활자 인쇄술(1997), 청주인터넷방송국

충청지역 사찰판고(1998), 청주대학교문헌정보학과 20주년 기념논문집

직지의 이체자 교감(1999), 서원대학교 호서문화연구소

직지와 비구니 묘덕에 관한 연구(1999), 충북대학교 중원문화연구소

충청도 천하총도(2000), 청원군문화원

쌍운암지와 수구다라니(공저, 2000), 한국고서연구회

직지문화 인프라구축을 위한 방향(2000), 청주시민회 직지찾기운동본부

직지의 어원 및 책이름에 관한 연구(2000), 청주고인쇄박물관

대학생들의 도서관 이용실태에 관한 연구(공저, 2000), 주성대학학생생활연구소

직지의 성립 및 편성체제에 관한 연구(2001), 서원대학교

흥덕사의 복원과 인프라 구축(2002), 대한불교 조계종

도서관 전산화가 이용률에 미치는 영향에 관한 조사 연구(공저, 2003), 주성대학

전의초수의 효험과 주변초수 현황(2003), 충남 연기군향토사연구소

궁궐목욕문화(2003), 주성대학문예진흥연구소

직지문화 상품화 및 세계화 방안(2004), 서원대학교 호서문화연구소

전의약수의 역사성과 산업브랜드화(2005), 충남 연기군청

직지가 프랑스로 간 경위에 대한 고구(2005), 서원대학교 평생교육원

직지상징조형물 및 직지특구 용역결과의 문제점과 보완의견(2005), 직지포럼

내가 생각하는 직지 세계화(2006), 직지포럼

직지 세계화 추진방안(2006), 직지포럼

초정약수의 역사(2006), 충북 청원군청

白雲景閑의 生涯와『直指』(2009), 한국고서연구회

기타

奎章閣志 御題序文,『주성대학도서관 10년의 성상』, 2004, pp.588 - 597.

加髢申禁事目,『주성대학도서관 10년의 성상』, 2004, pp.598 - 661.

잃어버린 직지를 찾아서

초판인쇄 | 2009년 4월 20일
초판발행 | 2009년 4월 20일

지은이 | 이세열
펴낸이 | 채종준
펴낸곳 | 한국학술정보(주)
주 소 | 경기도 파주시 교하읍 문발리 513-5 파주출판문화정보산업단지
전 화 | 031) 908-3181(대표)
팩 스 | 031) 908-3189
홈페이지 | http://www.kstudy.com
E-mail | 출판사업부 publish@kstudy.com

등 록 | 제일산-115호(2000. 6. 19)
가 격 | 19,000원

ISBN 978-89-534-2163-9 93910 (Paper Book)
978-89-534-2188-2 98910 (e-Book)

어담 Books 는 한국학술정보(주)의 지식실용서 브랜드입니다.